Ziele und Aufbau

Es ist das Ziel dieser Reihe, den Schülerinnen und Schülern die Bedeutung der Naturwissenschaften sowie ihre Anwendungen im Alltag, im persönlichen Leben und im Beruf aufzuzeigen.

Besonderer Wert wurde darauf gelegt, die Zusammenhänge zwischen Physik und Chemie auf der einen Seite sowie anderen naturwissenschaftlichen Teilgebieten (Biologie, Ökologie) auf der anderen Seite aufzuzeigen. Denn nur so wird ein ganzheitliches naturwissenschaftliches Weltbild vermittelt.

Querverweise innerhalb der Kapitel und auch zu anderen Gegenständen und Gebieten unterstreichen diese Vernetzung der naturwissenschaftlichen Disziplinen.

Zur Beschäftigung mit der Natur und ihren Phänomenen zählt selbstverständlich genauso, dass die erworbenen Kenntnisse sowohl im persönlichen Leben als auch im Beruf **praktische Anwendung** finden. Die zahlreichen **Versuche, Experimente und Aufgabenstellungen** im Buch geben Ihnen die Möglichkeit, selbst zur Entdeckerin oder zum Entdecker zu werden.

Die Inhalte werden durch zahlreiche auf den Text abgestimmte Zeichnungen und Abbildungen ergänzt. Fachausdrücke werden in den Randspalten erklärt.

Kompetenzorientierter Unterricht

für kompetenzorientierten Unterricht

Die angeführten **Ziele** am Beginn jedes Abschnitts kennzeichnen, über welche Kompetenzen Sie als Lernende nach Durcharbeiten des Kapitels verfügen sollen. Zur Erarbeitung der Kenntnisse und Fertigkeiten sowie zur Kontrolle des Lernerfolgs stehen den Lernenden **Aufgaben** und **Abschlusstests** („Ziele erreicht?") zur Verfügung.

Alle diese Ziele, Aufgaben und Tests sind nach dem dreidimensionalen Kompetenzmodell für die Naturwissenschaften laut Bildungsstandards gekennzeichnet. Das Modell umfasst eine **Handlungsdimension,** eine **Inhaltsdimension** und unterscheidet zwischen **zwei unterschiedlichen Niveaustufen.**

Dieses Konzept beruht auf dem Kompetenzmodell aus den **naturwissenschaftlichen Bildungsstandards für Berufsbildende Höhere Schulen.**

Die **Inhaltsdimension** wird durch die Inhaltsbereiche des Lehrplans widergespiegelt. Dabei gibt es in jedem Fachgebiet (Biologie, Chemie und Physik) vier allgemeine inhaltliche Dimensionen:

- Stoffe, Teilchen und Strukturen
- Wechselwirkungen
- Entwicklungen und Prozesse
- Systeme

Damit Sie mit diesem Buch für den kompetenzorientierten Unterricht gewappnet sind, haben wir Ziele, Aufgabenstellungen sowie „Ziele erreicht?"-Aufgaben nach der **Handlungsdimension farblich gekennzeichnet.**

Es wird unterschieden zwischen Aufgaben, bei denen Sie

- Vorgänge und Erscheinungsformen beobachten und beschreiben;
- Gegenstände und Phänomene untersuchen und bearbeiten;
- erworbenes Wissen anwenden, Untersuchungen präsentieren.

KOMPETENZ-ERWERB

Meine Ziele

Nach Bearbeitung dieses Kapitels kann ich
- Blau (Beobachten, Erfassen)
- Rot (Untersuchen, Bearbeiten)
- Schwarz (Bewerten, Anwenden)

Zusätzlich wird bei den Aufgabenstellungen und „Ziele erreicht?"-Aufgaben neben der Handlungsdimension auch noch die **Niveaustufe** angegeben.

Niveau 1 beschreibt das Reproduzieren von naturwissenschaftlichen Sachverhalten, Methoden und Anwendungen. Es wird mit + gekennzeichnet.

Aufgaben mit **Niveau 2** zeichnen sich durch die Kompetenzen aus, naturwissenschaftliche Sachverhalte und Methoden auch interdisziplinär zu transferieren und auf neue Sachverhalte anzuwenden. Es wird mit ++ gekennzeichnet.

Aufgabenstellung 1 verlangt von der Handlungskompetenz die Dimension „Beobachten & Erfassen", weshalb sie in der Farbe blau gekennzeichnet ist. Da es dabei darum geht, einfache Kontexte aus naturwissenschaftlicher Sicht zu erklären, wurde die Aufgabenstellung mit **Anforderungsniveau 1** [+] gekennzeichnet.

Aufgabenstellungen

1. + Nennen Sie je zwei Säuren und zwei Basen, die im Haushalt Anwendung finden.

2. ++ Probieren Sie die Oberflächenspannung im Experiment aus. Legen Sie dazu eine Büroklammer vorsichtig auf die Wasseroberfläche in einem Gefäß. Geben Sie nun einen Tropfen Spülmittel zum Wasser hinzu. Was können Sie jetzt beobachten?
Beschreiben Sie die Auswirkungen von Tensiden in natürlichen Gewässern am Beispiel des Wasserläufers.

Bei Aufgabenstellung 2 hingegen wird eine naturwissenschaftliche Untersuchung bzw. Bearbeitung verlangt. Die rote Kennzeichnung macht die Handlungskompetenz „Untersuchen & Bearbeiten" deutlich. Da die Aufgabe sowohl ökologische Aspekte als auch physikalische und chemische Vorgänge behandelt, also interdisziplinäre Experimente durchgeführt und die Beobachtungen ausgewertet werden, handelt es sich um **Anforderungsniveau 2** [++].

Aufgabenstellungen erfordern die praktische Umsetzung des Wissens und verlangen zum Teil eigene kreative Lösungsansätze. Sie helfen den Lernenden, die Kenntnisse und Fertigkeiten zu festigen.

Die **Ziele** kennzeichnen, was die Schülerinnen und Schüler nach Durcharbeiten des Kapitels können sollen. Sie entsprechen den **Bildungs- und Lehraufgaben** des Lehrplans. Aus didaktischen Gründen wurden die Ziele zum Teil detaillierter und in der Sprache der Schüler/innen formuliert. **„Ziele erreicht?"-Aufgaben** am Ende eines Kapitels ermöglichen den Lernenden, selbst festzustellen, inwieweit sie in ihrem Lernprozess erfolgreich waren. Der Kompetenzzuwachs wird aufgezeigt.

Kompetenzen erworben?
Kreuzen Sie aufgrund der durchgeführten „Ziele erreicht?"-Aufgaben an, ob Sie die Kompetenzen
☺ **zur Gänze,**
😐 **überwiegend** oder
☹ **(noch) nicht ausreichend**
erworben haben. Wiederholen Sie den jeweiligen Lehrstoff im Buch, falls Sie einzelne Ziele noch nicht erreicht haben.

Ziele erreicht?

KOMPETENZ-ERWERB

1. + Ziel 1 ☺ 😐 ☹
2. + Ziel 2 ☺ 😐 ☹
3. + Ziel 3 ☺ 😐 ☹

Folgende weitere Piktogramme unterstützen das Lehren und Lernen mit dem Buch:

- für Diskussionsaufgaben
- für Wissenswertes und Tipps
- für „Achtung!“ oder „Beachten Sie!“
- für Verknüpfungen zu anderen Kapiteln oder zu interessanten Websites
- für Versuche und Experimente
- für Videos, die mittels QR-Code bzw. Link aufgerufen werden können
- für Downloads aus der TRAUNER-DigiBox
- Die Schüler/innen werden die wesentlichen Fachbegriffe eines Kapitels auf Englisch spielerisch mit kreativen Übungen erlernen (geeignet für ***C****ontent and* ***L****anguage* ***I****ntegrated* ***L****earning* – ***CLIL***).

Bei Versuchen und Experimenten ist unbedingt den Sicherheitsanweisungen des Buches und der Lehrkraft Folge zu leisten! Studieren Sie vor Durchführung eines Experiments auf jeden Fall die Sicherheitszeichen und Gefahrensymbole im Anhang und machen Sie sich mit den Sicherheitseinrichtungen in der Schule vertraut.

Die Beschreibungen der Versuche und Experimente sind ausschließlich für den Unterricht gedacht!

Damit Sie einen kompletten Überblick über die Gefahren und Sicherheitsvorkehrungen bei allen Versuchen, die Sie in diesem Buch finden, erhalten, haben wir eine Übersicht erstellt, in der neben den Sicherheitskennzeichnungen zu jedem Versuch auch die H- und P-Sätze sowie Entsorgungshinweise zu den darin verwendeten Chemikalien aufgelistet sind.
Sie finden diese Liste in der TRAUNER-DigiBox.

STARTEN SIE IHR DIGITALES ZUSATZPAKET ZUM BUCH!

In der TRAUNER-DigiBox (www.trauner-digibox.com) finden Sie Ihr persönliches E-Book und die Zusatzmaterialien zum Buch:

- www.trauner-digibox.com aufrufen
- Einmal kostenlos registrieren
- Ihr digitales Zusatzpaket mit **Lizenz-Key** auf der Rückseite des Buches freischalten.

Je nach Ausstattung, verfügbarer Zeit und auch dem Niveau der Klasse können die einzelnen Versuche entweder von der Lehrerin/vom Lehrer zu Demonstrationszwecken vor der Klasse durchgeführt werden oder aber auch unter der Aufsicht des Lehrpersonals von den Schülerinnen und Schülern selbst.
Die Entscheidung, inwieweit die Lehrperson unterstützt bzw. wer den Versuch durchführt, ist von den Lehrerinnen und Lehrern zu treffen.

Wir wünschen Ihnen ein intensives Lernen, spannende Übungen und Diskussionen sowie viel Erfolg beim praktischen Umsetzen!

Inhaltsverzeichnis

6. SEMESTER

I Biochemie

Durch die Biochemie konnten einerseits die chemischen Grundlagen vieler zentraler Lebensvorgänge nachvollzogen und andererseits die molekularen Mechanismen zahlreicher Krankheiten und vieler angeborener Stoffwechseldefekte aufgeklärt werden. Somit hat die Biochemie die Medizin grundlegend beeinflusst.

Die Wissenschaft der Biochemie umfasst das Grenzgebiet zwischen Biologie und Chemie. Sie untersucht die molekularen Grundlagen, den „Chemismus", des Lebens.

Biomoleküle

Bei den Biomolekülen handelt es sich um jene Stoffe, die als Energielieferanten, Katalysatoren und Enzyme wirken und deshalb für uns und unsere Stoffwechselvorgänge unverzichtbar sind. Dazu zählen unter anderem **Kohlenhydrate, Fette** und **Proteine,** aus denen sich der Großteil unserer Nahrung zusammensetzt.

Biomoleküle sind chemische Verbindungen aus Kohlenstoff, Wasserstoff, Sauerstoff sowie Stickstoff, Schwefel und Phosphor. Einige dieser Biomoleküle liefern uns Pflanzen (Kohlenhydrate, pflanzliche Fette). Aber auch Tiere sind Quellen für wertvolle Fette und Eiweiße (z. B. in Fleisch, Eiern und Milch).

KOMPETENZ-ERWERB

Meine Ziele

Nach Bearbeitung dieses Kapitels kann ich
- für die menschliche Ernährung wichtige Nährstoffe nennen;
- den chemischen Aufbau der Nährstoffe erklären;
- verschiedene Nährstoffe bzw. Nährstoffgruppen in Nahrungsmitteln anhand von Versuchen nachweisen.

1 Kohlenhydrate

Mit der Sammelbezeichnung **Kohlenhydrate** meint man die in der Natur sehr häufig (u. a. als Speichersubstanzen in Leber und Muskeln, als Strukturbildner in Pflanzen bis hin zum Chitin-Panzer von Insekten und Krebsen) vorkommenden (Poly-) Hydroxyaldehyde und -ketone mit der Summenformel $C_m(H_2O)_n$.

Beispiele für bekannte Kohlenhydrate
Verschiedene Zucker (z. B. Fruchtzucker in Fuchtsaft), Stärke (z. B. in Mehl), Cellulose (in Holz)

Kohlenhydrate sind neben Eiweiß und Fett **Grundbestandteile unserer Nahrung** und die mengenmäßig wichtigsten Energielieferanten für den Organismus. Die Energie wird dabei durch Oxidation der Kohlenhydrate mit dem Sauerstoff aus dem Blut z. B. im Gehirn, den Muskeln und anderen Organen des Körpers rasch freigesetzt.

Hohe Anteile an Kohlenhydraten haben Grundnahrungsmittel wie Brot oder andere Backwaren (Kuchen), Nudeln usw., die aus dem Mehl verschiedener Getreide (Weizen, Mais, Hirse, Roggen oder Reis) hergestellt werden. Auch Kartoffeln, Erbsen, Bohnen und Linsen besitzen einen hohen Kohlenhydratanteil, der durch Fotosynthese gebildet wurde.

Einteilung der Kohlenhydrate

Monosaccharide (Einfachzucker)	Oligosaccharide (Mehrfachzucker)	Polysaccharide (Vielfachzucker)
Sie lassen sich nicht in einfachere Kohlenhydrate spalten. Sie besitzen entweder eine Aldehydgruppe (Aldosen) – wie z. B. Glucose – oder eine Ketogruppe (Ketosen) – wie z. B. Fructose.	Sie lassen sich in zwei bis sechs Monosaccharide spalten. Sie bestehen also aus mind. zwei Monosaccharid-Bausteinen. **Disaccharide (Zweifachzucker)** bestehen aus zwei Monosacchariden.	Sie lassen sich in viele (mehrere hundert bis mehrere tausend) Monosaccharid-Moleküle spalten. Sie bestehen also aus vielen Monosaccharid-Bausteinen.
Beispiele Glucose (Traubenzucker), Fructose (Fruchtzucker)	**Beispiele** Saccharose (Rübenzucker), Lactose (Milchzucker)	**Beispiele** Stärke, Cellulose

Versuch – „Bestandteile von Kohlenhydraten“

Geben Sie jeweils ca. 2 cm hoch eine der folgenden Substanzen in ein trockenes Reagenzglas: Haushaltszucker, Stärke, Watte, Papier (in Stücke gerissen). Nun erhitzen Sie die Reagenzgläser jeweils langsam über einer Flamme. Riechen Sie dabei mehrfach durch Zufächeln. Welchen Geruch können Sie wahrnehmen?

Zuletzt bleibt ein verkohlter Rest zurück. An den kälteren Wänden des Reagenzglases haben sich dagegen Tröpfchen gebildet. Streuen Sie auf diese weißgebranntes Kupfersulfat.

Beschreiben Sie, was hier geschehen ist, und geben Sie an, worum es sich bei den Tröpfchen handelt.

Wussten Sie, dass ...
der Begriff „Kohlenhydrate“ auf einen Irrtum bei Ihrer Erforschung 1844 zurückgeht, da man fälschlicherweise annahm, dass es sich dabei um Hydrate des Kohlenstoffs handle? Obwohl der Name nichts über die wahre Konstitution dieser Stoffklasse nachwachsender Rohstoffe aussagt, hat man ihn dennoch beibehalten.

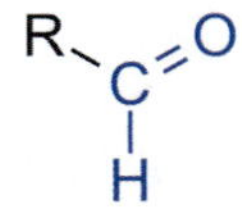

Aldehydgruppe – wirkt reduzierend, enthält ein H-Atom und lässt sich zur Carbonsäure oxidieren.

Beispiel: Formaldehyd

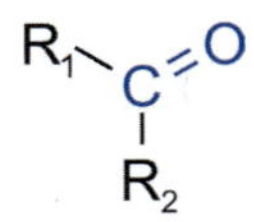

Ketogruppe – wirkt nicht reduzierend, enthält kein H-Atom und lässt sich nicht zur Carbonsäure oxidieren.

Beispiel: Aceton

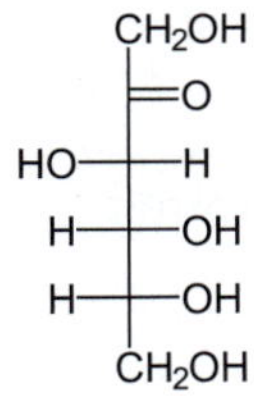

Fructose mit Ketogruppe am C-Atom 2.

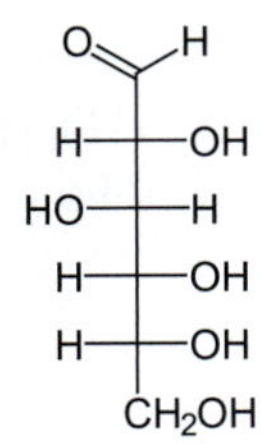

Glucose mit Aldehydgruppe am C-Atom 1.

In den meisten Kohlenhydraten sind Wasserstoff- und Sauerstoffatome im Verhältnis 2:1 vorhanden.

1.1 Monosaccharide

Die Monosaccharide sind Oxidationsprodukte mehrwertiger Alkohole. Alle Monosaccharide haben eine Kette aus mindestens drei Kohlenstoffatomen als Grundgerüst und besitzen eine **Carbonylgruppe (CO-Gruppe)** sowie mindestens eine **Hydroxygruppe (OH-Gruppe).** Sie sind Bausteine aller Kohlenhydrate und können sich zu Oligosacchariden oder Polysacchariden verbinden.

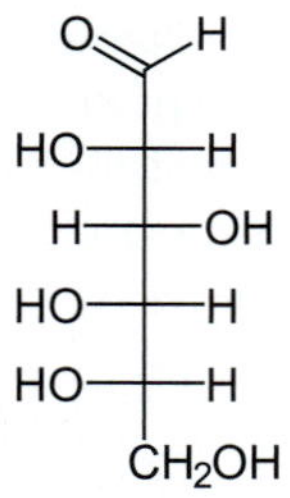

L-Glucose

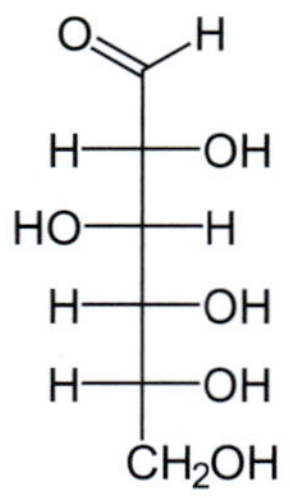

D-Glucose

Beispiele für wichtige Monosaccharide
Glucose, Galactose oder Fructose. Da diese drei alle sechs Kohlenstoffatome enthalten, zählt man sie zu den Hexosen.

Alle Monosaccharide können in gelöstem Zustand die Schwingungsebene durchtretenden linear polarisierten Lichtes drehen. Ob nach links (–) oder rechts (+) kann mit einem Messgerät (Polarimeter) experimentell bestimmt werden. Spiegelbildliche Verbindungen werden mit vorangestelltem „D“ (*dextro,* lat. rechts) oder „L“ (*laevo,* lat. links) bezeichnet.

D- und L-Formen haben unterschiedliche Eigenschaften und Wirkungen im menschlichen Körper. So kommt etwa in der Natur ausschließlich D-Glucose vor. L-Glucose kann nur synthetisch hergestellt werden.

1.1.1 Glucose

Smp. = Schmelzpunkt

Glucose (Traubenzucker, Dextrose; Smp. 146 °C), ist in Reinform ein weißes und leicht wasserlösliches Pulver und das in der Natur am häufigsten vorkommende Monosaccharid. Man findet sie frei u.a. in vielen Früchten, im Blut (der normale Blutzuckerspiegel liegt bei etwa 0,1 %) oder im Honig. Chemisch gebunden kommt sie als Baustein von Oligo- (z. B. Saccharose, Lactose) und Polysacchariden (Stärke, Cellulose) vor.

In den Zellen der verschiedenen Organe, die Glucose durch die Zellmembranen aufzunehmen und abzugeben vermögen, kann sie durch Verstoffwechslung chemische Energie liefern – u. a. für Muskelarbeit, Aufbauprozesse (z. B. Gewebeneubildung) oder Gehirnaktivität.

Glykogen (tier. Stärke, Leberstärke) ist ein Polysaccharid aus Glucose-Einheiten. Beim Abbau wird es zu Milchsäure umgesetzt, die im Überschuss z. B. in Muskeln Ermüdungserscheinungen und Schmerzen hervorruft („Muskelkater“).

Ferner kann Glucose im Körper in Form des **Reservekohlenhydrats Glykogen** in Muskeln und Leber gespeichert werden.

Versuch – „Glucosenachweis mit der Fehling-Probe“

Geben Sie ein max. 2 cm großes Stückchen Apfel gemeinsam mit je 1,5 ml Fehling'scher Lösung I (7 g Kupfer(II)-sulfat in 100 ml destilliertem Wasser) und II (35 g Natriumkaliumtartrat und 10 g Natriumhydroxid in 100 ml dest. Wasser) in ein Reagenzglas. Stellen Sie das Reagenzglas nun in ein Wasserbad (z. B. Becherglas hoher Form) mit leicht kochendem Wasser und beobachten Sie, was geschieht.

Wiederholen Sie die Fehling-Probe nun mit anderen Lebensmitteln, in denen Sie Glucose bzw. andere reduzierende Zucker vermuten.

Die **Fehling-Probe** weist reduzierende Zucker nach, die eine freie Aldehydgruppe besitzen. Bekannte reduzierende Zucker sind z. B. Glucose, Fructose, Maltose oder Lactose.

Aufgabenstellung – „Fehling-Probe“

- ++ Recherchieren Sie, wie die rotbraune Färbung bei positivem Ergebnis entsteht und vervollständigen Sie die Reaktionsgleichung.

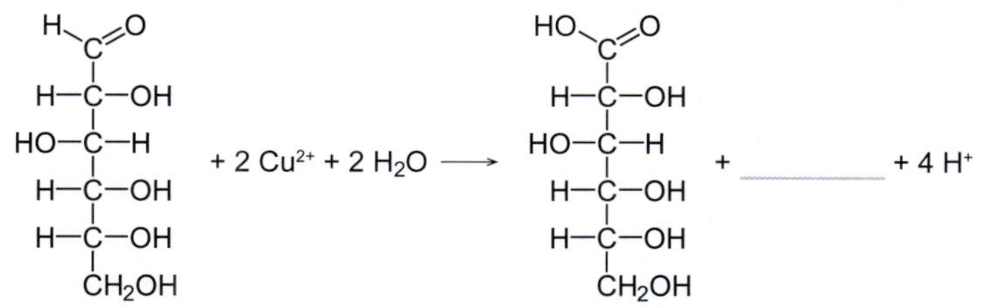

1.1.2 Fructose

Fructose (Fruchtzucker) ist in Reinform ein weißes, geruchloses, aber sehr süß schmeckendes, hygroskopisches und gut wasserlösliches Kristallpulver.

Sie kommt frei in vielen Früchten – z. B. in Kernobst wie Äpfeln und Birnen, Weintrauben – aber u. a. auch im Honig vor. Gebunden findet sie sich gemeinsam mit Glucose im Disaccharid Saccharose. Trotz der höheren Süßkraft eignet sich Fructose nicht als Diätersatz für Saccharose, da sie im Übermaß Verdauungsstörungen und erhöhte Fettleibigkeit hervorruft. Bei Fructose verläuft die Fehling-Probe positiv.

hygroskopisch = Wasser anziehend, Wasser bindend

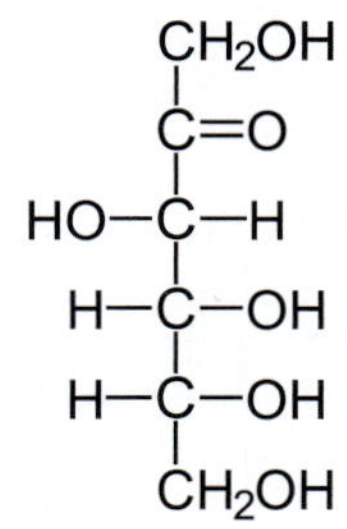

D-Fructose

1.1.3 Ring- und Kettenformeln

Die bisher verwendeten Kettenformeln der Kohlenhydrate stellen eine Vereinfachung dar. Tatsächlich kommt es auch zu Verknüpfungen zwischen der Aldehyd- bzw. Ketogruppe und einer Hydroxygruppe zu ringförmigen Molekülen.

Dies entdeckte der deutsche Chemiker Bernhard Tollens, der auch eine entsprechende **Ringformel** entwickelte. Von Walter Haworth wurde diese zur heutigen Form verfeinert. Die nach vorn weisende Kante der Ringebene ist dabei stets fett ausgeführt und die C-Atome im Ring sind zugunsten der Übersichtlichkeit weggelassen.

Walter Norman Haworth, 1883 bis 1950, britischer Chemiker

Ringbildung nach Haworth am Beispiel Glucose

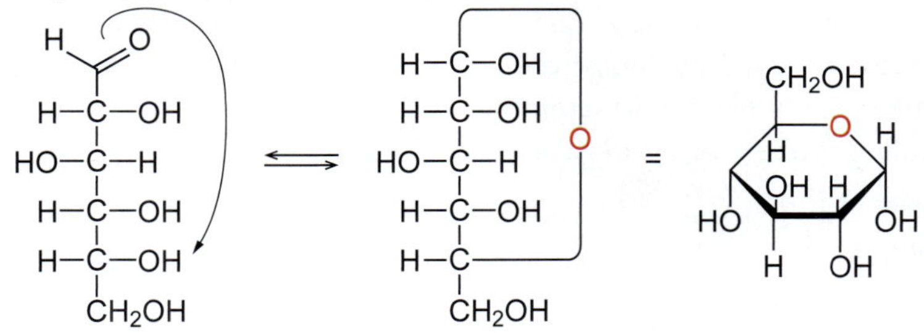

D-Glucose | D-Glucose

In wässriger Lösung liegen offene Kettenform und geschlossende Ringform nebeneinander im Gleichgewicht vor. Die Zugabe einer schwachen Base genügt aber, um den Ring zu öffnen und das Gleichgewicht zur Kettenform zu verschieben. Das ist auch der Grund dafür, warum die Fehling-Probe in alkalischem Milieu ablaufen muss.

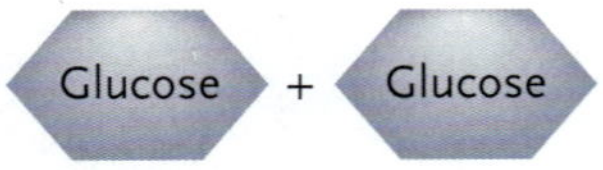

Entstehung von Maltose

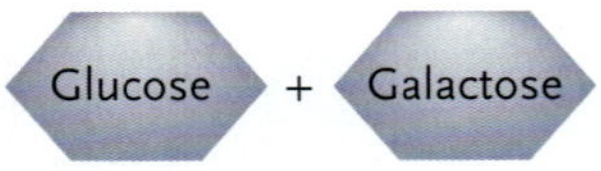

Entstehung von Lactose

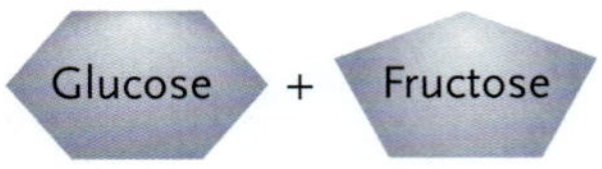

Entstehung von Saccharose

Bei der Ringformel lassen sich jedoch **zwei räumlich unterschiedliche Formen** ausmachen. Durch den Ringschluss entsteht nämlich am C-1-Atom eine **OH-Gruppe,** die zwei **unterschiedliche Stellungen** einnehmen kann. Diese beiden Varianten bezeichnet man als α- und β-Form:

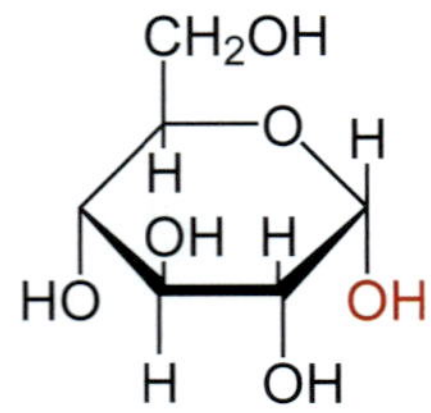

α-Glucose

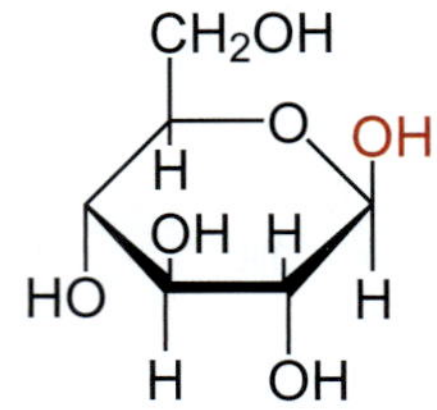

β-Glucose

Die Stellung der OH-Gruppe ist dabei sehr bedeutsam, denn sie hat u. a. einen erheblichen Einfluss auf die physikalischen Eigenschaften der Verbindung (z. B. auf ihre Löslichkeit oder ihren Schmelzpunkt).

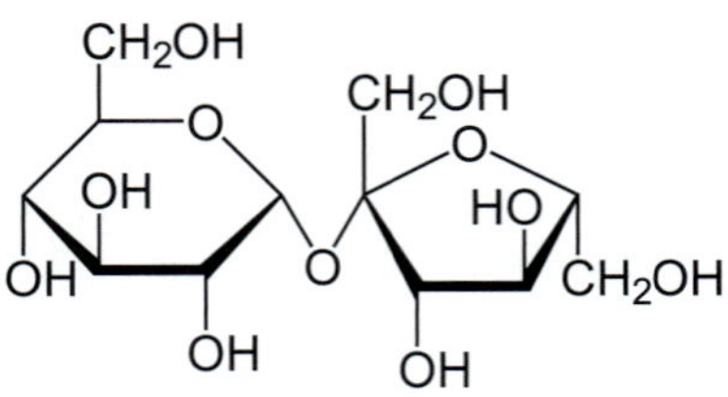

Saccharose: nicht-reduzierend

1.2 Oligosaccharide und Disaccharide

Verbinden sich zwei Monosaccharide über eine **Sauerstoffbrücke** (glycosidische Bindung) – unter Abspaltung von Wasser – miteinander, so entsteht ein Disaccharid (z. B. Saccharose, „Haushaltszucker").

Obwohl alle Monosaccharide reduzierende Zucker sind, gilt dies nicht für alle daraus entstandenen Disaccharide. Entscheidend für die Reduktionswirkung ist die **Art der Verknüpfung der Monosaccharide.**

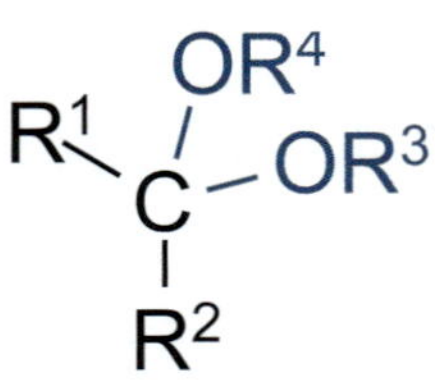

Acetale sind chemische Verbindungen mit z. B. zwei Alkoxygruppen (–OR) am selben Kohlenstoff-Atom

Verknüpfungen von Monosacchariden

Nicht reduzierendes Disaccharid	Reduzierendes Disaccharid
Liegt die glycosidische Bindung zwischen den C-1-Atomen (bei den Aldosen) bzw. C-2-Atomen (bei den Ketosen), wird damit bei beiden eine Ringform fixiert. Die Zucker reagieren daher nicht mit Carbonyl-Reagenzien und wirken somit **nicht reduzierend.** Die Fehling-Probe reagiert negativ.	Verbindet dagegen die glycosidische Bindung das acetalische Kohlenstoff-Atom eines Monosaccharides mit einem nicht acetalischem des zweiten, so bleibt eine Acetal-Gruppe frei. Diese Zucker wirken **reduzierend.** Dabei verläuft die Fehling-Probe positiv.
Beispiele Saccharose	**Beispiel** Maltose, Lactose

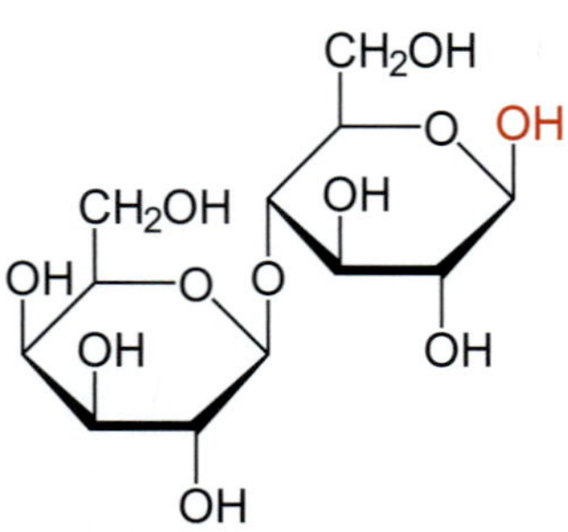

Lactose mit reduzierender OH-Gruppe

1.2.1 Saccharose

Das bekannteste Disaccharid ist die in Wasser leicht lösliche Saccharose (Smp. 186 °C). Im Handel ist sie als Feinkristallzucker, Staubzucker, Würfelzucker, braunem oder weißem Kandiszucker, aber auch als Zuckerhut gepresst erhältlich.

Haushaltszucker wird meist – so auch in Österreich – aus **Zuckerrüben** (Saccharose-Gehalt von rund 16–20 %), in tropischen bzw. subtropischen Gegenden (wie z. B. Indien, Brasilien oder Kuba), aber auch aus **Zuckerrohr** (Saccharose-Gehalt von rund 14–16 %) großtechnisch gewonnen.

⚠ Erst die Spaltung der Saccharose in ihre Monosaccharide würde hier eine positive Fehling-Reaktion ergeben.

Im Haushalt wird Saccharose als Süßungsmittel, aber auch zum Konservieren von Lebensmitteln (Einkochen von Marmelade) genutzt, da sie Mikroorganismen das Zellwasser entzieht. Ferner lässt sich durch Erhitzen von Saccharose Zuckercouleur (Farbstoff u. a. für Cola) und Karamell herstellen.

Die Saccharose ist aus **verbundenen Glucose- und Fructosemolekülen** zusammengesetzt. Durch verdünnte Säuren oder Enzyme lässt sie sich aber leicht wieder in ihre Bestandteile Glucose und Fructose zerlegen. Dieses Gemisch nennt man Invertzucker, das z. B. Bienenhonig enthält.

Saccharose —Hydrolytische Spaltung / Fermente oder verdünnte Säuren→ Glucose + Fructose

(Glucose + Fructose = Invertzucker)

Versuch – „Nachweis reduzierender Disaccharide“

Geben Sie eine Spatelspitze Saccharose gemeinsam mit je 2 ml Fehling'scher Lösung I und II in ein Reagenzglas. Erhitzen Sie den Inhalt vorsichtig unter Schütteln über der Bunsenbrennerflamme bis zum Sieden und beobachten Sie, was geschieht.

Geben Sie nun in ein zweites Reagenzglas wieder eine Spatelspitze Saccharose in etwas destilliertem Wasser. Fügen Sie 2 ml verdünnte Salzsäure hinzu und kochen Sie das Ganze einmal vorsichtig über der Bunsenbrennerflamme auf. Nach dem Abkühlen in kaltem Wasser neutralisieren Sie die Lösung unter Zuhilfenahme von pH-Papier durch tropfenweise Zugabe verdünnter Natronlauge. Jetzt geben Sie je 2 ml Fehling'scher Lösung I und II ins Reagenzglas zu, mischen gut durch und erhitzen erneut bis zum Sieden.

Erklären Sie das unterschiedliche Reaktionverhalten.

1.2.2 Lactose

Lactose (Milchzucker) ist in reiner Form ein farbloses, gut wasserlösliches Kristallpulver und in Milch (zu rund 5 % in der Kuh- und bis 7 % in der Muttermilch) und Milchprodukten enthalten. Das Disaccharid, das aus chemisch miteinander verbundenen Galactose- und Glucose-Komponenten besteht, schmeckt weniger süß als Saccharose. Bei Lactose verläuft die Fehling-Probe positiv.

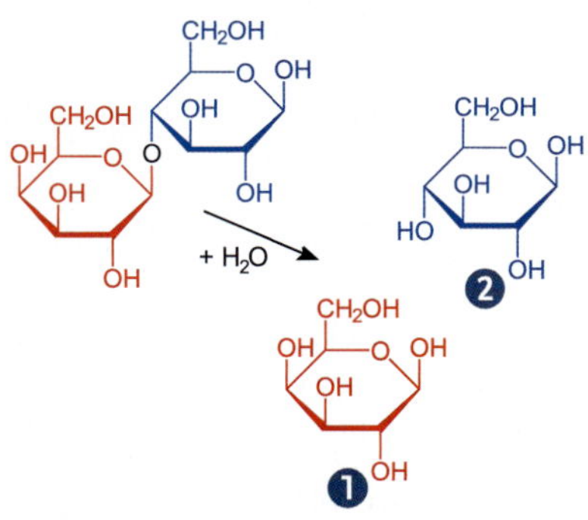

Aufspaltung von Lactose in Galactose ❶ und Glucose ❷

Saure Milch

Beim Sauerwerden der Milch wandeln Bakterien die Lactose in Milchsäure um.

In der Lebensmitteltechnik wird Lactose häufig zur Erzeugung einer besonders cremigen Konsistenz (z. B. für Speiseeis) eingesetzt.

Für die Ernährung von Säuglingen ist Lactose essenziell. Um sie verdauen zu können, ist das körpereigene **Enzym Lactase** nötig, das die Lactose wieder in D-Galactose und D-Glucose aufspaltet. Im Alter nimmt die Lactaseproduktion ab, weshalb bei Erwachsenen zumindest eine teilweise Lactoseunverträglichkeit aufteten kann.

Wussten Sie, dass ...
Menschen mit Lactoseunverträglichkeit unter Lactasemangel leiden und Lactose deshalb nicht (ausreichend) verdauen können?

Die Einzelbausteine werden als **Monomere** bezeichnet.

Beispiele für wichtige Polysaccharide
Stärke, Glycogen und Cellulose

1.3 Polysaccharide

Polysaccharide (Merfach-/Vielfachzucker) sind Kohlenhydrate, in denen viele Monosaccharide (Einfachzucker) linear oder auch verzweigt glycosidisch miteinander verbunden sind.

Unterscheidung der Vielfachzucker nach der Art der Einzelbausteine

Homoglykane	Heteroglykane
Sie bestehen nur aus einer Art Einfachzucker, z. B. Cellulose.	Sie bestehen aus zwei oder mehreren verschiedenen Arten von Einfachzuckern.

Für den Menschen, Tiere und Pflanzen sind Polysaccharide als Schleim-, Reserve- und Nährstoffe überaus bedeutend; pflanzliche Zellwände bestehen sogar überwiegend aus Cellulose und Hemicellulose.

Hemicellulose = Gemisch verschiedener Polysaccharide – vor allem aus verknüpften Xylose- und Arabinose-Einheiten

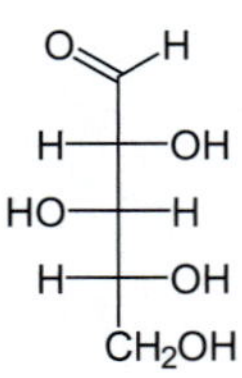

D-Xylose

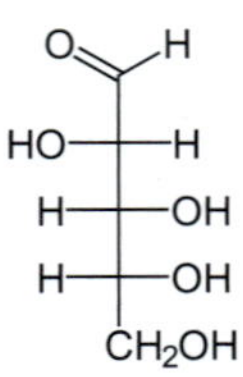

D-Arabinose

1.3.1 Stärke

Stärke ist ein weißes, hygroskopisches, in kaltem Wasser unlösliches Pulver. Sie ist das **Produkt der pflanzlichen Fotosynthese** und ein **Polykondensat aus D-Glucose.** In den Chloroplasten der Pflanzenzellen liegt sie in Form von Stärkekörnern vor, die je nach Pflanzenart eine unterschiedliche Form und Größe besitzen. Sie ist keine einheitliche Substanz, sondern besteht zu 80 % aus **Amylopektin** als Hüllsubstanz und zu 20 % aus **Amylose** im Innern der Stärkekörnchen. Stärke ist einer der wichtigsten pflanzlichen Reservestoffe.

Bestandteile von Stärke

Amylopektin	Amylose
Amylopektin besitzt stark verzweigte Ketten aus bis zu 6 000 Glucoseeinheiten und ist die kleisterartige, wasserunlösliche und nur quellfähige Komponente der Stärke („Stärkekleister").	Amylose bildet unverzweigte Ketten, die zu einem linearen, aber schraubenförmig gewundenen Molekül geformt sind. Sie ist in heißem Wasser löslich und besteht aus bis zu 1 500 Glucoseeinheiten.

Verkleisterung der Stärke

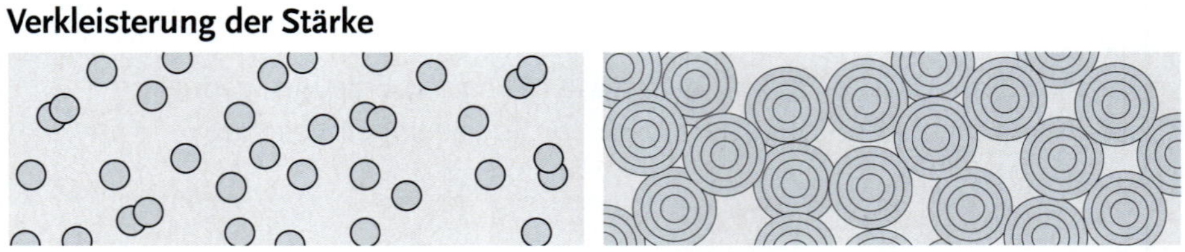
20 °C – Stärke im kaltem Wasser
70 bis 80 °C – Ende der Verkleisterung

Beim **Erhitzen mit verdünnten Säuren** (z. B. Salzsäure) lässt sich Stärke wie folgt abbauen:

Stärke → Dextrin → Maltose → Glucose

Versuch – „Stärkenachweis“

Sie benötigen dazu: Reagenzgläser, Iod-/Kaliumiodid-Lösung (Lugol'sche Lösung), verschiedene Lebensmittel (z. B. Kartoffel, Mehl, Wurst, Semmel).

Geben Sie in ein Reagenzglas etwas verdünnte Stärkelösung und einige Tropfen Iod-/Kaliumiodid-Lösung (Lugol'sche Lösung).

Es entsteht eine ______________ Färbung, die beim Erhitzen ______________ ______________ und sich beim Abkühlen wieder bildet, da Iod mit Stärke eine beim Erhitzen nicht stabile farbige Einschlussverbindung bildet.

Träufeln Sie nun einige Tropfen Lugol'sche Lösung auf Lebensmittel Ihrer Wahl (z. B. Kartoffel, Mehl, Wurst, Semmel) und untersuchen Sie diese so auf Stärke.

	Blaufärbung	
Aufgeschnittene Kartoffel:	☐ ja	☐ nein
Mehl (mit Wasser aufgeschüttelt):	☐ ja	☐ nein
Semmel (aufgeschnitten):	☐ ja	☐ nein
Extrawurst (Scheibe):	☐ ja	☐ nein

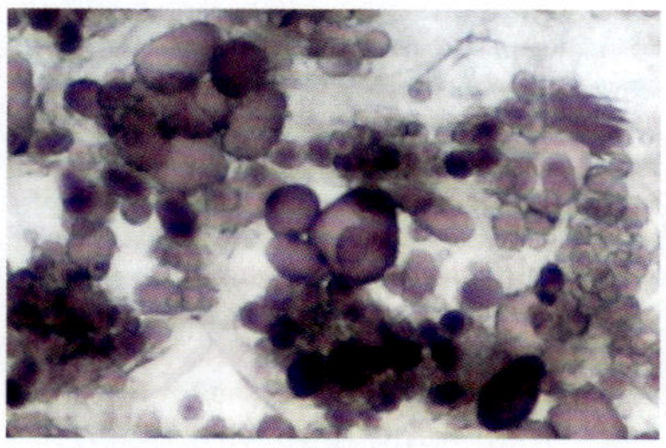

Stärkekörnchen in Iod getränkt unter dem Mikroskop

Auch durch **Enzyme (Amylasen)** kann Stärke gespalten werden. Auf diese Weise kann der tierische und menschliche Körper aus Stärke Energie gewinnen.

Versuch – „Enzymatische Stärkespaltung“

Tränken Sie ein Filterpapier mit stark verdünnter Stärkelösung und anschließend mit Lugol'scher Lösung, bis sich eine Blaufärbung ergibt.

Nun tragen Sie Ihren Speichel z. B. mit einem Holzspießchen auf. An den mit Speichel benetzten Stellen verschwindet die blaue Farbe umgehend, da die Stärke dort enzymatisch abgebaut wird.

1.3.2 Cellulose

Jene organische Substanz, die auf der Erde in absolut größter Menge vorkommt, ist die in pflanzlichen Zellwänden als Gerüstsubstanz enthaltene Cellulose. Pflanzenfasern wie Baumwolle oder Flachs sind fast reine Cellulose. In Wasser und in den meisten organischen Lösungsmitteln ist sie **unlöslich.** Für den Menschen ist Cellulose unverdaulich – Wiederkäuer können sie aber Dank mikrobiellem Aufschluss in den Vormägen (Pansen) nutzen.

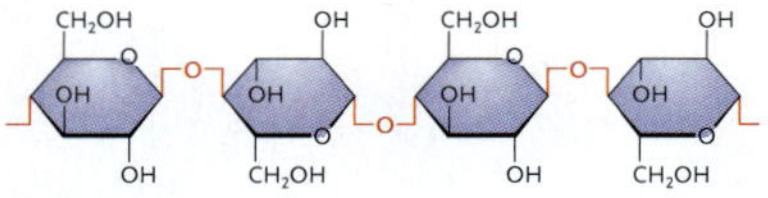

Cellulose

Cellulose-Moleküle sind aus bis zu 10 000 Glucose-Einheiten aufgebaut, die zu einer langen, unverzweigten Kette glycosidisch verknüpft sind. Ferner bilden sich auch Wasserstoffbrücken zwischen den einzelnen Ketten aus, was für zusätzliche Stabilität sorgt.

Wie Stärke lässt auch sie sich wieder in ihre einzelnen Monosaccharid-Moleküle aufspalten; man benötigt dazu aber aufgrund ihrer Stabilität aggressivere Bedingungen: So wendet man bei der sogenannten Holzverzuckerung z. B. 40 %ige Salzsäure bei hoher Temperatur an.

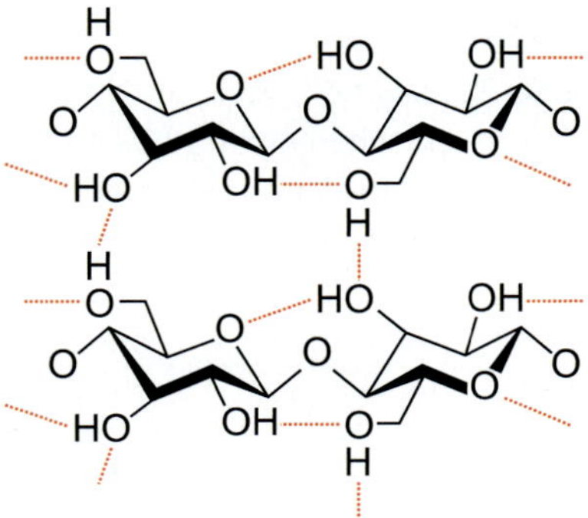

Wasserstoffbrückenbindungen zwischen Cellulose-Molekülen

Versuch – „Nachweis von Cellulose“

Für das Cellulose-Reagenz lösen Sie zunächst 66 g Zinkchlorid in 34 ml dest. Wasser. Dann geben Sie 6 g Kaliumiodid und so viele Iodkörnchen zu, wie die Lösung aufnehmen kann (üblicherweise rund drei).

Hinweis: Aufgrund der Lichtempfindlichkeit der Lösung sollte sie in einer Braunglasflasche aufbewahrt werden.

Tropfen Sie das Nachweisreagenz auf verschiedene Papierproben sowie Watte. Bei Anwesenheit von Cellulose tritt Violettfärbung auf.

Bei Lignin handelt es sich um ein kompliziert aufgebautes Makromolekül.

Holz besteht zu etwa 45 % aus Cellulose, weiters zu ca. 30 % aus Hemicellulosen, zu 20 % aus dem die Holzstruktur durchdringenden **Lignin** sowie aus Harzen und Mineralstoffen. Durch verschiedene chemische Verfahren lässt sich Holz soweit abbauen, bis die Cellulose als Zellstoff zur Weiterverarbeitung zurückbleibt.

Versuch – „Nachweis von Lignin im Holz“

Für das Lignin-Reagenz lösen Sie zunächst 0,5 g Phloroglucin ($C_6H_6O_3$) in 25 ml Ethanol und setzen Sie dann 25 ml HCl (konzentriert) zu.

Tropfen Sie das Nachweisreagenz auf verschiedene Papierproben (z. B. Zeitungspapier, Druckerpapier, Recyclingpapier, Toilettenpapier) oder Holzstückchen. Bei Anwesenheit von Holz (z. B. in nicht holzfreiem Papier) tritt eine Rotfärbung auf, da das Lignin mit Phloroglucin in saurer Lösung einen roten Farbstoff bildet.

Cellulose ist ein technisch bedeutender Rohstoff z. B. zur Herstellung von Papier, aber auch von Synthesestoffen (Folien für Verpackungen oder Fasern für die Bekleidungsindustrie).

Zu den weltweit größten Herstellern von Fasern auf Cellulose-Basis gehört übrigens die österreichische Lenzing AG mit einer Jahresproduktion von ca. 960 000 Tonnen.

Dazu muss zunächst möglichst **reine Cellulose** gewonnen werden: Unter hohem Druck verkocht man große Mengen kleiner Holzstückchen z. B. mit Natronlauge und beigefügtem Natriumsulfat und Natriumsulfid. Dadurch lösen sich alle unerwünschten Begleitstoffe. Nach gründlichem Auswaschen und Bleichen erhält man fast reine Cellulose (Zellstoff).

Aufgabenstellungen – „Kohlenhydrate“

1. + Zählen Sie die Funktionen von Kohlenhydraten im menschlichen Körper auf.
2. + Erklären Sie, wie Kohlenhydrate aufgebaut sind und wie man sie einteilen kann. Nennen Sie zu jedem Typ auch ein Beispiel.
3. + Recherchieren Sie, welche Arten von Cellulosefasern für die Textilproduktion in Österreich verwendet werden und mit welchen Verfahren diese hergestellt werden.

2 Fette

Bei Fetten denkt Lisa sofort an die Fette in der Nahrung, die uns als Geschmacksträger und Energielieferanten dienen. Doch Öle und Fette werden auch technisch eingesetzt, z. B. als Schmierstoffe.

Fette und fette Öle sind praktisch immer **Ester langkettiger (höherer) Fettsäuren** (wie z. B. der Palmitinsäure) und **Glycerol,** wobei sie sich nur durch den Schmelzpunkt unterscheiden. Gemeinsam mit den Wachsen und den Fettbegleitstoffen fasst man sie unter dem Begriff **Lipide** zusammen.

Neben den Kohlenhydraten stellen die natürlichen Fette und Öle einen bedeutenden Teil der nachwachsenden Rohstoffe dar.

Während man tierische Fette meist durch Ausschmelzen aus dem Fettgewebe gewinnt, werden pflanzliche Fette aus Samen oder Früchten als Öl mechanisch ausgepresst oder mit Lösungsmitteln extrahiert.

Natürliche tierische und pflanzliche Fette und fette Öle bestehen fast zur Gänze aus den eigentlichen Fetten; daneben enthalten sie weniger als 3 % fettähnliche Begleitstoffe (z. B. Wachse) und fettunähnliche Begleitstoffe (z. B. Vitamine).

Fettsäuren sind fast ausnahmslos aliphatische, unverzweigte Monocarbonsäuren mit gerader Anzahl von C-Atomen und einer COOH-Gruppe am Ende

Fettsäure

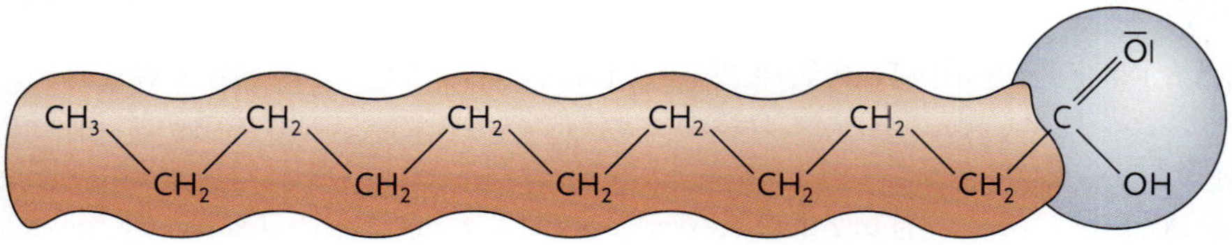

Einteilung der Fettsäuren

Gesättigte Fettsäuren	Ungesättigte Fettsäuren
	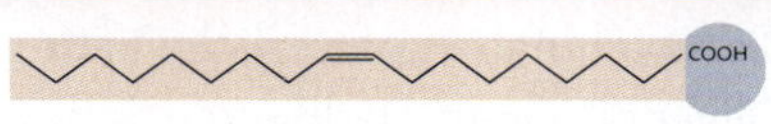
Ohne Mehrfachbindungen; vor allem in tierischen Fetten häufig.	Weisen mindestens eine Doppelbindung auf; sind zusätzlich besonders in pflanzlichen Fetten enthalten.

Wussten Sie, dass ...
sich Wachse von den Fetten und Ölen dadurch unterscheiden, dass die Fettsäuren nicht mit Glycerin, sondern mit höheren primären einwertigen Alkoholen verestert sind? So zum Beispiel Myricylpalmitat im Bienenwachs.

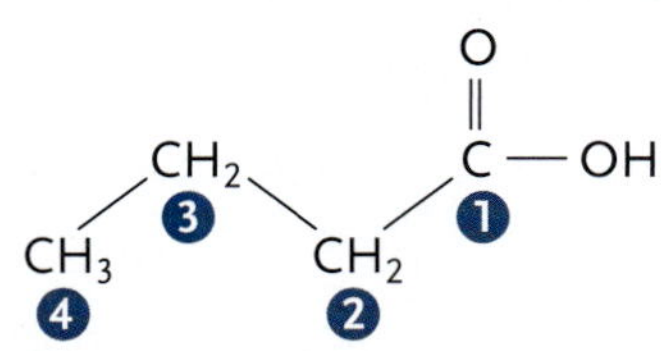

Fettsäuren sind lange Kohlenwasserstoffketten mit einer COOH-Gruppe am Ende. Hier z. B. Buttersäure mit 4 C-Atomen.

Linolsäure gehört zu den für die Ernährung wichtigen essenziellen Fettsäuren (Vitamin F). **Essenzielle Fettsäuren** sind solche, die zwar vom menschlichen Körper nicht selbst synthetisiert werden können, dennoch aber von ihm benötigt werden und deshalb über die Nahrung zugeführt werden müssen. Es sind dies Fettsäuren, die oberhalb des 9. C-Atoms Doppelbindungen enthalten.

Wichtige natürliche Fettsäuren		
Gesättigte Fettsäuren		
Buttersäure (Butansäure)	$CH_3–(CH_2)_2–COOH$	z. B. in Butter
Capronsäure (Hexansäure)	$CH_3–(CH_2)_4–COOH$	z. B. in Butter, Öl
Palmitinsäure (Hexadecansäure)	$CH_3–(CH_2)_{14}–COOH$	z. B. in Palmöl, Rinder- und Butterfett
Stearinsäure (Octadecansäure)	$CH_3–(CH_2)_{16}–COOH$	in fast allen pflanzlichen und tierischen Fetten und Ölen
Ungesättigte Fettsäuren		
Ölsäure (Octadec-9-ensäure)	$CH_3–[CH_2]_7–CH=$ $CH–[CH_2]_7–COOH$	z. B. in Rapsöl
Linolsäure (Octadeca-9,12-diensäure)	$CH_3–[CH_2]_4–CH=$ $CH–CH_2–CH=$ $CH–[CH_2]_7–COOH$	z. B. im Mohnöl, Erdnussöl, Sonnenblumenöl oder Maisöl
Linolensäure (Octadeca-9,12,15-triensäure)	$CH_3–CH_2–CH=$ $CH–CH^2–CH=$ $CH–CH_2–CH=$ $CH–[CH_2]_7–COOH$	z. B. im Lein-, Raps-, Nuss- und Mohnöl

Bei den natürlichen Fetten sind alle drei OH-Gruppen des Glycerols zu Triglyceriden (Triacylglycerole) verestert.

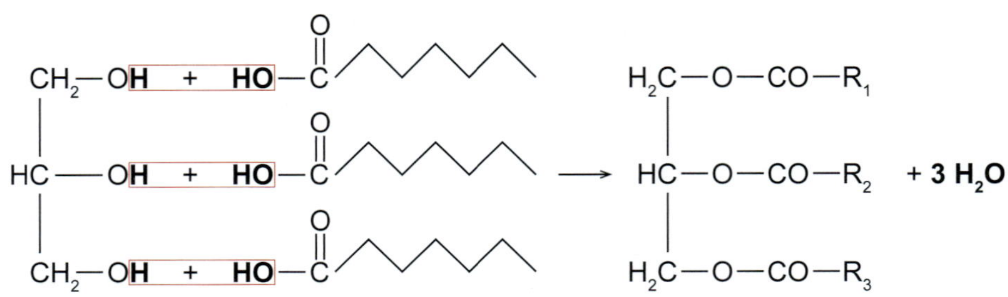

Glycerol (Alkohol) und Fettsäure (Säure) bilden also Fettsäure**ester** + Wasser

Alkohol + Säure –> Ester + Wasser

Hierbei können R_1, R_2, und R_3 identisch, teilweise identisch oder verschieden sein, wobei letztere Form – als gemischte Triglyceride – in der Natur am häufigsten vorkommt. Jedes natürliche Fett besteht aus vielen verschiedenen Triglyceriden.

Beispiel für ein gemischtes Triglycerid

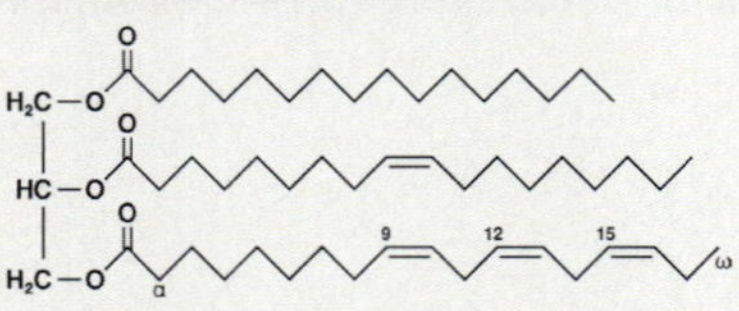

Säuren von oben nach unten: Palmitinsäure, Ölsäure, Linolensäure

Allgemein gilt: Je ungesättigter ein Fett, desto niedriger liegt sein Schmelzpunkt – demnach haben pflanzliche Fette (z. B. Olivenöl) einen niedrigeren Schmelzpunkt als tierische Fette (wie z. B. Schweineschmalz, das bei Raumtemperatur sogar fest ist).

Sind sie Licht und Luft ausgesetzt, zersetzen sich die meisten Fette – oft auch unter Mitwirkung von Mikroorganismen. Beim sogenannten **Ranzigwerden** bilden sich dabei u. a. übelriechende Aldehyde, Ketone und Säuren.

Sehr stark ungesättigte Fette können **polymerisieren.** Diese nennt man trocknende Öle (z. B. Leinöl, das für die Herstellung von Ölfarben und für bestimmte Anstrichstoffe verwendet wird).

Versuch – „Fettnachweis“

Geben Sie in verschiedene Reagenzgläser je ca. 2 cm hoch von Ihren Lebensmittelproben (z. B. Wasser, Milch, Speiseöl, Eidotter, mit dem Stabmixer in etwas Wasser fein verteilten Käse oder fein verteilte Wurst). Dazu kommt nun jeweils eine Spatelspitze Sudan-III-Pulver hinzu, dann schütteln Sie die Mischungen.

Unterscheiden Sie die Reaktion des Farbstoffpulvers in Wasser mit der in fetthaltigen Proben. Was können Sie erkennen?

Versuch – „Nachweis ungesättigter Fettsäuren“

Geben Sie 2 g Kokosfett in ein Reagenzglas und 2 g Sonnenblumenöl in ein anderes Reagenzglas. Geben Sie nun jeweils 5 ml Petroleumbenzin dazu und lösen Sie die Proben durch Schütteln darin auf. Nun dosieren Sie unter dem Abzug aus einer Spritze mit Nadel so lange braungefärbtes Bromwasser zu, bis dieses von der Probe trotz Umschüttelns nicht mehr entfärbt wird.

Der Verbrauch an Bromwasser ist bei ______________________ deutlich höher als bei ______________________ (gehärtetes Fett).

Pflanzliche Öle enthalten hohe Anteile an (gesunden) ungesättigten Fettsäuren, die Brom an ihre Doppelbindungen addieren können.

Wussten Sie, dass ...
Seifen die Salze der Fettsäuren sind?

3 Proteine

Eiweißstoffe sind makromolekulare Verbindungen und neben den Kohlenhydraten und Fetten Hauptbestandteile unserer Nahrung. Im menschlichen Körper finden sie sich praktisch überall, wie z. B. im Gewebe, in Haut, Haaren, Nägeln, Knochen, bis hin zum Blut.

Darüber hinaus sind sie aber auch als **Enzyme** und **Hormone** (wie z. B. das blutzuckersenkende Insulin) im Körper unentbehrlich. Weiters verleihen sie Zellen nicht nur Struktur, sondern transportieren auch Metabolite oder Ionen, katalysieren chemische Reaktionen und reagieren auf Botenstoffe.

Enzyme sind Stoffe, die biochemische Reaktionen katalysieren können. Fast alle Enzyme sind (niedermolekulare) Proteine. Meist sind sie auf die Spaltung bestimmter Verbindungen spezialisiert (z. B. das zur Milchzuckerverdauung notwendige Enzym Lactase).

Metabolit = Stoffwechselprodukt

Zum Aufbau von Proteinen aus einfachen anorganischen Verbindungen (die sie aus dem Boden und der Luft beziehen) sind nur Pflanzen in der Lage. Menschen und Tiere sind dagegen auf dauernde Fremdzufuhr von Eiweiß angewiesen.

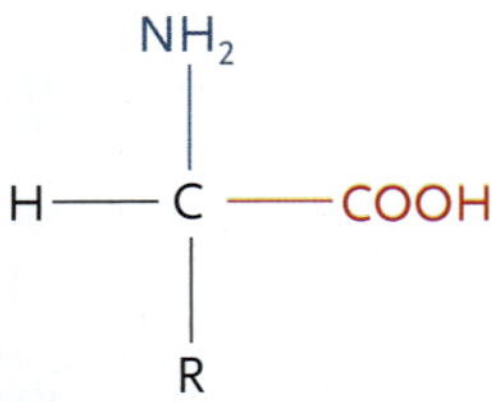

Aminosäuren (Aminocarbonsäuren) sind Stoffe, die sowohl Aminogruppen ($-NH_2$) als auch Carboxygruppen (–COOH) enthalten. Sie haben die oben abgebildete allgemeine Struktur. Die Aminogruppe ist also an das der Carboxygruppe benachbarte C-Atom gebunden.

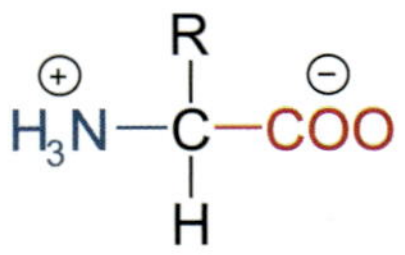

Bei Aminosäuren kann die Säuregruppe ein H^+-Ion abgeben, dann trägt sie eine negative Ladung. Die Aminogruppe hingegen nimmt ein H^+-Ion auf und trägt eine positive Ladung. Sie werden deshalb auch als Zwitterionen bzw. als innere Salze bezeichnet.

Essenzielle Aminosäuren sind solche, die vom Organismus nicht selbst synthetisierbar sind. Sie müssen daher mit der Nahrung zugeführt werden. Eine solche für uns Menschen essenzielle Aminosäure ist z. B. Leucin (hier in der Zwitterionendarstellung):

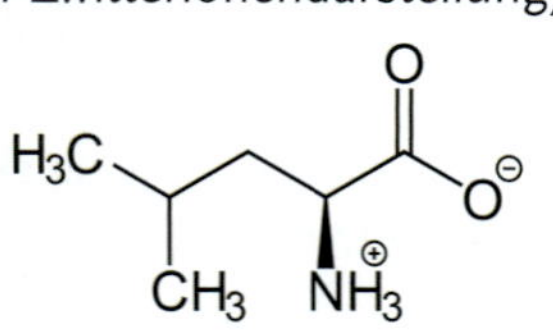

Hämoglobin = roter Blutfarbstoff, der Sauerstoff an das Blut bindet (vgl. S. 82 f.)

Unterscheidung von Eiweißstoffen

Proteine (einfache Eiweißstoffe)	Proteide (zusammengesetzte Eiweißstoffe)
Sie bestehen ausschließlich aus (bis zu 100 000) miteinander verknüpften Aminosäurebaugruppen.	Sie enthalten zusätzlich noch „prosthetische Gruppen" wie z. B. Zucker, Nucleinsäuren, Phosphorsäuren, Farbstoffe oder Vitamine.

Daher gilt:
Proteid = Protein + prosthetische Gruppe

Bei der Verknüpfung von Aminosäuren zu Proteinen reagiert die Carboxygruppe (–COOH) des einen Moleküls mit der Aminogruppe ($-NH_2$) des anderen unter Wasserabspaltung zur Säureamidgruppierung (–CO–NH–, „Peptidbindung"):

Peptidbindung

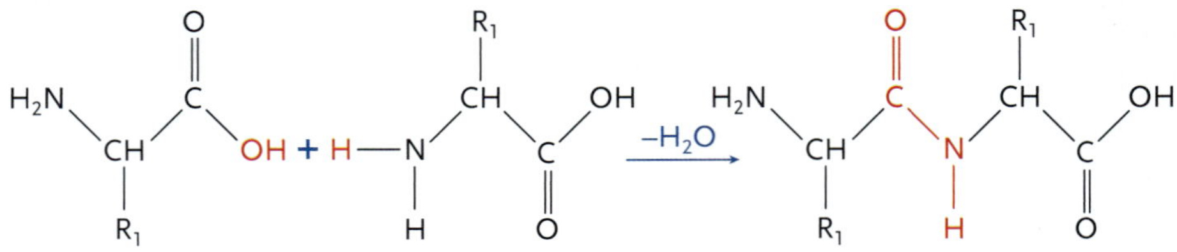

Haben die so entstehenden Verbindungen weniger als 100 verknüpfte Aminosäuren, so heißen sie **Peptide** („kleine Proteine"). Erst darüber wird ein solches Molekül als Protein bezeichnet.

Die Anzahl der Aminosäuren, aus denen ein Peptidmolekül besteht – die sogenannte Kettenlänge bestimmt auch ihre Benennung: Ähnlich wie bei den Kohlenhydraten unterscheidet man u. a. Oligopeptide oder Polypeptide (ab zehn Aminosäuren).

Alle Eiweißstoffe enthalten dabei die Elemente Kohlenstoff, Wasserstoff, Stickstoff und Sauerstoff; fast alle bestehen zusätzlich auch noch aus Schwefel. Weitere in Eiweißstoffen zu findende Elemente sind Phosphor, seltener Eisen (z. B. im Hämoglobin des Blutes), Kupfer oder Zink.

Versuch – „Nachweis von C, H, O, N im Eiweiß"

Stechen Sie mit der Spritzennadel vorsichtig in ein Ei und saugen Sie rund 1 ml Eiklar heraus. Geben Sie dieses in ein Reagenzglas und erhitzen Sie es stark.

Der schwarze Rückstand zeigt Ihnen den enthaltenen Kohlenstoff an.

Aufgrund des Wasserdampfs können Sie darauf schließen, dass Wasserstoff und Sauerstoff enthalten sind.

Der Geruch zeigt Ihnen schließlich NH_3-Gas an (Stickstoffnachweis); ein angefeuchtetes Indikatorpapier bestätigt die basische Wirkung.

Versuch – „Eiweißnachweis: Biuretreaktion“

Geben Sie in drei Reagenzgläser je 3 cm hoch einmal Milch, einmal Eiklar (aus einem Hühnerei) und einmal Zitronensaft (Blindprobe). Dann geben Sie jeweils 3 cm hoch 10 %ige Natronlauge und 1 ml 1 %ige Kupfersulfat-Lösung hinzu.

Ist Eiweiß vorhanden, tritt eine charakteristische Violettfärbung durch den entstehenden Kupfer(II)-Komplex auf.

Versuch – „Wirkung von Enzymen“

Beschicken Sie sechs Reagenzgläser mit 10–20 %iger H_2O_2-Lösung (Wasserstoffperoxid) je 3 cm hoch.

Danach fügen Sie der Reihe nach etwa die gleiche Menge Wasser (Blindprobe), Braunstein, Trockenhefe, frische Kartoffelstückchen, gekochte Kartoffelstückchen und ein paar Tropfen Blut hinzu.

Der sich ggf. bildende Sauerstoff wird mit einem Glimmspan nachgewiesen.

Sauerstoff bildete sich bei ________________________ und

bei ________________________.

Erklären Sie, warum sich bei manchen Vorgängen Sauerstoff gebildet hat und bei anderen nicht.

Die meisten Proteine sind Elektrolyte. Aus Lösungen kann man sie mit neutralen Salzen (z. B. NaCl) reversibel ausfällen. Beim Erhitzen oder Zufügen starker Säuren werden sie aber irreversibel denaturiert (z. B. beim Eierkochen oder bei Zugabe von Zitronensaft zu Tee mit Milch). Dabei verlieren sie auch ihre biologische Wirksamkeit.
Ferner lassen sie sich durch Erhitzen mit Säuren oder Alkalien oder durch Einwirkung von Enzymen („enzymatisch“) in ihre Aminosäuren (und sonstigen Bestandteile) aufspalten.

Ziele erreicht? – „Biomoleküle“

KOMPETENZ-ERWERB

1. ++ Nennen Sie jeweils wichtige Vertreter zu den Gruppen der Einfachzucker, Zweifachzucker und Mehrfachzucker. ☺ 😐 ☹

2. ++ Finden Sie heraus, welche gesundheitlichen und ökologischen Folgen mit dem enorm hohen Fleischkonsum unserer Gesellschaft verbunden sind, und beurteilen Sie diesen Umstand mit Ihren Klassenkolleginnen/Klassenkollegen. ☺ 😐 ☹

3. ++ Erhitzen Sie in einem Becherglas mit Wasser verdünnte Eiklarlösung, bis sie sich leicht trübt. Mit je 1 ml dieser Lösung beschicken Sie nun vier Reagenzgläser zusammen mit je 1 ml 1 %iger Pepsin-Lösung. ☺ 😐 ☹

   Zu zwei der Gläser geben Sie nun noch 15 ml 0,1 %ige Salzsäure (HCl), zu den zwei anderen 15 ml destilliertes Wasser.

   Jeweils eines der Reagenzgläser mit HCl und Wasser kommen in ein 37 °C warmes Wasserbad, die anderen beiden verbleiben im Reagenzglasständer.

   Nach ca. 20 Minuten sollte der Eiweißabbau durch das Enzym Pepsin deutlich sichtbar sein, wobei der pH-Wert einen ☐ größeren / ☐ kleineren Einfluss auf die Enzymaktivität hat als die Temperatur.

4. ++ Zerkauen Sie für ungefähr eine Minute ein Stück Semmel im Mund, spucken Sie alles in ein Reagenzglas und machen Sie die Fehling-Probe. Als Blindprobe zum Vergleich verwenden Sie am besten unzerkaute Semmelmasse. Finden Sie eine Erklärung für die unterschiedlichen Reaktionen. ☺ 😐 ☹

Einen interaktiven **Safety-Check** finden Sie in der TRAUNER-DigiBox.

Die Zelle als biochemisches System

Eine Membran ist keine unbewegliche Schicht aus starr fixierten Molekülen. Sie wird vorwiegend durch Wechselwirkungen zwischen den hydrophoben Polen zusammengehalten. Die meisten Lipidmoleküle und auch Proteine können sich deshalb um ihre Längsachse drehen oder sich in der Membranebene seitwärts verschieben – man spricht von der **Fluidität der Membran.**

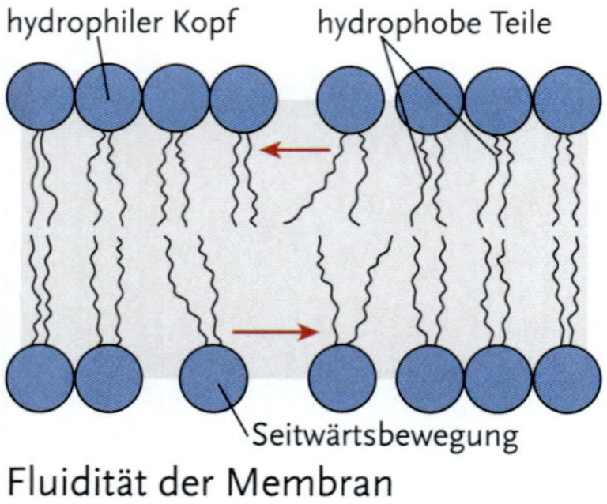

Fluidität der Membran

Die **Plasmamembran,** auch Zellmembran genannt, ist die Grenze des Lebendigen, die Schranke, die eine lebende Zelle von ihrer leblosen Umgebung trennt. Wie alle biologischen Membranen verfügt die Plasmamembran über **selektive Durchlässigkeit (Permeabilität),** d. h., sie erlaubt bestimmten Substanzen den Durchtritt leichter als anderen.

Die Grundstruktur der Biomembranen bildet eine **Phospholipid-Doppelschicht,** in der die hydrophoben Pole einander zugekehrt sind, während die hydrophilen nach außen weisen.

KOMPETENZ-ERWERB

Meine Ziele

Nach Bearbeitung dieses Kapitels kann ich

- den Aufbau der Biomembranen beschreiben und erklären, welche Bedeutung Membranproteine haben;
- zwischen aktivem und passivem Transport im System der Zelle unterscheiden.

1 Membranproteine

Die Lipiddoppelschicht ist der Hauptstrukturbestandteil der Membran. Für die meisten spezifischen Funktionen sind aber **Proteine** verantwortlich. Die Plasmamembran und die Membranen der verschiedenen Organellen verfügen jeweils über eine charakteristische Proteinausstattung.

Membranproteine können wirken als
- Bindungsstellen für Hormone oder Botenstoffe,
- Zellverbindungen,
- Erkennungsmerkmale für Zellen und
- Transportproteine.

Transportproteine regeln den Transport von größeren Molekülen und Ionen durch die Biomembran **(selektive Permeabilität).**

Transportproteine

Passiver Transport	Aktiver Transport
Kleine Moleküle (z. B. Wasser, Gase) können die Biomembran durch Diffusion entsprechend dem Konzentrationsgefälle ungehindert passieren. Größere Moleküle bzw. Ionen können die Membran nur durch Tunnelproteine passieren. Diese durchsetzen die Membran quer und bilden einen Weg durch die Membran **(erleichterte Diffusion).**	Ungeladene organische Moleküle bzw. Ionen können gegen das Konzentrationsgefälle nur aktiv transportiert werden. Der aktive Transport benötigt Energie (ATP) und erfolgt mithilfe von meist spezifischen **Carrier-Proteinen** (Trägereiweißen).

Diffusion = Ausgleichsvorgang, bei dem Stoffe von einem Ort hoher Konzentration zu einem Ort niedrigerer Konzentration transportiert werden.

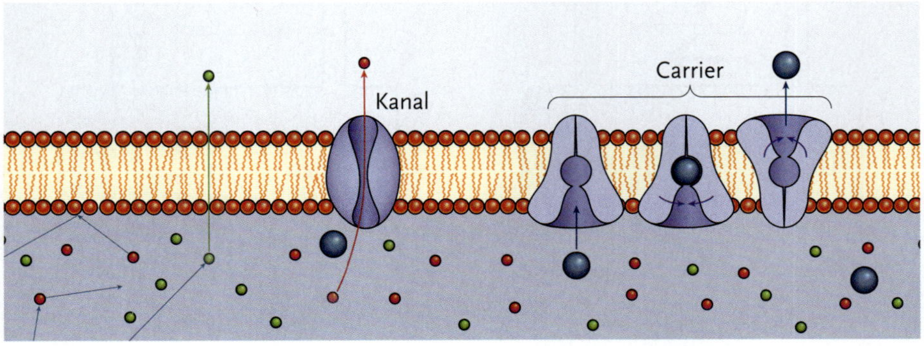

Mechanismen des **Transports durch biologische Membranen** von links nach rechts: Diffusion (passiver Transport), Tunnel- oder Kanalprotein (erleichterte Diffusion), Trägerprotein oder Carrier (aktiver Transport).

Wussten Sie, dass ...
sowohl Gase als auch Flüssigkeiten ineinander diffundieren? Die Diffusion ist auch die Ursache dafür, dass sich ein gelöster Stoff im Lösungsmittel gleichmäßig verteilt.

Diffusion gibt es allerdings nicht nur bei Flüssigkeiten! Ohne Diffusion würde z. B. nicht einmal unsere Atmung funktionieren (vgl. S. 88).

2 Diffusion

Wenn zwei verschieden konzentrierte Lösungen vorsichtig übereinander geschichtet werden, sodass vorerst keine Vermischung auftritt, geht der gelöste Stoff verstärkt in die Schicht über, in der er schwächer konzentriert ist. Die Diffusion ist erst dann beendet, wenn ein **Konzentrationsausgleich** eingetreten ist.

3 Osmose

Sind zwei verschieden konzentrierte Lösungen durch eine semipermeable (halbdurchlässige) Membran voneinander getrennt, tritt **Osmose** ein. Osmose ist das Eindiffundieren von reinem Lösungsmittel aus einer Lösung niedriger Konzentration durch eine **semipermeable Membran** in eine Lösung höherer Konzentration.

Semipermeable Membran
Aufgrund ihrer Proteinausstattung können kleine Moleküle und Ionen durchtreten, größere Moleküle jedoch nicht. Die semipermeable Membran ist deshalb für Lösungsmittelmoleküle durchlässig, nicht aber für gelöste Stoffe. Die Lösungsmittelmoleküle durchqueren die Membran in beiden Richtungen.

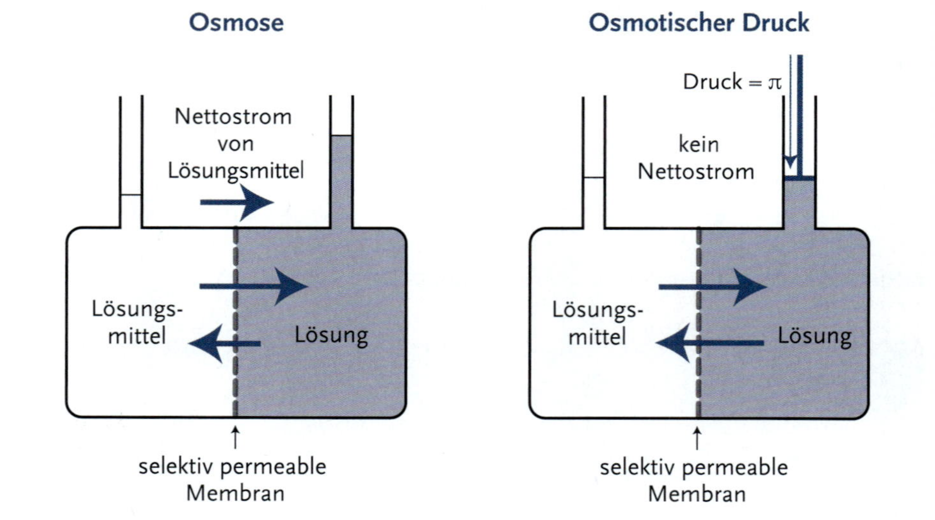

Der osmotische Druck π ist jener Druck, der ein Einströmen von Lösungsmittel in die Lösung verhindert.

Der osmotische Druck ist übrigens auch die Ursache dafür, dass Pflanzen aufrecht stehen. Wenn kein Wasser in die Pflanzenzellen strömen kann, lässt er nach und die Pflanze welkt.

Durch das Einströmen von Lösungsmittel in den Raum höherer Konzentration steigt dort der Druck. Der erhöhte Druck verstärkt die Tendenz der Lösungsmittelmoleküle, durch die Membran in umgekehrter Richtung zu wandern. Wenn der Druckunterschied in den beiden Lösungen einen Wert erreicht hat, bei dem der Lösungsmittelfluss durch die Membran in beiden Richtungen gleich groß ist, herrscht Gleichgewicht. Die Druckdifferenz zwischen den Lösungen wird **der osmotische Druck** π genannt.

Versuch – „Osmose“

Nehmen Sie ein frisches, knackiges Blatt (z. B. von Salat oder einer Zimmerpflanze) und legen Sie es in eine Salzlösung (Wasser in einem Glas mit bodenbedeckt Salz). Nach einiger Zeit wird das Blatt ganz welk. Da die Zellmembran des Blattes semipermeabel ist, kann ein Ausgleich der Salzkonzentration nur dadurch erfolgen, dass das Wasser aus den Zellen in die Salzlösung strömt.

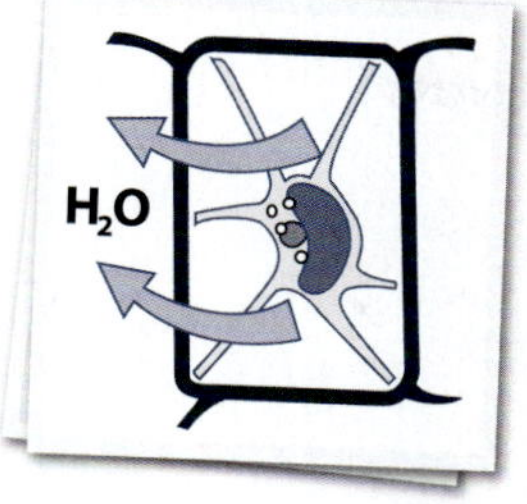

Die Osmose hat große **Bedeutung bei der Bluttransfusion und Blutreinigung** in der Niere. Das Blut enthält verschiedene Salze in bestimmten Konzentrationen, wodurch es einen osmotischen Druck von ca. 750 kPa gegenüber destilliertem Wasser entwickelt. Daher muss man für intravenöse Infusionen eine „physiologische“ Kochsalzlösung (0,9 % NaCl) verwenden. Ist die Salzkonzentration kleiner, schwellen die scheibchenförmigen roten Blutkörperchen an und können platzen. In Lösungen mit mehr als 0,9 % NaCl schrumpfen die Blutkörperchen und nehmen eine „Stechapfelform“ ein. Geplatzte Erythrozyten können Blutkapillaren verstopfen (Embolie), geschrumpfte Erythrozyten sind in ihrer Funktion beeinträchtigt.

Übt man auf die konzentrierte Lösung einen Druck aus, der höher ist als der osmotische Druck, wird der Gleichgewichtszustand gestört, und es wird ein Lösungsmittelfluss aus der konzentrierten Lösung in die verdünnte Lösung erzwungen. Dieser Vorgang wird als **Umkehrosmose** bezeichnet.

Hypertonisch

Rotes Blutkörperchen schrumpft in konzentrierter Salzlösung

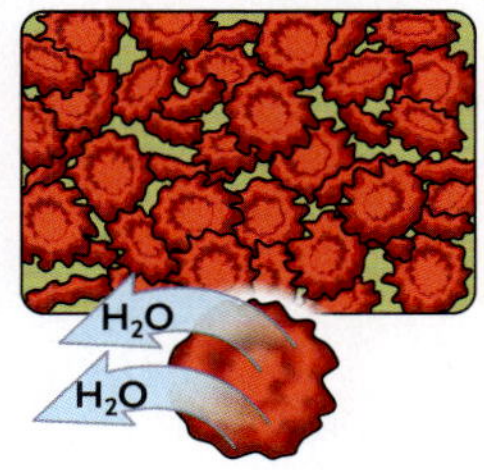

Isotonisch

Normales rotes Blutkörperchen in physiologischer Kochsalzlösung

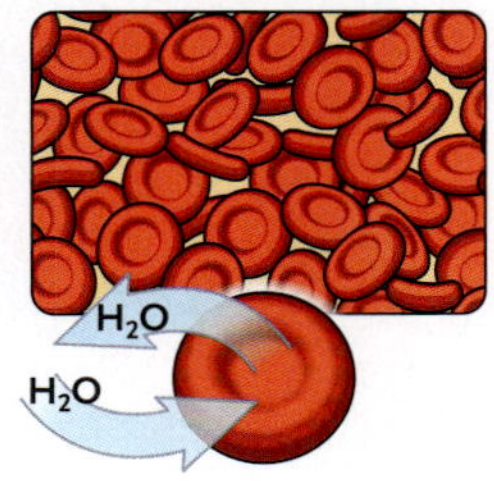

Hypotonisch

Rotes Blutkörperchen quillt in verdünnter Salzlösung und platzt in reinem Wasser

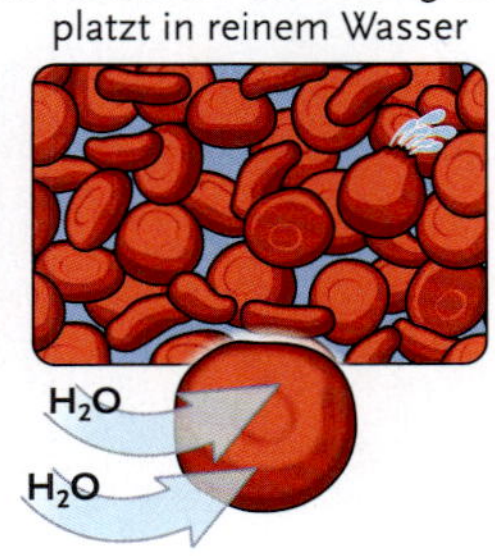

Ziele erreicht? – „Die Zelle als biochemisches System“

KOMPETENZ-ERWERB

1. \+ Beschreiben Sie den Bau von Biomembranen.
2. \+ Nennen Sie die Transportmoleküle in Biomembranen und deren Funktionen.
3. \+ Stellen Sie eine Schnittblume in ein Gefäß mit hochkonzentrierter Kochsalzlösung. Beobachten Sie den Vorgang und finden Sie eine Erklärung dafür.
4. ++ Erklären Sie, warum es dazu kommen kann, dass Kirschen im starken Regen platzen.
5. ++ Sie mischen reines Wasser mit Himbeersaft. Beobachten Sie diesen Vorgang und erklären Sie Ihre Beobachtungen.
6. ++ Begründen Sie, warum sowohl das Trinken von Meerwasser als auch das Trinken von destilliertem Wasser gefährlich für den Organismus ist.
7. ++ Sie trinken nach einer sportlichen Anstrengung süße Säfte. Werden Sie dadurch Ihren Durst stillen können? Begründen Sie Ihre Meinung. Welche Alternativen empfehlen Sie?

Einen interaktiven **Safety-Check** finden Sie in der TRAUNER-DigiBox.

Zellstoffwechsel

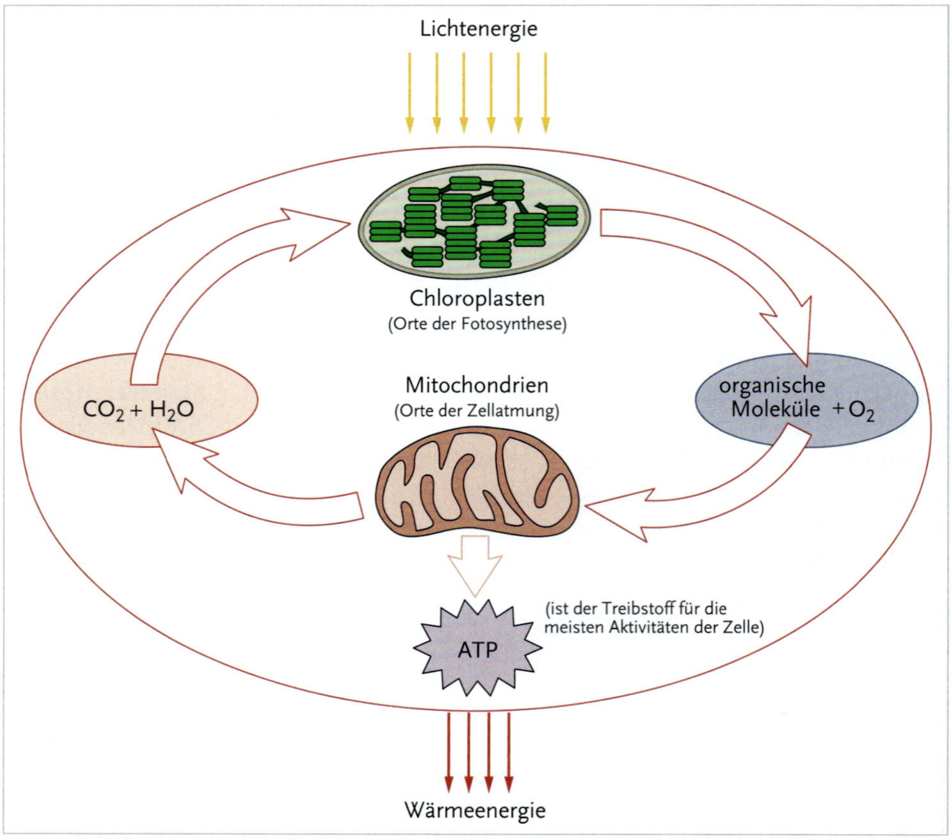

ATP = Adenosintriphosphat; Näheres dazu erfahren Sie auf S. 30 f.

Zellen sind auf ständige Zufuhr von Stoffen angewiesen, nicht nur von Stoffen, deren chemische **Energie** ausgebeutet wird (z. B. Zucker), sondern auch von solchen, die für **Funktionsabläufe** (z. B. Vitamine) oder für den **Aufbau** körpereigener Substanz (z. B. Aminosäuren) notwendig sind.

Es gibt zwei Arten von Stoffwechselprozessen in Zellen:
- Abbauprozesse: Komplexe Substanzen werden zu einfacheren abgebaut. Dieser Vorgang liefert Energie.
- Aufbauprozesse: Um aus einfachen Substanzen körpereigene Stoffe zu bilden, wird Energie benötigt.

Bei Zellen handelt es sich stets um **„offene Systeme“,** weil sie Energie und Materie sowohl aufnehmen als auch abgeben. Sie stehen mit ihrer Umgebung nicht in einem starren Gleichgewicht, sondern in einem **„Fließgleichgewicht“.**

Die lebende Zelle ist eine **chemische Fabrik im Miniaturformat,** in der tausende von Reaktionen auf mikroskopisch kleinem Raum ablaufen. Die Gesamtheit aller chemischen Prozesse eines Organismus wird als **Stoffwechsel** bezeichnet. Insgesamt organisiert der Stoffwechsel die Material- und Energieressourcen der Zelle.

KOMPETENZERWERB

Meine Ziele

Nach Bearbeitung dieses Kapitels kann ich
- die Stoffwechselwege in einer Zelle nennen;
- erklären, wie ATP arbeitet und wie es regeneriert werden kann;
- die Enzymaktivität und ihre Regulation beschreiben.

1 Fotosynthese

Ralf beobachtet bei einem Freund, dass in einem fensterlosen Zimmer eine Pflanze gut gedeiht. Er fragt sich, ob das mit der Beleuchtung im Raum zusammenhängt.

Zellen in den Blättern und anderen Teilen von Pflanzen sowie einige frei lebende Bakterien erzeugen aus Kohlenstoffdioxid (CO_2) und Wasser (H_2O) mithilfe von Lichtenergie Traubenzucker (Glucose). Dabei geben Sie Wasser und Sauerstoff ab. Dieser Vorgang – die **Fotosynthese** – ist an große, speziell gebaute Moleküle, die **Chlorophylle,** gebunden.

Chlorophyll = auch Blattgrün genannt, Farbstoff der Chloroplasten

Der wichtigste Ort der Fotosynthese ist das grüne Blatt. Ein Quadratmillimeter der Blattoberfläche enthält etwa eine halbe Million Chloroplasten, die sich vorwiegend im Palisadengewebe befinden. Die vom grünen Blattfarbstoff (Chlorophyll) absorbierte Lichtenergie treibt die Synthese von Zucker in den Chloroplasten an.

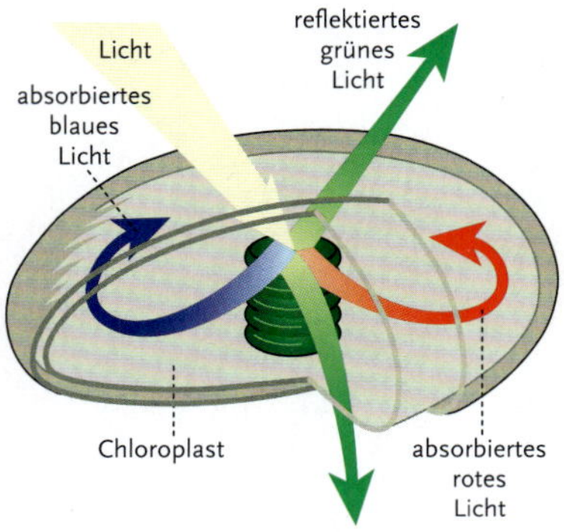

Warum erscheinen Blätter grün?
Die Farbstoffe der Chloroplasten absorbieren blaues und rotes Licht. Diese Farben sind in der Fotosynthese am wirksamsten. Grünes Licht wird von den Farbstoffen reflektiert oder durchgelassen – deshalb sehen Blätter grün aus.

Bruttogleichung der Fotosynthese

$$6\,CO_2 + 12\,H_2O \xrightarrow{\text{Lichtenergie}} C_6H_{12}O_6 + 6\,H_2O + 6\,O_2$$

Die Gesamtgleichung der Fotosynthese ist die täuschend einfache Zusammenfassung eines höchst komplizierten Prozesses. Eigentlich besteht die Fotosynthese aus zwei Vorgängen, die jeweils zahlreiche Reaktionsschritte beinhalten. Diese beiden Abschnitte der Fotosynthese bezeichnet man als **Licht- und Dunkelreaktion.**

Lichtreaktionen sind jene Schritte der Fotosynthese, bei denen Sonnenenergie in chemische Energie umgewandelt wird. Dabei wird Wasser gespalten, d. h., der bei der Fotosynthese abgegebene Sauerstoff ist ein Produkt der Lichtreaktion. Wasserstoff geht in Lösung und die frei werdende Energie wird als ATP gespeichert.

Lichtreaktion

$$12\,H_2O \xrightarrow{\text{Lichtenergie}} 12\,H_2 + 6\,O_2 + ATP$$

Die **Dunkelreaktion** wird nach Melvin Calvin auch Calvin-Zyklus genannt. Als Dunkelreaktion bezeichnet man sie deshalb, weil keine der ablaufenden Reaktionen unmittelbar Licht benötigt. Es werden die energiereichen Produkte (ATP) der Lichtreaktion dazu verwendet, Kohlenstoff in Kohlenhydrate umzuwandeln.

Melvin Ellis Calvin, 1911 bis 1997, amerikanischer Chemiker

Dunkelreaktion

$$6\,CO_2 + 12\,H_2 + ATP \longrightarrow C_6H_{12}O_6 + 6\,H_2O$$

Aufgabenstellung – „Fotosynthese“

- ++ Sie gehen am Morgen durch einen Garten. Die Wiese ist feucht, obwohl es nicht geregnet hat. Erklären Sie, was dafür verantwortlich sein kann.

2 Zellatmung

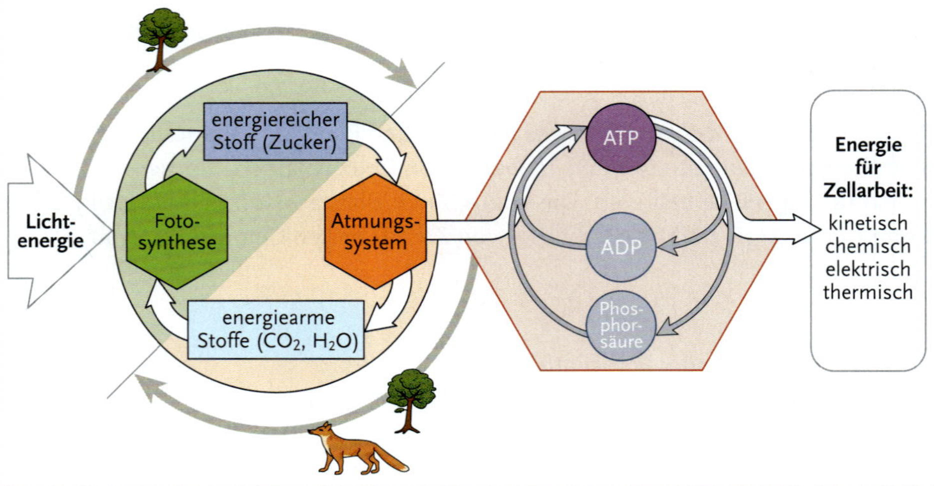

Zellatmung

Traubenzucker
+ Sauerstoff
$\xrightarrow{\text{Enzyme}}$
Kohlenstoffdioxid
+ Wasser
+ Energie

Die sogenannte **Zellatmung** ist ein Stoffwechselweg, bei dem **Energie freigesetzt** wird. Traubenzucker und andere organische Betriebsstoffe werden mithilfe von Enzymen abgebaut und es entstehen Kohlenstoffdioxid sowie Wasser.

Enzym = makromolekularer Stoff, der Stoffwechselreaktionen beschleunigt und beeinflusst; weitere Informationen finden Sie auf S. 33.

Andere Stoffwechselvorgänge in der Zelle wiederum **benötigen Energie,** um komplexe Moleküle aus einfacheren Molekülen aufzubauen.

Die Zelle benötigt die Energie für

Mechanische Arbeit	Transportarbeit	Chemische Arbeit
Beispiele ▪ Zusammenziehen von Muskelzellen ▪ Chromosomenbewegung bei der Kernteilung	**Beispiel** Transport von Molekülen durch Biomembranen	**Beispiel** Antreiben von nicht spontan ablaufenden Reaktionen, etwa die Zusammensetzung von Aminosäuren zu Eiweißen.

ATP ist ein **erneuerbarer Energieträger,** der durch die Addition von Phosphat an ADP regeneriert werden kann.

Die direkte Energiequelle für die zelluläre Arbeit ist das **Adenosintriphosphat (ATP).** Alle Stoffwechselwege beruhen darauf, dass die in den Nahrungsmolekülen enthaltene Energie in die „Energiewährung“ ATP, die allen Zellen gemeinsam ist, umgewandelt wird.

Da die Zelle von dieser Energiebatterie ständig zehrt, muss der Speicher immer wieder aufgefüllt werden. Die ATP-Reserven in der Muskelzelle reichen bei maximaler Arbeit nur wenige Sekunden.

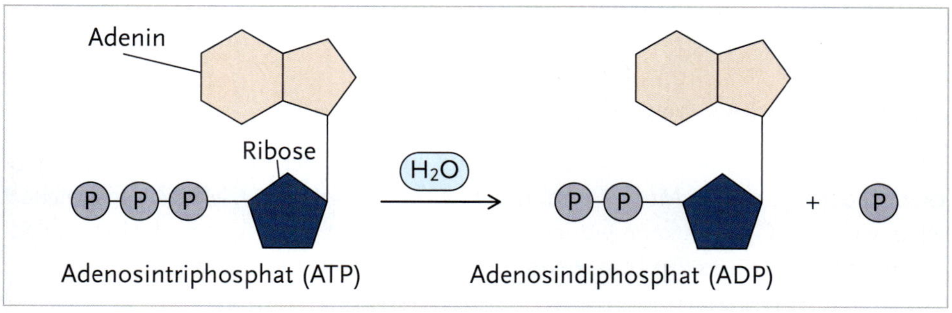

Die Triphosphatkette des ATP ist instabil. Die Bindungen zwischen den Phosphatgruppen können durch Wasser gelöst werden. Wird eine Phosphatgruppe vom ATP entfernt, verwandelt es sich zu **Adenosindiphosphat (ADP).** Diese Reaktion ist exotherm, d. h., es wird Energie freigesetzt.

ATP ist also mit einer Batterie vergleichbar. Die Energieumwandlung erfolgt in den Zellen der Lebewesen in ganz speziellen Zellorganellen (Fotosynthese in den Chloroplasten der Pflanzen, Zellatmung in den Mitochondrien aller Lebewesen).
Energie wird aber nicht nur dort benötigt. Denken Sie z. B. an Ihr Mobiltelefon. Wenn Sie unterwegs sind, hilft Ihnen die elektrische Energie in der Steckdose wenig. Sie benötigen einen Akku (aufladbare Batterie). Damit können Sie die Energie mitnehmen. Ähnlich gelingt es der Zelle mit dem ATP. Dieses kann die notwendige Energie in alle Bereiche der Zelle transportieren. Gibt es Energie ab (der Akku wird leer) wird es zum ADP. Beim Aufladen an der Ladestation (Chloroplast oder Mitochondrium) wird daraus wieder ATP (voller Akku).

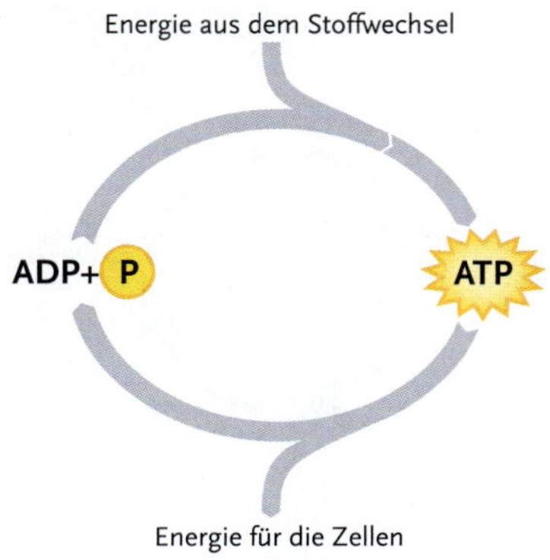

Die **Zellatmung** oder **innere Atmung** fasst Oxidationsvorgänge in den Zellen zusammen, die dazu dienen, der Zelle Energie (ATP) bereitzustellen. Als Oxidationsmittel dienen Sauerstoffmoleküle (O_2). Die Zellatmung läuft in den **Mitochondrien** ab, weshalb diese auch „Kraftwerke der Zellen“ genannt werden.

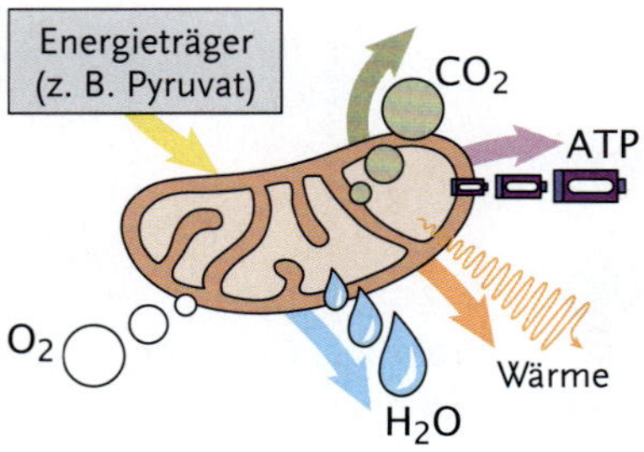

Mitochondrien sind von zwei Membranen umgeben. Trotz ihres gleichartigen Aussehens unterscheiden sich diese voneinander strukturell als auch funktionell.

Membranen der Mitochondrien

Äußere Membran	Innere Membran
Die äußere Membran ist z. B. für die meisten Stoffwechselprodukte und Ionen durchlässig und enthält daher keine spezifischen Transportsysteme.	Die innere Membran hingegen ist weitgehend undurchlässig und weist zahlreiche spezifische Transportsysteme auf.

Eukaryoten = Organismen, deren Zellen über einen Zellkern mit Kernmembran verfügen.

Glykogen = Reservekohlenhydrat tierischer Zellen. Es besteht aus hunderten Glucosemolekülen.

Nur Eukaryoten verfügen über Mitochondrien (mehrere hundert bis einige tausend pro Zelle). Die Vermehrung der Mitochondrien erfolgt durch Querteilung. Bei der Zellteilung werden sie offenbar passiv auf die beiden Tochterzellen verteilt.

Die Zellatmung ist ein schrittweise ablaufender Stoffwechselweg. Glucose und andere organische Moleküle werden durch Enzyme abgebaut. Die dabei portionsweise freigesetzte Energie treibt die Anlagerung von Phosphat an das ADP an. Pflanzen können zusätzlich Lichtenergie zur ATP-Produktion nutzen.

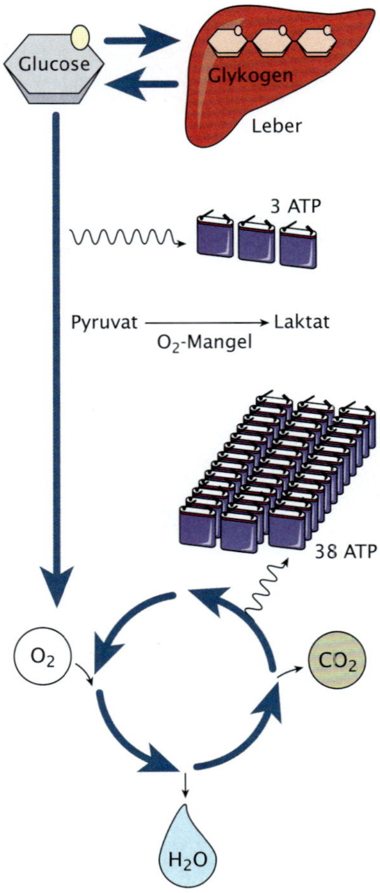

Energiegewinnung aus Kohlenhydraten

Die für die ATP-Synthese notwendige Energie wird aus dem Abbau von Traubenzucker (Glucose), der im Muskel und in der Leber in Form von Glykogen gespeichert ist, gewonnen. Glucose kann jedoch nicht direkt für die Bildung von ATP herangezogen werden. Sie muss zuvor in mehreren Schritten weiter zerlegt werden.

Zerlegung von Glucose

Anaerober Energiestoffwechsel (Glykolyse)	Aerober Energiestoffwechsel (Zitratzyklus)
Aus Glucose entsteht anaerob **Pyruvat,** das bei andauerndem Sauerstoffmangel weiter zu Milchsäure (Laktat) abgebaut wird. Die Energieausbeute ist allerdings gering (1 Glucosemolekül = 3 ATP).	Das noch immer energiereiche Pyruvat wird, bei genügend Sauerstoff, vollständig in Wasser (H_2O) und Kohlenstoffdioxid (CO_2) zerlegt. Die Energieausbeute beträgt 38 ATP.

Energiegewinnung aus Fetten

Aufgrund seines hohen Energiegehaltes eignet sich Fett besonders gut, um längerfristige Hungerperioden zu überwinden.

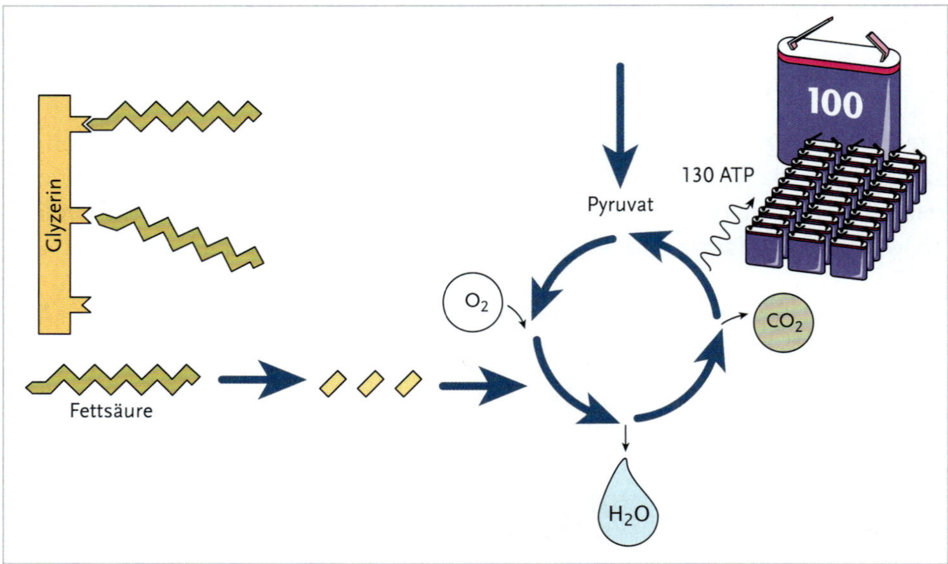

Während die Glykogenspeicher bereits nach einem Tag Hungern oder ein bis zwei Stunden sportlicher Höchstleistung erschöpft sind, speichert der Fettpolster Energie für Wochen bis Monate.

Die meisten Fettmoleküle bestehen aus Glycerin und drei Fettsäuren. Jede einzelne Fettsäure setzt im Stoffwechsel 130 ATP frei. Dazu werden ihre Abbauprodukte wie die Kohlenhydrate in mehreren Stufen unter Sauerstoffverbrauch zu Kohlenstoffdioxid und Wasser verarbeitet.

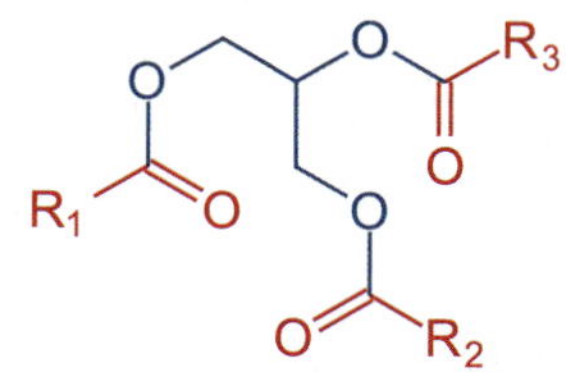

Die Fettsäuren sind hier rot dargestellt. Weitere Informationen zu den Fettsäuren und deren Aufbau haben Sie bereits auf S. 19 f. erhalten.

3 Enzyme

Enzyme sind an verschiedensten chemischen und biologischen Prozessen beteiligt. Ralf weiß z. B., dass durch die Lab-Enzyme aus Milch Käse wird. Doch worum handelt es sich bei diesen Stoffen und wie wirken sie?

Enzyme beschleunigen Stoffwechselreaktionen, indem sie Energiebarrieren herabsetzen. Chemisch gesehen zählen alle bisher bekannten Enzyme zu den Proteinen.

Von einem Enzym umgesetzte Stoffe nennt man **Substrate.** Bei der Enzymreaktion wird das Substrat chemisch verändert (neue Verbindungen werden geknüpft oder bestehende Bindungen gespalten). So entstehen ein bzw. mehrere Produkte. Das Enzym bleibt dabei unverändert.

Für die Wirksamkeit des Enzyms ist sein **aktives Zentrum** verantwortlich, das genau zum Substrat passt. Wie ein Schlüssel, so passt auch das Substrat nur in das entsprechende aktive Zentrum seines Enzyms. Enzyme wirken also **substratspezifisch.**

Damit Enzyme ihre Funktion ausüben können, sind die meisten von ihnen jedoch auf zusätzliche Helfer angewiesen **(Koenzym).** Das ist deshalb erforderlich, weil das Enzym selbst an der chemischen Reaktion nicht teilnimmt, sondern nur die beteiligten Partner in geeigneter Weise zusammenbringt. So ist es das Koenzym, das bei der Enzymreaktion verändert wird, indem es entweder vom Substrat abgespaltene Elektronen bzw. Atome aufnimmt oder dem Substrat zur Verfügung stellt.

Enzyme und Koenzyme wirken nach gewissen Richtlinien und Eigenschaften:

- **Wirkungsspezifität,** d. h., sie katalysieren nur eine bestimmte Umsetzung, z. B. Oxidation, Reduktion.
- Die **Körpertemperatur** spielt für die Enzymfunktion eine große Rolle: bei einer gewissen Körpertemperatur steigt auch die Umsatzrate eines Enzyms an.
- **pH-Wert:** In der Zelle ist ein pH-Wert von 7,2 optimal. Außerhalb der Zellen arbeitende Enzyme, z. B. Verdauungsenzyme, bevorzugen andere Werte.
- **Enzymhemmer:** Bestimmte Chemikalien hemmen die Wirkung spezieller Enzyme. Wenn sich der Hemmstoff **(Inhibitor)** durch chemische Bindungen an das Enzym bindet, ist die Hemmung normalerweise nicht umkehrbar. Bindet sich der Inhibitor über schwache Wechselwirkungen, kann die Inaktivierung wieder aufgehoben werden.

Substrat und Enzym passen zusammen wie der „Schlüssel zum Schloss"…

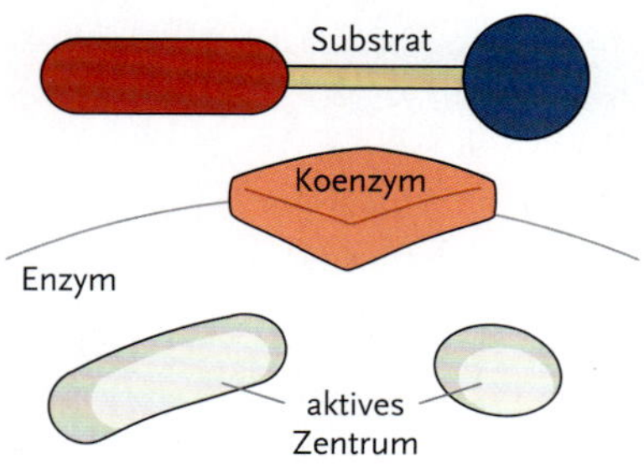

Sie verbinden sich;
dabei wird eine chemische Bindung im Substratmolekül aufgebrochen …

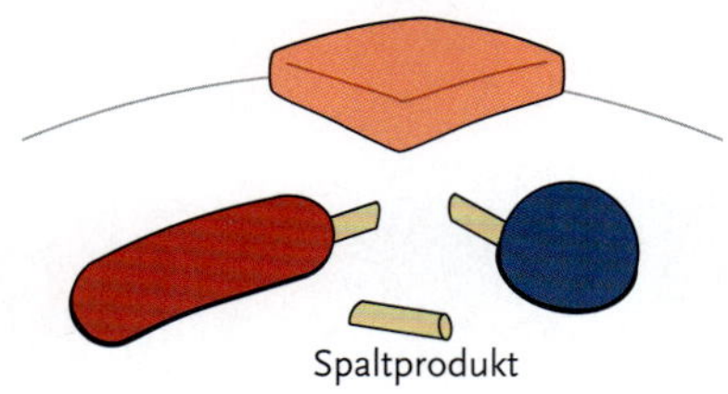

Die Reaktionsprodukte des Substrats verlassen das Enzym wieder, das Koenzym greift das Spaltprodukt der Bindung auf und trennt sich vom Enzym.

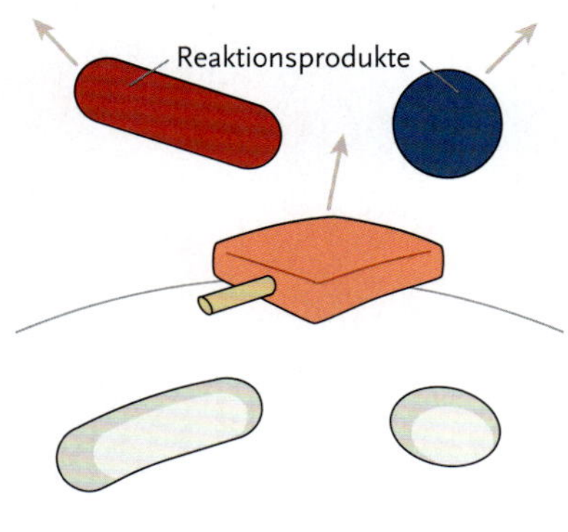

Beispiel für Enzymhemmer
Antibiotika sind Inhibitoren für bestimmte Bakterienenzyme.
So blockiert Penizillin ein Enzym, das viele Bakterien für den Aufbau ihrer Zellwand benötigen.

Ziele erreicht? – „Zellstoffwechsel“

KOMPETENZ-ERWERB

1. ++ Erklären Sie die chemische Reaktion der Fotosynthese und unterscheiden Sie die beiden Teilreaktionen der Fotosynthese.
2. + Recherchieren Sie, Licht welcher Wellenlängen für das Wachstum der Pflanzen notwendig ist, wenn blaues und rotes Licht vom Chlorophyll absorbiert wird.
3. + Erklären Sie die Wirkung von Enzymen als Biokatalysatoren.
4. + Erklären Sie den Energiehaushalt der Zelle und geben Sie an, wie eine Zelle Energie speichern kann.

Going international

Now let's use the basics of the chapter "Biochemie" in English!

Exercise 1

Match the following carbohydrates with the correct types.

	mono-saccharides	di- and oligo-saccharides	poly-saccharides
glucose			
cellulose			
fructose			
lactose			
starch			
sucrose			

Exercise 2

Take a look at the picture and describe the shown process. Also describe why this movement of the particles in the liquid is not random.

Exercise 3

Decide whether the following statements regarding biochemistry are true or false.

statement	true	false
Enzymes are biomolecules that mostly consist of proteins.		
Unsaturated fatty acids have no double bonds between carbon atoms.		
The acetic acid in vinegar is produced by the fermentation of ethanol.		

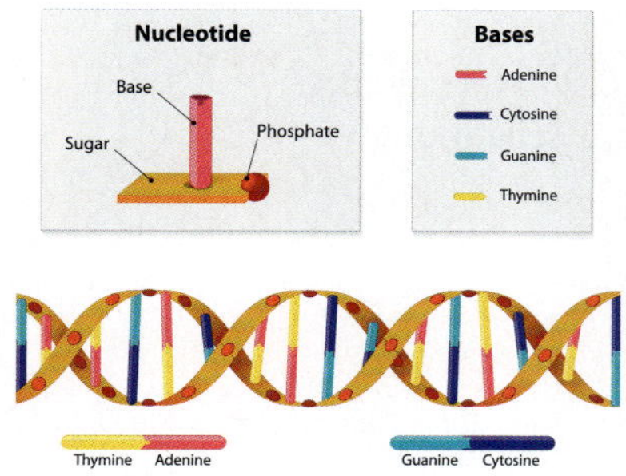

Biochemistry is the branch of chemistry that studies and explores chemical processes in organisms, e.g. biomolecules like DNA.

carbohydrates
Kohlenhydrate

starch
Stärke

sucrose
Saccharose

FILM AB!

This video explains diffusion and the movement of particles in liquids.
www.trauner.at/nawi_v128.aspx

Vinegar usually consists of 4–20 % of acetic acid.

cellular respiration
Zellatmung

Write down the words that you need to look up below.

FILM AB!

The following video provides a deeper insight into cellular respiration.
www.trauner.at/nawi_v113.aspx

These molecules are also called the "currency" of cellular energy.

Exercise 4

Read the following article about cellular respiration and answer the questions below.

Cellular respiration

Cellular respiration is the process by which organisms use oxygen to break down food molecules to get chemical energy for cell functions. Cellular respiration takes place in the cells of animals, plants, and fungi. The process usually requires oxygen.

Cellular respiration is a chemical reaction in which glucose is broken down in the presence of oxygen, releasing chemical energy and producing carbon dioxide and water as waste products:

$$\text{glucose} + \text{oxygen} \rightarrow \text{carbon dioxide} + \text{water} + \text{chemical energy}$$

The energy released is captured in molecules of adenosine triphosphate (ATP), which then is used to fuel other cellular processes.

All cells need energy to function. Just as a car must burn fuel to get the energy it needs to run, the cell must burn fuel—for example, food—to get energy to carry out the tasks of life. Glucose, a simple sugar, provides the fuel the cell needs. Although energy is also stored in larger molecules, such as complex carbohydrates and fats, they must be broken down into molecules of glucose before the cell can use their energy.

Most of cellular respiration takes place in organelles called mitochondria. Their main function is to produce large amounts of energy through cellular respiration.

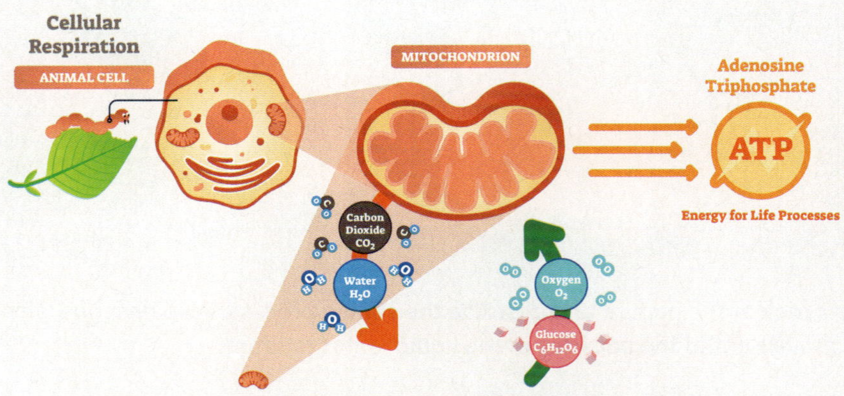

(Source: Britannica.com, 29 January 2019)

a) What is the simplified chemical reaction for cellular respiration? Write down the chemical equation for the reaction.

b) Describe what must happen to molecules larger than glucose before they can be used to provide energy for the cells.

c) What is the name of the complex molecules that capture the energy?

II Landwirtschaft und Ernährung

Zu den für den Menschen elementaren, lebensnotwendigen Gütern zählen die Nahrungsmittel, die zu einem großen Teil aus der Landwirtschaft stammen. Nicht nur die Produktion und Arten der Waren, sondern auch die ökologischen Gesichtspunkte werden in diesem Kapitel thematisiert.

Formen der Landwirtschaft

Mit Produkten aus der Landwirtschaft haben Sie täglich zu tun, wenn Sie Lebensmittel konsumieren. In all diesen Produkten sind Zutaten aus der Landwirtschaft enthalten.

Die Landwirtschaft produziert heutzutage aber nicht nur Lebensmittel, sondern auch Biomasse, die als Brenn- und Treibstoff verwendet wird. Darüber hinaus hat die Landwirtschaft die wichtige Aufgabe, unsere Landschaft zu pflegen. Nicht immer wird jedoch die Landschaft zum Besseren verändert!

Dabei ist das „Wie" der Landwirtschaft ganz wichtig. Deshalb wollen wir uns zunächst mit den verschiedenen Formen der Landwirtschaft befassen.

Monotonie = Eintönigkeit, Gleichförmigkeit

Landwirtschaft kann wertvolle Kulturräume schaffen – oder öde Monotonie. Sie kann gesunde, wohlschmeckende Lebensmittel produzieren – oder einfach billiges „Menschenfutter".

Sie entscheiden selbst, welche Qualität von Agrarprodukten Sie kaufen!

KOMPETENZ-ERWERB

Meine Ziele

Nach Bearbeitung dieses Kapitels kann ich

- verschiedene Formen der Landwirtschaft beschreiben.
- landwirtschaftliche Warenproben mithilfe einfacher Methoden untersuchen und dadurch deren Eigenschaften und Qualitäten ermitteln.
- landwirtschaftliche Produkte aus ökologischer Sicht analysieren und beurteilen.

1 Acker als Ökosystem

Der Acker ist ein künstliches Ökosystem, durch menschliche Pflege entstanden, und nur mit menschlicher Pflege kann er erhalten werden.

Landwirtschaftliche Ökosysteme unterscheiden sich in vielfältiger Hinsicht von natürlichen Ökosystemen. Ein ganz wesentlicher Unterschied liegt darin, dass das Ökosystem **ständig aufs Neue durch den Menschen beeinflusst** wird.

Ähnliche Entwicklungen gibt es auch in natürlichen Ökosystemen, die regelmäßig durch Waldbrand oder durch Vulkanismus zerstört werden.

Beispiele für Beeinflussung des Ökosystems Acker durch den Menschen
- Regelmäßige Entfernung sogenannter „Unkräuter“
- Entnahme der Ernte zu gewissen Zeitpunkten

Durch die **Ernte** wird der Acker laufend auf einem niedrigen Entwicklungsstadium **(Pionierstadium)** gehalten. Würde der Mensch nicht ständig eingreifen, käme es zu einer Entwicklung verschiedener Pflanzengenerationen, die in unseren Breiten meist zu einem Laubmischwald führt (je nach Höhenlage). Das Endstadium dieser Entwicklung wird schließlich **Klimax** (Höhepunkt) genannt.

Der Sinn, den Acker auf einem niedrigen Entwicklungsstand zu halten, ist, dass dadurch der Zuwachs an Biomasse erhöht wird. Im Klimaxzustand ist der **Biomassezuwachs** gleich null.

Biomasse = Masse der organischen Substanz des Ökosystems

Auswirkungen durch den Menschen auf das Ökosystem Acker

Düngung

Dem Acker müssen in irgendeiner Form Pflanzennährstoffe zurückgegeben werden. Ansonsten würde auf Dauer die Fruchtbarkeit des Bodens verloren gehen.
Intensive Düngung kann jedoch das Grundwasser beeinträchtigen.

Bodenverdichtung

Durch die Bearbeitung mit schweren Maschinen verdichtet sich der Boden. Damit verbunden wird der Lebensraum für Bodenorganismen sowie das Luft- und Wasserspeichervermögen verringert. Ohne Bodenbepflanzung kann die Oberfläche dann durch Wind und Regen abgetragen werden **(Erosion).**

Anwendung von Pflanzenschutzmitteln

Durch die Anwendung von **Pflanzenschutzmitteln** verschwinden oft auch die Nützlinge.

Bodenbearbeitung auf einem Acker mit einem Pflug

Nützlinge = Organismen, die von Schädlingen leben und damit deren Zahl gering halten.

Monokulturen und global einheitliches Saatgut führen nicht nur zu **Artenarmut,** sondern auch zu **Sortenarmut** an Nutzpflanzen in der Landwirtschaft.

Monokultur = Form der Bodennutzung, bei der nur eine Nutzpflanze angebaut wird.

Aufgabenstellungen – „Acker als Ökosystem“

1. + Erklären Sie, warum der Acker auf einem geringen Entwicklungsniveau (Pionierstadium) gehalten wird.
2. ++ Beschreiben Sie, worin sich das Ökosystem Acker von natürlichen Ökosystemen unterscheidet.

2 Entwicklung der Landwirtschaft

Neolithikum = Jungsteinzeit (in Mitteleuropa ca. 5500 bis 2200 v. Chr.)

Nomade = umherziehender, nicht sesshafter Mensch

Im Neolithikum entwickelten sich die Menschen von Jägern und Sammlern zu Bauern. Damit ging eine Entwicklung vom Nomaden zur sesshaften Landbevölkerung einher. Diese Entwicklung wird auch als **Neolithische Revolution** bezeichnet.

Die Erfindung der Landwirtschaft passierte unabhängig voneinander in verschiedenen Gebieten mit gemäßigt warmem Klima (Mittelamerika, Südchina und östlicher Mittelmeerraum).

Landwirtschaft, wie sie vor der Industrialisierung üblich war und auch heute noch gern in romantisierenden Darstellungen gezeigt wird.

Mit steigender Besiedlungsdichte mussten immer mehr Menschen versorgt werden. Eine Steigerung der landwirtschaftlichen Produktion wurde durch die **Industrialisierung** und dem **Einsatz von Erdöl als Brennstoff** möglich. Die Verwendung von modernen und schweren Maschinen sowie von künstlichen Düngern und Pflanzenschutzmitteln konnten den Ertrag immer mehr steigern. Aufgrund der höheren Produktivität in der Landwirtschaft wurden dort immer weniger Arbeitskräfte benötigt. Immer mehr Menschen zogen und ziehen auch heute noch vom Land in die Stadt, wodurch die bäuerliche Kultur stark verändert wurde und auch der gesellschaftliche Einfluss der Bauern sank.

Industrialisierte Landwirtschaft

Die Weltbank versuchte in den 60er-Jahren des vergangenen Jahrhunderts die Armut in den Entwicklungsländern durch moderne Agrartechnik zu bekämpfen. Dieses Vorhaben wurde als **Grüne Revolution** bezeichnet. Diese muss jedoch als gescheitert betrachtet werden. Einerseits, weil die Nahrung auf der Erde immer noch ungerecht verteilt ist, andererseits, weil die Maßnahmen der grünen Revolution zu Umweltschäden geführt haben (z. B. Rodung von Wäldern für Agrarflächen oder hoher Pestizideinsatz) und Kleinbauern von den industriell bewirtschafteten Flächen verdrängt wurden.

Heute ist die weltweite Produktion an Nahrungsmitteln so hoch wie nie, trotzdem ist der Hunger so groß wie nie. Das Problem des Hungers liegt also nicht an der zu geringen Nahrungsmittelproduktion weltweit. Wir könnten mit der landwirtschaftlichen Produktivität von heute auch die doppelte Weltbevölkerung ernähren.

Aufgabenstellungen – „Entwicklung der Landwirtschaft“

1. ++ Erklären Sie die Entwicklung der Landwirtschaft im Industriezeitalter. Gehen Sie dabei auch auf die gesellschaftlichen und ökologischen Auswirkungen ein.
2. ++ Erklären Sie, warum die Grüne Revolution nicht zum Verschwinden des Hungers auf der Welt geführt hat. Recherchieren Sie dazu auch die wirtschaftlichen Zusammenhänge.

3 Einteilung der Landwirtschaft

Die Landwirtschaft dient nicht nur der Versorgung mit wertvollen Nahrungsmitteln, sondern trägt auch zur Gestaltung einer abwechslungsreichen Kulturlandschaft mit lebenswichtigen Sozialfunktionen für Stadt und Land bei. Die Landwirtschaft ist somit eine Mehrzweckwirtschaft:

- Sie sichert die Ernährung,
- sorgt für ein lebenswertes Umfeld,
- liefert nachwachsende Rohstoffe als Energiespender bzw. Baustoff und
- gibt Menschen in vor- und nachgelagerten Wirtschaftsbereichen Arbeit, wie z. B. in der Ernährungswirtschaft und in der Gastronomie.

Typen von Agrarwirtschaft am Beispiel der Hühnerhaltung

Konventionelle Agrarwirtschaft

Die heute allgemein übliche Produktionsweise mit Einsatz von Kunstdüngemitteln, Schädlingsbekämpfungsmitteln, Medikamenten und starker Mechanisierung.

Beispiel
Käfighaltung

Ökologische Agrarwirtschaft

Verzichtet auf chemische Schutzmittel, künstliche Dünger und ausländische Futtermittel. Verpflichtet zu artgerechter Tierhaltung und nachhaltiger Bewirtschaftung.

Beispiel
Freilandhaltung

Integrierte Agrarwirtschaft

Nimmt eine Mittelstellung zwischen den beiden genannten Landwirtschaftsformen ein.

Beispiel
Bodenhaltung

Getreideernte nach konventionellem Landbau mit Einsatz von schweren Maschinen, die für große und monotone Strukturen geschaffen wurden.

Aufgabenstellungen – „Einteilung der Landwirtschaft"

1. ++ Stellen Sie Vor- und Nachteile der konventionellen und der ökologischen Landwirtschaft einander gegenüber. Beachten Sie: Vor- und Nachteile aus Sicht eines Konsumenten unterscheiden sich von Vor- und Nachteilen aus Sicht einer Landwirtin erheblich.
2. ++ Erklären Sie die Begriffe „konventionelle", „ökologische" und „integrierte" Landwirtschaft. Recherchieren Sie bei Bedarf weiter.

3.1 Konventionelle Landwirtschaft

Nach den Notzeiten des Zweiten Weltkrieges in Europa war das oberste Ziel der Landwirtschaft die flächendeckende Versorgung der Bevölkerung mit Lebensmitteln. Dieses Ziel wurde durch den verstärkten Einsatz von Maschinen, einheitlichem Saatgut, Mineraldünger sowie Schädlings- und Unkrautbekämpfungsmitteln erreicht.

In Zuchtbatterien, die praktisch jede Bewegung verhindern, können sich Krankheiten rasch ausbreiten, da zu viele Tiere auf engstem Raum gehalten werden. Das macht einen intensiven Medikamenteneinsatz notwendig. Die Käfighaltung ist in Österreich seit 2009 und in den weiteren Ländern der EU seit 2012 verboten.

Die Spezialisierung auf **Monokulturen** und die **Massentierhaltung** ermöglichten weitere Produktionssteigerungen. Heute kämpfen die Industriestaaten mit Überschüssen an landwirtschaftlichen Produkten. In der EU gibt es Überschüsse an Milch, Butter, Fleisch und Getreide. Einerseits verfallen dadurch die Preise, andererseits muss die Produktion angekurbelt werden, damit das Einkommen der Bauern gesichert ist. Aus den Entwicklungsländern werden billige Futtermittel zugekauft.

Gleichzeitig mit der Überproduktion steigt aber auch die Belastung der Umwelt. Die Böden sind ausgelaugt, Düngemittel und Schädlingsbekämpfungsmittel belasten die Gewässer.

Aufgabenstellungen – „Konventionelle Landwirtschaft"

1. ++ Wie lautete das Ziel der europäischen Landwirtschaft nach den Weltkriegen des 20. Jahrhunderts? Beschreiben Sie, wie dieses Ziel erreicht wurde. Überlegen Sie, ob dieses Ziel auch heute noch gilt.
2. ++ Erläutern Sie Vor- und Nachteile von Monokultur und Massentierhaltung.

Eine alte Haustierrasse, die zurzeit auch in Österreich wieder vermehrt gezüchtet wird, ist das ungarische Wollschwein (Mangalica).

3.2 Ökologische Landwirtschaft

Das stärkere ökologische Bewusstsein der Verbraucher/innen fördert den biologischen Landbau. Dieser arbeitet mit dem geschlossenen Kreislauf der Natur. Im Vordergrund stehen die Qualität der Lebensmittel und die Schonung der Umwelt. In Österreich sind die rechtlichen Grundlagen für den biologischen Landbau im Lebensmittelbuch festgelegt.

Agrarökosysteme, die biologisch (ökologisch) bewirtschaftet werden, sind meist artenreicher (mehr Arten von nützlichen Organismen, weniger Individuen von schädlichen Organismen), in der biologischen (ökologischen) Landwirtschaft ist meist die genetische Vielfalt der Nutztiere und Nutzpflanzen höher, zum Teil wird auch auf die **Nutzung alter Haustierrassen und Pflanzensorten** geachtet.

Vögel, die sich z. B. von Insekten ernähren, sind ein wichtiger Beitrag zur biologischen Schädlingsbekämpfung.

In der biologischen (ökologischen) Landwirtschaft werden nicht die großen Monokulturen der konventionellen Landwirtschaft gepflegt. Eine Folge daraus ist die **größere landschaftliche Vielfalt**, die komplexere landschaftliche Struktur. Diese gibt wiederum vielen sogenannten **Nützlingen** Lebensraum und erleichtert die Schädlingsbekämpfung.

Richtlinien des biologischen Landbaus für pflanzliche Produkte

Standort	Dünger	Pflanzenschutzmaßnahmen
▪ Der Boden wird auf Schwermetallbelastung untersucht. ▪ Neben Autobahnen und stark befahrenen Straßen sind Anbau und Weidehaltung erst ab 50 m vom Fahrbahnrand entfernt erlaubt.	▪ Erlaubt ist aufbereiteter Wirtschaftsdünger wie Stallmist, Grün- und Strohdüngung. ▪ Zugekaufter organischer Dünger wie tierischer Mist und Jauche darf nur aus biologischer Landwirtschaft stammen. ▪ Kunstdünger ist verboten.	▪ Erlaubt ist der Anbau standortgerechter und klimatisch angepasster Pflanzen. ▪ Nützlinge sollen gefördert werden. ▪ Natürliche Pflanzenpräparate, wie z. B. Brennnesseljauche, verhindern Schädlingsbefall. ▪ Schädlingsbekämpfungsmittel, Wachstumsregler und Welkmittel sind verboten.

Richtlinien des biologischen Landbaus für tierische Produkte

Artgerechte Tierhaltung

- Keine Käfig- oder Batteriehaltung
- Trockener, weicher, Wärme dämmender Liegeplatz
- Genügend Tageslicht
- Frischluftzufuhr
- Die Anzahl der Tiere ist der landwirtschaftlichen Nutzfläche angepasst.

Futter

- Es darf nur eigenes, biologisch angebautes Futter bzw. zugekauftes Futter aus biologischer Landwirtschaft verwendet werden.

Krankheitsvorbeugung

- Artgerechte Tierhaltung und Vermeidung von Stresssituationen (z. B. zu wenig Platz) können Krankheiten verhindern.
- Eine vorbeugende Medikamentengabe ist verboten.

Lebensmittelkennzeichnung

- Sachbezeichnung in Worten
- Kennzeichnung mit Aufschrift „aus biologischem Anbau", „aus biologischem Landbau" oder „aus biologischer Landwirtschaft".
- Bezeichnung „biologisch" bzw. „organisch-biologisch oder „ökologisch".

Damit Lebensmittel aus biologischem Anbau für die Konsumentinnen/Konsumenten auf den ersten Blick erkenntlich sind, vergibt die AMA (Agrarmarkt Austria) die **Bio-Austria-Kontrollzeichen.**

Produkte, die das **AMA-Biozeichen mit Ursprungsangabe** (rotschwarz) erhalten, müssen aus österreichischen Rohstoffen erzeugt werden. Lediglich für Bestandteile von verarbeiteten Lebensmitteln, die nicht in entsprechender Qualität in Österreich herstellbar sind, gilt ein Toleranzbereich von einem Drittel.

Das **AMA-Biozeichen ohne Ursprungsangabe** (schwarzweiß) garantiert die Herkunft aus biologischer Landwirtschaft und den kontrollierten biologischen Anbau der Rohstoffe des Lebensmittels.

Beispiel für den Toleranzbereich Betrachten wir einmal ein Bio-Vanillejoghurt näher: Die Milch muss zu 100 % von Kühen aus Österreich stammen, während die Vanille, die in Österreich nicht als landwirtschaftliches Produkt vorzufinden ist, aus einem anderen Land stammt.

Das EU-weit gültige Bio-Siegel garantiert die Einhaltung gewisser Standards und Auflagen.

Vorteile der biologischen Landwirtschaft

- **Tier- und Pflanzenreich:** Artenvielfalt, keine großen Monokulturen, Lebensraum für Nützlinge
- **Grund und Boden:** dichter Bodenwuchs, größeres Wasserspeichervermögen, geringere Gefahr von Dürre und Wasserschäden
- **Wirtschaftlichkeit:** Tourismus wird gefördert, hochwertigere Lebensmittel, durch höhere Verkaufspreise lohnt sich ökologische Landwirtschaft

Aufgabenstellungen – „Ökologische Landwirtschaft"

1. + Erklären Sie, woran Sie Produkte aus ökologischer Landwirtschaft sicher erkennen können.
2. + Suchen Sie im Internet nach den Markenzeichen der verschiedenen Bioverbände und Biomarken von Supermarktketten.

Wussten Sie, dass ...
in Österreich europaweit die meisten Biobäuerinnen/Biobauern tätig sind?

4 Schädlingskontrolle

Schädlinge treffen die Landwirtschaft besonders stark, aber selbst Ralf ist schon öfters von Schädlingen heimgesucht worden: Im Garten haben Blattläuse seine Nutzpflanzen befallen und im Keller hat er letztens eine Maus entdeckt, die sich an den Lebensmittelvorräten zu schaffen gemacht hat.

Engerling des Maikäfers: ein Schädling, der Kohlwurzeln frisst.

Kartoffelkäfer

Borkenkäfer oder Buchdrucker

Schon ursprüngliche Wildformen unserer Kulturpflanzen dienten nicht bloß dem Menschen als Nahrung. Auch viele Tiere ernährten sich von ihnen und nutzten sie als Lebensraum.

Da der Mensch die Kulturpflanzen anbaut, um Nahrungsmittel hoher Qualität und Quantität zu gewinnen, werden diese Pflanzenfresser für den Menschen zu Konkurrenten. Es hat sich im Laufe der Geschichte der **Begriff „Schädlinge"** eingebürgert, da sie der Kulturpflanze (direkt) und dem Menschen (indirekt, wirtschaftlich) „Schaden" zufügen.

Zu den Schädlingen zählen viele verschiedene Arten. Sie alle zu nennen, ist unmöglich. Die wichtigsten Vertreter werden in folgende Gruppen eingeteilt:

- **Schädlinge im Gemüsebau:** Maulwurfsgrille, Drahtwürmer, Maikäferlarven, Schnecken
- **Schädlinge im Obst- und Weinbau:** Apfelblütenstecher, Apfelwickler, Rote Spinnmilbe
- **Schädlinge im Ackerbau:** Älchen, Maiszünsler, Mutterkornpilz, Kartoffelkäfer
- **Schädlinge des Waldes:** Großer brauner Rüsselkäfer, Buchdrucker, Kiefernspinner
- **Vorratsschädlinge:** Kornkäfer, Dörrobstmotte, Mäuse, Ratten, Pilze, Bakterien

Neben den Pflanzenfressern gibt es auch Tiere, die sich von anderen Tieren ernähren, wie Beutegreifer und Parasiten. Diese sind aufgrund ihrer Lebensweise wichtige Gegenspieler von Schädlingen und werden daher auch als **Nützlinge** bezeichnet.

Methoden der Schädlingsbekämpfung

Mechanische Schädlingsbekämpfung

- Einsammeln
- Abklauben
- Unkrautstriegel

Chemische Schädlingsbekämpfung

- Einsatz von Pestiziden
- integrierter Pflanzenschutz

Biologische Schädlingsbekämpfung

- Nützlinge

Ziel ist es, die Schädlingspopulationen auf einer wirtschaftlich unbedenklichen Größe zu halten. Eine Möglichkeit ist die Förderung der Lebensbedingungen für Nützlinge.

Integrierter Pflanzenschutz
Sinnvolle Kombination verschiedener Verfahren, um die Dichte von Schadorganismen gering zu halten (Kombination von biologischer Bekämpfung, Pflanzenpflegemaßnahmen, Züchtung und Anbau schädlingsresistenter Sorten sowie chemischer Bekämpfung).

FILM AB!
Wie man mit biologischen Mitteln Schädlinge bekämpfen kann, zeigt Ihnen dieses Video:
www.trauner.at/nawi_v35.aspx

Aufgabenstellungen – „Schädlingskontrolle“

1. + Erläutern Sie die Begriffe „Schädling“ bzw. „Nützling“ und unterscheiden Sie verschiedene Gruppen von Schädlingen. Nennen Sie jeweils Vertreter.
2. + Erklären Sie, wie die Schädlinge eigentlich zu solchen geworden sind. Bewerten Sie das Problem im Zusammenhang mit der Entwicklung der Landwirtschaft.
3. + Erörtern Sie die Problematik der chemischen Schädlingsbekämpfung.

5 Gentechnik in der Landwirtschaft

Weltweit kommt es in der Landwirtschaft zusehends häufiger zum Einsatz der Gentechnologie. Es werden immer mehr **gentechnisch veränderte Organismen (GVO)** produziert. Lebensmittel, die aus oder mithilfe von GVO hergestellt sind, werden als **gentechnisch veränderte Lebensmittel** bezeichnet.

Logo für Produkte, die ohne Anwendung von Gentechnologie produziert wurden

Beispiele für GVO und aus solchen hergestellte Lebensmittel
- gentechnisch veränderter Mais
- Schokolade mit GV-Soja-Lecithin
- Joghurt mit GV-Milchsäurebakterien
- Öl aus GV-Sojabohnen

Ziele der Gentechnik im Ackerbau
- Die Bildung von Resistenzen gegen: Viren, Insekten, Pilze, Kälte und Trockenheit oder Salz.
- Die Produktion von Rohstoffen für Medikamente und Functional Food.
- Die Veränderung von Pflanzeninhaltsstoffen z. B. zur Herstellung allergenfreier Produkte (etwa Erdnüsse für Erdnussallergiker).
- Die Produktion neuer Pflanzeninhaltsstoffe als Industrierohstoff (z. B. Mais mit veränderter Stärke zur Kunststofferzeugung).
- Spezielle Produkteigenschaften (z. B. Reifeverzögerung von Tomaten – Antimatschtomate oder Früchte ohne Kerne).
- Einbau von Schwermetallen (z. B. spezieller Tabak zur Bodensanierung).
- Erleichterung landwirtschaftlicher Technologien wie z. B. Kulturpflanzen, die widerstandsfähig gegen Pflanzengifte sind.

Functional Food = Nahrungsmittel, die mit besonderen Inhaltsstoffen (z. B. Vitaminen, Mineralstoffen oder probiotischen Bakterienkulturen) beworben werden, um einen besonderen Effekt auf die Gesundheit des Konsumenten zu versprechen.

Gesetzliche Richtlinien für GVO

- Gentechnisch veränderte Lebensmittel müssen **nach EU-weit geltenden Richtlinien gekennzeichnet** werden. Das Gleiche gilt für Lebensmittel und ihre Zutaten, die aus GVO hergestellt werden.
- Lebensmittel, deren Zutaten mithilfe von GVO gewonnen wurden, die allerdings selbst keine GVO mehr enthalten, müssen nicht gekennzeichnet werden (z. B. Fleisch von Tieren, die mit GV-Soja gefüttert wurden).
- Das **Österreichische Gentechnikgesetz** regelt das Arbeiten mit GVO, das Inverkehrbringen von GVO inklusive gentechnisch veränderter Lebensmittel und den Anbau von transgenem Saatgut, die Anwendung der Genanalyse und die Gentherapie am Menschen.

Gentechnik weckt in der Öffentlichkeit das Bedürfnis nach Information und Diskussion.

In der **Novel-Food-Verordnung** ist die Kennzeichnung von gentechnisch veränderten Lebensmitteln geregelt. Jede direkte Anwendung eines gentechnisch veränderten Organismus (GVO) im Verlauf der Herstellung von Lebensmitteln ist nun kennzeichnungspflichtig, unabhängig davon, ob GVO im Endprodukt nachweisbar sind.

Aufgabenstellungen – „Gentechnik in der Landwirtschaft"

1. ++ Recherchieren Sie, was Gentechnik eigentlich bedeutet und was dabei genau passiert.
2. ++ Betrachten Sie das Logo für gentechnikfreie Produkte. Manche sagen auch *genfrei*. Gibt es *genfreie* Lebensmittel? Begründen Sie Ihre Meinung.

6 Landwirtschaft im globalen Vergleich

Überall auf der Welt wird Nahrung landwirtschaftlich produziert. Doch Lisa ist sich sicher, dass es trotzdem ganz große Unterschiede im Landwirtschaftsbetrieb auf der ganzen Welt gibt.

In Österreich leben noch etwa 4,2 % der Bevölkerung von der Landwirtschaft, in der Europäischen Union sind es 3,4 %. In den USA sind im Vergleich dazu nur noch 0,7 % in der Landwirtschaft tätig. Dafür sind europäische Landwirtschaftsbetriebe im Vergleich zu den amerikanischen wesentlich kleiner. Ein Durchschnittsbetrieb in der EU umfasst 11,5 ha. In den USA hat dagegen ein Durchschnittsbetrieb 180 ha.

ha = Abkürzung für die Flächeneinheit Hektar (1 ha = 10 000 m²)

In den USA wird die Landwirtschaft wesentlich intensiver betrieben als in Europa. In Österreich herrscht aufgrund der Landschaft (Gebirge und Täler) eine besonders kleinstrukturierte Landwirtschaft vor. Mehr als ein Drittel aller österreichischen Betriebe sind als Bergbauernhöfe eingestuft. Zwei Drittel der Landwirtschaftsbetriebe werden als Nebenerwerbsbetriebe geführt.

FILM AB!

Die unterschiedlichen Facetten der österreichischen Landwirtschaft werden in dieser Dokumentation behandelt.
www.trauner.at/nawi_v39.aspx

Auch die österreichische Landwirtschaft folgt jedoch dem globalen Trend: der Entwicklung hin zu immer größeren Betrieben. Seit 1990 ist die Anzahl der Betriebe unter 10 ha um 27 % gesunken und dafür die Zahl der Betriebe zwischen 50 und 200 ha um 20 % gestiegen.

Aufgabenstellungen – „Landwirtschaft im globalen Vergleich"

1. + Vergleichen Sie die Größe österreichischer Landwirtschaftsbetriebe mit den Betrieben anderer Länder, vor allem der USA. Recherchieren Sie dazu im Internet weitere Informationen.
2. ++ Stellen Sie Folgerungen an, was diese Unterschiede für die soziale Struktur und die ökologischen Auswirkungen in einem Land bedeuten.

7 Vermarktung landwirtschaftlicher Produkte

Für die Vermarktung landwirtschaftlicher Produkte gibt es verschiedene Wege. Ein großer Teil wird über Genossenschaften (regionale genauso wie alternative) gehandelt. Über diese wird der Handel beliefert. Die Konsumentin/der Konsument selbst kauft seine Produkte üblicherweise im Handel ein (Supermarkt, Bioladen). Selbstvertrieb (direkt vom Erzeuger an die Endkundinnen/-kunden) kommt eher selten und vor allem bei Biobetrieben vor.

Direktverkauf vom Erzeuger an die Endkundinnen/-kunden auf einem Wochenmarkt

Für die Vermarktung sind vor allem auch die Gütesiegel von Bedeutung. Neben dem bereits beschriebenen Siegel der AMA sind dazu auch die Siegel der Verbände und der Handelsketten von Bedeutung.

Österreichischer Demeter-Bund | Bio Austria | Freiland-Bioverband

Suchen Sie nach verschiedenen Bio-Gütesiegeln der Handelsketten. Was sagen diese aus?

Aufgabenstellung – „Vermarktung landwirtschaftl. Produkte"

■ + Überlegen und begründen Sie, wie Sie Ihre landwirtschaftlichen Produkte vermarkten würden. Ist es dabei von Bedeutung, ob Sie ein konventionelles oder ein Bioprodukt vermarkten wollen? Welche Handelswege erscheinen Ihnen günstig?

8 Analyse landwirtschaftlicher Produkte

Für die Analyse landwirtschaftlicher Produkte ist eine ganze Reihe bedeutender Punkte zu beachten. Die folgenden sind nur eine Auswahl:

- **Geschmack eines Produktes** (sofern es sich um ein Lebensmittel handelt)
- **Inhaltsstoffe** und deren mögliche Wirkung auf Ihre Gesundheit
- **Lebens- und Haltungsweise** bei tierischen Produkten (artgerechte Haltung, stressfreie Schlachtung)
- **Umweltbelastung in Zusammenhang mit dem Konsum dieses Produkts** (Bodenbelastung, CO_2-Ausstoß bei der Produktion, Transportwege etc.)
- Art der **Verpackung** (Material, Ein- bzw. Mehrweg) und die **Verpackungsinformation** (Zutaten, Gütesiegel)
- **Preis**

Die **Umweltbelastung** durch ein Produkt aus konventioneller Landwirtschaft unterscheidet sich von der durch ein Produkt aus biologischer Landwirtschaft deutlich.

Versuch – „Analyse landwirtschaftlicher Produkte“

- Vergleichen Sie anhand einer Produktanalyse ein Biojoghurt mit einem konventionellen Joghurt. Überlegen Sie zuerst, nach welchen Kriterien Sie die beiden Joghurtprodukte vergleichen wollen. Die Bedeutung der einzelnen Kriterien können Sie gewichten. Überlegen Sie, wie viele Punkte für die Erfüllung welches Kriteriums maximal zu vergeben sein sollen.

  Überlegen Sie sich auch Analysemethoden (z. B. Blindverkostung zur Geschmacksprüfung). Wie können Sie gesundheitliche und ökologische Kriterien in die Analyse einbringen? Diskutieren Sie in der Gruppe.

  Führen Sie die Analyse durch und diskutieren Sie deren Ergebnisse.
- Führen Sie eine ähnliche Analyse mit einem anderen landwirtschaftlichen Produkt durch (es muss nicht unbedingt ein Lebensmittel sein).

Ziele erreicht? – „Formen der Landwirtschaft“

KOMPETENZ-ERWERB

1. + Erklären Sie, warum ein Acker gedüngt werden muss, und begründen Sie, ob bzw. wie in der biologischen Landwirtschaft Äcker gedüngt werden dürfen/müssen.
2. + Erörtern Sie, wie sich die Landwirtschaft Ihrer Meinung nach weiterentwickeln wird bzw. weiterentwickeln sollte. Begründen Sie Ihre Antwort.
3. ++ Vergleichen Sie konventionelle und ökologische Landwirtschaft. Stellen Sie die Vor- und Nachteile der konventionellen und der biologischen Landwirtschaft aus Sicht von Konsumentinnen/Konsumenten, Landwirtinnen/Landwirten und der Ökologie gegenüber.
4. + Sie finden im Handel eine Milch, die als „Biomilch“ bezeichnet wird. Können Sie davon ausgehen, dass es sich hier tatsächlich um Milch aus biologischer Landwirtschaft handelt? Welche Zusatzinformationen müssten Sie dazu noch finden?
5. ++ Sie finden die Vorsilbe „bio“ im Wort Biologie, in biologischer Landwirtschaft und in Biosprit bzw. Biodiesel. Bedeutet die Vorsilbe „bio“ wirklich überall dasselbe? Erklären Sie die Bedeutung dieser Vorsilbe in den verschiedenen Zusammenhängen. Erklären Sie dabei auch, wie „bio“ Biosprit bzw. Biodiesel tatsächlich ist. Kommen Biosprit und Biodiesel tatsächlich aus biologischem Anbau?
6. + Erklären Sie den Begriff „Schädling“. Gibt es in der Natur wirklich Schädlinge? Wodurch werden Schädlinge erst zu solchen?
7. + Geben Sie eine Übersicht über die verschiedenen Methoden der Schädlingsbekämpfung. Vergleichen und beurteilen Sie die Methoden aus wirtschaftlicher und ökologischer wie auch aus gesundheitlicher Sicht.
8. ++ Beschreiben Sie Vor- und Nachteile des Gentechnologie-Einsatzes in der Landwirtschaft aus Sicht der Landwirtin/des Landwirtes bzw. aus Sicht der Konsumentin/des Konsumenten und nennen Sie ökologische bzw. gesundheitliche Gründe für und gegen den Einsatz von Gentechnologie.
9. + Vergleichen Sie die österreichische Landwirtschaft mit der landwirtschaftlichen Produktion in anderen Ländern. Versuchen Sie herauszufinden, worin die Unterschiede begründet sind.
10. ++ Stellen Sie sich vor, Sie übernehmen von Ihren Eltern einen landwirtschaftlichen Betrieb. Was würden Sie auf Ihrem Betrieb produzieren und welche Art der Landwirtschaft würden Sie betreiben? Planen Sie für Ihren Betrieb eine Vermarktungsstrategie. Begründen Sie Ihre Strategie.
11. ++ Überlegen Sie, welche Vor- und Nachteile es bringt (für Sie als Konsument/in, Produzent/in (Landwirt/in), die Umwelt), wenn Sie Lebensmittel aus biologischer Landwirtschaft kaufen bzw. anbauen. Tragen Sie Ihre Argumente in eine Tabelle ein.

Nahrungs- und Genussmittel

Das Lebensmittelangebot ist vielfältig wie nie zuvor. Für die Verbraucherin/den Verbraucher gilt es, aus einem Überangebot an Nahrungs- und Genussmitteln auszuwählen. Dazu sind Kenntnisse über Art, Qualität, Produktion und Haltbarmachung der Lebensmittel nötig.

Lebensmittel sind alle Stoffe, die dazu bestimmt sind, vom Menschen in unverändertem, zubereitetem, oder verarbeitetem Zustand zu Ernährungs- und Genusszwecken verzehrt zu werden.

- **Nahrungsmittel** enthalten jene Nähr- und Wirkstoffe, die der Mensch zum Aufbau sowie zur Erhaltung der Körpersubstanz, der Gesundheit und der Leistungsfähigkeit benötigt (z. B. Milch, Brot).
- **Genussmittel** üben eine anregende oder beruhigende Wirkung auf den Organismus aus (z. B. Kaffee, Alkohol). Genussmittel haben (mit Ausnahme von Alkohol) keinen oder fast keinen Nährwert.

Meine Ziele

KOMPETENZ-ERWERB

Nach Bearbeitung dieses Kapitels kann ich

- Formen der Haltbarmachung von Lebensmitteln beschreiben;
- Zusatzstoffe in Lebensmitteln bewerten und einteilen;
- Lebensmittel einteilen und ernährungsphysiologische Aspekte dieser Lebensmittel aufzählen;
- verschiedene Getränke anhand der Inhaltstoffe und der Wirkung bewerten;
- Convenience-Produkte und deren Verwendung in Gastronomie und Wirtschaft erklären;
- Erzeugung und Wirkung von Genussmitteln (Alkohol, Kaffee, Tee und Kakao) beschreiben;
- Suchtgefahr bei Alkohol erkennen und die Risiken dieses Genussmittels abschätzen.

Bedingungen für das Wachstum von Mikroorganismen:

- Wärme
- Feuchtigkeit
- Licht
- Luft
- bestimmter pH-Wert
- Nährboden

Verschimmelte Lebensmittel – was nun?
Werfen Sie angeschimmelte Nahrungsmittel immer weg. Schimmelpilze bilden giftige Stoffe, die das ganze Lebensmittel durchdringen. Es nützt also nichts, nur die sichtbare Schimmelschicht zu entfernen. Verschimmelte Lebensmittel eignen sich auch nicht zur Verfütterung an Tiere.

1 Haltbarmachung von Lebensmitteln

Nahezu alle Lebensmittel, die wir essen, stammen von lebenden Organismen aus der Tier- und Pflanzenwelt. Diese Lebewesen sterben bei der Verarbeitung zwar ab, in den Lebensmitteln selbst sind aber Enzyme enthalten, die Veränderungen hervorrufen können. Während der Lagerung kann es durch die Bildung von Mikroorganismen zu weiteren **Veränderungen bis hin zum Verderb** kommen.

Ursache	Wirkung
Wasserverlust	▪ Austrocknen ▪ Welkwerden von Gemüse und Obst ▪ Hartwerden von Brot und Käse
Sauerstoff	▪ Zerstörung von Vitaminen und Fetten ▪ Farbveränderungen
Enzyme	▪ Ranzigwerden der Butter ▪ Altern ▪ Braunfärbung von Kartoffeln und Obst
Hefen	▪ Gären von Fruchtsäften, Kompotten und Marmeladen
Bakterien	▪ Faulen von Obst, Gemüse, Kartoffeln, Wurst, Fleisch, Fisch und Eiern ▪ Säuern der Milch
Schimmelpilze	▪ Schimmeln von Brot, Backwaren, Marmelade, Nüssen, Obst und Gemüse

Die **Konservierung** (= Haltbarmachung) ist seit jeher ein Bestreben des Menschen, um das Verderben von Lebensmitteln zu verhindern oder zu verzögern. Die Qualität des frischen Lebensmittels soll weitgehend erhalten bleiben.

Beispiele für Konservierungsmethoden
Pökeln (Salz), Kandieren (Zucker), Einfrieren, Trocknen, Pasteurisierung, Einkochen,Vakuumierung, Räuchern

2 Lebensmittelzusätze

In Normalfall sind Zusatzstoffe für die Gesundheit als ungefährlich einzustufen. Trotz gesetzlicher Regelung und erforderlicher Zulassung können jedoch gesundheitliche Risiken nicht völlig ausgeschlossen werden. So reagieren manche Menschen mit einer Unverträglichkeit gegenüber gewissen Lebensmittelzusatzstoffen, wie z. B. Schwefeldioxid (E220 bis E227).

Dass in modernen Lebensmitteln viele Zusatzstoffe enthalten sind, weiß Ralf. Aber was bedeutet es, wenn bei den Inhaltsstoffen E420 oder ähnliches steht? Was hat es mit diesen E-Nummern auf sich?

Fast alles, was in einem Lebensmittel steckt, muss auf der Verpackung genannt werden. An erster Stelle stehen die **Zutaten.** Jene, von denen am meisten enthalten ist, werden zuerst genannt. An letzter Stelle stehen die, von denen die kleinsten Mengen verwendet wurden.

Unter den Zutaten müssen auch die **Zusatzstoffe** angeführt sein. Es handelt sich dabei um Farbstoffe, Gelier- und Verdickungsmittel, Geschmacksverstärker und andere Substanzen, die sowohl Herstellung und Transport erleichtern und verbilligen als auch Geschmack und Aussehen verbessern.

Beispiele für Lebensmittelzusätze
- Konservierungsstoffe verzögern den Verderb – unverzichtbar, wenn Lebensmittel durch Europa transportiert werden.
- Emulgatoren verteilen Fett und Wasser gleichmäßig.

Eine vollständige Liste mit allen in der EU zugelassenen Zusatzstoffen finden Sie hier: www.trauner.at/e-nr.aspx

In den Jahren 1994 und 1995 wurden von der Europäischen Gemeinschaft Richtlinien erlassen, die die Verwendung von Lebensmittelzusatzstoffen regeln. Darin wurden die Zusatzstoffe mit sogenannten **E-Nummern** versehen. Diese Nummern müssen in den Zutatenlisten der Hersteller angeführt werden. Eine Datenbank gibt Auskunft, was hinter diesen Nummern steckt.

Die Angabe der **Aromen** ist mit wenigen Ausnahmen vorgeschrieben.
- Natürliche Aromen werden aus natürlichen Rohstoffen gewonnen (z. B. Erdbeeren).
- Naturidentische Aromen sind chemisch exakt dieselben wie jene in der Natur, mit dem Unterschied, dass sie synthetisch hergestellt werden.
- Künstliche Aromen kommen in der Natur in dieser Form nicht vor.

Wenn ein Hersteller sein Produkt mit Vitaminen oder Mineralstoffen bewirbt, muss er die enthaltenen Mengen angeben und darüber informieren, wie viel Prozent der empfohlenen Tagesdosis damit abgedeckt werden.

3 Molkereiprodukte

Milch ist für den Menschen und alle Säugetiere in der ersten Zeit nach der Geburt das einzige Lebensmittel. Sie enthält alle lebensnotwendigen Nährstoffe, damit der Körper aufgebaut und mit Energie versorgt werden kann.

In der Milch können sich Mikroorganismen durch den hohen Nährstoff- und Wassergehalt rasch vermehren. Deshalb ist Hygiene im Umgang mit Milch von großer Bedeutung.

Unter Milch als Handelsware versteht man nur die Kuhmilch. Die Milch anderer Tiere darf nur mit deutlicher Kennzeichnung der Tierart (z. B. Ziegenmilch, Stutenmilch) verkauft werden.

Kuhmilch kann von vielen Erwachsenen nicht verdaut werden, da der darin enthaltene Zucker (Lactose) nicht abgebaut werden kann **(Lactoseintoleranz).** Dennoch steigt der Milchkonsum weltweit stark an, jedoch überproportional hauptsächlich in Form von verarbeiteten Milchprodukten.

Die Kühe werden zweimal täglich gemolken. Die Milch wird sofort gefiltert, gekühlt und regelmäßig von Milchsammelwägen in die Molkereien gebracht.

Rohmilch ist eine gekühlte, gefilterte, ansonsten aber unbehandelte Milch. Sie muss besonders keimarm sein und innerhalb von zwei Tagen verbraucht werden.

Trinkmilch – Frischmilch als auch ESL-Milch – ist in unterschiedlichen Sorten erhältlich: Vollmilch, Extravollmilch, Leichtmilch, Magermilch, Milch mit Zusätzen wie Kakao, Malzkaffee, Vanilleschotenextrakt, Früchten.

Trinkmilchsorten	Fettgehalt
Vollmilch	mind. 3,5 %
Extravollmilch	4,5 %
Leichtmilch	1,0 %
Magermilch	0,3 %

Weitere Milchsorten sind **Kondensmilch,** bei der ca. 70 % des Wassers entzogen werden, oder **lactosefreie Milch** für Personen, die den Milchzucker nicht verdauen können.

Versuche zur Herstellung von Molkereiprodukten befinden sich in der TRAUNER-DigiBox.

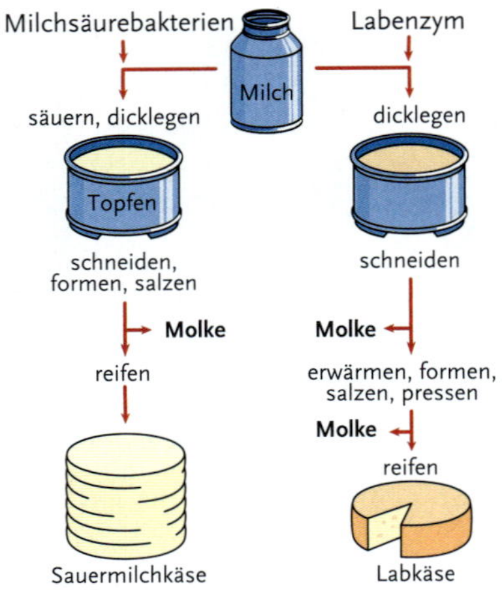

3.1 Käse

Käse wird zum größten Teil aus Kuhmilch hergestellt. Es gibt aber auch Schaf-, Ziegen- und Büffelmilchkäse. Die Käsevielfalt ist riesig, weltweit gibt es etwa 4 000 Käsesorten. Für ein Kilogramm Käse werden zwischen acht und 13 Liter Milch benötigt. Wird die Milch durch Lab zum Gerinnen gebracht, erhält man **Labkäse.** Geschieht dies durch Milchsäurebakterien, erhält man **Frisch- oder Sauermilchkäse.**

Käse setzt sich aus der Trockenmasse (Nährstoffen) und Wasser zusammen. Je mehr Trockenmasse ein Käse enthält, desto härter ist er. Während der Käsereifung verdunstet laufend Wasser. Das Gewicht des Käses ändert sich. Die Trockenmasse bleibt annähernd konstant. Aus diesem Grund wird der Fettgehalt des Käses in Prozent der Trockenmasse (F. i. T.) angegeben.

Käsearten nach der Erzeugung

Frischkäse	Sauermilchkäse	Labkäse	Schmelzkäse

Käsearten, die nicht reifen müssen. Der Topfenbruch wird von der Molke getrennt, mit Rahm angereichert und passiert; auch mit Kräutern und Gewürzen erhältlich. Frischkäse ist die wasserreichste Käseart.	Einfachste, ursprünglichste Form der Käsegewinnung. Durch Säuerung gewonnener Magertopfen wird vorgereift und in Formen gepresst. Sauermilchkäse ist fast fettfrei, Geruch und Geschmack sind intensiv.	Durch Labgerinnung erzeugte Käsearten. Zum Labkäse gehören Hartkäse, Schnittkäse und Weichkäse. Bei Weichkäse werden der Milch vor der Gerinnung oft Edelschimmelkulturen beigesetzt.	Käse wird gerieben, mit Schmelzsalzen und Wasser gemischt und bis zur Verflüssigung erhitzt. Dann wird die Masse in Formen gefüllt und abgekühlt, bis sie wieder verfestigt wird.
Beispiele Topfen, Cottage Cheese	**Beispiele** Quargel, Graukäse	**Beispiele** Gouda, Parmesan, Brie	**Beispiele** Toastscheiben, Streichkäse

Wussten Sie, dass ...
die Löcher im Käse durch Gase entstehen? Diese bilden sich durch die Tätigkeit der Bakterien in der Käsemasse.

Zur Herstellung von Butter finden Sie eine detaillierte Darstellung in der TRAUNER-DigiBox.

Als **Analogkäse** oder **Kunstkäse** werden Käseimitate bezeichnet. Dabei wird das Milchfett durch andere tierische oder pflanzliche Fette ersetzt, teilweise auch das Milcheiweiß. Man findet ihn oft auf Fertignahrungsmitteln.

Neben den unterschiedlichen Trinkmilcharten wird in den Molkereien eine Reihe weiterer Milchprodukte hergestellt.

Beispiele für Milcherzeugnisse
Butter, Süßrahmprodukte (z. B. Schlagobers), Sauermilchprodukte (z. B. Buttermilch), Molke (entsteht bei der Käseherstellung), Dessertprodukte (z. B. Pudding, Topfencreme) sowie Dauer- und Trockenmilchprodukte (z. B. Milchpulver)

3.2 Ernährungsphysiologische Aspekte

Milcheiweiß ist biologisch hochwertig. Den höchsten Eiweißgehalt haben fettarme Käsesorten (z. B. Topfen). Die Verdaulichkeit des Eiweißes ist von der Gerinnung abhängig. Eine feinere Ausflockung wird z. B. durch Homogenisieren erreicht.

Milchzucker ist das einzige Kohlenhydrat der Milch. Seine Süßkraft ist gering. Aus einem Teil des Milchzuckers wird im Darm Milchsäure gebildet, die das Wachstum von Fäulnisbakterien mindert und die Kalziumaufnahme erhöht.

Das **Milchfett** ist gut verdaulich und hat einen relativ hohen Anteil an kurzkettigen Fettsäuren. Der Fettanteil ist je nach Verarbeitung sehr unterschiedlich.

Milchpulver

Wussten Sie, dass ...
die sogenannte Kuhmilchallergie eine allergische Reaktion auf das Milcheiweiß ist? Menschen mit so einer Allergie können auf Kasein oder auf Molkeneiweiß allergisch reagieren. Je nach Allergie müssen bestimmte Produkte gemieden werden.

Aufgabenstellungen – „Molkereiprodukte“

1. + Erklären Sie die Unterschiede in der Erzeugung von Labkäse und Sauermilchkäse.
2. ++ Überlegen Sie, wie der Edelschimmel in den Käse gelangt und bei welchen Käsearten er vor allem eingesetzt wird.
3. ++ Berechnen Sie den Fettgehalt in Gramm von 100 g Schnittkäse (Feuchtigkeitsgehalt = 50 %) mit 25 % und mit 55 % Fett in der Trockenmasse. Überlegen Sie, wie viel Prozent Ihres täglichen Fettbedarfs Sie durch den Verzehr von 100 g dieses Schnittkäses abdecken.

4 Fisch und Meeresfrüchte

Fische sind im Wasser lebende **Wirbeltiere,** die durch Kiemen atmen. Als **Meeresfrüchte** werden alle essbaren Meerestiere bezeichnet, die **keine Wirbeltiere** sind. Fische und Meeresfrüchte können Fang- oder Zuchtprodukte sein. Die natürlichen Bestände sind durch Überfischung und Umweltschäden bereits bedroht.

Seefische sind z. B. Kabeljau, Scholle, Seezunge, Hering oder Makrele.
Forelle, Hecht Zander sowie Karpfen und Aal sind **Süßwasserfische.**

Je nach Lebensraum unterscheidet man zwischen Seefischen oder Meeresfischen und Süßwasserfischen. Nach dem Fettgehalt teilt man Fische in Magerfische (0,2 % bis 5 % Fettgehalt) und Fettfische (10 % bis 20 % Fettgehalt).

Frischfische bleiben nach dem Fang unbehandelt oder werden nur gereinigt, ausgenommen, zerteilt und bei Temperaturen zwischen 0 °C und 2 °C transportiert und gelagert. **Tiefgefrorene Fische** werden als schockgefrostet und bei einer Kerntemperatur von –18 °C transportiert und gelagert.

Der Fischkonsum steigt in Österreich kontinuierlich, spielt aber insgesamt in der Ernährung eine untergeordnete Rolle.

Zu den **Krustentieren** werden Garnelen, Hummer, Langusten, Krabben und Krebse gezählt. Sie gelten in Österreich als Delikatesse. Krustentiere kommen selten lebend, meist als Tiefkühlware in den Handel.

Weichtiere sind Tintenfische, Muscheln, Austern und Schnecken. Auch sie kommen häufig tiefgekühlt oder als Vollkonserve in den Handel.

Fischerzeugnisse sind Lebensmittel aus Fischen oder Fischteilen, die durch unterschiedliche Verfahren haltbar gemacht werden.

Beispiele für Fischerzeugnisse
Getrocknete Fische, Räucherfische, Anchosen (mit Zucker, Salz und Gewürzen), Fischmarinaden, Fischkonserven, Surimi (gepresster, zerkleinerter Fisch)

Fettfisch: Der Fettvorrat ist im Fleisch enthalten und wird mitverzehrt, z. B. bei Lachs und Aal.
Magerfisch: Der Fettvorrat ist in der Leber enthalten und wird vor der Zubereitung entfernt, z. B. beim Dorsch.

Zu den Fetten und Fettsäuren haben Sie bereits auf S. 19 f. nähere Informationen erhalten.

Ein- oder bis zweimal pro Woche Fisch ist perfekt – treffen Sie aber die richtige Auswahl

4.1 Ernährungsphysiologische Aspekte

Fische und Meeresfrüchte haben einen hohen **Eiweiß- und Wassergehalt.** Das Eiweiß ist biologisch hochwertig. Da sich in der lockeren Eiweißstruktur Mikroorganismen sehr schnell verbreiten und giftige Stoffwechselprodukte bilden können, sind Fische leicht verderblich.

Der **Fettgehalt** ist unterschiedlich. Fettarme Fische enthalten rund 1 %, Fettfische hingegen um die 15 % Fett. Fische enthalten reichlich hoch ungesättigte Fettsäuren (Omega-3-Fettsäuren).

Seefische und andere Meeresbewohner zeigen seit einiger Zeit sehr hohe **Schadstoffkonzentrationen.** Schwermetalle, Pestizide und Salmonellen bewirken Fischvergiftungen.

Fisch ist wegen des hohen Wasser- und Eiweißgehalts und des geringen Bindegewebsanteils leicht verdaulich. Daher und wegen der günstigen Nährstoffzusammensetzung wird Magerfisch in der Krankenkost und für Diäten empfohlen. In Fett gebackene Fische und Konserven haben einen viel höheren Energiegehalt.

Eine Fischmahlzeit deckt fast den ganzen Tagesbedarf an **Vitaminen** der B-Gruppe. Fettreiche Fische enthalten reichlich Vitamin A und D. Seefische sind die wichtigsten Jodlieferanten. Fisch enthält reichlich Kalzium, Magnesium, Phosphor, Eisen, Kupfer und Kalium.

Aufgabenstellungen – „Fisch und Meeresfrüchte“

1. + Österreicher/innen essen im weltweiten Vergleich eher wenig Fisch. Nennen Sie einige Gründe dafür. Überlegen Sie, welche Zubereitungsarten von Fisch in Österreich am beliebtesten sind und bewerten Sie, ob diese Zubereitungsarten ernährungsphysiologisch günstig sind.

2. + Erklären Sie, warum Fisch ernährungsphysiologisch wertvoll ist.

3. ++ Vergleichen Sie den Energie- und Nährstoffgehalt von 100 g Seelachs, Fischstäbchen und Thunfisch in Öl. Erklären Sie, welcher Speise vom gesundheitlichen Standpunkt der Vorzug gegeben werden sollte.

5 Fleisch und Wurstwaren

Nicht alle Tiere, die zum Genuss geeignet wären, werden gegessen: Aus ethischen Gründen wurde z. B. in Österreich das Fleisch von Katzen und Hunden tabuisiert. Pferde, Rinder, Schafe, Schweine, Ziegen und Gänse hingegen dienen seit der Germanenzeit der Viehhaltung. Das bei der Jagd erlegte Wild und Wildgeflügel genießt ebenfalls eine hohe Wertschätzung.

Unter dem Begriff Fleisch versteht man alle verwendbaren Teile geschlachteter oder erlegter warmblütiger Tiere, die sich für den menschlichen Genuss eignen. Innereien, Würste, Pökelwaren und Fleischkonserven zählen ebenfalls zur Lebensmittelgruppe Fleisch.

In den letzten 60 Jahren führten die gesteigerte landwirtschaftliche Produktion sowie die verbesserten Bearbeitungs-, Transport- und Lagermöglichkeiten zu einem deutlich größeren Angebot an Fleischwaren. Der Fleischverbrauch stieg besonders bei Schweinefleisch, Geflügel und Wurstwaren kontinuierlich.

5.1 Fleisch der Schlachttiere

Fleischarten

Schlachttiere	Schlachtgeflügel	Fleisch erlegter Tiere
Schwein, Rind, Kalb, Schaf	Huhn, Pute, Gans, Ente, Wachtel, Perlhuhn	Reh, Hase, Fasan, Wildschwein, Rebhuhn

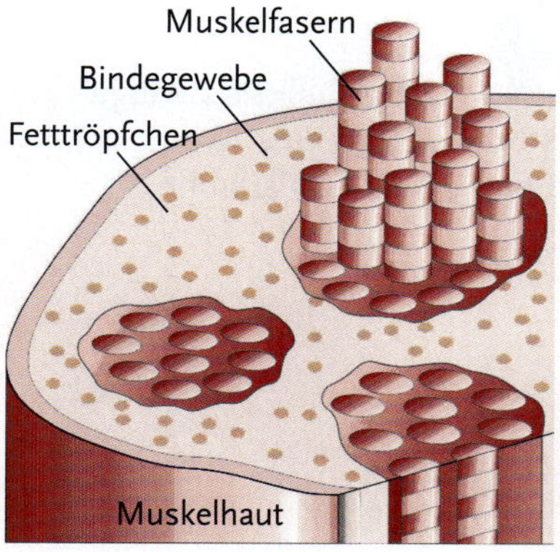

Bestandteile des Fleisches

Mageres und fettes Fleisch wurden früher gleich hoch geschätzt. In Krisenzeiten wurde Fett sogar höher bewertet. Doch seit einigen Jahrzehnten ziehen die Verbraucher/innen das magere Muskelfleisch zunehmend dem energiereichen Fettgewebe vor. Daher werden Tiere mit fettarmem Fleisch gezüchtet.

Vor der **Schlachtung** werden die bereits untersuchten Tiere betäubt. Die geschlachteten Tiere dann anschließend entblutet, enthäutet bzw. gebrüht und entborstet. Dann wird das Fleisch besichtigt und bei einem Verdacht auf Mängel genauer untersucht (pH-Wert, Bakterien usw.). Ein Stempelaufdruck deklariert das Fleisch schließlich als **genusstauglich.**

Bei der Schlachtung fallen **Nebenprodukte** an: Innereien (Magen, Lunge, Leber, Nieren usw.) werden zu Würsten verarbeitet, Därme und Blasen dienen als Wursthüllen, Blut wird für Kochwürste verwendet (Blutwurst) und Knochen als Grundlage für Suppen verkauft.

Zur **Reifung** wird das Fleisch gekühlt und abgehangen. Schließlich werden für den Handel passende Stücke geschnitten, verpackt oder auch tiefgefroren.

Die einzelnen Fleischstücke der Schlachttiere enthalten verschieden viel Fett, Muskelfasern und Bindegewebe (Sehnen). Von dieser Zusammensetzung hängt die Verwendung des Fleischstückes ab (Grillen, Braten, Kochen, Suppe usw.).

5.2 Fleischerzeugnisse

Etwa 50 % des Fleisches der Schlachttiere, vor allem des Schweine- und Rindfleisches, gelangt in verarbeiteter Form zum Verbraucher. Aus dem Fleisch wird durch Zerkleinern, Salzen, Pökeln, Kochen, Braten und Räuchern eine Vielfalt von Fleischerzeugnissen hergestellt.

pökeln = Konservierung von Fleisch mit einer Salzlake

Bei **Formfleisch** handelt es sich um eine Fleischzubereitung aus geschnittenem Muskelfleisch. Nussgroße Fleischstücke werden mit Kochsalz und Gewürzen vermengt und in Formen zusammengefügt. Zusatzstoffe werden nicht verwendet.

Fleischerzeugnisse

Faschiertes	Pökelwaren	Fleischwaren
Fleisch vom Rind oder Schwein wird in einem Fleischwolf zerkleinert. Es darf nur am Tag der Herstellung verkauft werden.	■ **Rohpökelware:** Schweine- und Rindfleisch wird gepökelt, geräuchert und getrocknet. ■ **Kochpökelware:** Schinken vom Schwein oder Rind wird gepökelt und erhitzt.	■ **Rohwürste:** Rohes Fleisch wird gereift, getrocknet und geräuchert. ■ **Brühwürste:** Fleisch wird mit Wasser vermischt und gebrüht. ■ **Kochwürste:** Material wird teilweise oder ganz durchgekocht. ■ **Fleischkonserven**: In Behältern erhitzt und dadurch haltbar.
Beispiele Gemischtes Faschiertes, Tatarbeefsteak, Hamburger	**Beispiele** Schinkenspeck, Bauchspeck, Beinschinken, Toastschinken	**Beispiele** Salami, Extrawurst, Frankfurter, Bratwurst, Streichwurst

Handelsübliche Geflügelsorten: Huhn, Pute (Truthahn), Ente, Gans und Perlhuhn

Huhn: Keule

Huhn: Brust

5.3 Geflügel

Hausgeflügel wurde bereits vor 5 000 Jahren gehalten. Hühnerfleisch galt lange Zeit als kostbar, da Hennen vorwiegend als Eierleger dienten. Erst alte Tiere wurden als Festtagsessen verzehrt. Das änderte sich durch die Einführung von **Mastgeflügel.**

Für **Geflügelfleischwaren** wird vorwiegend Hühner- und Putenfleisch verwendet. Es werden Kochwürste, Schinken, Pasteten, Aufstriche angeboten. Der Fettgehalt ist niedriger als der der meisten Wurstwaren der Schlachttiere.

Durch Desinfektion der Ställe und Schutzimpfung der Elterntiere werden Krankheiten weitgehend vermieden. Der Einsatz von Medikamenten kann dadurch reduziert werden.

5.4 Wild

Als Wild bezeichnet man alle jagdbaren und zum Verzehr geeigneten Tiere. Lange bevor der Mensch Haustiere züchtete, jagte er nach Wild. Wild wird in **Haar- und Federwild** unterteilt. Das Fleisch des Haarwildes nennt man **Wildbret.** Wild darf nur in gesetzlich festgelegten Zeiten erlegt werden.

aufbrechen = ausweiden, entfernen der Eingeweide

Vom Wild zum küchenmäßig vorbereiteten Wildbret

- **Erlegen und Aufbrechen:** Wild wird nach dem Abschuss sofort aufgebrochen, sonst kühlt das Tier nicht rasch genug aus und die Eingeweide verderben.
- **Abhängen und Reifen:** Bis zu zehn Tage hängt das Fleisch und reift. Durch die fleischeigenen Enzyme bildet sich der typische Wildgeschmack.
- **Abziehen und Zerlegen:** Nach dem Abziehen des Felles oder dem Rupfen des Geflügels wird das Tier zerteilt.

Handelsübliche Haarwildarten: Damwild, Hase, Reh, Rothirsch, Wildschwein.
Handelsübliche Federwildarten: Fasan, Rebhuhn, Wachtel, Wildente, Wildgangs, Wildtaube.
Die Bezeichnungen Wildente, Wildgans und Wildtaube sind übrigens zoologisch nicht korrekt.

5.5 Ernährungsphysiologische Aspekte

Neben **Wasser** (70–75 %) ist **Eiweiß** (21–23 %) Hauptbestandteil von Magerfleisch. Das Fleischeiweiß ist biologisch hochwertig. Der **Fettgehalt** im Fleisch ist sehr unterschiedlich. Er liegt zwischen 2 und 46 %. Das Fleischfett enthält hauptsächlich gesättigte und einfach ungesättigte Fettsäuren.

Fleisch ist reich an den Mineralstoffen **Kalium** und **Phosphor.** Wurst und Pökelwaren weisen mehr als zehnmal so viel Natrium auf als das Ausgangsprodukt Fleisch auf. Fleisch liefert einen wichtigen Beitrag zur Versorgung mit den essenziellen Spurenelementen **Eisen, Zink** und **Selen.** Es enthält auch reichlich **Vitamin A** und die **Vitamine der B-Gruppe.**

Fleisch ist ein wichtiger Eiweißträger und liefert Vitamine und Mineralstoffe. Aber Fleisch ist auch eine der Ursachen für die zu hohe Fett-, Cholesterin- und Purinaufnahme der Österreicher/innen. Tatsache ist, dass der Fleischkonsum zu hoch ist.

Aufgabenstellungen – „Fleisch"

1. + Jüngere Österreicher/innen essen deutlich weniger Fleisch als 40- bis 60-Jährige. Begründen Sie diese Aussage.
2. + Nennen Sie Schlachttiere und Geflügelarten, die in Österreich gegessen werden, sowie Schlachttiere aus anderen Kulturkreisen.
3. ++ Beurteilen Sie den Stellenwert von Fleisch und Fleischwaren in unserer Ernährung. Erarbeiten Sie Vorschläge, wie der Konsum von Fleisch und Fleischwaren (Wurst) reduziert werden kann.

6 Obst und Gemüse

Früchte, Wurzeln, Blätter und andere essbare Pflanzenteile waren bereits bei den Urmenschen wichtige Nahrungsmittel. Über Jahrtausende wurden Wildformen zu Kulturformen entwickelt. Durch **Züchtung** ist es gelungen, ein vielfältiges Angebot zu schaffen und den Ertrag zu steigern. Es wurden größere, gleichmäßigere, teilweise kernlose, länger lagerfähige Produkte geschaffen.

Bei der Züchtung entwickeln sich unterschiedliche Farben, Größen und Geschmacksrichtungen. Außerdem haben sich das ursprüngliche Aroma sowie der Vitamin- und Mineralstoffgehalt verändert.

Unter **Obst** versteht man genießbare Früchte und Samen verschiedener kultivierter oder wild wachsender Sträucher, Stauden und Bäume.

Verarbeitungsprozesse für Obst
- **Trocknen:** Dörrzwetschken, Äpfel, Birnen, Marillen
- **Tiefgefrieren:** Beeren
- **Pressen und Pasteurisieren:** Säfte aus Äpfeln, Orangen, Trauben
- **Pasteurisieren/Sterilisieren:** Kompott, Obstkonserven, Marmelade
- **Vergären/Destillieren:** Most, Obstwein, Fruchtlikör
- **Kandieren:** Aranzini, Zitronat

Ein großer Teil des Obstes – das **Tafelobst** – ist für den Frischverzehr bestimmt. **Wirtschaftsobst** wird zu Obsterzeugnissen weiterverarbeitet.

Handelsübliche Einteilung von Obst

Beerenobst	Kernobst	Schalenobst (Nüsse)	Steinobst	Südfrüchte

Früchte enthalten im Fruchtfleisch viele kleine Samen.	Früchte enthalten im Fruchtfleisch ein Kerngehäuse.	Verholzte Schale umgibt genießbaren Anteil fett- oder stärkereicher Samen.	Früchte enthalten einen sehr harten, verholzten Kern, der den Samen enthält.	Stammen aus tropischen oder subtropischen Gebieten.
Beispiele Erdbeeren, Brombeeren, Himbeeren, Weintrauben	**Beispiele** Äpfel, Birnen, Quitten	**Beispiele** Walnüsse, Haselnüsse, Kokosnüsse	**Beispiele** Marillen, Kirschen, Zwetschken, Pflaumen	**Beispiele** Avocados, Bananen, Mangos, Papayas, Feigen, Zitrusfrüchte

Gemüse sind essbare Pflanzenteile von kultivierten oder wild wachsenden Pflanzen.

Handelsübliche Einteilung von Gemüse

Blattgemüse	Fruchtgemüse	Kohlgemüse	Stängelgemüse	Wurzelgemüse	Zwiebelgemüse

Oberirdisch wachsende Blätter; einzeln oder in Häupteln.	Reife Früchte mit Samen.	Oberirdisch wachsende Früchte und Blätter.	Stiele und Triebe, die meist oberirdisch wachsen.	Fleischige, stärkehaltige Speicherorgane, die in der Erde wachsen.	Stärkereiche Speicherorgane und Stängel von Zwiebelpflanzen.
Beispiele Blattsalate, Mangold, Spinat	**Beispiele** Tomaten, Erbsen, Gurken, Kürbisse	**Beispiele** Kohl, Brokkoli, Kohlrabi, Kraut	**Beispiele** Fenchel, Sellerie, Spargel	**Beispiele** Karotten, Rüben, Radieschen	**Beispiele** Zwiebeln, Lauch, Knoblauch

Botanisch gesehen zählen Paprika, Tomaten, Zucchini, Kürbisse, Melonen, Gurken, Erbsen und Fisolen zum Obst, weil sie aus befruchteten Blüten entstehen. Im Lebensmittelhandel gehören sie, weil sie einjährige Pflanzen sind, zum Gemüse. Sie werden als **Fruchtgemüse** bezeichnet. Gereifte bzw. getrocknete Erbsen und Fisolen zählen zu den Hülsenfrüchten.

Je nach Art des Anbaues wird zwischen **Freilandgemüse** und **Treibhausgemüse** unterschieden. Freilandgemüse zeichnet sich durch sein Aroma und einen höheren Gehalt an wertvollen Inhaltsstoffen aus.

Verarbeitungsprozesse für Gemüse

- **Tiefgefrieren:** Erbsen, Spinat, Karotten
- **(Gefrier-)Trocknen:** Wurzelgemüse, Zwiebel
- **Säuern:** Sauerkraft, Gewürzgurken
- **Pressen und Pasteurisieren:** Säfte aus Karotten oder Tomaten
- **Sterilisieren:** Spargel oder Schwarzwurzeln in Konserven

Aufgabenstellungen – „Obst und Gemüse"

1. ++ Stellen Sie den Verarbeitungsprozess des Kandierens von Früchten mithilfe von Informationen aus dem Internet schrittweise dar. Erklären Sie das Kandieren und bewerten Sie es ernährungsphysiologisch.
2. \+ Recherchieren Sie, welche Gemüsesorten in Österreich angebaut werden und wo die Anbauflächen dafür liegen.

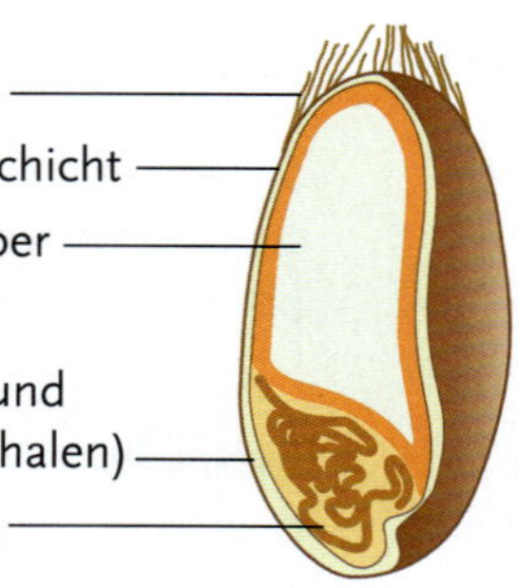

Aufbau des Getreidekorns

7 Getreide und Getreideprodukte

Für einen großen Teil der Menschheit bilden Getreide und die daraus gewonnenen Produkte seit Jahrtausenden die wichtigste Nahrungsgrundlage. Die ältesten Zubereitungsarten von Getreide sind der Brei und der Fladen. Mehr als die Hälfte aller Menschen nimmt das Getreide heute noch in Breiform zu sich. Getreide zählt zu den preiswertesten und selbst in Mangelzeiten gut verfügbaren Lebensmitteln.

Weizen macht ein Drittel der Weltgetreideernte aus. Er ist das wichtigste Brotgetreide. Weichweizen liefert gut backfähige Mehle für Brot, Gebäck, Feinbackwaren und Mehlspeisen. Hartweizen ist sehr eiweißreich und besonders zur Herstellung von Teigwaren geeignet.

Auf dem amerikanischen Kontinent steht der fettreiche **Mais** (engl.: *corn*) an erster Stelle unter den Getreidearten. Zwei Drittel der Welternte an Mais werden für die Tierfütterung verwendet.

Dinkel ist eine alte Kulturform des Weichweizens. Er ist anspruchsloser als Weizen und wird im Zuge des biologischen Landbaus in Österreich wieder angebaut.

Reis ist das Grundnahrungsmittel im asiatischen Raum. Er wird vorwiegend als Nahrungsgetreide angebaut. Nach der Form der Körner unterscheidet man Langkorn-, Mittelkorn- und Rundkornreis. Basmati- und Jasminreis sind besonders aromatische Reissorten (= Duftreis).

Roggen ist nach dem Weizen das wichtigste Brotgetreide. Er gedeiht auch in kühleren und feuchteren Gebieten. Roggen schmeckt würziger als Weizen. Er bindet auch mehr Wasser. Roggenbrote bleiben daher länger frisch als Weizenbrote.

Dinkel

Rundkornreis

Neben den hier genannten Getreidesorten gibt es noch einige weitere sowie sogenanntes **Pseudogetreide** (z. B. Buchweizen, Amarant oder Quinoa).

7.1 Getreideprodukte

Das Ziel der Müllerei besteht darin, die drei wichtigsten Kornbestandteile Schale, Keimling und Mehlkörper voneinander zu trennen.

Die Typenzahl auf der Mehlpackung gibt über den Mehlaschegehalt Auskunft. Beim Verbrennen von Mehl bleiben die unverbrennbaren mineralischen Bestandteile des Getreidekorns als Asche zurück.

Mehlaschegehalt = bei der Verbrennung des Mehls übrig bleibender Mineralstoffanteil

Mehl unterscheidet sich auch noch im **Ausmahlungsgrad** (z. B. aus dem Inneren des Getreidekorns oder Vollkornmehl) sowie im **Feinheitsgrad** (glatt oder griffig).

Auswahl von weiteren Getreideprodukten

Vollkorn

Das Getreide wird von der Kornhülse befreit, und die äußersten Schalen werden teilweise entfernt.

Flocken

Das Getreide wird gedämpft, gewalzt und getrocknet. Meist wird das Getreide vorher geschält.

Grieß

Besteht aus kleinen, aber gut sichtbaren Teilchen des vollen Korns oder des Mehlkörpers. Gute Quellfähigkeit.

Kleie

Nach dem Absieben des Mehls verbliebene Randschichten und Keimlinge; hoher Vitamin-, Eiweiß-, Ballaststoffanteil.

Schrot

Das Getreidekorn wird grob bis fein zerkleinert.

Stärke

Wird aus dem Mehlkörper ausgewaschen. Enthält keinen Kleber. Wird z. B. zum Binden von Suppen verwendet.

7.2 Backerzeugnisse

Backerzeugnisse sind Lebensmittel, die aus Teigen oder Massen durch Backen, Rösten oder Trocknen hergestellt werden. Die Vielfalt an Backerzeugnissen ist in Österreich sehr groß. Der Verbrauch hat sich in den letzten 50 Jahren stark verändert. Es wird mehr Klein- und Feingebäck und mehr helles Brot gegessen.

Arten von Brot

Weizenbrot	Roggenbrot	Mischbrot

Wird aus Weizenmehl und < 10 % Roggenmehl erzeugt. Als Teiglockerungsmittel wird Hefe verwendet. Das Brot ist trockener als Roggenbrot.	Wird aus Roggenmehl und bis zu 10 % Weizenmehl hergestellt. Als Teiglockerungsmittel wird Sauerteig verwendet.	Roggenmischbrot (Mehlmischung mit mehr als 50 % Roggenmehl) bzw. Weizenmischbrot (Mehlmischung mit mehr als 50 % Weizenmehl)

Welche Brot- und Gebäcksorten sind in Ihrer Klasse am beliebtesten? Welche Art von Backerzeugnissen essen Sie wie oft?

Außerdem gibt es noch Spezialbrote (z. B. Knäckebrot), Gebäck und Feinbackwaren.

7.3 Teigwaren

Teigwaren sind kochfertige Lebensmittel, die aus Grieß oder Mehl des Hartweizens unter Beifügung von Wasser durch Formen und Trocknen hergestellt werden.

Heutzutage werden Teigwaren aus Gründen der Zeitersparnis meist fertig gekauft. Sie werden in vielfältigsten Formen angeboten und auch nach den Zutaten unterschieden: Eierteigwaren, Vollkornteigwaren, gefüllte Teigwaren, Gemüseteigwaren.

7.4 Ernährungsphysiologische Aspekte

Kohlenhydrate sind im Mehlkörper in Form von Stärke, in den Randschichten als Zellulose enthalten.

Eiweißstoffe kommen im Mehlkörper als Klebereiweiß, in der Aleuronschicht und im Keim als Globuline und Albumine vor. Durch neue Züchtungen wird versucht, den Gehalt an unentbehrlichen Aminosäuren (z. B. Lysin) zu heben.

Fette sind im Keimling und in der Aleuronschicht enthalten. Hafer hat den höchsten Fett- und Linolsäuregehalt.

Vollkorngetreide regt durch den höheren Ballaststoffgehalt die Darmperistaltik an. Es führt aber gleichzeitig zu einer geringeren Ausnutzung der Nährstoffe, denn sie sind von Cellulose umschlossen und können im Darm nur schwer herausgelöst werden.

Aufgabenstellungen – „Getreide und Getreideprodukte“

1. + Erklären Sie, warum Getreide weltweit ein Grundnahrungsmittel ist. Welche Bedeutung haben die Hauptinhaltsstoffe von Getreide für die menschliche Ernährung?

2. + Die Kennzeichnung der Lebensmittel hilft Ihnen, bewusst einzukaufen. Wählen Sie bei Ihrem nächsten Einkauf ein getreidehaltiges Lebensmittel aus. Achten Sie bewusst auf die Kennzeichnung und beantworten Sie folgende Fragen:

- Wie viele kcal/kJ nehmen Sie durch 100 g auf?
- Wie viel Prozent Ihres täglichen Energiebedarfs sind das?
- Wie hoch ist der Prozentsatz, den Sie durch Nährstoffe decken?
- Überlegen Sie, ob dieses Lebensmittel für Sie passt, oder ob Sie einen, für Sie gleichwertigen, ernährungsphysiologisch aber sinnvolleren Ersatz finden.

8 Fette und Öle

Pflanzen und Tiere enthalten Fett, das als Reservestoff, Energiespeicher, Wärme- und Kälteschutz dient. Diese Fette werden vom Menschen als Speiseöle und Speisefette genützt.

Arten von Fetten und Ölen

Tierisch	Pflanzlich
Speiseöle: Fischöl **Speisefette:** Butter, Schmalz	**Speiseöle:** Sonneblumenöl, Olivenöl, Kürbiskernöl, Rapsöl **Speisefette:** Kokosfett

Auch für den Menschen ist Fett lebensnotwendig. Allerdings wäre es für unsere Gesundheit wichtig, eine größere Menge an pflanzlichen Speiseölen aufzunehmen und weniger tierische Fette zu essen.

Speiseöle sind bei Temperaturen über 15 °C flüssig.
Speisefette sind bei einer Temperatur von 15 °C streichfähig oder fest.

8.1 Speiseöle

Ölhaltige Pflanzen gedeihen in warmen und sonnenbeständigen Gebieten besonders gut. Je intensiver die Sonnenbestrahlung ist, desto mehr Fett kann die Pflanze bilden. Es gibt ca. 40 Pflanzenarten, deren Öle für die menschliche Ernährung geeignet sind.

Olivenöl und Palmöl werden aus dem Fruchtfleisch gewonnen. Die anderen Öle aus den Samen der Früchte.

Die sieben wichtigsten Ölpflanzen

Sojabohne | Kokospalme | Sonnenblume | Raps | Erdnuss | Baumwolle | Ölpalme

80 % des Pflanzenöls werden aus diesen Pflanzen gewonnen, rund $\frac{3}{4}$ davon aus Ölpalmen, Sojabohnen und Raps.

Kürbiskernöl, Distelöl, Weizenkeimöl

Olivenöl, kalt gepresst und mit Wärmeeinwirkung gepresst

Zum Backen und Braten bei niedrigen Temperaturen werden Butter und Margarine eingesetzt. Zum Herausbacken und Frittieren gibt es hitzebeständige Fette, Softfette, Butter- und Margarineschmalz.

Kokosfett, Palmkernfett und Frittierfette sind Fette, deren Rauchpunkt über 200 °C liegt. Frittierfette sind Mischungen aus unterschiedlichen Pflanzenölen, die gehärtet werden. Sie spritzen durch den Zusatz von Emulgatoren nicht.

Die Verdaulichkeit ist abhängig vom Schmelzpunkt. Pflanzliche Öle, Butter und Margarine haben einen niedrigen Schmelzpunkt, sind daher leichter verdaulich als bei höheren Temperaturen schmelzende Fette.

Kaltgepresste Öle sind dem Naturprodukt sehr ähnlich. Sie behalten den natürlichen Geschmack und die Farbe und haben einen nahezu unveränderten Vitamingehalt. Sie sind allerdings teurer, sollten nicht erhitzt werden und sind kürzer haltbar. Daher werden auch raffinierte Öle verwendet.

Zur Gewinnung von Speisefetten werden Öle gehärtet. Bei diesem Vorgang werden ungesättigte Fettsäuren durch Wasserstoffanlagerung gesättigt.

Die im Handel angebotenen Speiseöle entstammen entweder einer Pflanzenart oder werden zusammengemischt. Werden **Öle mit einem bestimmten Pflanzennamen** benannt, so müssen sie aus dem reinen, unvermischten Öl dieser Pflanze sein, z. B. Kürbiskernöl, Maiskeimöl, Olivenöl. Sie werden häufig auch kaltgepresst angeboten.

Gemischte Öle werden als Tafelöl, Speiseöl oder Pflanzenöl bezeichnet. Tafelöle werden immer extrahiert, dadurch werden sie auch geschmacksneutral. Für Tafelöle werden die auf dem Weltmarkt günstigsten Öle verwendet, sie sind daher auch preisgünstiger.

8.2 Speisefette

Speisefette können rein tierisch, rein pflanzlich oder ein Gemisch sein. Sie werden vor allem als Streichfette, zum Backen, zum Braten und Verfeinern von Speisen verwendet. Als Streichfette dienen hauptsächlich Butter und Margarine, jeweils mit verschiedenen Fettgehalten, aber auch Schweine- und Gänseschmalz.

Margarine wurde ursprünglich als preiswerter Buttersatz entwickelt. Dieses Streichfett wurde aus Rindertalgbestandteilen und Magermilch hergestellt. Heute werden vor allem pflanzliche Öle und Fette verwendet.

8.3 Ernährungsphysiologische Aspekte

Speiseöle und -fette sind die konzentriertesten Energielieferanten. Sie bestehen fast zu 100 % aus Fett. Pflanzliche Öle sind Träger essenzieller Fettsäuren. Kaltgepresste Öle sind reich an Vitaminen und sekundären Pflanzenstoffen.

Butter hat den höchsten Gehalt an kurzkettigen Fettsäuren und ist leicht verdaulich. **Margarine** hat einen hohen Gehalt an essenziellen Fettsäuren. Vitamine werden meist zugesetzt. Vitamin E schützt die Margarine vor dem Ranzigwerden.

Aufgabenstellungen – „Fette und Öle"

1. + Ermitteln Sie, welche Ölpflanzen in Österreich angebaut werden und ob die Anbaufläche mehr bzw. weniger wird.
2. + Nennen Sie die wichtigsten Speiseöle bzw. Speisefette.
3. ++ Welches Fett bzw. Öl würden Sie für Brotaufstriche, für einen Rohkostsalat, für ein frittiertes Gericht und für Mayonnaise verwenden? Begründen Sie Ihre Wahl.

9 Tee, Kaffee, Kakao und alkoholische Getränke

Kaffee, Tee, Kakao und Alkohol sind Getränke, aber auch Genussmittel. Alkoholische Getränke wiederum werden bei der Flüssigkeitsaufnahme nicht mitgerechnet.

In der Getränkekunde wird zwischen alkoholfreien und alkoholischen Getränken unterschieden. Die alkaloidhältigen Aufgussgetränke Tee, Kaffee und Kakao zählen zu den alkoholfreien Getränken.

Weitere Genussmittel sind Erfrischungsgetränke. In der TRAUNER-DigiBox finden Sie eine Versuchsanleitung zur Herstellung von Cola.

Alkaloide = stickstoffhaltige Stoffe in Lebensmitteln, die in der Regel giftig sind, in kleinen Mengen aber eine anregende Wirkung haben

9.1 Kaffee

Die Weltjahresernte von Kaffee ist seit Beginn des 19. Jahrhunderts von 100000 Tonnen auf durchschnittlich 7 Millionen Tonnen angestiegen. Der Kaffee ist heute eines der wichtigsten landwirtschaftlichen Exportprodukte der Welt. Man schätzt, dass Anbau, Fertigung und Handel ca. 20 Millionen Menschen Arbeit geben. Der Warenwert des Kaffees steht nach Erdöl an zweiter Stelle im Welthandel.

Österreich bezieht Rohkaffee hauptsächlich aus Brasilien und Kolumbien. Der Pro-Kopf-Verbrauch von Kaffee pro Jahr lag 1950 bei nur 0,6 kg, jetzt liegt er bei 8 kg.

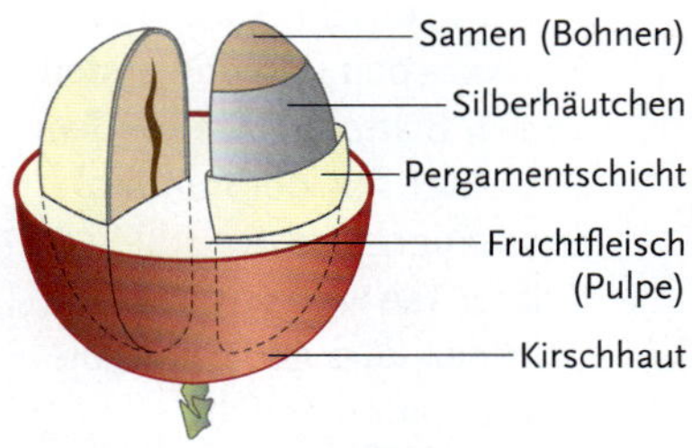

Aufbau der Kaffeekirsche

Unterscheidung nach den Anbaugebieten

Hochlandkaffee (Arabica)	Tieflandkaffee (Robusta)

Die Bohnen sind klein, fest und mit einem ausgeprägten Aroma. Sie wachsen langsam, enthalten wenig Wasser, der Ernteertrag ist gering. Hochlandkaffee ist teuer.	Die Bohnen von Tieflandkaffee reifen schnell, daher sind mehrere Ernten im Jahr möglich. Tieflandkaffee ist qualitativ minderwertiger, daher auch preiswerter.

Die Kaffeekirschen enthalten im Allgemeinen zwei Samenkerne (Bohnen). Sie werden meist von Hand geerntet. Danach erfolgt die Aufbereitung, um lagerfähige Kaffeebohnen zu erhalten. Der fertig aufbereitete Rohkaffee wird in Säcke verpackt und in die Verbraucherländer exportiert. Dort werden die Kaffeemischungen zusammengestellt und geröstet.

Der Anbau von Kaffee und das Kaffeetrinken sind auf die Araber zurückzuführen. Der Name wird vom türkischen Wort *kahveh* hergeleitet. Es bedeutet so viel wie Stärke bzw. Lebenskraft.

Beim **Rösten** entwickelt der Kaffee sein typisches Aroma, seinen Duft und seine Farbe. Der Rohkaffee wird in Rösttrommeln bei 200–220 °C geröstet. Dabei verdampft das Wasser in den Bohnen und sie vergrößern sich.

Die Menge macht das Gift!
Koffein, der wichtigste Bestandteil des Kaffees, wirkt kreislauf- und verdauungsanregend, stimmungsverändernd und führt zu einer kurzfristigen Steigerung der Leistungsfähigkeit der Organe. Zu große Mengen an starkem Kaffee bewirken jedoch körperliche Beschwerden wie Zittern, Unruhe, Schlaflosigkeit, Herzklopfen, Schweißausbruch und Sodbrennen.

Das Koffein des Kaffees wirkt leicht abführend und harntreibend. Die im Kaffee enthaltenen organischen Säuren können die Salzsäureproduktion im Magen erhöhen, was zu Sodbrennen führen kann. Kaffee steigert die Ausscheidung von Kalzium im Harn, wodurch das Osteoporose-Risiko (vgl. S. 138) ansteigen könnte.

Die wichtigsten **Teeanbaugebiete** sind Indien, Ceylon (Sri Lanka), China, Japan, Indonesien (Sumatra, Java), viele Länder Afrikas (z. B. Kenia) und Georgien.

Neben dem Schwarztee, der den vollständigen Fermentationsprozess durchläuft, gibt es eine Reihe weiterer Tees.

- **Weißer Tee** wird nur getrocknet und sofort verpackt. Er besteht ausschließlich aus Blattknospen und den ersten beiden Blättchen. **Gelber Tee** ist weißer Tee, der minimal fermentiert wird.
- **Grüner Tee** wird vor dem Trocknen kurz gedämpft, die Fermentation entfällt.
- **Oolongtee** wird nach dem Rollen kurz fermentiert und dann getrocknet.
- **Eistee** ist ein Kaltgetränk, für das Tee zunächst heiß zubereitet und dann rasch abgekühlt wird. Er ist in vielen Geschmacksrichtungen aromatisiert und meist stark gezuckert erhältlich.

Aufgeschlagene Kakaofrucht

Theobromin = ein dem Coffein ähnlicher Stoff, der ebenfalls eine anregende Wirkung besitzt, ohne jedoch Herz und Kreislauf zu belasten.

Die **Hauptanbaugebiete** des Kakaos sind heute vor allem Westafrika aber auch Südamerika, Mittelamerika, die Westindischen Inseln, Java und Ceylon.

9.2 Tee

Tee ist ein **Aufgussgetränk** aus den aufbereiteten Blättern des Teestrauchs. Er ist eines der ältesten Getränke und stammt aus China. Die Welternte von Tee hat sich von 1950 bis heute verdoppelt. Kräutertees und Früchtetees spielen neben den echten Tees eine wichtige Rolle.

Wie beim Kaffee spielen auch für die Charakteristik des Tees nicht nur die Pflanze, sondern auch das Anbaugebiet, d. h. Klima, Boden und Lage, eine große Rolle. Je jünger die Blätter und Knospen sind und je langsamer sie wachsen, desto wertvoller fällt die Teequalität aus. Deshalb stammen die feinsten Tees aus hoch gelegenen Teekulturen. Man unterscheidet Hochland-, Mittelland- und Tieflandtee.

Die Teeblätter werden mit der Hand gepflückt, üblicherweise nur die Blattknospen und die zwei obersten Blätter, die die besten Teesorten ergeben. Wird auf Quantität geachtet, werden auch weitere Pflanzenteile gepflückt.

Teeähnliche Erzeugnisse (Früchte- und Kräutertees) sind Aufgüsse von getrockneten, stark aromatischen Pflanzenteilen wie Früchten, Blüten, Blättern, aber auch Wurzeln. Sie werden ähnlich wie echter Tee zubereitet. Viele von ihnen haben eine beruhigende oder heilende Wirkung.

Früchte- und Kräutertees werden häufig als Hausmittel anstelle von Medikamenten eingesetzt.

Beispiele: Tees als Arzneimittel

- Pfefferminz-, Fenchel- und Kümmeltee: krampflösend und blähungslindernd
- Baldriantee: nervenberuhigend und schlaffördernd

9.3 Kakao

Der Kakaobaum hat seine Heimat im tropischen Amerika. Zur Zeit der Azteken diente Kakao als Zahlungsmittel. Im 16. Jahrhundert gelangte er nach Europa.

Heute werden die Kakaobäume in Plantagen gezüchtet und erreichen eine Höhe von zwei bis fünf Metern. Die Früchte des Kakaobaumes sind gurken- oder melonenähnlich. In ihnen liegen 25–50 Kakaobohnen. Die ungerösteten Kakaobohnen enthalten Kohlenhydrate (Zucker), Fett, Eiweiß, Wasser, Mineralstoffe und in kleiner Menge das Alkaloid Theobromin.

Das Theobromin des Kakaos hat eine wesentlich schwächer anregende Wirkung als Koffein, weshalb Kakao unbedenklich auch von Kindern genossen werden kann. Fertige Kakaomischungen und -getränke weisen allerdings häufig einen sehr hohen Zuckergehalt auf.

Österreich importiert Kakaobohnen aus Afrika und aus dem tropischen Amerika. Der Jahresverbrauch liegt bei ca. 25 500 t. In Österreich ist die Erzeugung von Trinkkakao und Schokolade bedeutend.

Kakao ist schwach entöltes Kakaopulver mit 20–22 % Kakaobutteranteil. Es ist dunkel, mild, sehr nahrhaft und grob gemahlen. Magerkakao ist stark entöltes Kakaopulver mit 8–20 % Kakaobutteranteil. Es ist sehr fein gemahlen, hell und herb im Geschmack. Kakaogranulate bestehen aus Eiweiß, Zucker, Fett, Kakaoanteilen und Vitaminen; sie werden mit Milch aufgegossen.

9.4 Alkoholische Getränke

Alkohol ist in Österreich eine Volksdroge

Zu den alkoholischen Getränken zählen Bier, Wein und Spirituosen. Sie werden durch **Vergären zucker- oder stärkehaltiger Maischen** erzeugt. Die Stärke muss vor der Gärung mithilfe von Enzymen zu Einfach- und Zweifachzucker abgebaut werden. Hefe bildet aus Einfachzucker Alkohol und Kohlenstoffdioxid.

Bei der **Destillation** wird der Maische bzw. dem Wein durch Verdampfen Wasser entzogen. Es entstehen hochprozentige Spirituosen. Der in den alkoholischen Getränken in unterschiedlicher Konzentration enthaltene Alkohol ist **Ethanol** (C_2H_5OH).

Alcopops sind Mischgetränke aus Limonade und vergorenem und/oder destilliertem Alkohol. Sie richten sich durch ihre poppige Verpackung und den süßen, stark Limonade-ähnlichen Geschmack vorrangig an ein sehr junges Publikum.

9.4.1 Bier

Bereits bei einem der ältesten Kulturvölker – den Sumerern – braute man Bier. Dies wurde bereits 6000 v. Chr. urkundlich erwähnt. Auch die Babylonier und Ägypter waren bestens mit der Biererzeugung vertraut. So ist bekannt, dass sie bereits zwanzig verschiedene Biersorten brauten. Im Mittelalter sorgten vor allem die Klöster für die Verbreitung des Bieres in Europa.

Hopfen

Bier ist ein alkoholisches und kohlensäurehaltiges Getränk, das hauptsächlich aus **Gerstenmalz, Hopfen und Wasser** durch **Vergärung mit Hefe** hergestellt wird. Die österreichischen Brauereien verarbeiten die gesamte heimische Gersten- und Hopfenernte, darüber hinaus werden Gerste und Hopfen importiert.

Biere können nach folgenden Kriterien unterschieden werden

Getreideart	Farbe	Gärart	Alkohol- und Stammwürzgehalt
Beispiele ▪ Gerstenbier ▪ Weizenbier ▪ Roggenbier ▪ Dinkelbier	**Beispiele** ▪ Helles Bier ▪ Dunkles Bier	**Beispiele** ▪ Untergäriges Bier ▪ Obergäriges Bier	**Beispiele** ▪ Alkoholfreies Bier ▪ Alkoholarmes Bier ▪ Leichtbier ▪ Schankbier ▪ Vollbier

9.4.2 Wein

Weingarten, Südsteiermark

Die ersten brauchbaren Quellen über Weinbau und Weinerzeugung stammen von den Griechen um ca. 1000 v. Chr. Durch die Römer breitete sich der Weinbau über weite Teile Europas aus. Die Römer tranken den Wein oft gemischt mit Wasser. Er stellte zur damaligen Zeit auch nicht das Genussmittel von heute dar, sondern war ein Getränk, dem man stärkende und heilende Wirkung zusprach. Auch im Mittelalter blieb die Beliebtheit des Weines ungebrochen. Und da die Kirche auf Wein für den Gottesdienst angewiesen war, versuchten sich bald viele Klöster selbst im Weinanbau.

Aus Weintrauben kann außer Wein noch eine ganze Menge weiterer Produkte gewonnen werden:

Weitere aus der Weintraube gewonnene Produkte

Traubensäfte	Stillweine	Schaumweine	Versetzte Weine	Weindestillate
Beispiele ▪ Traubensüßmost ▪ Traubennektar	**Beispiele** ▪ Weißwein ▪ Roséwein ▪ Rotwein	**Beispiele** ▪ Champagner ▪ Schaumwein aus erster Gärung (Asti spumante) ▪ Sekt	**Beispiele** Sherry, Portwein, Madeira, Samos, Mavrodaphne, Marsala, Malaga, Tokajer, Wermut, Perlwein	**Beispiele** ▪ Cognac ▪ Weinbrand ▪ Tresterbrand ▪ Hefebrand

Als Schaumweine werden alle kohlensäurehaltigen Weine (Weiß-, Rosé- und Rotweine) bezeichnet, die meist durch eine zweite Gärung natürlich entstanden sind und einen Mindestdruck von 3 bar (= 300 000 Pa) aufweisen.

Erziehungsformen = Methoden, mit denen der Wuchs des Rebstocks gelenkt wird, um Ertrag und Qualität zu steuern sowie dem Auftreten von Krankheiten vorzubeugen.

Weinbau ist eine sehr arbeitsaufwändige landwirtschaftliche Kultur. Er erfordert den fünf- bis achtfachen Arbeitsaufwand gegenüber dem Ackerbau. Heute werden Weinbau und Weinerzeugung weltweit in der gemäßigten Zone betrieben. In Österreich hat der Weinbau in den Bundesländern Wien, Niederösterreich, Burgenland und Steiermark große Bedeutung.

Gute Weine sind keine Zufallsprodukte, sondern das Ergebnis des Zusammenwirkens von Natur (Klima, Boden, Lage) und Winzer (Sortenwahl, Erziehungsformen, Lesezeitpunkt, Leseverfahren etc.).

Der Zeitpunkt der **Weinlese** (Ernte) richtet sich nach dem Reifegrad der Trauben. Je reifer die Trauben sind, desto höher ist ihr Zuckergehalt. Je nach Region und Traubensorte findet die Weinlese zwischen Mitte August und Mitte November statt. Bei einer **Spätlese** werden die Trauben unter besonders günstigen Wetterbedingungen (milder, sonniger Herbst) über die normale Lesezeit hinaus am Stock gelassen. Die daraus hergestellten Weine werden als Prädikatsweine bezeichnet.

9.4.3 Spirituosen

Spirituose ist ein Sammelbegriff für **alle gebrannten Getränke.** Sie lassen sich aus jedem pflanzlichen Rohstoff destillieren, der genügend Zucker enthält, um die Umwandlung in Alkohol zu vollziehen.

Spirituosen

Will man hochprozentige Spirituosen erzeugen, muss man dem Ausgangsprodukt (Wein, Obstmaische oder anderen vergorenen Säften) das Wasser entziehen. Da Alkohol schon bei 78,3 °C zu verdampfen beginnt, Wasser aber erst bei 100 °C, muss man die Alkoholdämpfe auffangen und durch Kühlung wieder verflüssigen. Diesen Vorgang nennt man Destillation.

Aufgabenstellungen – „Kaffee, Tee, Kakao und alkoholische Getränke“

1. + Stellen Sie Kaffee, Tee und Kakao einander gegenüber. Wo finden Sie Gemeinsamkeiten, worin unterscheiden sich die drei Getränke bzw. die Pflanzen, die ihnen zugrunde liegen?

2. ++ Wiederholen Sie den Stoff zum chemischen Vorgang der Destillation. Aus welchen Produkten werden Destillate hergestellt? Nennen Sie Ihnen bekannte destillierte Getränke.

Ziele erreicht? – „Nahrungs- und Genussmittel“

KOMPETENZ-ERWERB

1. + Nennen Sie Gründe für die Beimengung von Zusatzstoffen zu Lebensmitteln. Nennen Sie mindestens drei Zusatzstoffe und geben Sie an, welche Probleme für die Gesundheit sich durch die Verwendung dieser Lebensmittelzusätze ergeben.

2. + Nennen Sie wichtige Milchsorten, Käsesorten sowie Milchprodukte und unterscheiden Sie sie nach der Erzeugung.

3. + Wählen Sie fünf Käsesorten aus, die Sie gerne essen. Ordnen Sie sie nach der Erzeugung in Frischkäse, Weichkäse, Schnittkäse, Hartkäse, Sauermilchkäse, Schmelzkäse. Berechnen Sie den tatsächlichen Fettgehalt dieser Käsesorten.

4. ++ Meeresfische versus Fische aus Aquakultur – sammeln Sie Argumente dafür und dagegen. Wie ist Ihre persönliche Meinung?

5. ++ Wählen Sie bei Ihrem nächsten Einkauf je ein Milchprodukt, eine Wurstsorte sowie ein Streichfett, das Sie gerne essen aus. Achten Sie bewusst auch die Kennzeichnung und beantworten Sie folgende Fragen:

- Wie viele kcal/kJ nehmen Sie durch 100 g auf?
- Wie viel Prozent Ihres täglichen Energiebedarfs sind das?
- Überlegen Sie, ob dieses Lebensmittel für Sie passt oder ob Sie einen für Sie gleichwertigen, aber ernährungsphysiologisch sinnvolleren Ersatz finden.

6. ++ Sie nehmen an einer Podiumsdiskussion zum Thema Fleischkonsum teil. Ihre Gruppe ist für eine Reduktion des Fleisch- und Fleischwarenkonsums. Bereiten Sie sich auf die Diskussion vor, sammeln Sie Argumente gegen den übermäßigen Fleischkonsum.

7. ++ Die Kennzeichnung von Lebensmitteln hilft Ihnen, diese bewusst einzukaufen. Wählen Sie bei Ihrem nächsten Einkauf eine Obstart aus, die Sie gerne essen. Achten Sie auf die Kennzeichnung offen angebotener Ware. Welche Informationen bekommen Sie? Wählen Sie dieselbe Obstart in verpackter Form aus. Welche Informationen erhalten Sie jetzt? Gibt es Unterschiede? Wenn ja, erklären Sie diese.

8. + Überlegen Sie, ob loser Blatt-Tee oder der Tee in Teebeuteln von höherer Qualität ist. Begründen Sie Ihre Entscheidung.

9. + Nennen Sie je zehn Obst- und Gemüsearten und ordnen Sie diese der handelsüblichen Einteilung zu. Nennen Sie auch je einen möglichen Verarbeitungsprozess.

Einen interaktiven **Safety-Check** finden Sie in der TRAUNER-DigiBox.

Ernährungsweisen

Gesundheit vom Säuglings- bis ins Greisenalter ist der Wunsch fast aller Menschen. Vielen Menschen ist aber nicht bewusst, dass die richtige Ernährungsweise stark von Alter, körperlicher Leistungsfähigkeit und besonderen Anforderungen (z. B. Schwangerschaft) abhängt. So ist die Ernährungsweise von einem kleinen Kind nicht mit der eines Profisportlers oder einer schwangeren Frau zu vergleichen.

Ob diese alternativen Ernährungsformen wirklich als „gesund" anzusehen sind, darf oft bezweifelt werden.

Die Vielzahl ernährungsmitbedingter Krankheiten und die teils übertriebene, teils berechtigte Angst vor Chemie in Lebensmitteln lässt viele Menschen darüber hinaus nach anderen, „gesünderen" Ernährungsformen suchen. Weitere Gründe, sich für alternative Ernährungsformen zu entscheiden, sind ökologische, ethische, politische und religiöse.

KOMPETENZ-ERWERB

Meine Ziele

Nach Bearbeitung dieses Kapitels kann ich

- unterschiedliche Ernährungsweisen nennen;
- die Auswirkungen dieser Ernährungsweise auf den menschlichen Körper erkennen und nachvollziehen;
- Ernährungsweisen und damit verbundene Vorurteile beurteilen.

1 Empfohlene Ernährungsweisen für ausgewählte Personengruppen

Für verschiedene Personengruppen gibt es besondere Empfehlungen zur Ernährungsweise.

Ernährung von Schwangeren und Stillenden

Während der Schwangerschaft und Stillzeit ist die richtige Auswahl an Lebensmitteln für eine optimale Nährstoffaufnahme besonders wichtig. Schließlich muss das Baby mit Energie und Nährstoffen versorgt werden, damit es sich gut entwickeln kann.

Schwangere müssen nicht für zwei essen! Sie brauchen täglich lediglich ca. 1 000 kJ mehr. Dies entspricht etwa einer Portion Müsli mit Milch.

Die Mutter muss stets darauf achten, dass nicht nur ihr Kind, sondern auch sie selbst ausreichend mit Nährstoffen versorgt wird.

Während der Schwangerschaft muss auf **Alkohol** und **Zigaretten** verzichtet werden. **Koffeinhaltige Getränke** sind nur eingeschränkt zu genießen. Vor der Einnahme von **Medikamenten** ist ärztlicher Rat aufzusuchen.

Ernährung von Kindern und Jugendlichen

Mit einer guten Ernährung während des Wachstums wird der Grundstein für Gesundheit und Leistungsfähigkeit im Erwachsenenalter gelegt. Kinder lernen außerdem vom Vorbild der Eltern: Die späteren Essgewohnheiten werden zum großen Teil im Kindesalter anerzogen.

Bei Kindern schwankt die Energieaufnahme stark. Sie reagieren noch stärker auf ihr inneres Hunger- und Sättigungsgefühl. Sportlich aktive Kinder benötigen natürlich auch mehr Energie als ruhige Kinder, die sich wenig bewegen.

Das Gesundheitsministerium hat Ernährungspyramiden für Schwangere sowie für Kinder herausgegeben. Sie können diese auf der aktuellen Webseite finden.

Was soll bei der Ernährung von Kindern und Jugendlichen besonders beachtet werden?
- Energiezufuhr auf mehrere Mahlzeiten verteilen
- Ausreichend trinken (vor allem Wasser)
- Mäßiger Verzehr von Süßigkeiten
- Vollkornprodukte bevorzugen
- Hohen Fettverzehr vermeiden
- Täglich Gemüse und Obst

Ernährung älterer Menschen

Im Alter kommt es zu einer Reihe von körperlichen Veränderungen, eine Anpassung an diese ist deshalb bei der Ernährung nötig.

Muskel- und Knochenmasse nehmen im Alter ab, es wird also **weniger Energie benötigt.** Fett einsparen ist daher wichtig, um Übergewicht zu vermeiden.

Jenseits des 80. Lebensjahres mangelt es häufig an Appetit, was mit anderen körperlichen Beschwerden zusammenhängen kann. Die Bereitschaft zum Essen wird oftmals gering. Demenzkranke vergessen oder verweigern oft Essen und Trinken.

Das Durstempfinden lässt im Alter nach. „Trinken ohne Durst“ muss oft trainiert werden.

Ernährung von Sportlerinnen und Sportlern

Eine optimale Ernährung ist die Voraussetzung für körperliche Leistungsfähigkeit. Die Ernährung hängt stark von der Sportart, vom Geschlecht, vom Alter, vom Trainingsvolumen sowie der Regenerationszeit ab.

> Bei jeder Art von Sport oder körperlicher Tätigkeit ist auf eine ausreichende Flüssigkeitszufuhr zu achten. Geeignete Getränke sind Wasser, verdünnte Säfte oder Früchte- und Kräutertees.

Bei Freizeitsportlerinnen/-sportlern sind eine ausgewogene Ernährung und eine an die Sportdauer angepasste erhöhte Energiezufuhr ausreichend.

Leistungssportler/innen haben einen hohen Energieverbrauch und müssen ihre Nahrung genau auswählen. Damit der Magen-Darm-Trakt nicht belastet wird, sind mehrere kleine Mahlzeiten, über den Tag verteilt, aufzunehmen. Bei der Auswahl der Lebensmittel ist besonders auf die **Nährstoffdichte** zu achten.

Nährstoffdichte = Menge eines Nährstoffs im Verhältnis zum Energiegehalt in einem Lebensmittel

2 Alternative Ernährungsformen

> Innerhalb von zehn Jahren hat sich die Anzahl der vegetarisch bzw. vegan lebenden Menschen in Österreich verdreifacht. Besonders junge Menschen essen häufig fleischlos, nämlich 16 % der bis 29-Jährigen.

Alternative Ernährungsformen zeigen trotz unterschiedlicher Ansätze viele Gemeinsamkeiten. So werden z. B. pflanzliche Lebensmittel und Biolebensmittel bevorzugt, während eine übertriebene Lebensmittelverarbeitung und Lebensmittelzusatzstoffe abgelehnt werden. Neben der Gesundheit fließen oft auch Aspekte wie Sozial- und Umweltverträglichkeit aber auch eine persönliche Bewusstseinsentwicklung ein. Der Anspruch, den manche alternative Ernährungsformen erheben, dass durch sie Krankheiten geheilt werden können, kann nicht erfüllt werden.

2.1 Vegetarismus

Ovolaktovegetarische Kost ist als dauerhafte Ernährungsform geeignet, vegane Kost jedoch nur bedingt. Der Großteil der Vegetarier/innen ernährt sich ovolaktovegetarisch.

Die vegetarische Kost ist nach PYTHAGORAS, griech. Philosoph und Begründer des klassischen Vegetarismus, eine „lebendige Kost". Lebensmittel von getöteten Tieren werden abgelehnt.

Vegetarische Ernährungsmöglichkeiten

Vegane Kost oder strenger Vegetarismus	Lakto-vegetarismus	Ovo-vegetarismus	Ovolakto-vegetarismus
Es werden nur pflanzliche Lebensmittel gegessen. Auch Honig wird abgelehnt.	Neben pflanzlichen Lebensmitteln werden auch Milch und Milchprodukte gegessen.	Neben pflanzlichen Lebensmitteln werden auch Eier gegessen.	Die Nahrung enthält neben pflanzlichen Lebensmitteln auch Milch, Milchprodukte und Eier.

> **Flexitarier** essen selten Fleisch, dafür viel Gemüse, Obst und Fisch. Flexitarier essen so, wie es die Ernährungswissenschaft mit der Ernährungspyramide empfiehlt.
> **Pescetarier** essen Fisch anstelle von Fleisch.

Gründe für den Vegetarismus

- Tiere haben ein Recht auf Leben. Töten ist Unrecht.
- Fleischverzehr als religiöses Tabu.
- Der Anblick toter Tiere erregt Ekel.
- Zur Fleischproduktion werden an Tiere große Mengen pflanzlicher Nahrung verfüttert, die nicht mehr für Menschen zur Verfügung stehen.
- Ökologische Motive: Durch Massentierhaltung entstehende Umweltbelastungen werden vermindert.
- Ernährungsphysiologische Motive: Durch das Weglassen von tierischem Eiweiß und Fett werden ernährungsbedingte Krankheiten verhindert.

Das **Label „V"** soll **Vegetarierinnen und Vegetariern** die Lebensmittelauswahl europaweit erleichtern. Es steht für Erzeugnisse, die ohne tierische Rohstoffe hergestellt werden, insbesondere ohne Fleisch, Gelatine, Knochen und Schlachtfette.

Bewertung des Vegetarismus

- Vegetarier haben normale Blutzuckerwerte, geringere Cholesterinwerte und seltener Übergewicht.
- Eine abwechslungsreiche (ovo)laktovegetarische Ernährung ist als Dauerkost geeignet.
- Bei Veganern kann die Versorgung u. a. mit Eiweiß, Eisen, Kalzium und Jod gefährdet sein. Für Säuglinge, Kleinkinder und Personengruppen mit besonderen Anforderungen muss daher von der veganen Ernährung abgeraten werden.
- Wird nur das Fleisch aus der Nahrung gestrichen, ist diese Ernährung minderwertiger als die herkömmliche Kost, da als Ersatz meist vermehrt zu Süßigkeiten und Mehlspeisen gegriffen wird (Puddingvegetarismus).

2.2 Vollwerternährung

Die Grundideen der Vollwerternährung stammen aus der Antike. HIPPOKRATES, ein griechischer Arzt im 4. Jahrhundert v. Chr., und PYTHAGORAS gelten als Begründer **ganzheitlicher Ernährungs- und Lebensweisen.**

Durch die Vollwerternährung sollen eine **hohe Lebensqualität** (besonders Gesundheit), die **Schonung der Umwelt** und die **soziale Gerechtigkeit** weltweit gefördert werden.

Grundsätze der Vollwerternährung

- Bevorzugung pflanzlicher Lebensmittel (laktovegetarische Lebensweise).
- Bevorzugung gering verarbeiteter Lebensmittel (so natürlich wie möglich).
- Reichlicher Verzehr unerhitzter Frischkost: Etwa die Hälfte der Nahrungsmenge soll als Rohkost verzehrt werden.
- Zubereitung der Speisen aus frischen Lebensmitteln, mit wenig Fett.
- Vermeidung von Nahrungsmitteln mit Zusatzstoffen.
- Vermeidung von Nahrungsmitteln aus bestimmten Technologien, wie Gentechnik, Food Design, Lebensmittelbestrahlung.
- Bevorzugung von Erzeugnissen aus biologischer Landwirtschaft.
- Bevorzugung von Erzeugnissen regionaler Herkunft und entsprechend der Jahreszeit.
- Bevorzugung unverpackter oder umweltschonend verpackter Lebensmittel.
- Vermeidung bzw. Verminderung des Schadstoffausstoßes und der Schadstoffaufnahme durch Verwendung umweltverträglicher Produkte und Technologien.
- Bevorzugung landwirtschaftlicher Erzeugnisse, die unter sozialverträglichen Bedingungen erzeugt, verarbeitet und vermarktet werden (fairer Handel).

Wichtige Wegbereiter der heutigen Vollwerternährung waren MAX BIRCHER-BENNER (1867–1938) und WERNER KOLLATH (1892–1970). Sie prägten den Begriff **„Vollwert der Nahrung":** Lebensmittel haben nur dann ihren vollen Wert, wenn sie so natürlich wie möglich gegessen werden.

Zusammensetzung der Vollwerternährung

25 % frisches Gemüse, Obst — 25 % Frischkorn, Rohmilch, Nüsse

50 % erhitzte Kost

Empfehlung zur Aufteilung der Nahrungsmenge in unerhitzte Frischkost und erhitzte Kost

Weitere alternative Ernährungsformen sind die Ernährung mit Ayurveda, die Makrobiotik oder auch Trennkost.

Die Lebensmittel werden entsprechend ihrem gesundheitlichen, ökologischen und sozialen Wert in vier Wertstufen geordnet.

Wertstufen der Lebensmittel

Wertstufen 1 und 2 Sehr empfehlenswert	Wertstufe 3 Weniger empfehlenswert	Wertstufe 4 Nicht empfehlenswert
Dazu gehören alle rohen und schonend verarbeiteten Lebensmittel. Die Hälfte der täglichen Nahrung sollte mit diesen Lebensmitteln abgedeckt werden.	Dazu gehören Nichtvollkornprodukte, Konserven, H-Milch, raffiniertes Öl, Fleisch-, Wurst- und Fischwaren. Sie sollen nur selten verzehrt werden.	Übertrieben verarbeitete Lebensmittel, wie gehärtete Margarine, Fertiggerichte, Vitaminpräparate, Pommes frites, Zucker, Süßigkeiten, Süßstoffe. Sie sollen nicht gegessen werden.

Bewertung der Vollwerternährung

- Vollwerternährung entspricht den ernährungswissenschaftlichen Erkenntnissen und ist als Dauerkost geeignet.
- Sie ist zur Vorbeugung ernährungsabhängiger Krankheiten günstig zu bewerten.
- Die Empfehlungen sind gut in die Praxis umsetzbar.
- Die Einteilung der Lebensmittel in Wertstufen ist nicht ganz unproblematisch. Manche wegen ihrer intensiven Verarbeitung als wenig empfehlenswert eingestuften Lebensmittel können sehr wohl einen Beitrag zu vollwertiger Ernährung liefern.

Ziele erreicht? – „Ernährungsweisen"

KOMPETENZ-ERWERB

1. ++ Wählen Sie eine Personengruppe oder Lebensphase aus. Beschreiben Sie die Besonderheiten der Ernährung für diese Gruppe bzw. Phase.

2. + Charakterisieren Sie die einzelnen Ernährungsformen mit je zwei Sätzen.

3. + Nennen und beschreiben Sie die verschiedenen Formen des Vegetarismus.

4. ++ Warum werden so viele Jugendliche zu Vegetariern? Sammeln Sie Gründe dafür und vergleichen Sie diese mit den Antworten Ihrer Klassenkolleginnen und -kollegen.

5. + Bewerten Sie folgende Aussagen aus ernährungsphysiologischer Sicht: „Vegetarische Kost ist langweilig", „Nur wer viel Fleisch isst, führt dem Körper genügend Eiweißstoffe zu".

6. + Vergleichen Sie die Grundsätze des Vegetarismus und der Vollwerternährung. Wo liegen die Gemeinsamkeiten?

7. ++ Suchen Sie im Internet nach drei weiteren alternativen Ernährungsformen und beurteilen Sie, ob diese als Dauerkost geeignet sind. Tragen Sie diese alternativen Ernährungsformen in eine Tabelle ein.

8. ++ „Körndlfresser" und „Weltretter" – so werden oft Menschen bezeichnet, die sich hauptsächlich pflanzlich ernähren. Sammeln Sie Argumente, die diese Vorurteile widerlegen, und diskutieren Sie diese Vorurteile in der Klasse.

Going international

Now let's use the basics of the chapter "Landwirtschaft und Ernährung" in English!

Exercise 1

Match the following statements to one of the following types of farming.

	Conventional Farming	Organic Farming
Naturally occurring pesticides are used.		
Animals are also kept in cages.		
Heavy use of machinery in agriculture.		
Farmers use monoculture.		
Certifications for this kind of agriculture exist in the European Union.		

Exercise 2

Some organisms – especially insects – are harmful to plants, crops and stock. These organisms are called **pests.** But there are also **beneficial organisms** that have a positive effect on agriculture. For example, there are beneficial animals that feed on pests.

To encourage beneficial organisms into an agriculture ecosystem, it is important to minimise pesticide use and to provide natural habitats and shelter.

Now classify the following organisms as either pests or beneficial organisms, respectively.

Ladybugs

Potato beetles

Bees

Mice

Termites

Birds

If monoculture is practised, farmers only grow a single crop or species at a time, for example a monocultivated soy field.

pest
Schädling

beneficial organism
Nützling

Do you know of any other pests or beneficial organisms in agriculture?

Write down the words that you need to look up below.

The number one ranked food is almonds.

Is your diet nutritionally balanced?

Exercise 3

Read the following article about nutritious foods and answer the questions below.

The world's most nutritious foods

Imagine the ideal food. One that contains all the nutrients necessary to meet, but not exceed, our daily nutrient demands. If such a food existed, consuming it, without eating any other, would provide the optimal nutritional balance for our body.

Such a food does not exist. But we can do the next best thing. The key is to eat a balance of highly nutritional foods, that when consumed together, do not contain too much of any one nutrient, to avoid exceeding daily recommended amounts.

Scientists studied more than 1,000 foods, assigning each a nutritional score. The higher the score, the more likely each food would meet, but not exceed your daily nutritional needs, when eaten in combination with others.

Here are the top five:

5. Chia seeds: Tiny black seeds that contain high amounts of dietary fibre, protein, α-linolenic acid, phenolic acid and vitamins.
4. Flatfish: Sole and flounder species. Generally free from mercury and a good source of the essential nutrient vitamin B_1.
3. Ocean perch: The Atlantic species. A deep-water fish sometimes called rockfish. High in protein, low in saturated fats.
2. Cherimoya: Cherimoya fruit is fleshy and sweet with a white pulp. Rich in sugar and vitamins A, C, B_1, B_2 and potassium.
1. Almonds: Rich in mono-unsaturated fatty acids. Promote cardiovascular health and may help with diabetes.

(Source: BBC Future, 29 January 2018)

a) What would the characteristics of the ideal food be like?

b) Describe how to get as close as possible providing yourself with the optimal nutritional balance for your body.

c) How did the scientists rate the more than 1,000 foods?

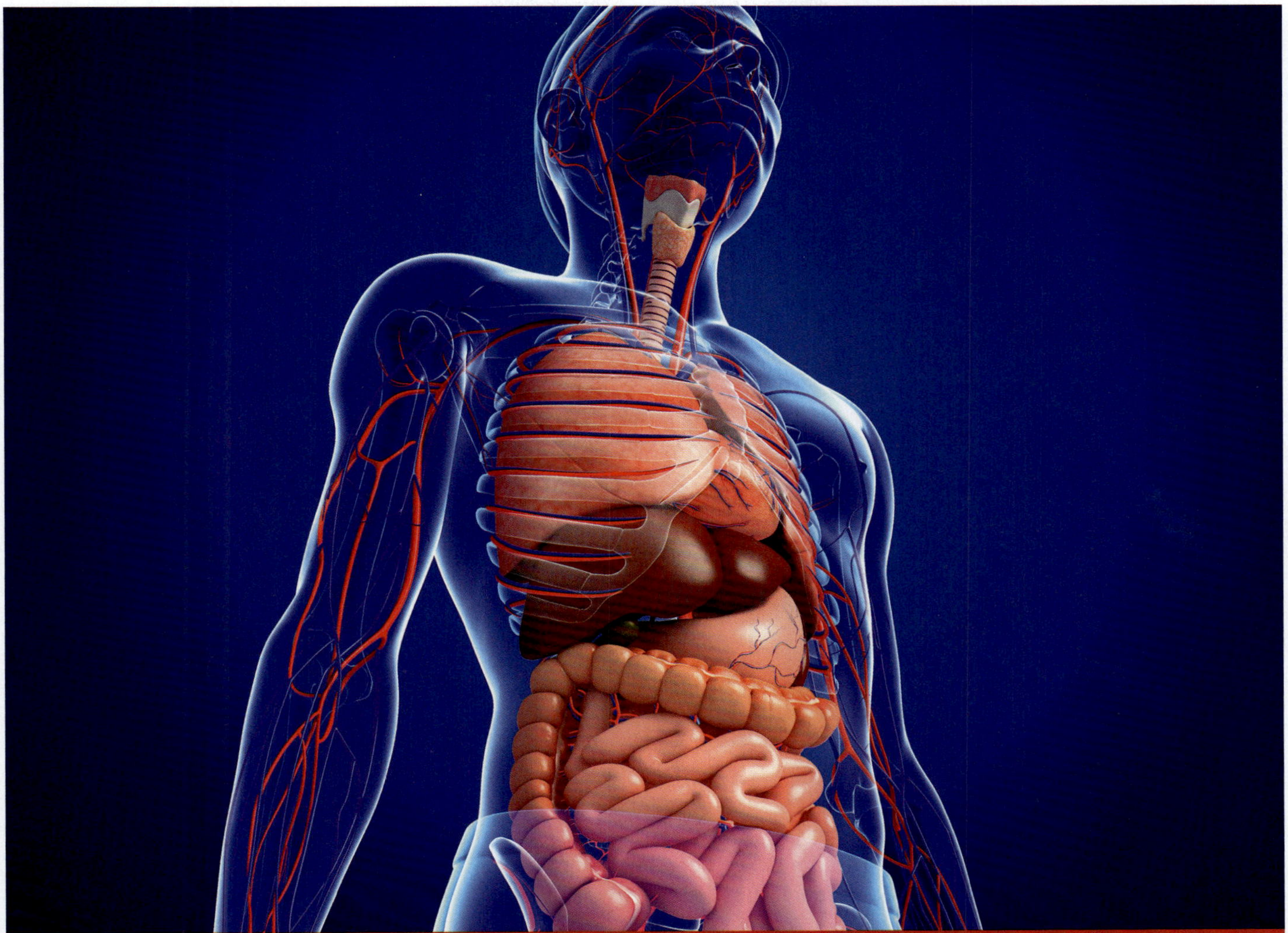

III Organsysteme des Menschen

Die Organe des Menschen können nur in funktionell zusammengehörenden Gruppen ihre Aufgaben im menschlichen Körper optimal erfüllen. Diese Gruppen nennt man Organsysteme.

So kann etwa die Lunge allein nicht die Aufgabe der Atmung erfüllen. Zum Atmungssystem gehören neben der Lunge z. B. auch die Luftröhre oder der Rachen.

Herz-Kreislauf-System

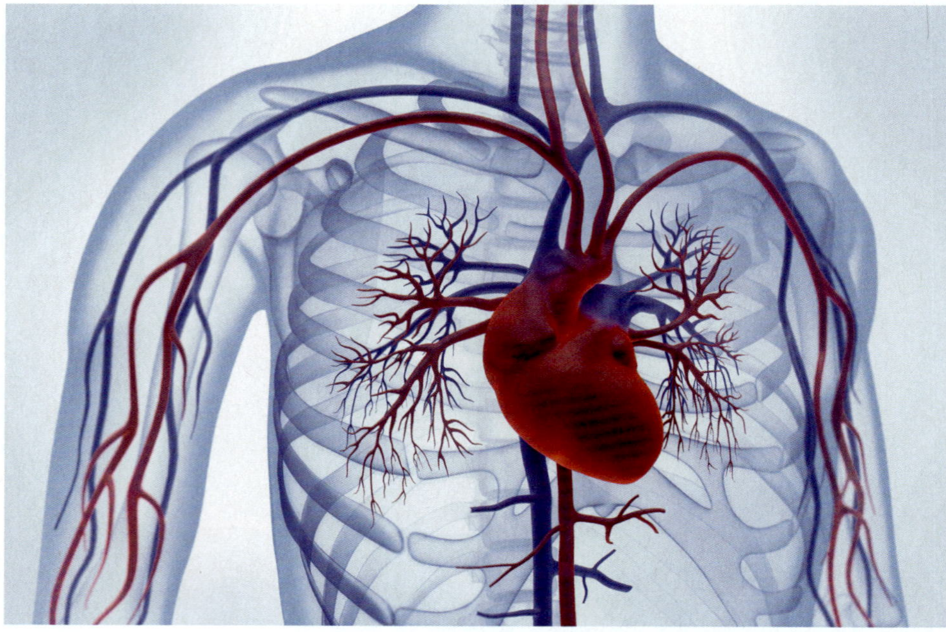

Um die Zellen der Gewebe ausreichend mit Sauerstoff und Nährstoffen zu versorgen und Abbauprodukte abzutransportieren, benötigen alle Lebewesen ein geeignetes Transportsystem.

Das Transportsystem des Menschen ist das Blutgefäßsystem. Mithilfe des Herzens wird die Transportflüssigkeit, das Blut, in Bewegung gehalten und gelangt über Blutgefäße in alle Gewebe des Körpers.

KOMPETENZ-ERWERB

Meine Ziele

Nach Bearbeitung dieses Kapitels kann ich

- das Herz-Kreislauf-System des Menschen beschreiben und seine Funktion erklären;
- Puls und Blutdruck des Menschen messen und die Messungen auswerten;
- die Bestandteile des Blutes nennen und ihre Aufgaben darstellen.

1 Herz

Vom Herzmuskel ist Lisa wirklich fasziniert. „Ein Muskel, der ununterbrochen ein ganzes Leben lang das Blut durch den Körper pumpt, ist wirklich etwas besonderes und es wert, dass man es durch Sport und eine gesunde Lebensweise fit hält“, meint sie.

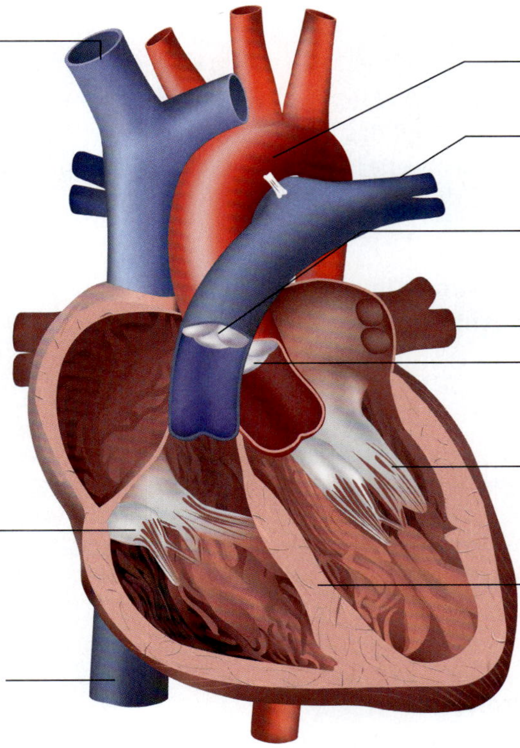

Die Wand des Herzens ist vor allem aus **Herzmuskelgewebe** aufgebaut und wird über **Herzkranzgefäße** mit Nährstoffen versorgt.

Eine **Herzscheidewand** teilt das Herz in zwei Hälften, die im gleichen Takt arbeiten.

Aufgabe der beiden Herzhälften

Rechte Herzhälfte	Linke Herzhälfte
Sauerstoffarmes Blut wird aus dem Venensystem des Körpers in die rechte Herzhälfte transportiert und in den **Lungenkreislauf** gepumpt, wo es mit Sauerstoff angereichert wird.	**Sauerstoffreiches Blut** gelangt aus der Lunge in die linke Herzhälfte, die es in die Aorta und damit in den **Körperkreislauf** presst.

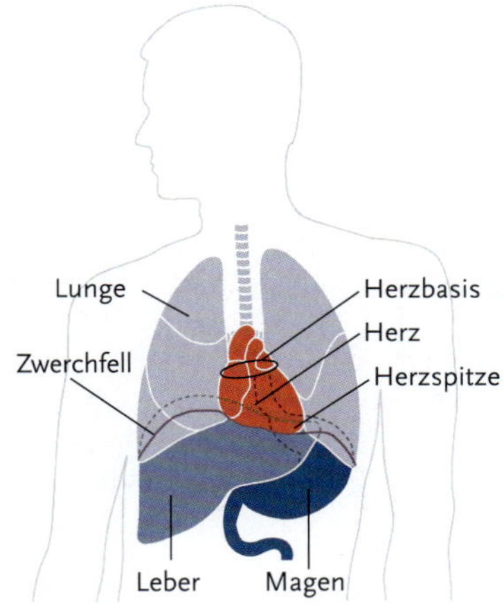

Die Lage des Herzens

Wussten Sie, dass ...
das gesunde Herz so groß wie eine geschlossene Faust ist und ca. 300 g wiegt?

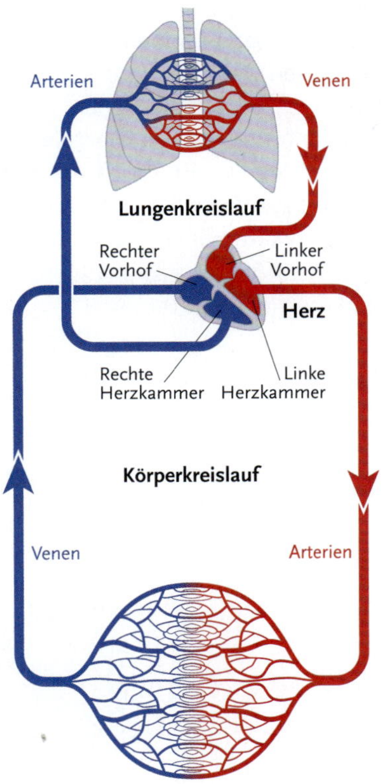

Mit jedem Herzschlag (Kontraktion des Herzmuskels) wird der Innenraum der Herzkammer ruckartig verkleinert und so das Blut aus den beiden Kammern in den **Lungenkreislauf** bzw. in den **Körperkreislauf** gepumpt.

FILM AB!

Aufbau und Funktion des Herzens werden Ihnen in einem Video noch anschaulicher erklärt.
www.trauner.at/nawi_v120.aspx

Jede Herzhälfte besteht aus zwei Innenräumen

Vorhof	Kammer
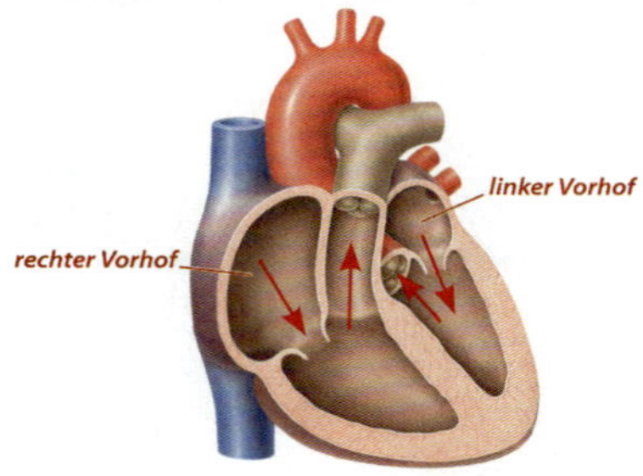	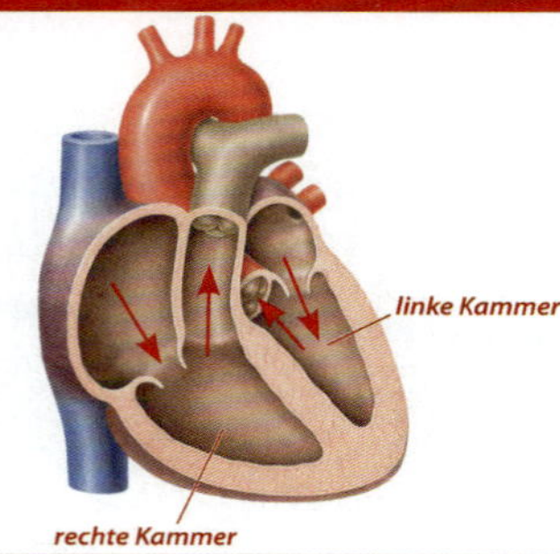
Kleiner Muskel, der schwächer ausgebildet ist als bei der Hauptkammer. Der Vorhof saugt das Blut an und pumpt es auch weiter in die Hauptkammer.	Kräftiger Herzmuskel, zu dem das Blut aus dem Vorhof fließt und von wo es weiter in den Körper- bzw. Lungenkreislauf gepumpt wird.

Die Kontraktionsphase der Herzkammer wird als **Systole** bezeichnet. Das Blut wird durch Arterien in den Körper- bzw. in den Lungenkreislauf gepumpt. Die dadurch entstandenen Druckwellen des Blutes gegen die Gefäßwand können als **Puls** gemessen werden.
Die Erschlaffungsphase der Herzkammer wird als **Diastole** bezeichnet. Das Blut wird aus den Venen bzw. Vorhöfen angesaugt. Die Herzkammer wird gefüllt.

Die Richtung des Blutstroms in den beiden Herzhälften wird durch je zwei Klappen bestimmt, die eine Ventilfunktion haben.

Klappen

Segelklappen	Taschenklappen
Liegen zwischen den Vorhöfen und den Herzkammern.	Liegen zwischen Herzkammern und Arterien.

Erregung des Herzmuskels

Die Erregungen, die die Kontraktion des Herzmuskels bewirken, werden im Herzen selbst gebildet. Das Herz verfügt über ein System spezialisierter Muskelzellen, die in der Lage sind, **rhythmische Erregungen** zu bilden, die weitergeleitet den übrigen Herzmuskel erregen und die Kontraktion veranlassen.

Je nach den Bedürfnissen des Körpers wird vom Zentralnervensystem über die zum Herzen ziehenden Nerven die Herztätigkeit angepasst. Wird z. B. bei sportlicher Tätigkeit mehr Sauerstoff benötigt, muss das Herz schneller schlagen, um mehr Blut durch den Körper zu pumpen.

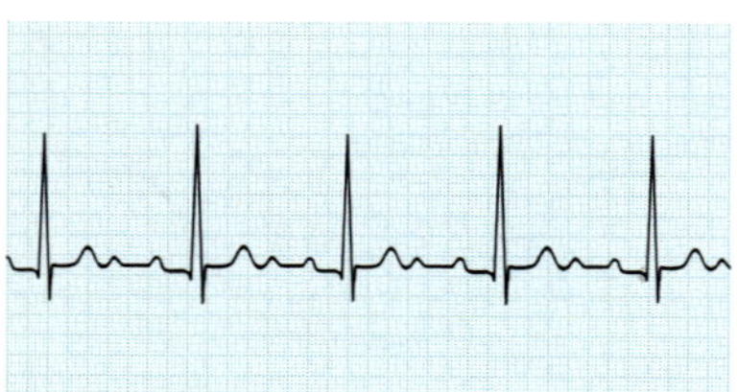

Bei einem **EKG** (**E**lektro**k**ardio**g**ramm) handelt es sich um eine Darstellung der elektrischen Aktivitäten der Herzmuskeln. Die großen Zacken nach oben deuten dabei die größte Erregungsausbreitung in den Kammern an. Die kleineren Berge davor bzw. danach deuten ein Zusammenziehen der Vorhöfe bzw. eine Rückbildung der Erregung in den Kammern an.

Aufgabenstellung – „Herz"

- ++ Folgendes EKG liegt Ihnen vor. Analysieren Sie es bezüglich Auffälligkeiten und leiten Sie aus den dargestellten Erregungen ab, inwiefern hier der Herzmuskel arbeitet.

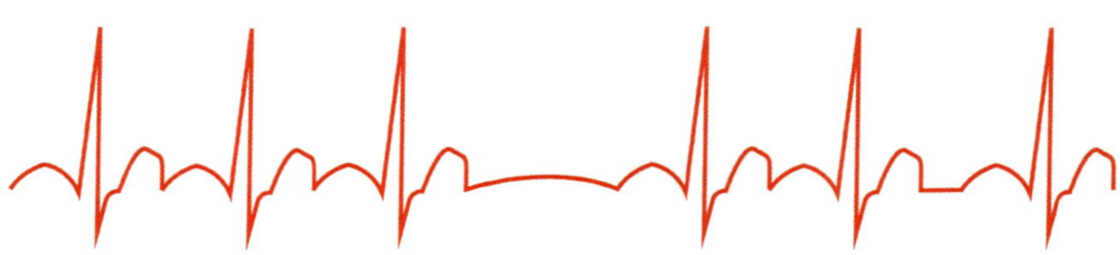

2 Blutgefäße

Unterschiede zwischen Arterien und Venen

Arterien	Venen
■ führen das Blut vom Herzen weg	■ führen das Blut zum Herzen
■ transportieren das Blut mit hohem Druck	■ transportieren das Blut mit niedrigem Druck
■ Gefäßwand ist dick und elastisch	■ Gefäßwand ist dünn und unelastisch
■ kleines Lumen (Weite des hohlen Innenraums)	■ großes Lumen
■ haben keine Klappen	■ haben Klappen, um zu verhindern, dass das Blut zurück in den Körper fließt

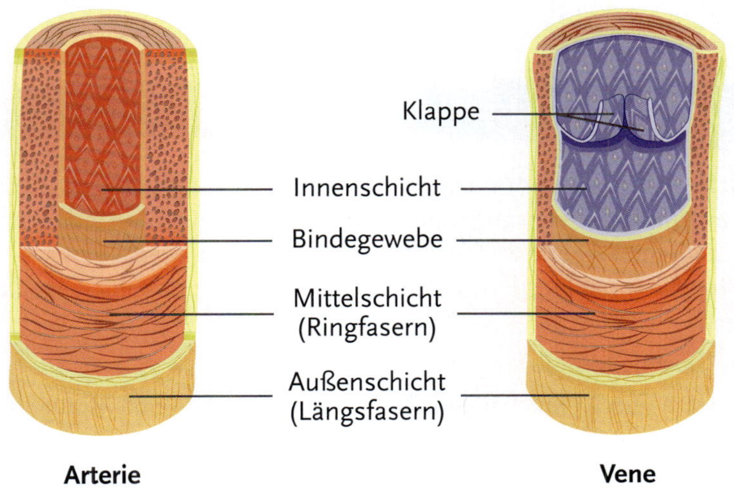

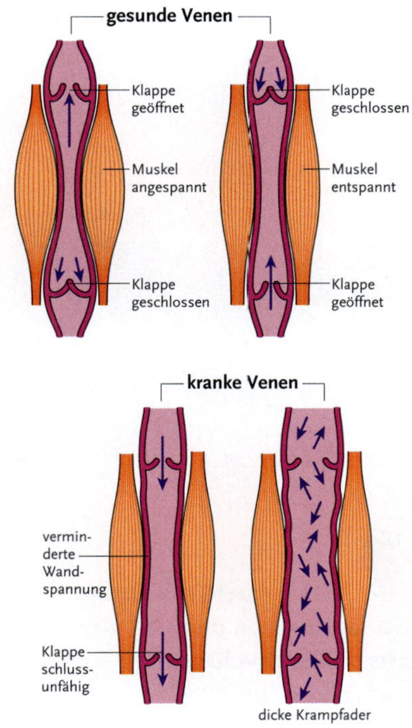

Zusätzlich zu Arterien und Venen gibt es noch Kapillaren, die fein verzweigt sind. Ihre außerordentlich dünne Wand ermöglicht den Gas- und Stoffaustauch in Geweben.

3 Abschnitte des Kreislaufs und Organversorgung

3.1 Körperkreislauf

Der Körperkreislauf beginnt in der linken Herzkammer, führt über die Aorta zu den Kapillaren und über das venöse System zurück zur oberen und unteren Hohlvene und in den rechten Vorhof. Am Aortenbogen entspringen mehrere große Arterien, die das Blut zu den verschiedenen Organen befördern. Durch die unterschiedliche Anzahl der offenen versorgenden Gefäße wird die Blutverteilung zwischen und innerhalb der verschiedenen Regionen des Gesamtorganismus geregelt.

Das venöse Blut aus den Bauchorganen fließt nicht direkt zum Herzen zurück, sondern vereinigt sich zunächst in einer großen Vene, der **Pfortader.** Diese führt nährstoffreiches Blut in das kapillare Netzwerk der Leber. Die Leber entgiftet gefährliche Substanzen und verändert manche Stoffe so, dass die Körperzellen sie verarbeiten können. Anschließend gelangt das Blut über die untere Hohlvene in die rechte Vorkammer.

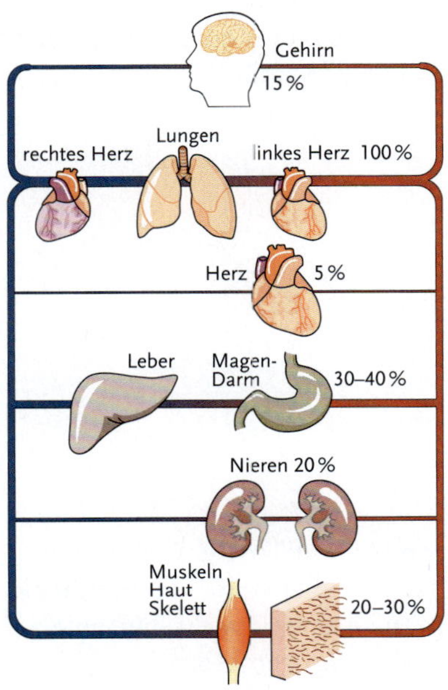

Körperkreislauf: prozentuelle Verteilung des Herzminutenvolumens

3.2 Lungenkreislauf

Im Lungenkreislauf fließt das sauerstoffarme Blut aus der rechten Hauptkammer über die Lungenarterie in die feinen Haargefäße der Lungenbläschen. Nach dem hier stattfindenden Gasaustausch (Kohlenstoffdioxid wird abgegeben, Sauerstoff wird aus der Atemluft in das Blut aufgenommen) gelangt das Blut über die Lungenvenen in den linken Vorhof des Herzens.

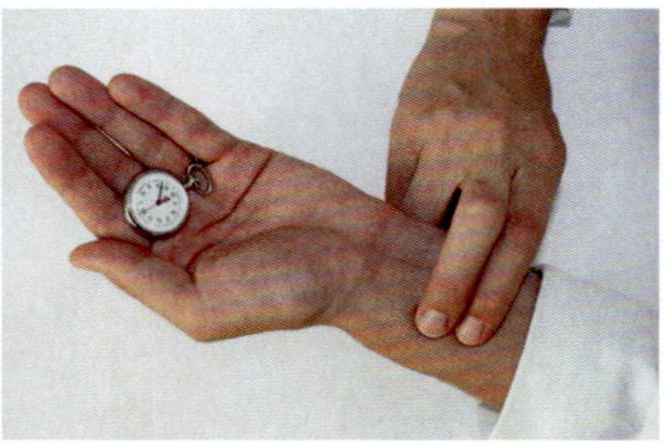

Was versteht man unter Schlagvolumen und was unter Herzminutenvolumen?

- Schlagvolumen = pro Herzschlag befördertes Blutvolumen (ca. 70–120 ml)
- Herzminutenvolumen = pro Minute befördertes Blutvolumen (ca. 5 l)

3.3 Puls

Durch das Auspressen des Blutes aus dem Herzen entsteht der Puls (Arterienpuls). Geeignete **Tastpunkte zur Pulsmessung** finden sich dort, wo größere Arterien dicht unterhalb der Hautoberfläche oder über harte Strukturen wie Knochen verlaufen.

Beispiele für Tastpunkte mit großen Arterien
Speichen-, Hals- und Leistenarterie

Versuch – „Pulszählung“

Die Pulszählung zur Bestimmung der Schlagfrequenz des Herzens ist die einfachste und am häufigsten angewandte Kreislaufprüfung. Die Frequenz beträgt bei Ruhe zwischen 60 und 80 Pulsschlägen pro Minute.
Beobachten Sie Ihren Puls in Ruhe und nach einer Anstrengung. Legen Sie eine Tabelle an.

- Zählen Sie eine Minute lang Ihre Pulsschläge.
- Machen Sie nun 20 Kniebeugen. Zählen sofort danach eine Minute lang die Pulsschläge.
- Machen Sie eine Pause von drei Minuten und zählen Sie wieder.

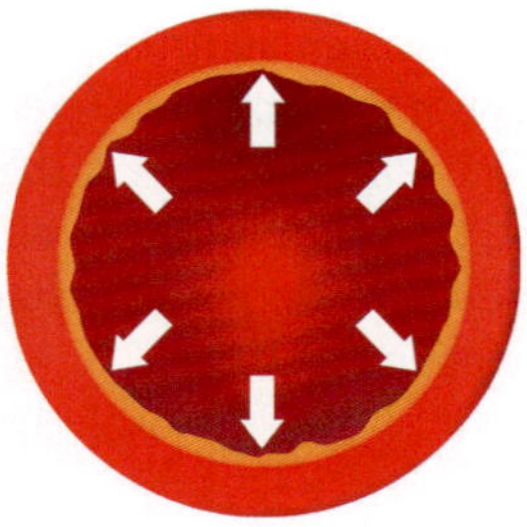

In der Physik ist der **Druck** (p) die Wirkung einer Kraft (F) pro Fläche (A). Der Blutdruck ist also die Kraft des Blutes auf die Fläche der Blutgefäßwand.

3.4 Blutdruck

Blut fließt, wie alle Flüssigkeiten, von Bereichen höheren Drucks zu Bereichen niedrigeren Drucks. Die Kontraktion der Herzkammer erzeugt einen **Blutdruck,** der eine Kraft in alle Richtungen ausübt.

Diese Kraft führt dazu, dass das Blut vom **Herz (Ort des höchsten Blutdrucks)** in die Arterien strömt. Natürlich wird auch Kraft auf die elastischen Wände der Arterien ausgeübt. Sobald das Blut in die Millionen winziger Kapillaren strömt, entsteht durch den geringen Durchmesser dieser Gefäße ein beträchtlicher Strömungswiderstand. Die Überwindung dieses Strömungswiderstandes führt dazu, dass ein großer Teil des Druckes abgebaut wird.

mmHg = Millimeter Quecksilbersäule. Früher wurde der Blutdruck mithilfe einer Quecksilbersäule (daher Hg) gemessen.

Blutdruck	optimal	normal
Systolisch (mmHg) (während der Systole)	< 120	< 130
Diastolisch (mmHg) (während der Diastole)	< 80	< 90

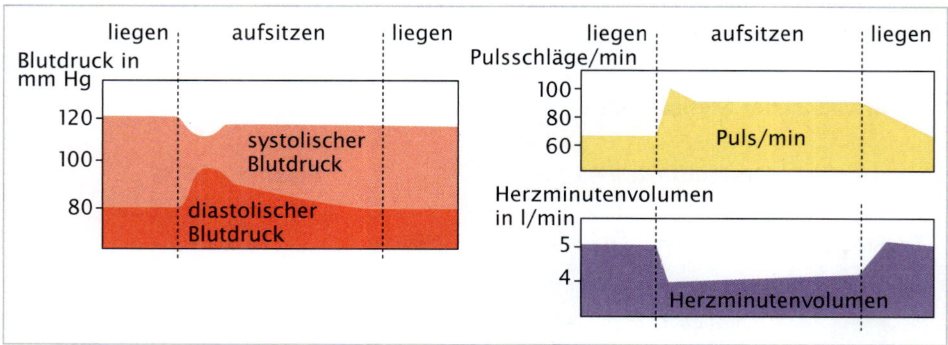

Herzminutenvolumen = jene Menge Blut, die das Herz pro Minute in den Körper pumpt

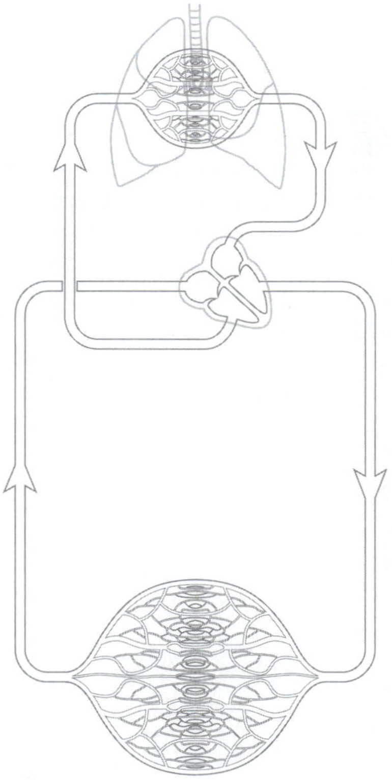

Beispiel

Das Herz schlägt in Ruhe ca. 65-mal in der Minute. Mit jedem Herzschlag werden 115 ml Blut befördert. Also insgesamt ca. 10 800 Liter am Tag. Das entspricht etwa dem Volumen eines Tankwagens!

Aufgabenstellungen – „Herz-Kreislauf-System"

1. + Nennen Sie die Organe des Blutkreislaufes.
2. + Färben Sie in der nebenstehenden Abbildung sauerstoffreiches Blut rot und sauerstoffarmes Blut blau und unterscheiden Sie Lungen- und Körperkreislauf.
3. + Beginnen Sie an einem beliebigen Punkt des Blutkreislaufes und beschreiben Sie den gesamten Blutkreislauf.

4 Blut

Ralf fühlt sich nicht gesund. Um der Ursache des Unwohlseins auf den Grund zu gehen, will der Arzt eine Blutprobe nehmen. Ralf fragt sich, woraus diese rote Flüssigkeit wohl besteht und welche Aufgaben sie in seinem Körper erfüllt.

Nährstoffe, Vitamine und Spurenelemente wurden schon behandelt. Überlegen Sie, ob sich Hinweise auf eine gesunde Ernährung in der Blutprobe finden können.

4.1 Funktionen und Aufgaben des Blutes

Transportfunktion	▪ Nährstoffe (Kohlenhydrate, Fette und Eiweiße) sowie für Wasser, Salze, ▪ Vitamine und Spurenelemente ▪ Atemgase (Sauerstoff und Kohlenstoffdioxid) ▪ Stoffwechselendprodukte ▪ Hormone ▪ Wärme zur Regelung der Körpertemperatur
Abwehrfunktion	Entsorgung körperfremder Substanzen, Bekämpfung von Infekten durch weiße Blutzellen (Leukozyten)
Reparaturfunktion	Reparatur des Gefäßsystems, Blutgerinnung

Weitere Informationen zum Immunsystem sowie den Aufgaben der Leukozyten erhalten Sie auf S. 102 ff.

4.2 Bestandteile des Blutes

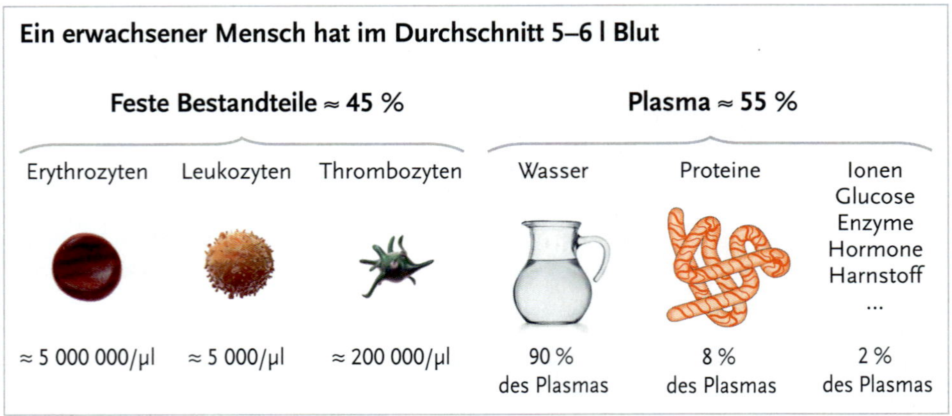

Beim erwachsenen Menschen beträgt das **Blutvolumen** etwa 6 bis 8 % der Körpermasse oder 70 ml pro Kilogramm Körpermasse, das entspricht bei einem Gewicht von 75 kg ca. 5 l.

Teil einer Blutuntersuchung ist die Bestimmung des **Hämatokritwertes** (kurz Hk). So wird der prozentuale Anteil der Blutzellen am Gesamtblutvolumen bezeichnet. Man erhält ihn durch Zentrifugieren einer Blutprobe. Dabei setzen sich die Blutzellen ab, da sie eine höhere Dichte als das Blutplasma haben.

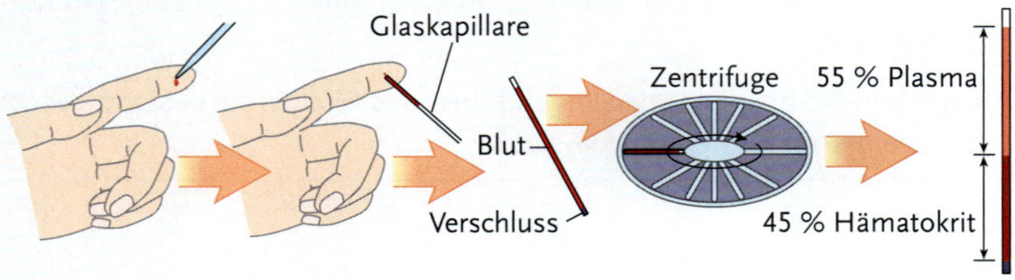

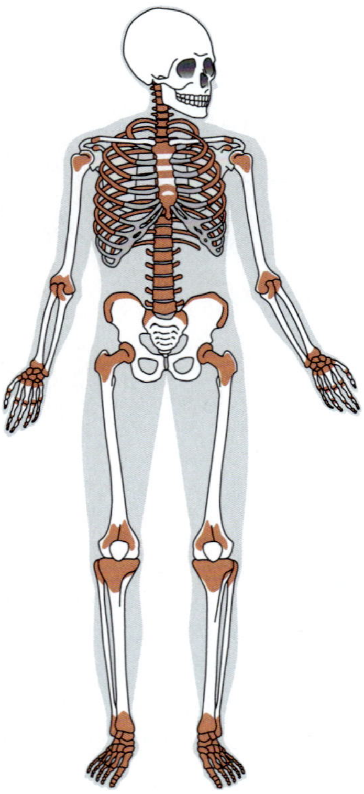

Verteilung und Ausdehnung des roten Knochenmarks (Ort der Blutbildung) bei Erwachsenen

Aufgabenstellung – „Blutdoping"

■ + Doping von Ausdauersportlerinnen/-sportlern beruht oft auf der Erhöhung des Anteils an roten Blutkörperchen. Dies wird mithilfe von EPO erreicht, das die Blut produzierenden Stammzellen im Knochenmark dazu anregt, vor allem rote Blutkörperchen zu produzieren. Das Ergebnis ist ein erhöhter Hämatokrit.

Recherchieren Sie bekannte Dopingfälle. Was versteckt sich hinter der Bezeichnung EPO und welche Konsequenzen ergeben sich für die Gesundheit der Sportler/innen? Präsentieren Sie Ihre Ergebnisse der Klasse.

Das **Blutplasma** ist eine klare, gelbliche Flüssigkeit. Neben den Hauptbestandteilen Wasser, Eiweiße und Ionen (Na^+, K^+, Ca^{2+}, Mg^{2+}) enthält es transportierte Stoffe wie Traubenzucker, Vitamine, Hormone, Enzyme, Harnstoff, Harnsäure und Stoffwechselprodukte.

Die **roten Blutkörperchen (Erythrozyten)** werden beim Embryo in Leber und Milz gebildet. Beim Kind und auch beim Erwachsenen erfolgt die Bildung im roten Knochenmark. Während ihrer Entwicklung verlieren sie ihren Zellkern und werden gleichzeitig mit dem roten, eisenhaltigen Blutfarbstoff (Hämoglobin) vollgepackt, der ihnen und dem gesamten Blut die typische rote Farbe verleiht. Mit seiner Hilfe binden und transportieren die roten Blutkörperchen die Atemgase Sauerstoff und Kohlenstoffdioxid.

Wussten Sie, dass ...
die Lebensdauer von roten Blutkörperchen ca. 120 Tage beträgt und sie in der Milz sowie in der Leber abgebaut werden?

Die **weißen Blutkörperchen (Leukozyten)** sind kernhaltig und können sich durch Veränderung ihrer Zellgestalt fortbewegen. Dadurch bleiben sie nicht nur im Inneren der Blutgefäße, sondern wandern auch durch ihre Wände in das benachbarte Gewebe. Ihre Hauptfunktion besteht in der Abwehr von Fremdstoffen und Krankheitserregern.

Blutplättchen (Thrombozyten) sind kernlose, unregelmäßig geformte Bruchstücke von im roten Knochenmark vorkommenden riesenhaften Zellen. Sie sind wesentlich an der Blutgerinnung beteiligt.

Das Ergebnis einer Blutprobe eines gesunden Menschen soll folgende Werte ergeben:

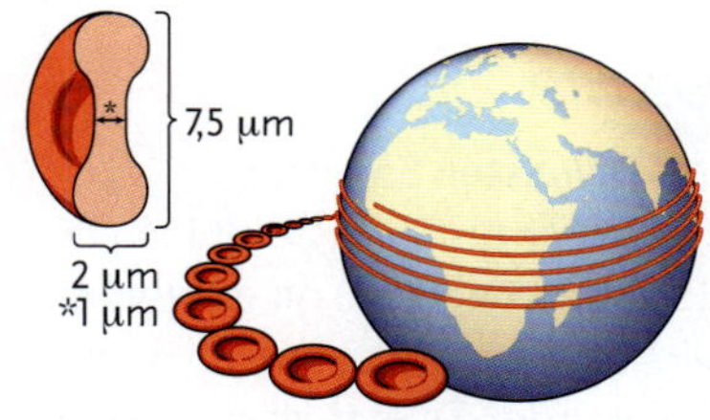

Ein interessanter Größenvergleich
Würde man die 30 000 Milliarden roten Blutkörperchen eines Menschen hintereinander zu einem Band anordnen, würde es fünfmal um den Äquator der Erde reichen.

Blutbestandteil	Maßeinheit	Frauen	Männer
Erythrozyten Zu hohe oder zu niedrige Werte haben vielfältige Ursachen.	Millionen pro Mikroliter (µl)	3,8 bis 5,4	4,4 bis 5,9
Hämatokrit	Prozent (%)	37 bis 48	40 bis 52
Hämoglobin Niedrige Werte sind ein Indiz für Eisenmangel, Blutverlust oder Blutbildungsstörungen.	Gramm pro Deziliter (g/dl)	12 bis 16	13 bis 18
Leukozyten Wert ist u. a. erhöht, wenn der Körper mit der Abwehr von Krankheitserregen beschäftigt ist.	pro Mikroliter (µl)	4 000 bis 11 000	4 000 bis 10 000
Thrombozyten	pro Mikroliter (µl)	150 000 bis 400 000	150 000 bis 400 000

5 Blutgerinnung

Wird ein Gefäß verletzt, greifen drei Reaktionsabläufe ineinander.

Reaktionsabläufe bei der Gerinnung

Gefäßreaktion	Blutstillung	Blutgerinnung
Unmittelbar nach einer Verletzung kommt es zur Verengung des verletzten Blutgefäßes. Dadurch fließt weniger Blut durch das betroffene Gebiet, und der Blutverlust wird eingeschränkt.	Thrombozyten lagern sich an den Wundrändern an. Es entsteht so ein **Thrombozytenpfropf** (weißer Thrombus), der eine kleinere Wunde in normalerweise ein bis drei Minuten verschließt. Die dafür benötigte Zeit wird als Blutungszeit bezeichnet.	Um den Thrombozytenpfropf herum spinnt sich ein Netz aus Eiweißfäden, das **Fibrin.** Der endgültige Thrombus entsteht. Das Netz zieht sich zusammen und verkleinert die Wunde. In das Fibrinnetz wachsen nun Bindegewebszellen ein. Eine Narbe entsteht.

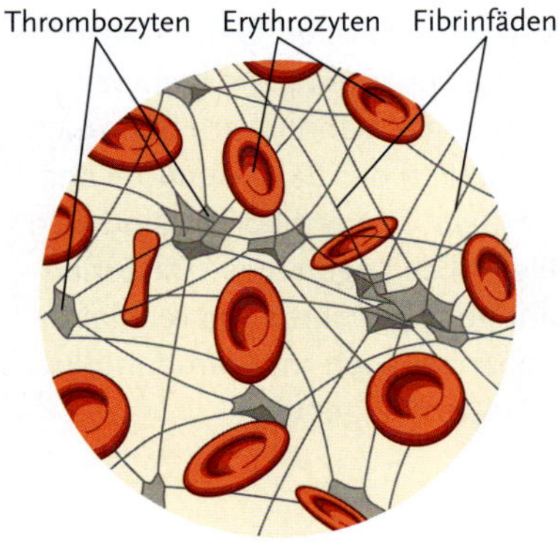

Thrombus, durch das Mikroskop betrachtet (schematische Darstellung): In dem weit verzweigten Fibrinnetz haben sich rote Blutkörperchen angesammelt.

Wussten Sie, dass ...
sich im strömenden Blut kein festes Fibrin befindet, da es lebenswichtige Gefäße sofort verschließen würde? Es enthält nur seine lösliche Vorstufe – das Fibrinogen. Das Fibrinogen wird erst an der Wundfläche durch ein Enzym in das aktive Fibrin umgewandelt.

Blutgerinnung

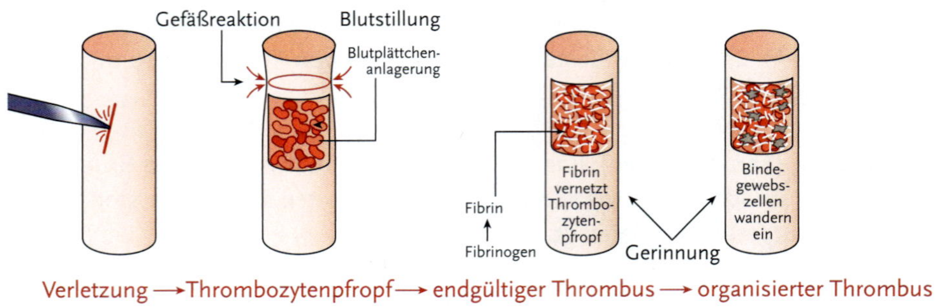

Das Antigen der Blutgruppe A führt in einem Körper mit der Blutgruppe B (= Antikörper Anti-A) zu einer Immunreaktion auf die Zellen mit dem fremden Antigen. Genauere Informationen zum Ablauf dieser sogenannten Antigen-Antikörper-Reaktion erhalten Sie auf S. 103 f.

6 Blutgruppensysteme

Auf den Membranen der roten Blutkörperchen befinden sich Protein- oder Lipid-Strukturen, die als **Antigene** bezeichnet werden. Sie können im Blutserum die Bildung von spezifischen Abwehrstoffen (Antikörper) auslösen. Welche Antigene sich auf den roten Blutkörperchen befinden, ist durch die Vererbung festgelegt.

Nach Art der vorhandenen Antigene unterscheidet man verschiedene Blutgruppensysteme, von denen das **AB0-System** und das **Rhesussystem** die größte Bedeutung haben.

6.1 AB0-System

Im 1901 vom Österreicher Karl Landsteiner entdeckten **AB0-System** unterscheidet man die **Blutgruppen A, B, AB und 0 (Null).** Gegen die **Antigene** A und B sind die **Antikörper** Anti-A und Anti-B gerichtet. Ihre Reaktion mit den entsprechenden Antigenen führt zur Verklumpung der roten Blutkörperchen.

Wussten Sie, dass ...
zur Bildung der Antikörper des AB0-Systems kein Kontakt mit fremdem Blut notwendig ist? Die Antikörper entwickeln sich im Verlauf der ersten Lebensmonate. Blutgruppenantigene befinden sich in ganz ähnlicher Form auch auf Zellen der Bakterienflora des Körpers. Die Antikörper sind also eigentlich gegen diese Bakterienantigene gerichtet und reagieren nebenbei auch mit fremden Blutgruppenantigenen.

Blutgruppe	Antigene am Erythrozyten	Antikörper im Plasma	Häufigkeit in Prozent (Mitteleuropa)
A:		Anti-B	45
B:		Anti-A	10
AB:		keine	5
0:	keine	Anti-A Anti-B	40

Schematische Darstellung der Antigene und Antikörper des AB0-Systems

FILM AB!

Die Blutgruppen werden Ihnen in diesem Video des Roten Kreuzes noch einmal veranschaulicht.
www.trauner.at/nawi_v121.aspx

6.2 Rhesussystem

Im Rhesussystem lassen sich mehrere Blutgruppenantigene unterscheiden, von denen das **Antigen D** am wichtigsten ist.

85 % der Menschen in Mitteleuropa haben das D-Antigen – sie sind damit Rhesuspositiv (Rh+). 15 % besitzen dagegen kein D-Antigen – sie sind Rhesus-negativ (rh–).

Im Gegensatz zu den Antikörpern des AB0-Systems werden die Antikörper des Rhesussystems erst nach Kontakt mit den Antigenen gebildet. Daher ist bei der Transfusion Rhesus-fremden Blutes erst die Zweitspende lebensgefährlich, während bei der Transfusion AB0-fremden Blutes schon die Erstspende gefährlich sein kann.

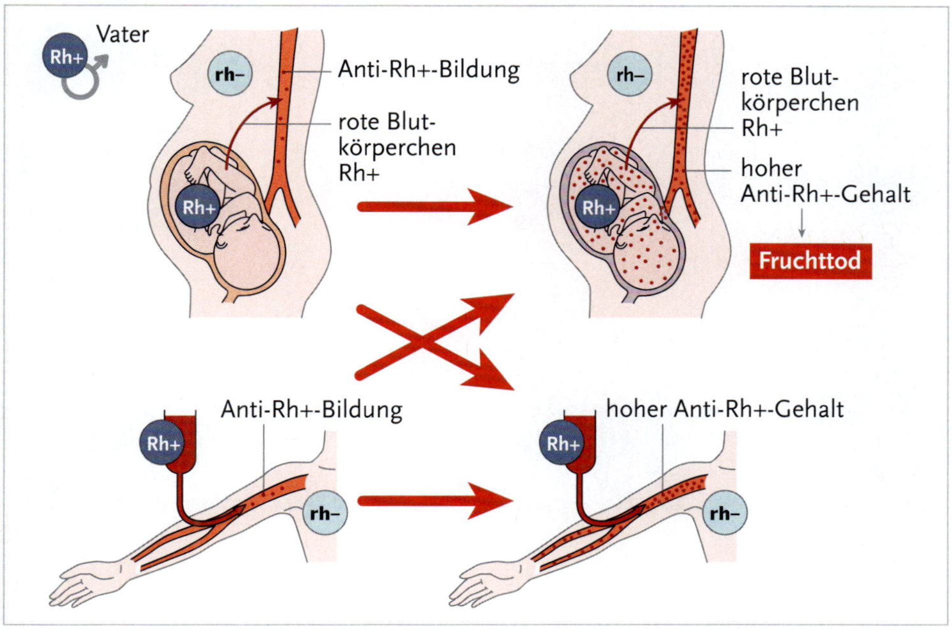

Die Folgen einer Rhesus-Unverträglichkeit von Mutter und Kind können durch eine Desensibilisierung der Mutter, bei der die Bildung von Anti-D-Antikörpern verhindert wird, während und sofort nach der Entbindung des ersten und jedes weiteren Rhesus-positiven Kindes vermindert werden.

Rhesusunverträglichkeit von Mutter und Kind
Kurz vor, während oder nach der Geburt eines Rhesus-positiven Kindes können kleine Mengen kindlichen Blutes in den Kreislauf einer Rhesus-negativen Mutter gelangen. Dieser Erstkontakt löst im Blut der Mutter die Anti-D-Antikörperbildung aus. Wird die Mutter erneut mit einem Rhesus-positiven Kind schwanger, so greifen die Rhesus-Antikörper der Mutter die kindlichen roten Blutkörperchen an. Das kann zu schweren Schädigungen und sogar zum Tod des Kindes führen.

Ziele erreicht? – „Herz-Kreislauf-System“

KOMPETENZ-ERWERB

1. + Nennen Sie die Blutkörperchen und erklären Sie deren Aufgaben.
2. + Recherchieren Sie, welche Stoffe durch unser Blut transportiert werden.
3. + Welche Blutgruppe nach dem AB0-System kann man folgenden Personen verabreichen, ohne sich Sorgen um Abwehrreaktionen machen zu müssen? Ordnen Sie richtig zu.

	Blutgruppe A	Blutgruppe B	Blutgruppe AB	Blutgruppe 0
Patient/in mit Blutgruppe A				
Patient/in mit Blutgruppe B				
Patient/in mit Blutgruppe AB				
Patient/in mit Blutgruppe 0				

Atmungssystem

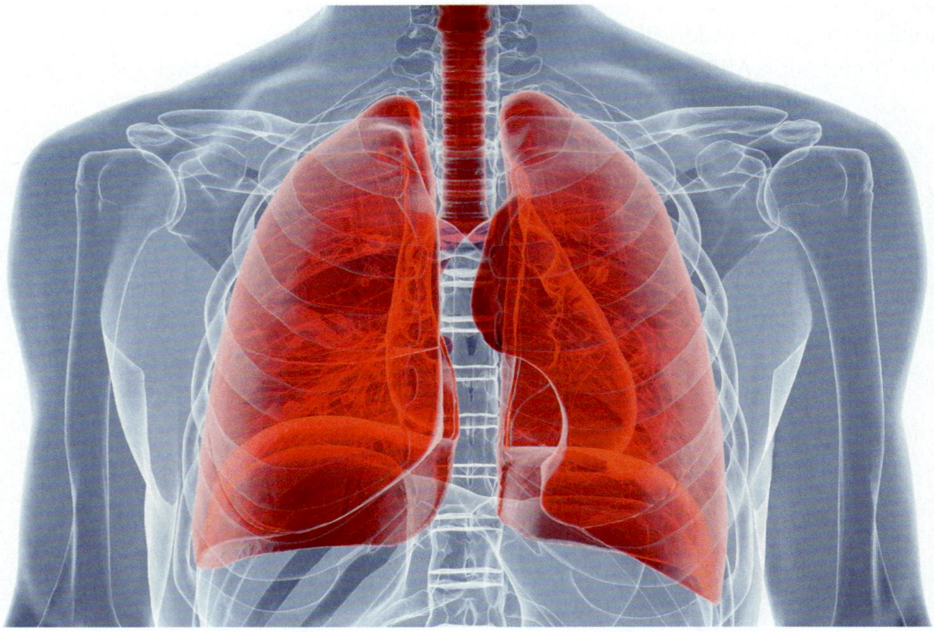

Bei der Atmung erfolgt über die Lunge ein Gasaustausch zwischen Umwelt und Blut. Sauerstoff wird dabei aufgenommen und Kohlenstoffdioxid abgegeben.

Meine Ziele

Nach Bearbeitung dieses Kapitels kann ich

- das Atmungssystem und die beteiligten Organe beschreiben;
- Lungenvolumina messen und die Messungen interpretieren.

1 Die Atmungsorgane

Ständig läuft die Atmung ab, immer ein und wieder ausatmen. Frische Luft rein, und die verbrauchte Luft wieder raus. Lisa will aber nun genau wissen, was da genau bei der Atmung abläuft und welche Organe beteiligt sind.

Der aus der Atemluft aufgenommene Sauerstoff wird von der Lunge über den Blutkreislauf zum Körpergewebe transportiert.

Das Kohlenstoffdioxid wird vom Körpergewebe zur Lunge transportiert und ausgeatmet.

Die **Luftwege** stellen die Verbindung zwischen Umwelt und Lunge her.
- Nase und Rachen bilden die **oberen Luftwege.**
- Die **unteren Luftwege** bestehen aus Kehlkopf, Luftröhre und Bronchien.

Übersicht über die Atmungsorgane

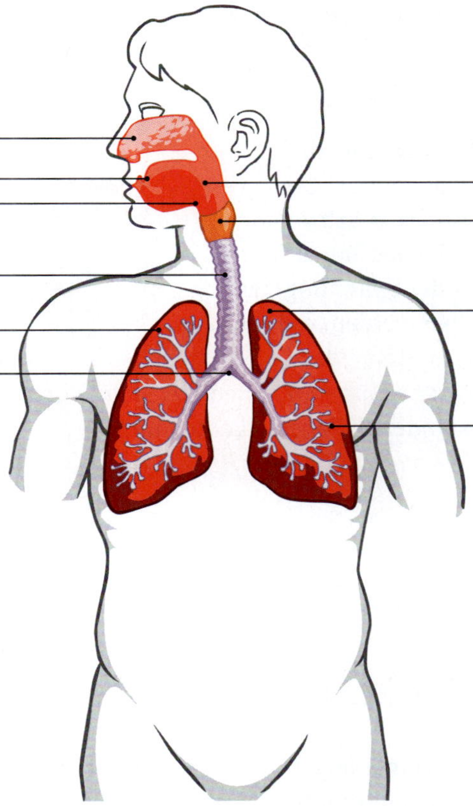

Wussten Sie, dass ...
die Nasennebenhöhlen außerdem ein Resonanzraum für die Stimme sind?

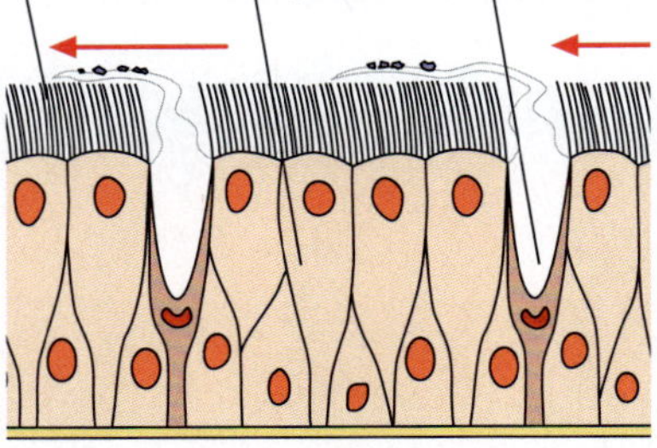

Der Schleim aus den Becherzellen hält kleine Staubpartikel fest. Die Flimmerhärchen (Zilien) der Flimmerepithelzellen befördern den Staub mitsamt dem Schleim.

2 Der Weg der Luft – die Atemwege

In die Nasenhöhle mündet der **Tränennasengang,** über den Tränenflüssigkeit aus dem inneren Augenwinkel abgeleitet wird.

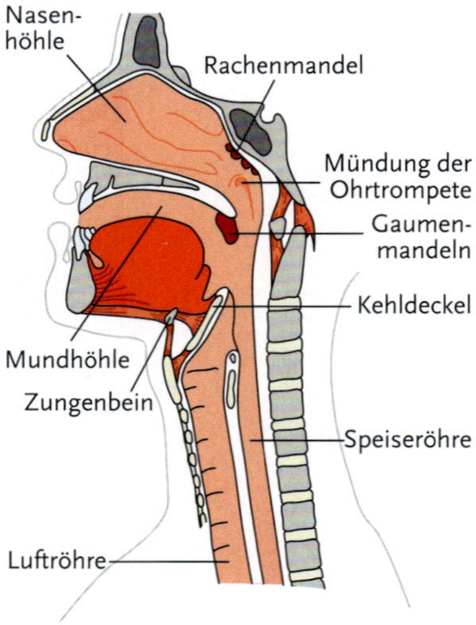

Nase	Die Wand der **Nasenhöhlen** ist von einer Schleimhaut überzogen, an deren Oberfläche sich Flimmerhärchen befinden. Die Atemluft wird hier ▪ gereinigt und angefeuchtet, ▪ erwärmt und ▪ geprüft.
Rachen	Hier kreuzen sich Atem- und Speisewege. Um zu verhindern, dass Nahrungsteilchen in die vorne gelegene Luftröhre gelangen, wird der Kehlkopf beim Schlucken automatisch durch den **Kehldeckel** verschlossen. Wir können also nicht gleichzeitig atmen und schlucken.
Kehlkopf	In der Mitte des Kehlkopfinneren liegen die beiden **Stimmbänder.** Sie verlaufen von der Innenfläche des Schildknorpels nach hinten zu den beiden Stellknorpeln. Diese können mithilfe kleiner Muskeln die Stimmbänder bewegen.
Luftröhre	Sie ist ähnlich wie die Nasenhöhle mit Flimmerhärchen ausgekleidet, deren Wimpern Schleim und Staub zum Rachen transportieren. In die Wand sind hufeisenförmig gekrümmte, nach hinten offene Knorpelspangen eingelagert.
Bronchien	Die Luftröhre gabelt sich in die beiden **Hauptbronchien,** die zum rechten und zum linken Lungenflügel führen. Dort teilen sie sich weiter und bilden so das weitverzweigte System der Bronchiolen, die unmittelbar in die **Lungenbläschen** übergehen.

Die Abbildung zeigt den Kehlkopf einmal mit auseinander gezogenen Stimmbändern und daneben mit geschlossenen. Der Kehlkopf (Larynx) ist die Grenze zwischen Rachen und Luftröhre.

Bei der **Tonentstehung** werden die gespannten Stimmbänder durch den ausgeatmeten Luftstrom in Schwingungen versetzt. Die **Höhe des Tones** kann durch die Änderung der Spannung der Stimmbänder reguliert werden, während die **Lautstärke** von der Stärke des Luftstroms abhängt. Mit den Lippen, Zähnen, der Zunge und dem Gaumen formen wir die entstandenen Töne zu Lauten um.

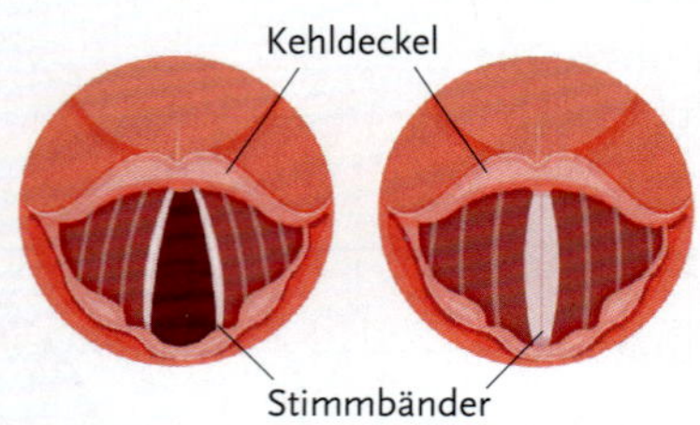

3 Bau und Funktion der Lunge

Insgesamt haben beide **Lungenflügel** eine Anzahl von ca. 300 Millionen (!) Lungenbläschen. Ihre Wand ist außerordentlich dünn, und sie sind von einem dichten Netz feinster **Blutkapillaren** umgeben, die der Lunge das Aussehen eines feinporigen Schwamms geben.

Das Blut in den Kapillaren wird bei seinem Durchfluss in sehr kurzer Kontaktzeit von 0,3 Sekunden mit Sauerstoff aus dem Lungenbläschenraum beladen. Gleichzeitig diffundiert in entgegengesetzter Richtung aus den Kapillaren Kohlenstoffdioxid in den Lungenbläschenraum.

Diffusion = Ausgleichsvorgang, bei dem Stoffe von einem Ort hoher Konzentration zu einem Ort niedrigerer Konzentration transportiert werden.

Durch die große Zahl an Lungenbläschen (Alveolen) vergrößert sich die gesamte Kontaktfläche zwischen Luft- und Blutraum auf stattliche 80–120 m².

Die beiden **Lungenflügel** füllen die Brusthöhle fast ganz aus. Von der Bauchhöhle werden die Lungen durch das Zwerchfell getrennt.

3.1 Atemmechanik

Beide Lungenflügel sind von einer hauchdünnen Hülle, dem **Lungenfell,** überzogen. Es grenzt, nur durch einen Flüssigkeitsspalt getrennt, an das **Rippenfell,** das die Brustwand und das Zwerchfell bekleidet. Wegen des relativen Druckunterschieds zum umgebenden Luftdruck im Flüssigkeitsspalt (beim Einatmen entsteht darin leichter Unterdruck, beim Ausatmen Überdruck) werden alle Bewegungen der Brustkorbwand direkt auf die Lungen übertragen.

Damit die Lungenbläschen ständig mit frischer, sauerstoffreicher Atemluft belüftet werden, muss sich der Brustkorb bei Erwachsenen ca. 15-mal und bei Kindern ca. 25-mal pro Minute ausdehnen (Einatmung) und wieder zusammenziehen (Ausatmung). Da die Lunge elastisch und selbst nicht aktiv beweglich ist, folgt sie bei den Atembewegungen der Erweiterung und Verengung des Brustkorbes.

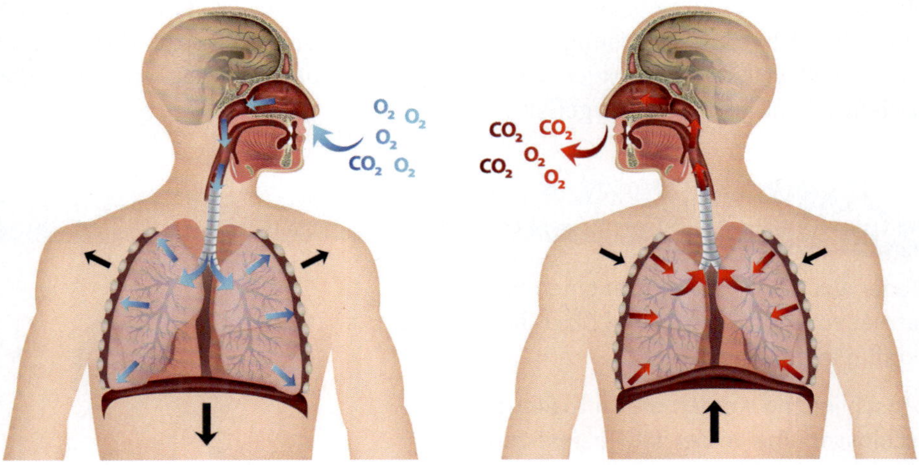

Inspiration (Einatmung)

Exspiration (Ausatmung)

3.2 Messung der Lungenvolumina

Ausgehend von der Atemruhelage atmen wir meist nur relativ flach ein (Atemzugvolumen ca. 0,5 Liter) und lassen zur Ausatmung Brustkorb und Lunge einfach wieder passiv in die Atemruhelage zurückkehren.

Durch verstärkte Einatmung kann man weitere zwei bis maximal drei Liter Luft einatmen. Durch verstärkte Ausatmung (nach der normalen Ausatmung) kann eine weitere Luftmenge von ca. einem Liter ausgeatmet werden. Addiert man diese drei Werte, so erhält man die **Vitalkapazität** – diese gibt das maximal ein- und ausatembare Luftvolumen an.

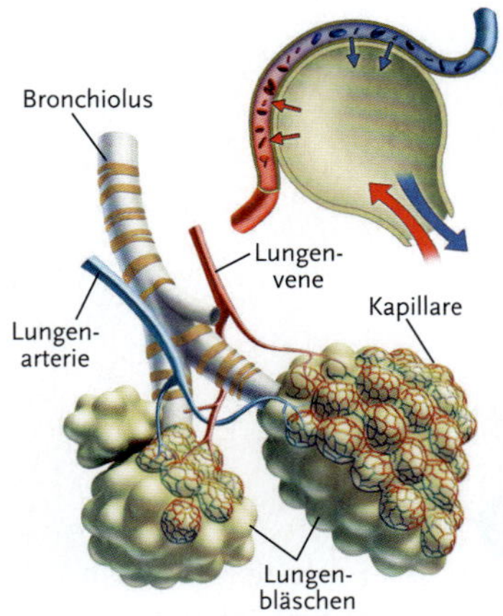

Lungenbläschen mit den darauf befindlichen Blutkapillaren
roter Pfeil = sauerstoffreiche Luft
blauer Pfeil = sauerstoffarme Luft

Wussten Sie, dass ...
der Durchmesser der Lungenbläschen bei der Ausatmung etwa 0,1 bis 0,2 mm und bei der Einatmung 0,3 bis 0,5 mm beträgt?

Regulation der Atmung
Über die Aktivität der Atemmuskulatur steuert das Gehirn nicht nur die Sauerstoffaufnahme, sondern auch den Gehalt an Kohlenstoffdioxid.

	Einatmungsluft	Ausatmungsluft
Stickstoff (N_2)	78 %	78 %
Sauerstoff (O_2)	21 %	16 %
Kohlenstoffdioxid (CO_2)	0,04 %	4 %
Edelgase	1 %	1 %

Wussten Sie, dass ...
von Ärztinnen/Ärzten zur Messung des ein- bzw. ausgeatmeten Luftvolumens ein **Spirometer** verwendet wird?

Auch nach der stärksten Ausatmung verbleiben etwa 1 100 ml Restluft in den Lungen. Die Summe aus Vitalkapazität und Restluftvolumen ergibt die **Totalkapazität,** das maximal mögliche Luftvolumen, das die Lunge aufnehmen kann.

Atemvolumina bei Ruheatmung und bei vertiefter Ein- und Ausatmung

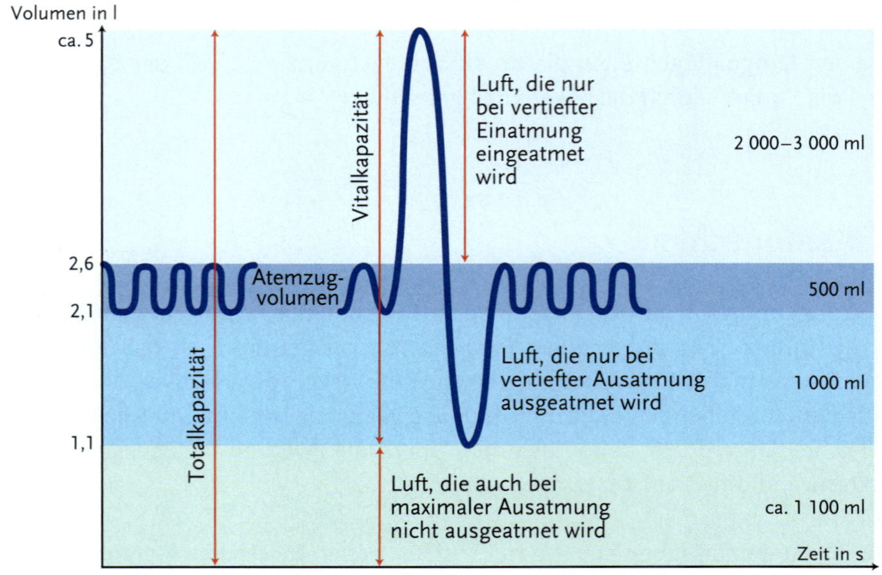

Die Summe aus Vitalkapazität und Restluftvolumen ergibt die Totalkapazität, das maximal mögliche Luftvolumen, das die Lunge aufnehmen kann.

Mit zunehmender körperlicher Anstrengung atmen wir sowohl schneller als auch tiefer ein und aus. Die Atmung verschiebt sich immer mehr in die Richtung der Einatmung, weil immer mehr jenes Reservevolumen ausgeschöpft wird, das nur bei vertiefter Einatmung mit Luft gefüllt wird.

Es werden der Einfachheit halber hier die Umfänge der Luftballone gemessen und verglichen. Der Zusammenhang zwischen Umfang und Volumen einer Kugel ist allerdings nicht linear! Ein doppelter Umfang bedeutet ein achtfaches Volumen! Deshalb dürfen die Unterschiede bei den Umfangswerten nicht 1:1 mit Unterschieden beim Volumen gleichgesetzt werden.

$U_{Kugel} = 2\pi r$

$V_{Kugel} = \frac{4}{3}\pi r^3$

Versuch – „Lungenvolumina“

Jeder aus der Klasse nimmt einen Luftballon, atmet zunächst tief ein und bläst dann einmal kräftig in den Luftballon.

Anschließend werden die Luftballons verschlossen und an der Tafel befestigt. Mit einem Wollfaden können die Umfänge der Luftballons gemessen werden.

Vergleichen Sie Fadenlängen in einem Säulendiagramm und stellen Sie fest, wer von Ihnen die meiste „Puste“ hat.

Ziele erreicht? – „Atmungssystem“

KOMPETENZ-ERWERB

1. \+ Beschreiben Sie den Weg der Atemluft.
2. \+ Erklären Sie, wie der Gasaustausch in den Lungenbläschen funktioniert.
3. \+ Beschreiben Sie den Aufbau des Lungenflügels aus Lungenbläschen und erklären Sie die Bedeutung dieses Aufbaus.
4. ++ Recherchieren Sie im Internet: Unterscheiden und erklären Sie Brust- und Bauchatmung.
5. ++ Wie können Vital- und Totalkapazität der Lunge beeinflusst werden? Recherchieren Sie im Internet und diskutieren Sie Ihre Erkenntnisse mit Ihren Kolleginnen/Kollegen.

Verdauungssystem

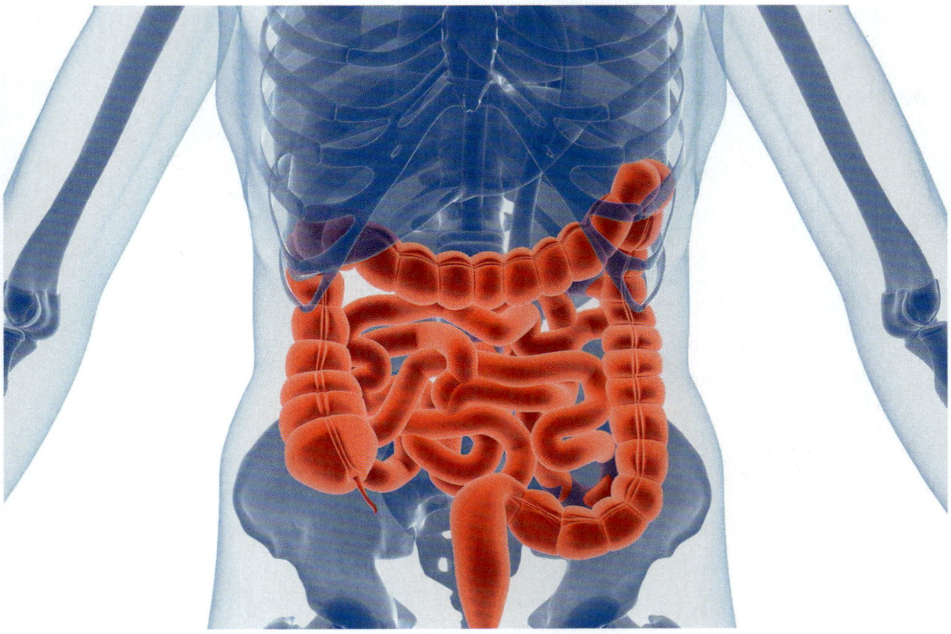

Der Mensch ist auf die ständige Zufuhr von Nahrung angewiesen. Um aus Nahrungsmitteln Energie und Baustoffe zu gewinnen, muss die Nahrung zum einen mechanisch zerkleinert und zum anderen durch Einwirkung von Verdauungsenzymen chemisch zerlegt werden **(mechanische und chemische Verdauung).**

Erst nach Abschluss der Verdauung liegen Nährstoffmoleküle vor, welche die Wand der Schleimhäute des Verdauungstraktes passieren und über kleine Blut- und Lymphgefäße in den Blutkreislauf gelangen können. Diesen Vorgang bezeichnet man als **Resorption.** Über den Blutkreislauf gelangen diese resorbierten Nährstoffmoleküle zu allen Zellen.

Meine Ziele

KOMPETENZ-ERWERB

Nach Bearbeitung dieses Kapitels kann ich

- die Verdauung und den Weg der Nahrung durch den Körper beschreiben;
- Verdauungsvorgänge anhand von einfachen Experimenten analysieren.

1 Der Verdauungstrakt

Der Verdauungstrakt ähnelt einem durchgehenden Muskelschlauch, dessen Muskelkontraktionen die mechanische Zerkleinerung und die ständige Durchmischung des Nahrungsbreis fördern. Da diese Muskelkontraktionen oft wellenförmig wandern **(Peristaltik),** besorgen sie außerdem den Transport des Magen-Darm-Inhalts.

Verdauungstrakt des Menschen (schematische Darstellung)

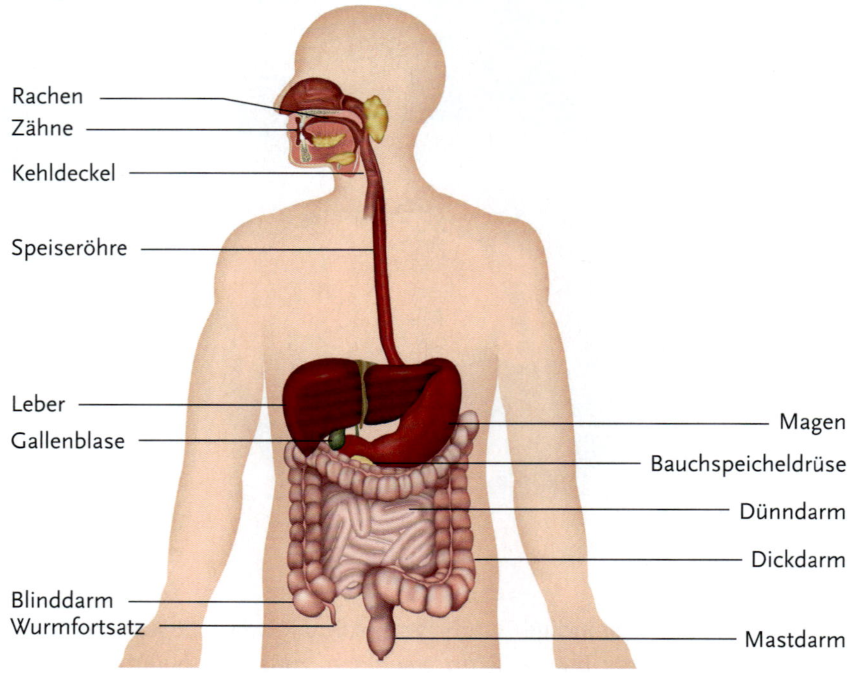

Der Weg der Nahrung

Mundhöhle
↓
Speiseröhre
↓
Magen
↓
Zwölffingerdarm
↓
Leerdarm
↓
Krummdarm
↓
Dickdarm
↓
Mastdarm

(Zwölffingerdarm, Leerdarm, Krummdarm: Dünndarm)

2 Mundhöhle

Die Nahrungsaufnahme beginnt im Mund. Mit den Zähnen beißt man bei Speisen ab und zerkaut sie. „Doch in der Mundhöhle passiert doch sicher noch mehr als nur die Zerkleinerung von Essen“, denkt sich Lisa.

Die Mundhöhle bildet den Anfang des Verdauungstrakts. Sie dient der **Aufnahme, Prüfung** und **Vorbereitung der Speisen** für die weitere Verdauung. Die Verdauung beginnt mit der mechanischen Zerkleinerung der Nahrung durch die **Zähne.**

2.1 Zähne und Gebiss

Jeder Zahn besteht aus der **Krone,** dem **Zahnhals** und einer oder mehreren **Wurzeln.** Im Inneren des Zahns befinden sich **Nerven- und Blutgefäße.** Das in seiner Struktur dem Knochengewebe sehr ähnliche **Zahnbein (Dentin)** bildet die Hauptmasse des Zahns.

Wussten Sie, dass ...
Verluste an Zahnschmelz, z. B. durch Abnützung oder Karies, vom Körper nicht ersetzt werden können?

Der **Zahnschmelz,** die festeste und widerstandsfähigste Substanz des menschlichen Körpers, gibt dem Zahn den charakteristischen weißlichen Glanz. Der Zahnschmelz enthält weder Zellen noch Blutgefäße oder Nerven.

Der **Zahnzement,** der den Zahn im Wurzelbereich mit einer dünnen Schicht umschließt, ist dem Knochengewebe ähnlich. Die **Zahnwurzel** ist von der **Wurzelhaut,** einer dünnen Bindegewebsschicht, umschlossen. Diese ist auch dafür verantwortlich, dass der Zahn in der als **Zahnfach (Alveole)** bezeichneten Vertiefung des Kieferknochens elastisch befestigt ist.

Aufbau eines Zahnes

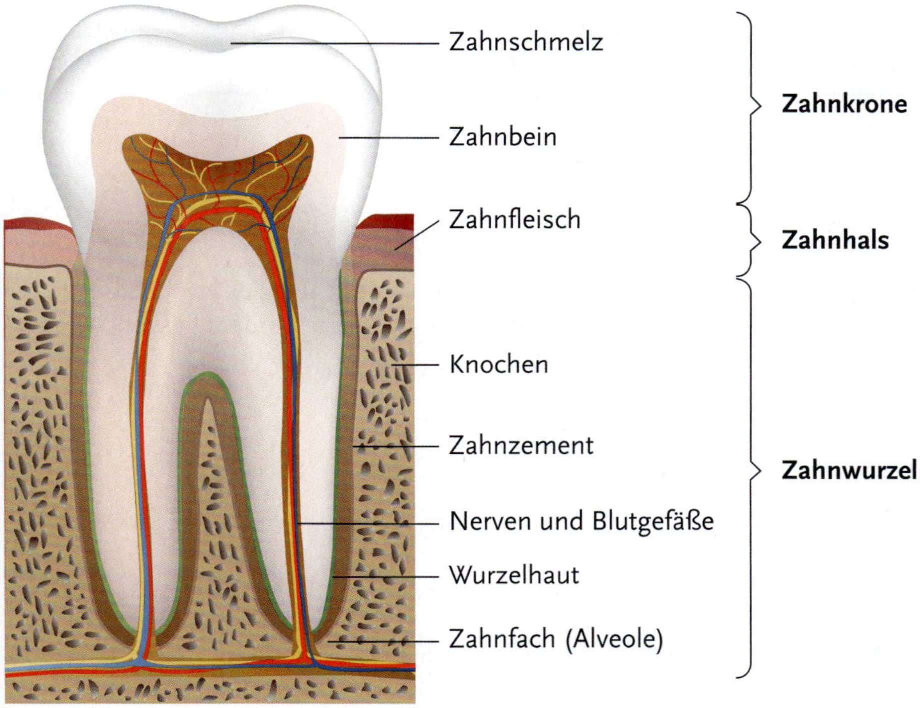

Die **unterschiedliche Form der Zähne** erlaubt die Zerkleinerung verschiedenartigster Nahrungsmittel.

Zahnformen

Schneidezähne	Eckzähne	Backen- und Mahlzähne	Weisheitszähne
Pro Kiefer finden sich in der Mitte vier scharfkantige Schneidezähne, die vor allem dem **Abbeißen** der Nahrung dienen.	An die Schneidezähne schließt sich beiderseits ein Eckzahn an, der bei Raubtieren als **Fangzahn** ausgebildet ist.	Auf beiden Seiten folgen je zwei Backenzähne und drei Mahlzähne, die in erster Linie dem **Zermahlen von Nahrungsmitteln** dienen.	Sie sind die **hintersten Mahlzähne.** Sie heißen Weisheitszähne, weil sie in der Regel erst nach dem 17. Lebensjahr auswachsen.

Die Wurzelhaut ist nur einige Zehntelmillimeter dick, füllt so aber den ganzen Raum zwischen Zahnwurzel und Zahnzement aus.

Kind

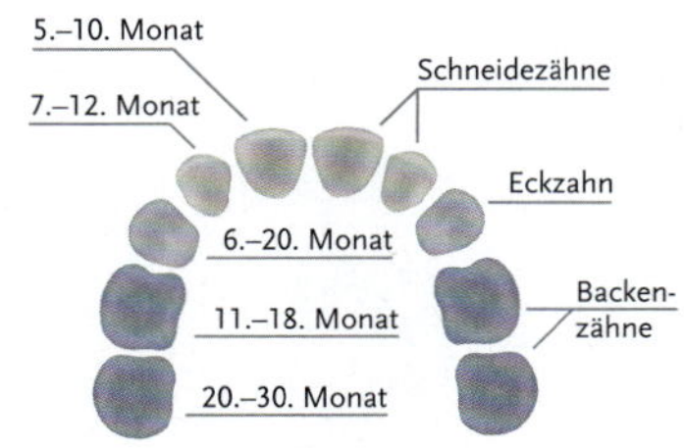

Das Milchgebiss gelangt etwa zwischen dem sechsten Lebensmonat und dem zweiten Lebensjahr zum Durchbruch. Es weist mit Ausnahme der Mahlzähne die gleiche Art und Anzahl der Zähne wie das Dauergebiss auf und besteht daher aus 20 Zähnen. Der Zahnwechsel beginnt etwa im sechsten Lebensjahr und zieht sich über mehrere Lebensjahre (vgl. Abbildung unten).

Erwachsener

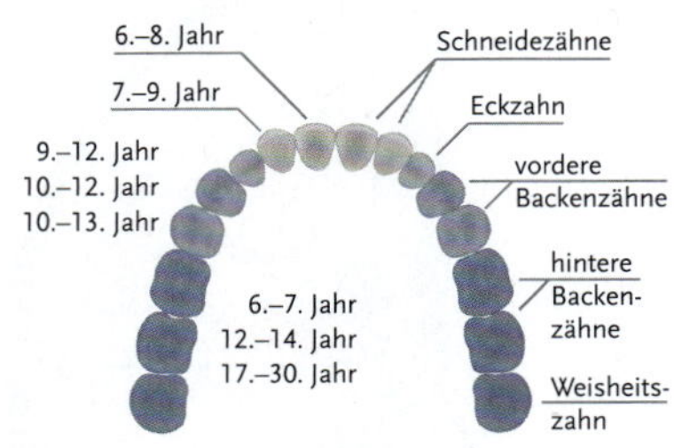

Das Erwachsenen- bzw. Dauergebiss umfasst im Ober- und Unterkiefer jeweils 16 Zähne, also insgesamt 32 Zähne.

Wussten Sie, dass ...
Speichel auch ein wichtiger Geschmacksträger ist? Erst wenn die Geschmacksstoffe im Speichel gelöst wurden, können sie die Geschmacksknospen der Zunge erreichen und dort ein Signal auslösen.

2.2 Mundspeichel

Die drei großen Mundspeicheldrüsen (Unterkiefer-, Unterzungen- und Ohrspeicheldrüsen) produzieren pro Tag ca. 1–1,5 l Speichel. Er ist für den Kauakt unbedingt erforderlich, damit trockene Nahrungsbestandteile geschluckt werden können. Andererseits ist er auch Träger von Verdauungsenzymen. Kohlenhydrate werden etwa durch das Verdauungsenzym Ptyalin bereits in der Mundhöhle gespalten.

Versuch – „Vorbereitung der Speisen“

Kauen Sie einen Bissen Weißbrot und behalten Sie den Brei längere Zeit im Mund. Welche Geschmacksempfindung haben Sie? Diskutieren Sie die Ursache mit Ihren Kolleginnen/Kollegen.

2.3 Speiseröhre

Die Speiseröhre ist ein etwa 25 cm langer Muskelschlauch, der die Mundhöhle mit dem Magen verbindet. In der Speiseröhre finden keine Verdauungsvorgänge statt, sie dient lediglich als Transportweg.

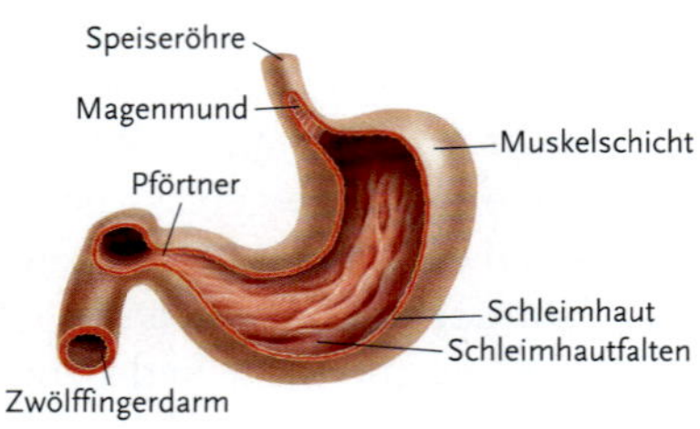

3 Magen

Die **Magenwand** besteht aus drei Muskelschichten. Der Magen kann sich dadurch auf vielfältige Weise zusammenziehen und die Magengröße der Füllung anpassen sowie den Nahrungsbrei mit dem Magensaft mischen und zum Magenausgang (= Pförtner) weiterleiten. Speisen bleiben je nach Zusammensetzung meist zwischen einer und sieben Stunden im Magen.

Aufgabenstellung – „Magen“

- ■ ++ Betrachten Sie die Skizze über die Verweilzeiten verschiedener Speisen im Magen. Gibt es Rückschlüsse auf die Zusammensetzung der Nahrung? Welche Konsequenzen ziehen Sie daraus für Ihre Essgewohnheiten?

Verweilzeiten verschiedener Speisen im Magen

Die **Schleimhaut** der inneren Magenoberfläche zeigt im leeren Zustand zahlreiche längs verlaufende Falten, die sich bei Füllung glätten können.

Drüsenzellen der Magenschleimhaut

Belegzellen	Hauptzellen	Nebenzellen
bilden die Salzsäure	bilden Eiweiß spaltende Enzyme (Pepsinogene)	bilden den Magenschleim, der vor der aggressiven Magensäure schützt

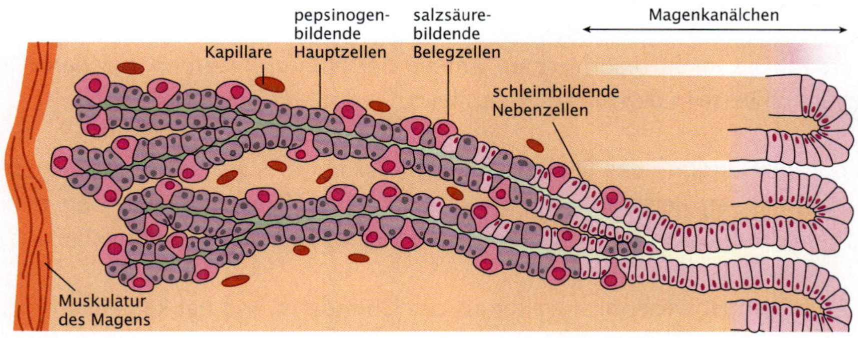

Die Magenschleimhaut besteht aus langen, wenig verzweigten Drüsengängen.

In Abhängigkeit von der Nahrungsaufnahme werden von der Magenschleimhaut durchschnittlich zwei Liter Magensaft pro Tag gebildet. Durch den **Gehalt an Salzsäure** wird ein pH-Wert von 1 bis 2 erreicht. Bei diesem Säuregrad:

- werden Eiweiße denaturiert, das heißt, ihre dreidimensionale Struktur bricht zusammen,
- feste Eiweiße quellen, flüssige gerinnen,
- werden mit der Nahrung aufgenommene **Bakterien getötet** bzw. die **Vermehrung von Viren verhindert,**
- wird **Pepsinogen** in das aktive Enzym Pepsin umgewandelt, das Eiweiß in grobe Bruchstücke spaltet.

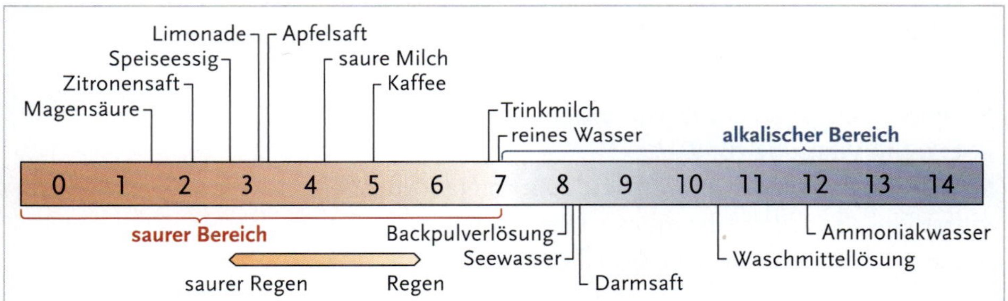

4 Dünndarm

Auf den Magen folgt der etwa vier Meter lange Dünndarm. Seine drei Hauptabschnitte,

- der **Zwölffingerdarm,** in den die Ausführungsgänge der Bauchspeicheldrüse und Leber münden,
- der **Leerdarm** und
- der **Krummdarm,**

gehen ohne scharfe Grenze ineinander über.

Der den Magen verlassende Speisebrei ist stark sauer und muss im Dünndarm durch die basischen Sekrete des Bauchspeichels und der Leber neutralisiert werden. Bei saurem pH-Wert würden die im Bauchspeichel enthaltenen Enzyme ihre Spaltfunktion nicht erfüllen können.

Nach der endgültigen Verdauung des Speisebreies werden die entstandenen Bruchstücke über die Dünndarmschleimhaut in das Blut (Traubenzucker und Aminosäuren) oder in die Lymphe (Glycerin und Fettsäuren) aufgenommen.

Magensaft wird nur gebildet, wenn sich Nahrung im Magen befindet oder aber wenn der Magen mit Nahrung rechnet.

Den pH-Wert kennen Sie bereits aus der Chemie. Testen Sie mit einem Indikatorpapier bzw. mit dem Rotkrautindikator einige der nebenstehenden Produkte auf ihren pH-Wert.

Der den Magen verlassende Speisebrei ist stark sauer und muss im Dünndarm durch die alkalischen Sekrete des Bauchspeichels und der Leber neutralisiert werden. Bei saurem pH-Wert würden die im Bauchspeichel enthaltenen Enzyme ihre Spaltfunktion nicht erfüllen können.

FILM AB!

Funktionsweise und Aufbau des Magens werden in diesem Video behandelt.
www.trauner.at/nawi_v122.aspx

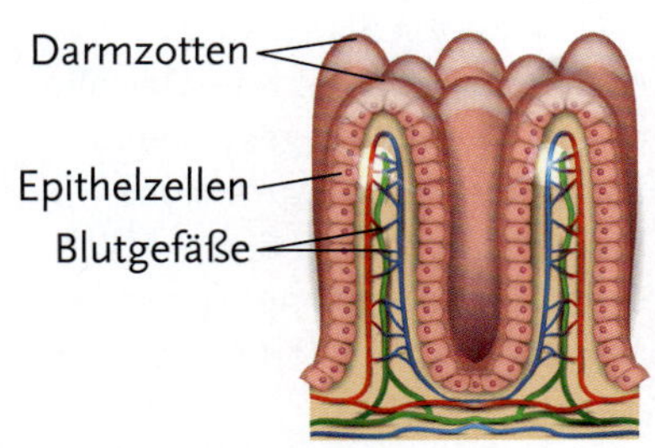

Um möglichst viele wertvolle Stoffe zu resorbieren, ist die Oberfläche des Dünndarms durch Darmzotten vergrößert. Insgesamt erreicht die Oberfläche des Dünndarms eine Größe von etwa 200 m^2.

5 Dickdarm

Der Dickdarm

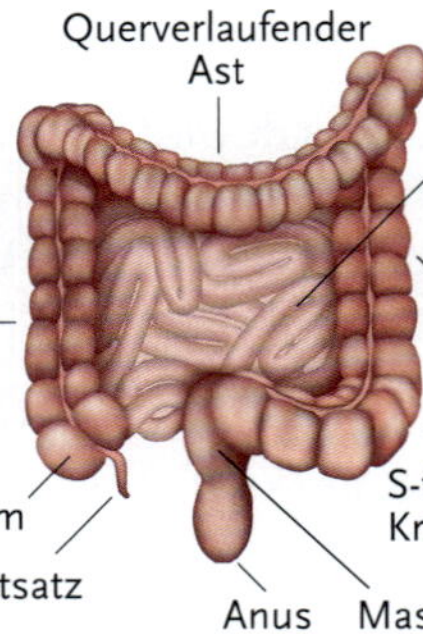

Unverdauliche, nicht resorbierbare Anteile der Nahrung werden aus dem Dünndarm schubweise in den Dickdarm entleert.

Von der Einmündung des Dünndarms geht der abwärts gerichtete, blind endende **Blinddarm** ab, an welchem der Wurmfortsatz hängt. Dieser ist besonders reich an lymphatischem Gewebe, in dem zahlreiche wichtige Abwehrreaktionen ablaufen.

Der Dickdarm ist wesentlich weiter als der Dünndarm und hat keine Darmzotten. Seine Schleimhaut liefert nur Schleim, aber keine Enzyme. Es findet vorwiegend der **Flüssigkeitsentzug** aus dem Nahrungsbrei und damit seine Eindickung statt.

Der Dickdarm geht schließlich in den letzten Darmabschnitt, den **Mastdarm,** über und endet mit dem **After (Anus).**

6 Darmflora

Symbiose = Vergesellschaftung zweier Arten (= Symbionten), die für beide von Vorteil ist

Mikrobiom = Lebensraum von Mikroorganismen im und auf dem Menschen

Der komplette Darmtrakt ist von zahlreichen Symbionten, der sogenannten **Darmflora,** besiedelt. Zu diesem vielschichtigen Mikrobiom im Verdauungstrakt gehören vor allem Bakterien, die eine Vielzahl von nützlichen Aufgaben übernehmen.

Beispiele: Aufgaben der Darmflora

- erzeugt Vitamine (B, K)
- spaltet bestimmte sonst unverdauliche Nahrungsbestandteile (u. a. Cellulose)
- hat Einfluss auf das Immunsystem
- sorgt für die Abwehr von Krankheitserregern

Der Begriff „Flora“ ist eigentlich nicht richtig. Als er eingeführt wurde, dachte man noch, dass die Kleinstlebewesen im Darm zu den Pflanzen gehören.

Im **Dünndarm** treten bis zu hunderttausend Individuen pro Milliliter Kot auf. Der Großteil der Darmflora befindet sich jedoch mit bis zu 100 Milliarden Individuen pro Milliliter Kot im **Dickdarm.** Von der Masse her kommt die Darmflora eines erwachsenen Menschen auf ca. 0,2–0,5 kg.

Zur **Besiedelung des vorher sterilen Darms** durch Mikroorganismen kommt es erst während der Geburt. Die Zusammensetzung der Bakterienarten verändert sich im Laufe des Lebens weiter und ist stark abhängig von der Nahrung des jeweiligen Menschen.

Wussten Sie, dass ...
es einen Einfluss auf die Darmflora hat, ob ein Kind gestillt wird? Die Bakterien im Darm eines Stillkindes bilden z. B. viel Milchsäure, die es Krankheitserregern erschweren, sich dort einzunisten.

7 Verdauungsdrüsen

Bauchspeicheldrüse

Die hinter dem Magen liegende **Bauchspeicheldrüse** stellt zahlreiche Enzyme her, die sie mit dem Bauchspeichel in den Zwölffingerdarm absondert. Neben ihrer Funktion als Verdauungsdrüse gibt die Bauchspeicheldrüse zwei Hormone (Insulin und Glukagon), die den Blutzuckergehalt regeln, ins Blut ab.

Lage der Bauchspeicheldrüse

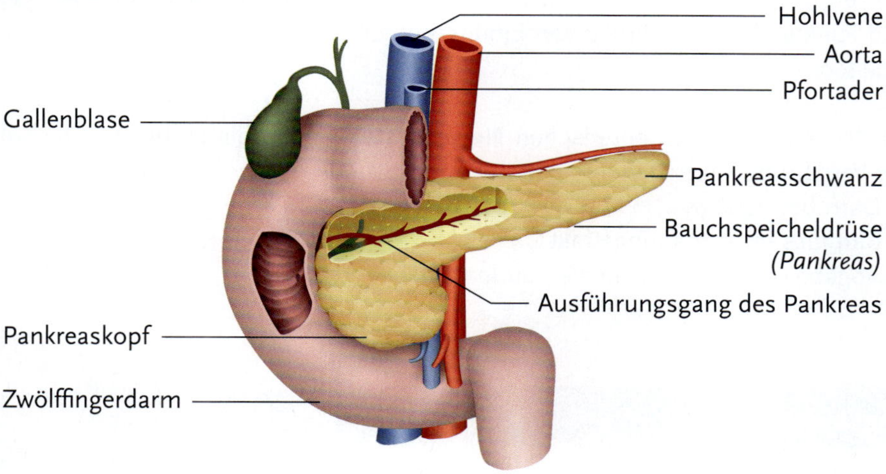

Leber

Das Blut fließt aus den Bauchorganen (Darm, Milz, Bauchspeicheldrüse) mit Nährstoffen, Stoffwechselzwischenprodukten und Hormonen beladen über die **Pfortader** in die Leber und dort zu den **Leberläppchen.** Die stecknadelkopfgroßen Leberläppchen sind die kleinsten Funktionseinheiten der Leber. Zwischen den Leberzellen entspringt auch das **Gallengangsystem.** Die Gallenflüssigkeit wird in den Leberzellen gebildet und über **Gallengänge** abgeleitet und in der **Gallenblase** gespeichert, ehe sie in den Zwölffingerdarm mündet.

Die Leber ist außerdem noch für den **Stoffwechsel von Fett, Eiweiß und Kohlenhydraten** verantwortlich. Darüber hinaus hat sie noch **Abbau- und Entgiftungsfunktionen.**

Leber

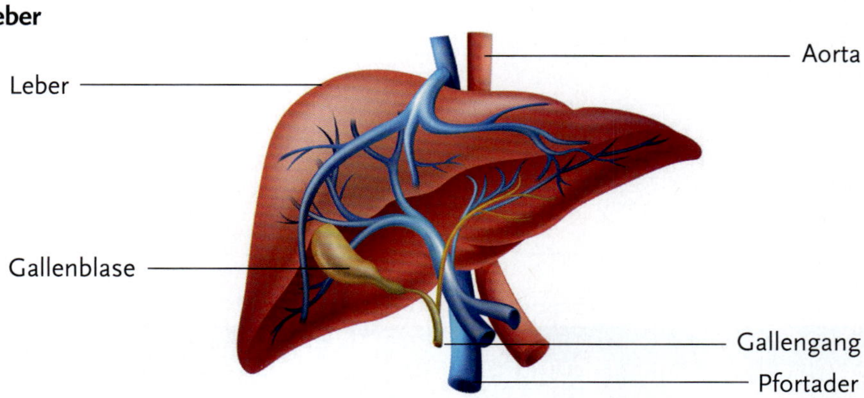

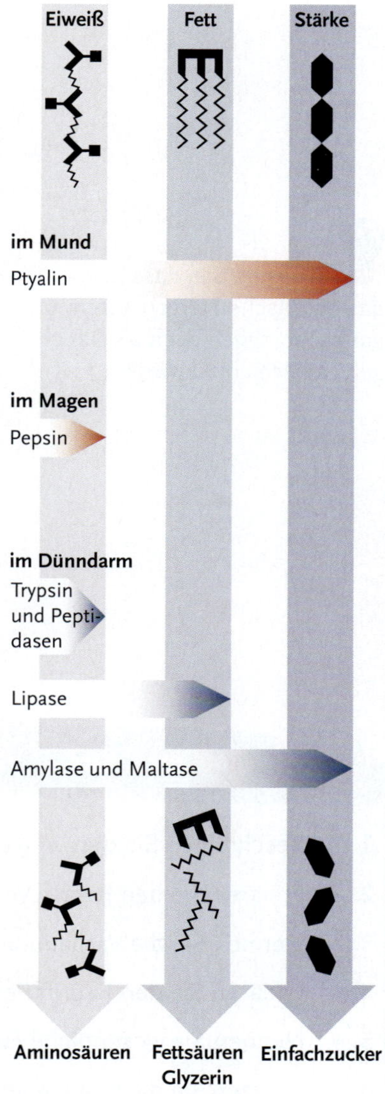

Enzymwirkungen im Verdauungstrakt

Die Leber kann aufgrund der zahlreichen Gefäße bis zu 20 % der Blutmenge des menschlichen Körpers enthalten. Die Leber speichert außerdem Glykogen (Vielfachzucker), Vitamine und Eisen aus dem Abbau der roten Blutkörperchen.

8 Enterisches Nervensystem

Für die Steuerung der Verdauung und damit einhergehender Vorgänge ist ein eigenes Nervensystem, das **enterische Nervensystem** (ENS) oder **Darmnervensystem,** verantwortlich.

Dieses Geflecht aus Nervenfasern und -zellen zieht sich durch den gesamten Magen-Darm-Trakt und verbindet alle für die Verdauung zuständigen Organe. Dabei kann es **unabhängig vom Zentralnervensystem** (ZNS; bestehend aus Gehirn und Rückenmark) arbeiten. Somit ist der Verdauungstrakt in der Lage, seine Aufgaben und Funktionen unabhängig von Einflüssen der Zentralnervenbahnen aufrechtzuerhalten.

Zu den **Aufgaben des enterischen Nervensystems** zählt die komplexe Steuerung der Verdauung. Dazu gehören u. a.:

- Darmbewegungen
- Blutfluss im Verdauungstrakt
- Abgabe von Sekreten aus Verdauungsdrüsen

Wussten Sie, dass ...
das enterische Nervensystem umgangssprachlich auch als Bauchgehirn bezeichnet wird?

Ziele erreicht? – „Verdauungssystem“

KOMPETENZ-ERWERB

1. + Beschreiben Sie den Weg der Nahrung durch Ihren Körper.

2. + Erklären Sie den Begriff Verdauung.

3. ++ Nennen Sie die Verdauungsorgane und zeigen Sie deren Lage auf einem Torso oder an Ihrem Körper.

4. + Erklären Sie den Begriff Peristaltik.

5. + Nennen Sie wesentliche Funktionen der Leber.

6. + Kreuzen Sie die Organe an, die zum menschlichen Verdauungstrakt gehören.

☐ Gallenblase	☐ Mastdarm	☐ Magen
☐ Nieren	☐ Zwölffingerdarm	☐ Lungenbläschen
☐ Zwerchfell	☐ Gehirn	☐ Leber

7. + Analysieren Sie die Verweilzeiten folgender Nahrungsmittel im Magen. Welches Nahrungsmittel würde als erstes den Verdauungstrakt vollständig passiert haben, wenn – rein hypothetisch – alle diese Mahlzeiten gleichzeitig verzehrt worden wären?

Glas Wasser ______

Konservenfisch ______

Stück Brot ______

Gurke ______

Apfel ______

Schweinsschnitzel ______

Einen interaktiven **Safety-Check** finden Sie in der TRAUNER-DigiBox.

Nieren und Harnwege

Mit der **Harnproduktion** und **Harnausscheidung** erfüllen die Nieren mehrere entscheidende Regulationsaufgaben. Sie gehören damit zu den lebenswichtigen Organen. Der Ausfall beider Nieren führt zum Tod, wenn die/der Kranke nicht behandelt wird.

Ein Hormon, das die Nieren bilden, ist **Renin.** Es beeinflusst den Salzhaushalt und den Blutdruck.

Die wichtigsten Aufgaben der Nieren im Überblick

- Ausscheidung von Stoffwechselendprodukten, besonders des Eiweißstoffwechsels
- Ausscheidung von Fremdsubstanzen, wie Abbauprodukte von Medikamenten und Umweltgiften, die z. B. mit der Nahrung aufgenommen werden
- Regulation des Salzhaushaltes
- Konstanthaltung des Wassergehaltes und des osmotischen Drucks
- Bildung von Hormonen und Vitamin D

Meine Ziele

KOMPETENZ-ERWERB

Nach Bearbeitung dieses Kapitels kann ich

- Lage, Bau und Funktion der Nieren beschreiben;
- den Wasserhaushalt berechnen.

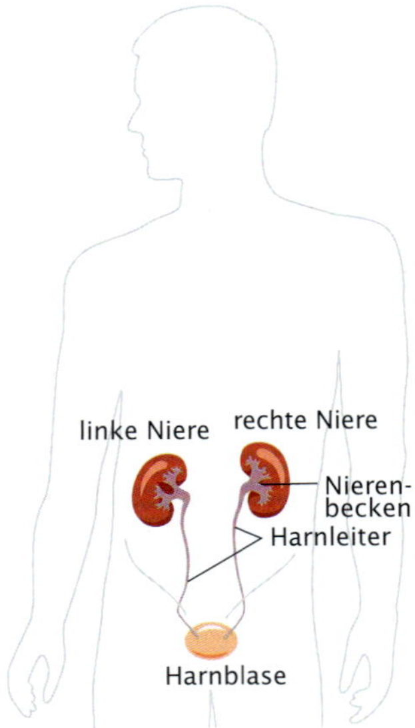

Lage der Nieren

1 Lage und Bau der Nieren

Ralf wird bald ein Motorrad besitzen und wünscht sich deshalb zum Geburtstag einen neuen Sturzhelm. Sein Großvater will ihm unbedingt zusätzlich einen Nierengurt schenken. Ralf fragt sich, wozu und wovor er seine Nieren schützen soll und welche Aufgabe diese Organe eigentlich haben.

Jede Niere ist von einer derben Bindegewebshülle, der **Nierenkapsel,** umgeben. Eine kräftige Schicht Fettgewebe verankert die Nieren an der hinteren Bauchwand und schützt sie vor Stoßverletzungen.

Dem oberen Nierenpol ist eine kleine Hormondrüse, die **Nebenniere,** angelagert.

Aufgabenstellung – „Nierengurt"

■ + Betrachten Sie die Grafik in der Randspalte und achten Sie auf die Lage der Nieren. Diskutieren Sie mit Ihren Kolleginnen/Kollegen, warum Motorradfahrer/innen einen Nierengurt verwenden sollten.

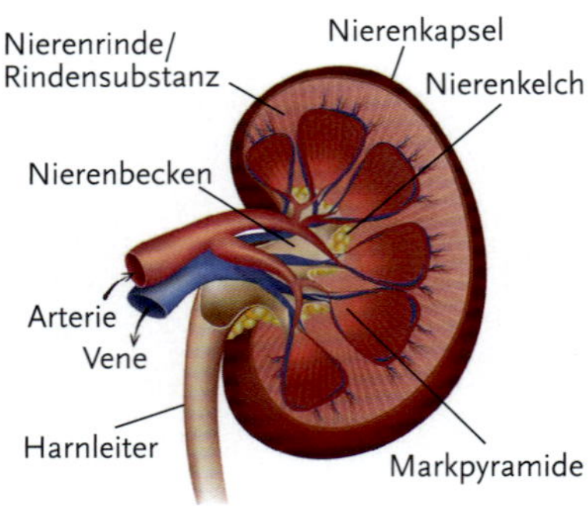

Schnitt durch die menschliche Niere

Längsschnitt durch die Niere	
Äußere Rindenschicht	Sie ist fein gekörnt und reich an Blutgefäßen.
Innere Markschicht	Sie bildet gegen die Nierenpforte hin kegelförmige Vorwölbungen, die **Markpyramiden,** die eine feine Längsstreifung erkennen lassen. Die Spitzen dieser Pyramiden nennt man **Nierenpapillen.** Auf ihnen befinden sich feinste Öffnungen, aus denen der Harn austritt.
Nierenkelch	Jede Nierenpapille ragt in einen trichterförmig erweiterten Hohlraum, den Nierenkelch.
Nierenbecken	Der Harn wird aus dem Nierenkelch in das Nierenbecken weitergeführt.
Harnleiter	Er transportiert den Harn weiter zur **Harnblase.**
Harnröhre	Die Entleerung der Harnblase erfolgt über die Harnröhre durch Kontraktion der Blasenmuskulatur.

Bei etwa 350 ml Inhalt entsteht Harndrang, doch können willkürlich 700 ml und mehr Harn zurückgehalten werden.

2 Harnbereitung

In der äußeren Rindenschicht liegen die **Nierenkörperchen,** die aus einer dünnen becherförmigen Membran und Kapillarknäuel bestehen. Es gibt in beiden Nieren etwa 2 bis 3 Millionen Nierenkörperchen.

Die Wand der Gefäßknäuel (Glomeruli) ist so beschaffen, dass Wasser, Abbauprodukte (aus dem Eiweißstoffwechsel Harnstoff, Harnsäure), Salze, einfach gebaute Zucker (z. B. Traubenzucker) und ähnliche Stoffe hindurchtreten können, während Eiweiße und Blutkörperchen zurückgehalten werden.

Wussten Sie, dass ...
pro Tag 1 700 Liter Blut durch die Nierenkörperchen fließen und dabei 150 bis 170 Liter Primärharn pro Tag gebildet werden?

Der Austausch der Stoffe erfolgt über die sogenannte **Blut-Harn-Schranke,** die jeweils aus Glomerulus und der umgebenden Bowman'schen Kapsel gebildet wird. Die in den Kapillarknäuel gebildete Flüssigkeit wird als **Primärharn** bezeichnet. Der Primärharn wird über die Nierenkanälchen abgeleitet.

Im Bereich der **Nierenkanälchen,** die von Kapillaren umsponnen sind, werden brauchbare Stoffe (z. B. Wasser und Traubenzucker) wieder an das Blut abgegeben. Es erfolgt die endgültige Bereitung des Harns. Pro Tag entstehen auf diese Weise ca. 1,5 l **Sekundärharn (Urin).**

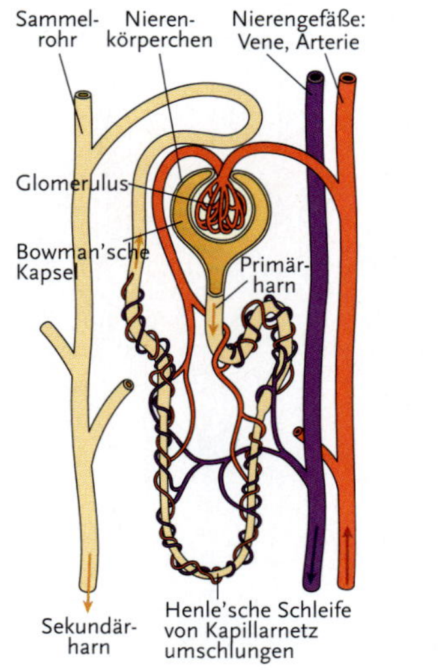

3 Wasserhaushalt

Der Organismus ist auf eine ausgeglichene Wasserbilanz angewiesen. Die Rückführung des Wassers aus dem Primärharn muss genau reguliert und den Bedürfnissen des Organismus angepasst werden, die je nach Außentemperatur, körperlicher Belastung und Ernährung stark schwanken. Hormone regulieren die Ausscheidung bzw. die Rückführung von Wasser.

Wasser wird dem Körper auf **direktem Weg** (Getränke, Atmung) und auch indirekt über wasserhaltige feste Nahrungsmittel zugeführt. Dazu kommt noch das Oxidationswasser, das bei jedem Vorgang des Energiestoffwechsels frei wird.

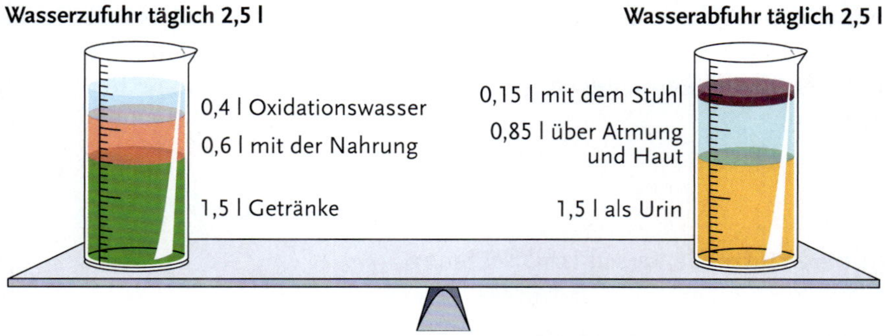

Tägliche Wasserzu- und Wasserabfuhr: Zufuhr und Abfuhr betragen jeweils ca. 2,5 l. Sie müssen im Gleichgewicht zueinander stehen.

Wussten Sie, dass ...
99 % des Wassers wieder zurück in das Blut gelangen? Die Gesamtlänge aller Nierenkanälchen einer Niere entspricht 80 km.

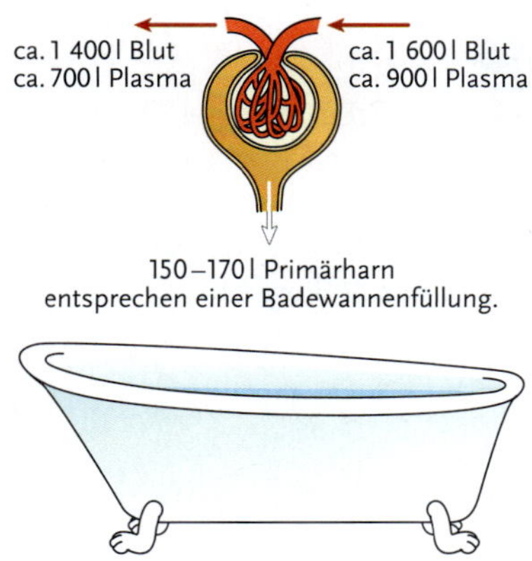

Ziele erreicht? – „Nieren und Harnwege"

KOMPETENZ-ERWERB

1. ++ Nennen Sie die Harnorgane des Menschen und zeigen Sie sie am Torso.
2. + Erläutern Sie die Aufgabe der Nieren.
3. ++ Recherchieren Sie, was passiert, wenn die Nieren nicht korrekt funktionieren. Welche Möglichkeiten gibt es dann für die Medizin?
4. + Finden Sie heraus, was genau in den Nierenkörperchen und den Harnkanälchen passiert und welche Vorgänge dort ablaufen.
5. ++ Ralf trinkt im Sommer bei heißen Temperaturen täglich etwa drei Liter Wasser. Über den Urin scheidet er nur ca. 1,5 Liter am Tag aus. Er wundert sich, wo all die Flüssigkeit „versickert".

   Zeigen Sie anhand einer ungefähren Gegenüberstellung von Wasserzu- und Wasserabfuhr bei Ralf, was mit der Flüssigkeit passiert ist, und begründen Sie, warum Ralf gerade im Sommer mehr trinkt und weniger Flüssigkeit über den Urin ausscheidet.

Abwehrsystem – Immunsystem

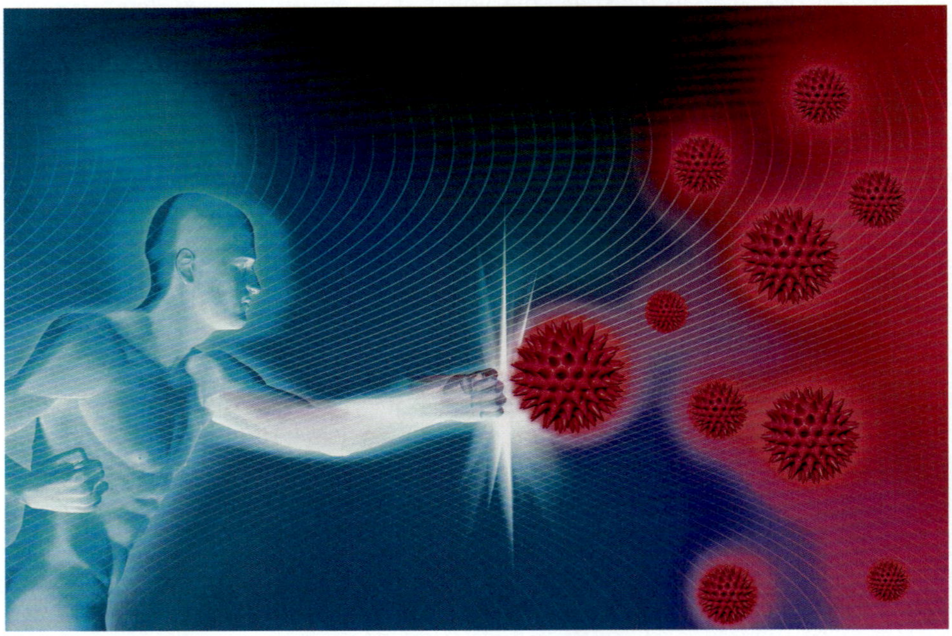

Der Preis, den der Organismus für seine Fähigkeit zur Abwehr zu zahlen hat, besteht in der Gefahr von **Überempfindlichkeitsreaktionen (Allergien).**

Schon beim Versuch, in den Körper einzudringen, stoßen körperfremde Substanzen, z. B. Eiweiße, Krankheitserreger oder ihre Stoffwechselprodukte, auf äußere Schutzbarrieren (Säuremantel der Haut, Mundspeichel, Schleimhaut der Luftwege, Magensäure).

Als **unterstützende Vorsichtsmaßnahmen** werden empfohlen:

- Regelmäßiges Händewaschen
- Fernhalten der schmutzigen Hände vom Gesicht
- Hygienisch husten (nicht in die Hand, sondern in den Ärmel)
- Auf häufigen Körperkontakt (Hand geben, umarmen etc.) verzichten
- Geschlossene Räume regelmäßig lüften

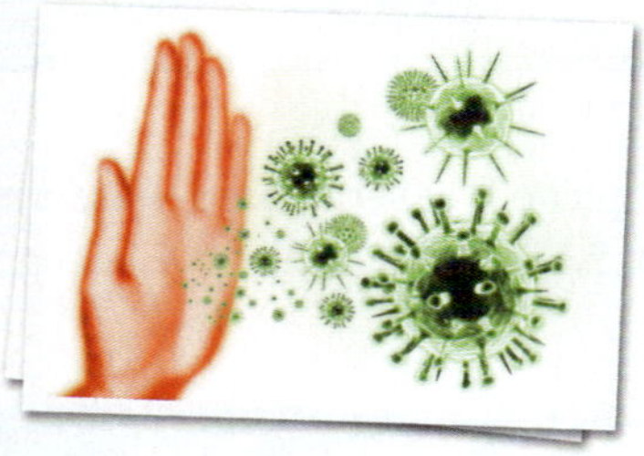

KOMPETENZ-ERWERB

Meine Ziele

Nach Bearbeitung dieses Kapitels kann ich

- das Abwehrsystem und das lymphatische System beschreiben;
- Informationen zu (Reise-)Impfungen recherchieren;
- die Notwendigkeit von Impfungen beurteilen und Impfungen einteilen.

1 Abwehrreaktionen

Gelingt es den Krankheitserregern aber, in die Blutbahn oder ins Gewebe zu gelangen, erfolgen Abwehrreaktionen, auch Immunreaktionen genannt. Dabei kommen verschiedene Arten von weißen Blutkörperchen (Leukozyten) zum Einsatz.

Der Körper reagiert zunächst auf Fremdstoffe (Antigene) gleich welcher Art ungezielt – **unspezifische Abwehrreaktion.** Sie richtet sich gegen jede körperfremde Substanz und steht von Geburt an zur Verfügung.

Arten von unspezifischen Abwehrreaktionen

Unspezifische zelluläre Abwehrreaktion	Unspezifische stoffliche Abwehrreaktion
Körperfremde Stoffe werden nach dem Eindringen von „Fresszellen" (Phagozyten) erkannt, umschlossen und in Bruchstücke zerlegt.	Körpereigene Stoffe (z. B. Interferone) werden zur Bekämpfung der Erreger freigesetzt.

Interferone = Proteine, die gegen Viren und auch gegen Tumore wirken bzw. das Immunsystem anregen

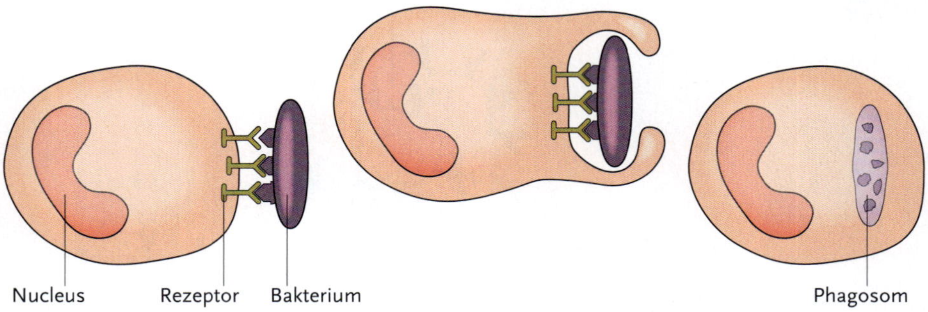

Phagozyten sind Zellen, die Bakterien, andere Erreger und Abfallprodukte in sich aufnehmen und in ihrem Zellbereich in speziellen Organellen (Phagosomen) verdauen können.
Dieser Vorgang wird als **Phagozytose** bezeichnet.

Mithilfe der Rezeptoren dockt die Fresszelle an dem Fremdkörper an und befördert es in ihr Phagosom.

Wenn körperfremde Substanzen der unspezifischen Abwehr entgangen sind, können sie durch weitere Abwehrvorgänge dennoch unschädlich gemacht werden. Diese sind auf jede Fremdsubstanz speziell abgestimmt – und werden deshalb als **spezifische Abwehrreaktion** bezeichnet.

Lymphozyten können nämlich bestimmte Fremdsubstanzen (Antigene) erkennen und so gezielt bekämpfen.

Beispiele für spezifische Abwehrreaktionen hervorrufende Antigene
Oberflächenmoleküle von Bakterien, Viren, Protozoen, Pilzen und Würmern

Protozoen = Bezeichnung für auch Urtierchen genannte eukaryotische Einzeller

Die Lymphozyten verfügen über spezielle **Rezeptoren** an ihren Zellwänden. Wenn jetzt ein Antigen an den passenden Rezeptor einer Lymphozyten-Zelle andockt, wird diese Zelle dazu angeregt, passende **Antikörper** zu bilden. Diese Antikörper treten dann mit den entsprechenden Antigenen in eine Wechselwirkung und machen diese unschädlich. Dieser Vorgang der spezifischen Abwehrreaktion wird als **Antigen-Antikörper-Reaktion** bezeichnet.

Ein bestimmter Antikörper passt und reagiert genau auf ein bestimmtes Antigen. Das haben Sie bereits bei den Blutgruppen (vgl. S. 84) kennengelernt.

Nur wenn die Antikörper genau auf die Moleküle der Antigene passen, ist eine Antigen-Antikörper-Reaktion möglich, wodurch Antigene ihre Gefährlichkeit für den Organismus verlieren.

Ein Lymphozyt trägt bis zu 100 000 Rezeptoren, die alle genau auf dasselbe Antigen spezifiziert sind. Allerdings gibt es eine Vielfalt an Lymphozyten mit unterschiedlichen Rezeptoren. In der Grafik werden nur sechs verschiedene Antigen-Rezeptoren dargestellt.

Der Einfachheit halber sind die Antigene in der Grafik als freie Moleküle dargestellt. Antigenmoleküle sind aber in Wirklichkeit Teile von komplexen Fremdkörpern (z. B. bestimmte Moleküle auf der Oberfläche eines Bakteriums).

Alle Lymphozyten eines Körpers erkennen zusammen nahezu unbegrenzt viele Antigene. Aber jede Zelle für sich kann nur einen Typ von Antigen erkennen und darauf reagieren.

Die folgende Grafik zeigt, wie ein Lymphozyt von einem passenden Antigen ausgewählt wird. Der Lymphozyt bildet durch die Mitose identische Klone – es entstehen mehrere Zellen, die alle dieselben Rezeptoren für das eine zu bekämpfende Antigen haben.

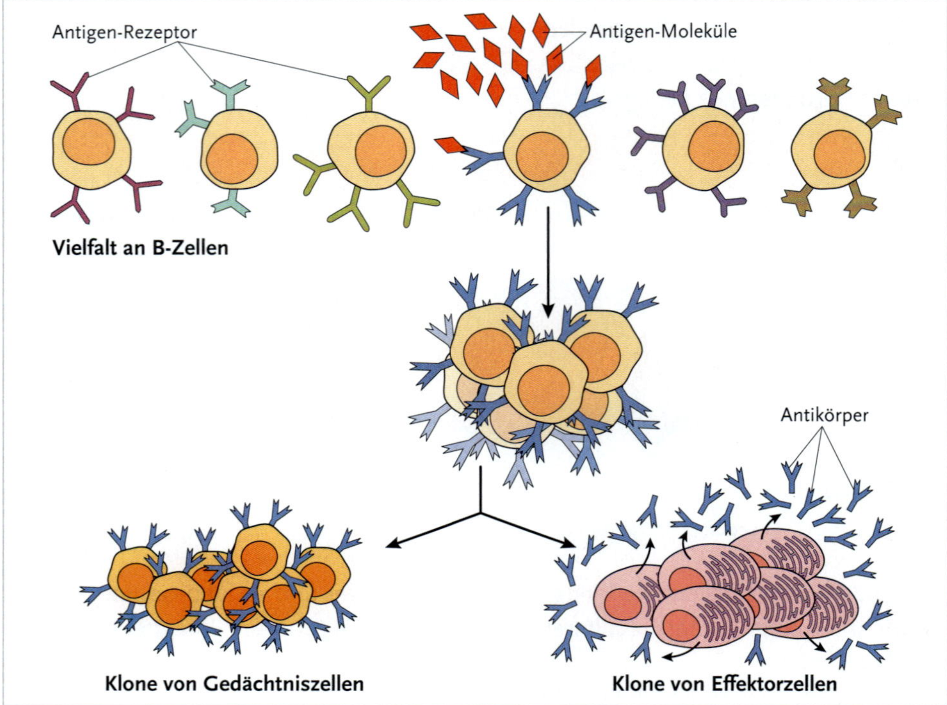

Nach dem Kontakt mit einem Antigen produzieren dafür bestimmte Lymphozyten **(Effektorzellen)** große Mengen an Antikörpern, die genau zu den Molekülen auf der Erregeroberfläche passen.

Andere Zellen können einen Antigenkontakt speichern und entwickeln sich zu sogenannten langlebigen **Gedächtniszellen.** Bei erneutem Kontakt mit dem gleichen Antigen kann mithilfe dieser Gedächtniszellen die Produktion von Antikörpern sehr rasch in Gang gebracht werden.

FILM AB!

In diesem animierten Video werden Ihnen das Immunsystem und die Immunreaktionen vorgestellt.
www.trauner.at/nawi_v123.aspx

Dank der **Lymphozyt-Diversität** (Vielzahl an Lymphozyten) ist das menschliche Immunsystem dazu in der Lage, auf mehrere Millionen von Antigenen (bzw. deren Moleküle) zu reagieren. Sogar auf solche Antigene, die noch gar nicht in Kontakt mit dem Organismus getreten sind, für deren Molekülstruktur es aber bereits Rezeptoren gibt!
Somit ist das Immunsystem bereits für Millionen möglicher Krankheitserreger gerüstet.

2 Immunität

Ansteckung hat nicht bei jedem Menschen auch eine Erkrankung zur Folge. Manche Menschen sind so vital, gesund und widerstandsfähig, dass ihnen vielfältige Infektionen nichts anhaben können. Andere wiederum sind gegen bestimmte Infektionskrankheiten deshalb geschützt, weil sie gegen diese eine Immunität entwickelt haben.

Immunität = eine angeborene oder durch Impfung erworbene Unempfindlichkeit gegenüber Krankheitserregern.

Immunität lässt sich auf zweierlei Weisen erreichen

Aktives Erreichen der Immunität	Passives Erreichen der Immunität
Indem unser Körper selbst Antikörper bildet.	Indem der Körper von außen fremde Antikörper zugeführt bekommt.

Eine passiv erworbene Immunität entsteht übrigens auf natürliche Weise durch eine **Antikörperübertragung von der Mutter auf das Kind** über die Plazenta und die Muttermilch. Da diese Antikörper, die in einem anderen Wirtsorganismus gebildet wurden, als körperfremdes Eiweiß nach und nach abgebaut werden, hält diese passiv erworbene Immunität gewöhnlich nur drei bis vier Wochen an. Sie besteht bei Säuglingen in den ersten vier bis sechs Lebensmonaten gegenüber häufiger vorkommenden Infektionen.

Beim Stillen werden durch die Muttermilch Antikörper gegen häufig vorkommende Infektionen von der Mutter auf das Kind übertragen.

3 Impfungen

Um den Körper in seiner eigenen Abwehrreaktion zu unterstützen, wurden für einige Infektionskrankheiten Impfstoffe entwickelt.

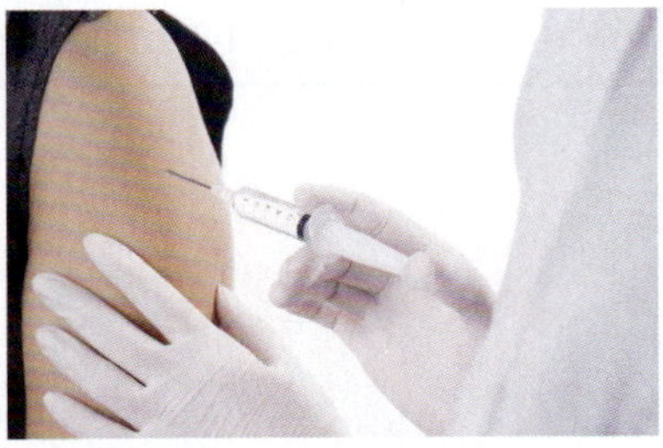

Impfungen werden meist über Injektionen verabreicht.

Impfungen

Aktive Immunisierung (Schutzimpfung)	Passive Immunisierung
Erreicht man durch die Gabe von abgeschwächten oder abgetöteten Erregern, die den Organismus nicht schädigen, aber die Antikörperbildung anregen. Der Schutz durch aktive Immunisierung kann mehrere Jahre anhalten, die Impfung muss aber je nach Erreger in bestimmten Abständen wiederholt werden.	Erfolgt durch die Übertragung von Antikörpern, die gentechnologisch hergestellt oder aus dem Blut anderer Kranker gewonnen wurden. Die Schutzwirkung ist auf einen Zeitraum von drei Monaten beschränkt, da die zugeführten Antikörper vom Körper allmählich abgebaut werden.
Beispiel Impfung gegen FSME, deren Erreger durch Zecken übertragen werden.	**Beispiel** Impfung nach einem Zeckenbiss, wenn die/der Gebissene vorher nicht geimpft war.

Passive Immunisierungen werden durchgeführt, wenn eine Person bereits in Kontakt mit Erregern gekommen ist.

FSME (Frühsommer-Meningoenzephalitis) = eine Form der Gehirnhautentzündung, die durch Viren ausgelöst wird.

Einmal ehrlich, haben Sie in letzter Zeit einmal einen Blick in Ihren Impfpass geworfen? Welche Impfungen wurden in letzter Zeit verabreicht, welche sollten in nächster Zeit aufgefrischt werden?

Sie wissen nicht, wo Ihr Impfpass ist? Sie haben keinen Impfpass? Dann nichts wie hin zum nächsten Gesundheitsamt.

Ziele erreicht? – „Abwehrsystem – Immunsystem“

KOMPETENZ-ERWERB

1. \+ Finden Sie heraus, welche verschiedenen Typen weißer Blutkörperchen es gibt und welche Funktionen sie für unser Immunsystem haben.
2. ++ Recherchieren Sie, wie viele FSME-Infektionen es pro Jahr in Österreich trotz beworbener Impfungen gibt. Tauschen Sie Ihre Meinungen zum Thema Impfungen aus. Befürworten Sie die Impfkampagnen oder stehen Sie Impfungen kritisch gegenüber? Begründen Sie Ihre Meinung.
3. \+ Recherchieren Sie den aktuellen Impfplan auf der Website des Gesundheitsministeriums (www.bmg.gv.at). Welche Impfungen gehören in Ihrem Alter aufgefrischt bzw. welche Impfungen werden empfohlen?
4. ++ Finden Sie heraus, welche Impfungen bei Reisen ins Ausland empfohlen werden. Welche Krankheiten sind in welchen Ländern oder Regionen stark verbreitet? Nehmen Sie eine Weltkarte zur Hand und zeichnen Sie ein, wo welche Impfungen benötigt werden.

5. \+ Beschreiben Sie den Ablauf einer Antigen-Antikörper-Reaktion.
6. ++ Unterscheiden Sie Gedächtniszellen und Effektorzellen. Geben Sie an, wie es zur Bildung dieser Lymphozyten-Typen kommt und welche Aufgaben Sie bei einer Immunreaktion übernehmen.

Stützsystem und Ergonomie

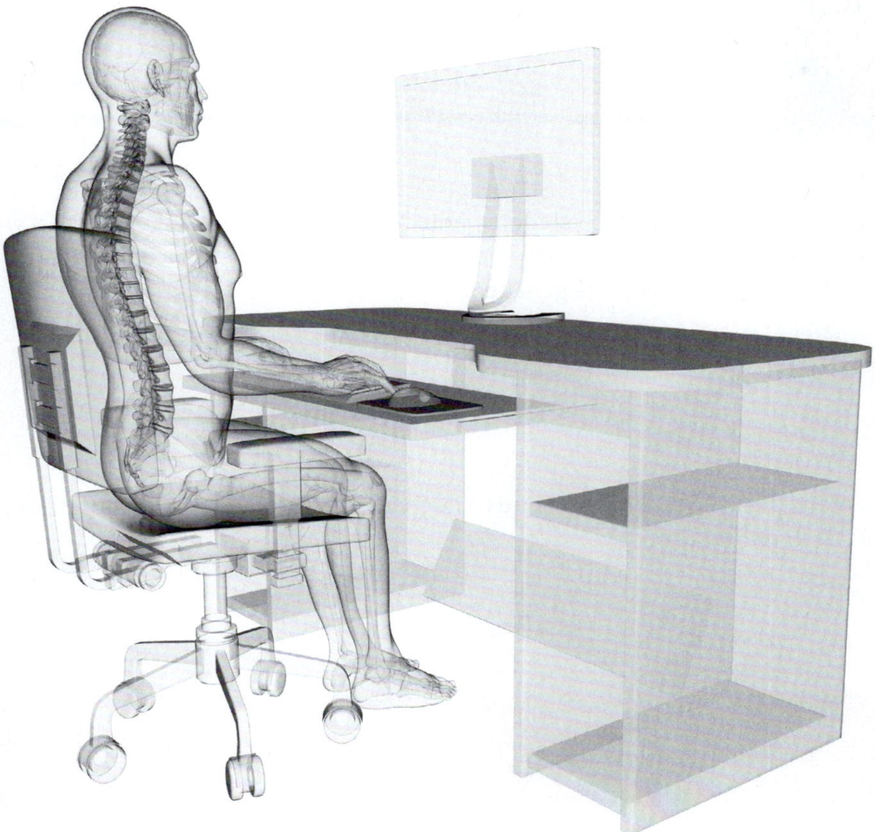

Viele Leute, die laufend im Sitzen arbeiten, z. B. in einem Büro, klagen über Rückenschmerzen. Was kann solche Schmerzen verursachen? Wodurch entstehen Sie? Und kann man solchen Kreuzschmerzen eventuell vorbeugen?

Um diese Fragen zu beantworten benötigen Sie Kenntnisse über Aufbau und Funktion des Bewegungsapparates. Zur Frage, wie man solche Schmerzen eventuell vermeiden könnte, helfen Ihnen die Informationen und Tipps in dem Fachgebiet, das als **Ergonomie** bezeichnet wird.

Bewegungsapparat = System von Organen (Muskeln, Knochen, Knorpeln, Gelenken), das dem Körper Form und Halt gibt sowie Bewegungen ermöglicht.

Ergonomie = Lehre von der Anpassung der Arbeitsbedingungen an den Menschen

Meine Ziele

KOMPETENZ-ERWERB

Nach Bearbeitung dieses Kapitels kann ich

- den Aufbau und die Funktion des Bewegungsapparates beschreiben;
- Bewegungen und Haltungen anhand von Informationen über den Bewegungsapparat analysieren;
- die Bedeutung wesentlicher Inhalte der Ergonomie erklären und an meinem Arbeitsplatz in der Schule anwenden;
- meinen Arbeitsplatz zu Hause möglichst körpergerecht einrichten;
- Informationen zur Ergonomie selbstständig beschaffen und die Bedeutung der Ergebnisse anhand des gelernten Wissens einordnen.

1 Bewegungsapparat

Lisas Bruder ist beim Snowboarden so unglücklich gestürzt, dass er sich einen Schienbeinknochen gebrochen und auch noch das Kniegelenk geprellt hat. Dass Knochen brechen können, hat Lisa schon gewusst. Aber wie sind sie aufgebaut und was genau sind eigentlich Gelenke?

Skelett und Muskelsystem werden unter dem Oberbegriff Bewegungsapparat zusammengefasst **(passiver Bewegungsapparat = Skelett, aktiver Bewegungsapparat = Skelettmuskulatur).**

Knöcherne und knorpelige Skelettelemente bilden das Stützgerüst des Körpers, das Skelett. Seine Teile werden durch die Skelettmuskulatur bewegt oder in einer bestimmten Stellung bzw. Lage gehalten.

1.1 Skelett

Das menschliche Skelett besteht aus Knochen- und Knorpelgewebe und bildet die Stützstruktur im Körper.

Aufgaben des Skeletts

- Bildung eines stabilen Gerüsts
- Bewegungen einzelner Körperteile
- Schutz der inneren Organe vor Verletzungen
- Produktionsstätte für Blutzellen

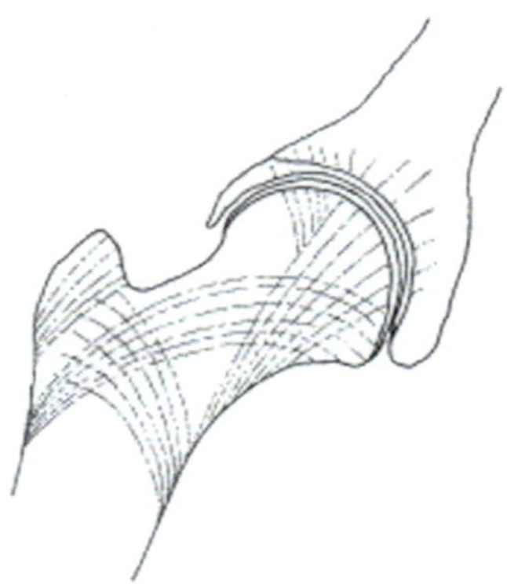

Linien der Biege- und Druckbelastung (Hüftgelenk)

1.1.1 Bau der Knochen am Beispiel des Röhrenknochens

Die außerordentliche Belastbarkeit bei geringem Gewicht macht Knochen zum idealen Material für das Skelett größerer, vor allem landlebender Tiere, und damit natürlich auch für das des Menschen. Das Gewicht des Skeletts wird – wie im Flugzeugbau – durch Leichtbauweise vermindert, d. h., solides Material wird nur an Stellen besonders starker Belastung eingesetzt, sonst aber sehr sparsam verwendet **(Knochenbälkchen).**

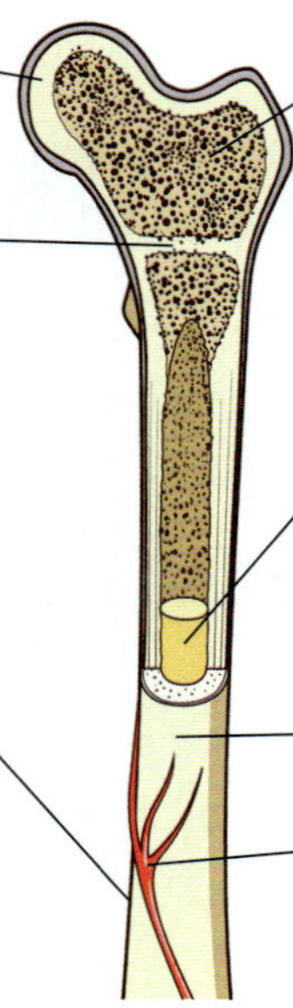

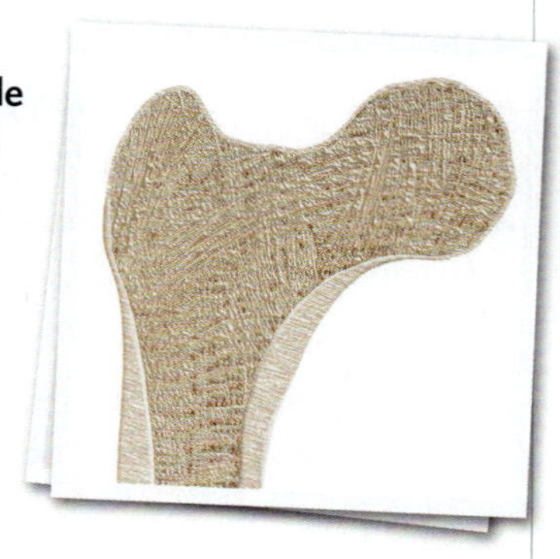

1.1.2 Knochenformen

Außer den Röhrenknochen gibt es in unserem Körper noch anders geformte Knochen.

Knochenformen

Röhrenknochen	Unregelmäßige Knochen	Kurze Knochen	Platte Knochen
Beispiel Oberschenkelknochen	**Beispiele** Wirbel, Unterkiefer	**Beispiele** Hand- oder Fußwurzelknochen	**Beispiele** Schulterblatt, Schädelknochen

1.1.3 Knochenverbindungen

Das Skelett des Menschen besteht aus über 200 Knochen. Diese stehen miteinander in einer mehr oder weniger beweglichen Verbindung. Wir unterscheiden feste Knochenverbindungen von beweglichen Knochenverbindungen.

Feste Knochenverbindungen

Feste Knochenverbindungen können **aus verschiedenen Geweben** bestehen (z. B. die Nähte der Schädelknochen aus Bindegewebe oder beim Kreuzbein aus Knochengewebe).

Bewegliche Knochenverbindungen (Gelenke)

Gelenke sind bewegliche Verbindungen, bei denen die benachbarten Knochen durch einen Spalt voneinander getrennt bleiben und sich nur berühren.

Das gewölbte Ende wird als **Gelenkkopf,** das ausgehöhlte Ende als **Gelenkpfanne** bezeichnet. Die Knochenenden sind mit dem **Gelenkknorpel** überzogen, der die auftretende Reibung vermindert und die Aufgabe eines Stoßdämpfers erfüllt. Die **Gelenkkapsel** verbindet die gelenkbildenden Knochen und schließt den Gelenkspalt nach außen ab. Sie sondert nach innen **Gelenkschmiere** ab, die den Gelenkknorpel ernährt und die Gelenkflächen schmiert. Zusätzlich hemmen **Bänder** bestimmte Bewegungen und geben so dem Gelenk den notwendigen Halt.

Je nach Beweglichkeit gibt es unterschiedliche **Gelenkstypen.**

Gelenkstypen

Kugelgelenk	Scharniergelenk	Drehgelenk

Erlaubt eine Bewegung in alle Richtungen.	Erlaubt eine Bewegung nur in eine Richtung.	Ermöglicht die Drehung von Knochen zueinander.
Beispiel Schultergelenk	**Beispiel** Ellbogengelenk	**Beispiel** Gelenk zwischen Elle und Speiche

Gelenk

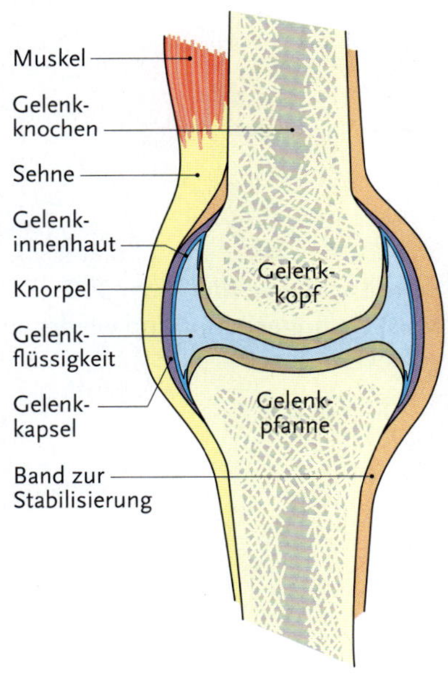

In der Nähe von Gelenken findet man vielfach **Schleimbeutel,** die Druckwirkungen auffangen und mildern.

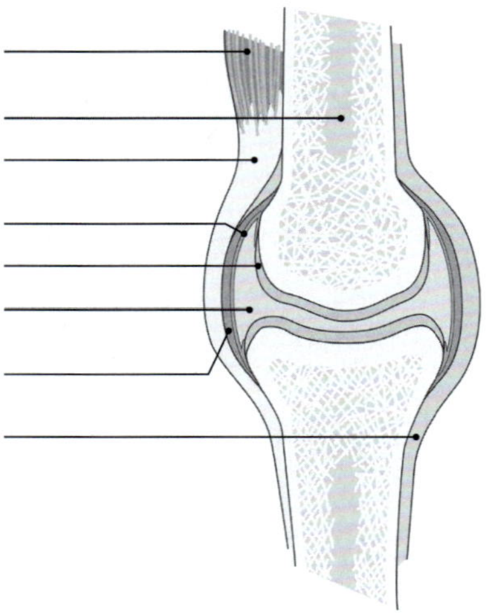

Aufgabenstellungen – „Skelett“

1. \+ Versuchen Sie, so viele Knochen wie möglich an ihrem eigenen Körper zu ertasten. Vergleichen Sie mit den Abbildungen im Buch. Wie heißen die Knochen, die Sie ertasten können?
2. ++ Färben Sie die Abbildung zum Schnitt durch ein Gelenk ein. Verwenden Sie hellbraun für den Gelenkkopf, dunkelbraun für die Gelenkpfanne, hellblau für die Gelenkknorpel, dunkelblau für die Gelenkkapsel, gelb für das Band und grün für die Schmiere.
3. ++ Drucken Sie die Abbildung des Skeletts aus der TRAUNER-DigiBox aus und färben Sie folgende Knochen ein.
   - Schlüsselbein: gelb
   - Schulterblatt: orange
   - Oberarm: hellbraun
   - Elle: rosa
   - Speiche: rot
   - Handwurzelknochen: violett
   - Mittelhandknochen: dunkelblau
   - Fingerknochen: grün
4. ++ Suchen Sie in der Abbildung des Skeletts aus der TRAUNER-DigiBox folgende Gelenke und ordnen Sie sie den drei Gelenkstypen zu.
   - Hüftgelenk
   - Fingergelenk
   - Gelenk zwischen erstem und zweitem Halswirbel

Beim Lachen werden über 300 Muskeln angespannt und wieder gelockert.

1.2 Skelettmuskulatur

Alle Bewegungsabläufe – vom Augenzwinkern bis zum Luftsprung – können nur mithilfe der Muskeln durchgeführt werden. Sogar im Schlaf sind manche Muskeln aktiv, um bestimmte lebenswichtige Körperfunktionen, wie z. B. die Atmung, aufrechtzuerhalten.

Die Skelettmuskulatur macht bis zu 45 % der Körpermasse aus.

Grundeigenschaften der Zellen der Skelettmuskulatur

Erregbar	Kontraktil	Dehnbar	Elastisch
Sie können auf Nervenreize reagieren.	Sie können sich verkürzen.	Sie lassen sich auseinander ziehen.	Sie kehren nach Dehnung oder Verkürzung in ihre ursprüngliche Ruhelage zurück.

1.2.1 Bau des Skelettmuskels

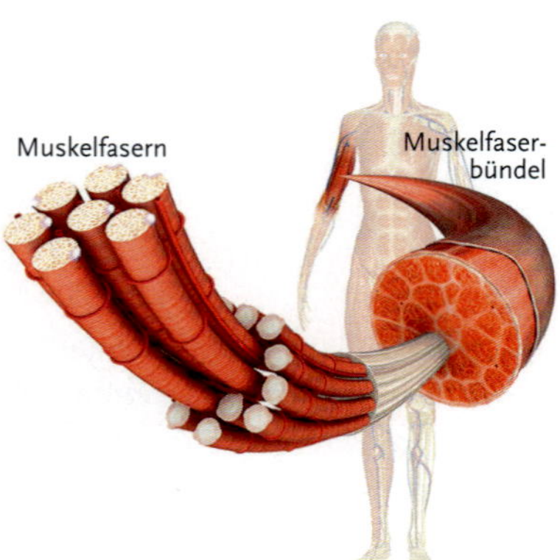

Muskelfasern und Muskelfaserbündel

Ein Skelettmuskel besteht aus zahlreichen **Muskelfasern.** Diese werden von lockerem Bindegewebe umgeben und zu Gruppen und **Bündeln** (Fleischfasern) zusammengefasst. In den Bindegewebshäuten des Muskels verlaufen **Blutgefäße** und Nerven, die den Muskel versorgen. Den ganzen Muskel überzieht eine Hülle aus straffem **Bindegewebe.**

In seiner einfachsten Form zeigt der Muskel eine spindelähnliche Gestalt mit einem Muskelbauch, der sich zu beiden Seiten hin verjüngt und in die **Sehnen** übergeht.

Damit sich ein Skelettmuskel **kontrahiert,** muss er von einer Nervenzelle einen Reiz erhalten. Kontrahieren sich viele Fasern gleichzeitig, verkürzt sich dadurch der gesamte Skelettmuskel.

kontrahieren = zusammenziehen

Nach der sogenannten **Alles-oder-nichts-Regel** kontrahiert sich jede Muskelfaser maximal, sobald ein ausreichend starker Reiz die Muskelfaser erreicht. Es gibt also keine halbe Kontraktion. Dies bedeutet aber nicht, dass sich Muskeln nicht in verschiedenem Ausmaß kontrahieren können: Da sich der Muskel aus vielen hundert Muskelfasern zusammensetzt, wird eine abgestufte Zusammenziehung erreicht, indem sich unterschiedlich viele gleichzeitig kontrahieren.

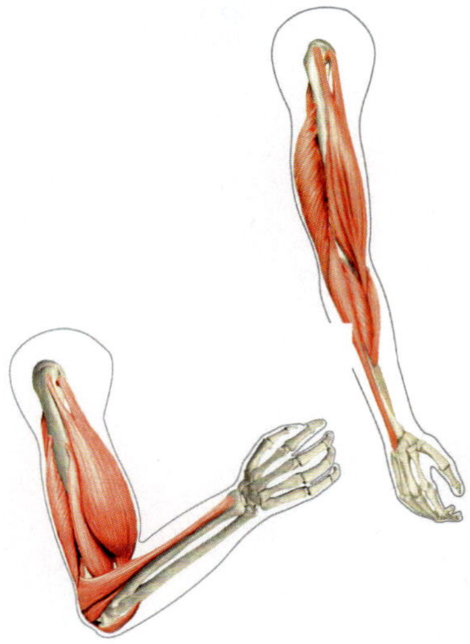

Beziehung zwischen Beuger und Strecker am Ellbogengelenk

1.2.2 Zusammenspiel der Muskeln

Zur flüssigen Ausführung der meisten Bewegungen ist das Zusammenspiel gegensätzlich wirkender Muskeln erforderlich. Ein **Spieler (Agonist)** führt eine bestimmte Bewegung aus, sein **Gegenspieler (Antagonist)** ist für die entgegengesetzte Bewegung verantwortlich (z. B. Beuger und Strecker am Ellbogengelenk).

Muskeln, die sich gegenseitig in ihrer Arbeit unterstützen, nennt man **Mitspieler (Synergisten),** wie z. B. den zweiköpfigen Armmuskel und Armbeuger.

FILM AB!

Wie das Zusammenspiel von Beuger und Strecker funktioniert, zeigt Ihnen auch folgendes Video.
www.trauner.at/nawi_v124.aspx

1.2.3 Energieversorgung der Muskeln

Muskeln benötigen Energie um arbeiten, d. h. sich kontrahieren zu können. Die universelle Energiewährung aller höheren Organismen ist das **ATP** (Adenosintriphosphat). Es treibt Stoffwechselprozesse an und liefert Energie für die Muskelkontraktion indem eine Phosphatgruppe abgespalten wird. Es entsteht das Adenosindiphospat.

ATP muss wieder erneuert werden. Die dazu notwendige Energie wird über Vorgänge der Zellatmung bereitgestellt, die nur unter Beisein von Sauerstoff ablaufen.

Informationen zum ATP (Adenosintriphosphat) und dem Energiestoffwechsel haben Sie bereits auf S. 29 ff. erhalten.

Versuch – „Muskelbewegungen"

Strecken Sie einen Arm flach aus. Formen Sie nun mit der Hand eine Faust und drücken Sie diese fest zusammen und entspannen Sie sie daraufhin wieder. Während diesen Bewegungen von Anspannung und Entspannung arbeiten nicht nur Muskeln in der Hand. Beobachten Sie an Ihrem Unterarm bzw. Oberarm des ausgestreckten Arms, welche Muskeln sich noch bewegen und somit am Zusammenziehen der Faust beteiligt sind.

ATP wird grundsätzlich auch durch einige anaerobe Vorgänge – also ohne Sauerstoff – bereitgestellt. Die aerobe Zellatmung liefert allerdings den Großteil.

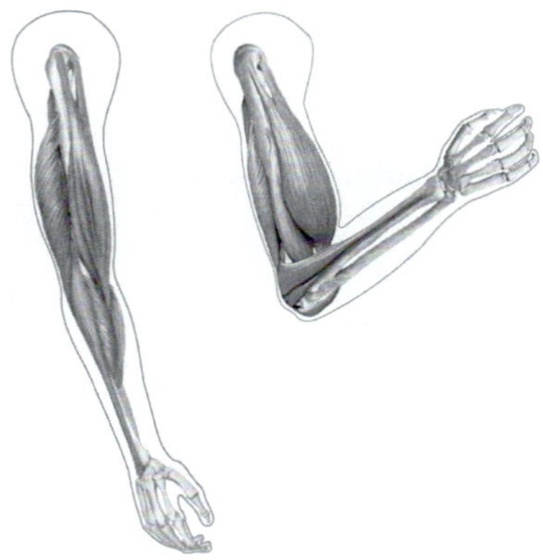

Aufgabenstellungen – „Skelettmuskulatur"

1. \+ Betrachten Sie die Abbildung zu den menschlichen Muskeln, die Sie in der TRAUNER-DigiBox finden können. Versuchen Sie, die dargestellten Muskeln an Ihrem eigenen Körper durch Anspannen und Tasten zu finden.
2. \+ Stellen Sie das Zusammenspiel der Muskeln in der Abbildung durch Anfärben dar. Verwenden Sie rot für den kontrahierten, blau für den gestreckten Muskel. Geben Sie außerdem an, bei welchem Muskel es sich um Beuger bzw. Strecker handelt.

2 Ergonomie

Unter Ergonomie versteht man die **Lehre von der Anpassung der Arbeitsbedingungen an den Menschen.**

Ziele der Ergonomie

Humane Ziele	Wirtschaftliche Ziele
Beanspruchung vermindern ■ Alle ergonomischen Erkenntnisse, die geeignet sind, dem Menschen die Arbeit zu erleichtern, sollen angewendet werden. **Unfälle vermeiden** ■ Unfallquellen sollen aufgedeckt und beseitigt werden. ■ Mitarbeiter/innen sind entsprechend zu informieren. **Freude an der Arbeit** ■ Neben der Motivation tragen die Arbeitsumgebung, die Gestaltung und der Zustand der Betriebsmittel sowie das gute Betriebsklima zur Hebung der Arbeitsfreude bei.	**Zeitrelation optimieren** ■ Mit geringstem Einsatz soll in kürzester Zeit das bestmögliche Ergebnis erzielt werden. **Betriebsmitteleinsatz optimieren** ■ Das angestrebte Ziel soll mit optimalem Einsatz verwirklicht werden. Daher wird der Arbeitsplatzgestaltung besondere Bedeutung beigemessen. **Qualität steigern** ■ Jeder Betrieb ist bestrebt, seine Leistungen ständig zu verbessern.

Diese Ziele werden erreicht durch:

- **Anpassung der Arbeit**, der Arbeitsmittel und der Arbeitsumwelt an die Eigenarten des arbeitenden Menschen durch **Industriedesign**.
- **Anpassung der Menschen** an seine Arbeitsbedingungen und Arbeitsaufgaben.
- **Schulung und Training**.

Aufgabenstellungen – „Ziele der Ergonomie"

1. \+ Erklären Sie die Aufgabe der Ergonomie in eigenen Worten und nennen Sie wesentliche humane und wirtschaftliche Ziele der Ergonomie.
2. ++ Erklären Sie, warum gerade auch der Arbeitgeber von der Gesundheit und dem Wohlbefinden seiner Mitarbeiter/innen profitiert.
3. ++ Sie sind Chef/in einer großen Firma. Formulieren Sie Ihre Möglichkeiten, die Freude an der Arbeit bei Ihren Mitarbeiterinnen/Mitarbeitern zu erhöhen.

Die **Arbeitshaltung** steht in direktem Zusammenhang mit dem Energieverbrauch. Durch nicht entsprechende Körperhaltung tritt ein Leistungsverlust ein. Der Arbeitende muss für das Arbeitsergebnis mehr Kraft als notwendig aufwenden.

Unsere einzigartige Stellung im Tierreich ist die aufrechte Haltung. Die Arme wurden vom Boden genommen, der Rumpf aufgerichtet und der Kopf gehoben, um nach Millionen von Jahren endlich aufrecht durch die Welt zu schreiten. Gemessen an dieser Zeit ist es nur ein Augenblick, in dem sich der Mensch vom Gehenden zum Stuhlsitzenden wandelte.

Wir Menschen „sitzen uns krank". Die Anzahl der Berufe, die im Sitzen ausgeführt werden, wächst stetig. Aber auch die Freizeit wird immer häufiger sitzend oder zumindest bewegungsarm verbracht, mit dem Ergebnis, dass mehr und mehr Betroffene über Rückenschmerzen klagen.

Richtiges Sitzen ist eine der wichtigsten vorbeugenden Maßnahmen bei Büro- und Bildschirmarbeit. Viele Menschen neigen bei konzentriertem Arbeiten am Schreibtisch zu einer vorgebeugten und verkrampften Haltung oder „lümmeln" gebeugt auf ihrem Stuhl. Die Bandscheiben der Wirbelsäule sind dann einseitig belastet, die Muskulatur wird schlecht durchblutet.

Über die Dauer eines Arbeitslebens betrachtet, können bei solchen Arbeitshaltungen Langzeitschäden nicht ausgeschlossen werden.

So sitzt man richtig!	
Arme und Beine bilden 90°	Dazu muss die Sitzhöhe richtig eingestellt sein.
Bürosessel vollständig ausnutzen	Sitzen Sie nicht auf der Kante des Stuhls.
Aufrecht sitzen	Rückenlehne nutzen.
Bewegung im Sitzen	Dynamische Rückenlehne bewegt und stützt gleichzeitig.
Aufstehen	Bewegen Sie sich, z. B. beim Telefonieren.
Hilfsmittel	Nutzen Sie Armlehnen, Fußstützen etc.

Aufgabenstellungen – „Arbeitshaltung"

1. ++ Wie geht es Ihnen nach einem langen Schultag? Sind Sie verspannt? Haben Sie Schmerzen? Bewerten Sie, wie Ihr Wohlbefinden mit der Arbeitsplatzbeschaffenheit bzw. mit Ihrer Sitzhaltung zusammenhängt.

2. ++ Wie sitzen Sie? Lümmeln Sie? Überlegen Sie, ob Sie Ihre Sitzhaltung verbessern können. Was können Sie machen, um Ihren Körper langfristig vor Haltungsschäden zu bewahren?

Die Lehre von den Maßen des Menschen liefert die Grundlagen für die Ergonomie. Aufgrund von Durchschnittswerten können Aussagen getroffen werden, da nur ca. 5 % aller Arbeitenden mit ihren Maßen über oder unter diesen Durchschnittswerten liegen.

Auch in der Schule wird vorwiegend im Sitzen gelernt. Versuchen Sie wenigstens in Ihrer Freizeit nicht noch mehr als notwendig vor dem Computer oder dem Fernseher weiter zu sitzen. Nutzen Sie auch in der Schule die Pausen, um sich von Ihrem Arbeitsplatz zu entfernen und Ihre Beine zu bewegen.

Beim Arbeiten am Computer verharren viele Menschen in vorgebeugter, regungsloser Haltung.

In der TRAUNER-DigiBox finden Sie Tipps zur richtigen Haltung.

Ziele erreicht? – „Stützsystem und Ergonomie“

KOMPETENZ-ERWERB

1. + Beschreiben Sie
- den Bau eines Röhrenknochens und erklären Sie daran das Knochenwachstum;
- den Unterschied zwischen festen und beweglichen Knochenverbindungen;
- den Aufbau eines Gelenks;
- den Aufbau, Funktionsweise und Eigenschaften eines Skelettmuskels;
- das Zusammenspiel von Spieler und Gegenspieler; nennen Sie ein Beispiel dafür aus der menschlichen Muskulatur.

2. + Gliedern Sie das menschliche Skelett und nennen Sie die Knochen der oberen und der unteren Extremität.

3. + Betrachten Sie die Abbildung des menschlichen Schädels.

a) Recherchieren Sie und benennen Sie die nummerierten Schädelknochen in der Grafik. Finden Sie bei Ihrer Recherche weitere Knochen des Schädels und zeigen Sie diese an einem Modell.

b) Die Schädelnähte verbinden die einzelnen Schädelknochen. Recherchieren Sie im Internet bzw. in Fachliteratur und markieren Sie die folgenden Nähte: Kranznaht, Pfeilnaht und Lambdanaht.

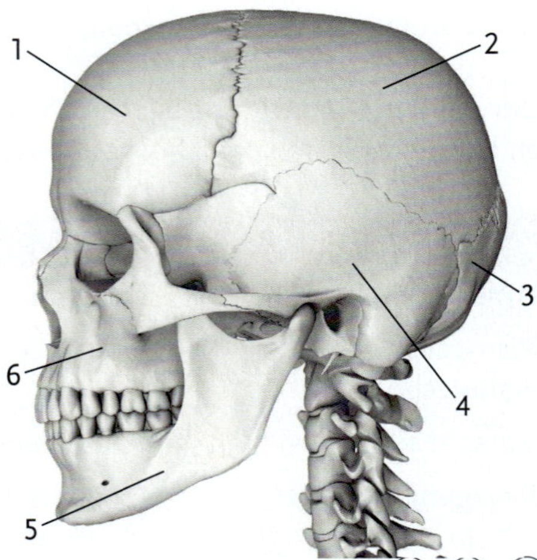

4. ++ Erläutern Sie die Vorteile eines ergonomisch gestalteten Arbeitsplatzes und nennen Sie wesentliche Punkte, die für die Arbeitsumgebung von Bedeutung sind.

5. + Betrachten Sie das Bild und überlegen Sie, welche ergonomischen Kriterien bei diesem Bildschirmarbeitsplatz erfüllt sind und welche nicht. Diskutieren Sie Ihr Ergebnis mit Ihren Mitschülerinnen und Mitschülern.

6. ++ Beschreiben Sie Ihre Beanspruchung am Arbeitsplatz zu H
Optimieren Sie Ihren Arbeitsplatz nach ergonomischen Ge

Haut

Ohne Haut können wir nicht leben. Bakterien, Viren und Pilze würden ungehindert unseren Organismus überfallen. Hitze, Kälte, Stößen, Reibung, Licht und Chemikalien wären wir hilflos ausgeliefert.

Die Haut hat mehrere Funktionen:

- **Wärmeregulation** wird durch ein kompliziertes Zusammenspiel von Haut, Blutkreislauf und Schweißdrüsen ermöglicht.
- **Stoffwechselfunktion:** Ein enges Netz an Kapillaren durchzieht die Haut. Stoffwechselprodukte und Nährstoffe werden dauernd ausgetauscht. Kohlenstoffdioxid und Stoffwechselprodukte werden über die Venen abtransportiert.
- **Sinnesfunktion:** Nervenzellen nehmen Berührungs-, Druck-, Schmerz- und Temperaturreize wahr.
- **Schutz vor** mechanischen Einflüssen, UV-Strahlen, Austrocknung, sauren und basischen Stoffen, Eindringen von Krankheitserregern.

Von den 1 440 km an Blutgefäßen im gesamten Organismus verlaufen allein in der Haut 240 km als sogenannte Kapillaren.

Kapillare = feinstes Blutgefäß, Haargefäß

160 Liter Blut werden täglich durch die Haut gepumpt, einen Liter kann sie in ihrem Gewebe speichern. Die feinen Lymphgefäße der Haut leiten pro Tag ca. zwei Liter Gewebsflüssigkeit ab.

Meine Ziele

KOMPETENZERWERB

Nach Bearbeitung dieses Kapitels kann ich

- den Aufbau und die Funktionen der Haut beschreiben;
- Hautanhangsgebilde und deren Aufgaben nennen.

Er errötete vor Scham ...
Sie erblasste vor Neid ...
Die Behauptung „Die Haut ist der Spiegel der Seele“ hat also durchaus ihre Berechtigung. Diskutieren Sie darüber mit Ihren Mitschülerinnen und Mitschülern und finden Sie noch weitere Beispiele.

Die Oberhaut ist frei von Blutgefäßen.

Die Oberhaut kann sich sehr rasch regenerieren, daher heilen oberflächliche Schürfwunden innerhalb weniger Tage ohne Narbenbildung ab.

Die pigmentbildenden Zellen können bei übermäßiger Sonnenbestrahlung selber Schaden nehmen und sich in Tumorzellen verwandeln. Es kann ein **Melanom** (Hautkrebs) entstehen.
Ein Melanom ist eine bösartige braune bis schwärzliche, an Haut und Schleimhäuten auftretende Geschwulst.

Je nach Melaninanteil der Haut werden unterschiedliche **Hauttypen** unterschieden. Zu welchem Hauttyp gehören Sie? Informationen dazu finden Sie in der TRAUNER-DigiBox.

Der Ausdruck Lederhaut kommt daher, dass von tierischen Häuten eben diese Hautschicht dazu verwendet wird, durch Gerben Leder herzustellen.

1 Aufbau der Haut

Grob unterteilt besteht die Haut aus drei Schichten: Oberhaut, Lederhaut und Unterhaut.

1.1 Oberhaut (Epidermis)

Außen bildet die **Hornschicht** die Barriere zur Außenwelt. Sie besteht aus plattenförmigen, verhornten Zellen, die allmählich absterben und in Form von Schuppen abgestoßen werden. Der Hornstoff gibt der Haut ihre Wasser abweisende Eigenschaft.

Die darunter liegende **Keimschicht** bildet durch fortlaufende Zellteilungen neue Zellen, die in Richtung Hautoberfläche geschoben werden und so die Zellen der Hornschicht ersetzen.

In den tieferen Zelllagen der Keimschicht liegen Zellen, die angeregt durch die Sonnenbestrahlung, **Melanin,** ein braunschwarzes Pigment bilden. Das Melanin gibt der Haut ihre Farbe und wirkt wie ein Sonnenschirm, der die tieferen Hautschichten vor dem gefährlichen UV-Licht schützt.

1.2 Lederhaut (Corium)

Sie ist ein dichtes Geflecht von Bindegewebe, das der Haut große Festigkeit und Elastizität verleiht.

Die Grenze zur Oberhaut ist durch kleine, zapfenartige Erhebungen, die **Lederhautpapillen,** vergrößert. Die Papillen sind in ganz bestimmten genetisch festgelegten Linien angeordnet, die an der Oberhaut als Hautleisten in Erscheinung treten. So hat jeder Mensch seine individuelle Hautstruktur, die sich u. a. in der Unverwechselbarkeit der **Fingerabdrücke** äußert.

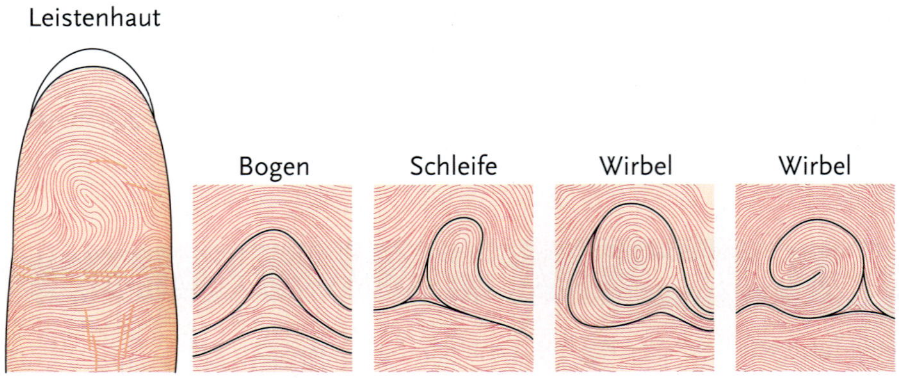

Die Oberhaut der Hand- und Fußflächen weist typische Leisten auf. Diese individuell stark verschiedenen Reliefstrukturen lassen sich automatisch auswerten und dienen zur Identifikation von Personen.

In der Lederhaut liegen die meisten Sinnesrezeptoren, z. B. Tastkörperchen und freie Nervenendigungen zur Schmerzempfindung.

1.3 Unterhaut (Subcutis)

Sie besteht aus lockerem Bindegewebe, in das Fettzellen eingelagert sind. Dadurch ergibt sich zu den tiefer gelegenen Organen, vor allem den Muskeln, eine leicht verschiebbare Verbindung. Das eingelagerte Fett dient als Stoßpuffer, als Kälteschutz und als Energiespeicher.

Das Unterhautgewebe ist dicht mit Nervenfasern durchsetzt.

2 Hautanhangsgebilde

Haare sind Hornfäden, die in einer Oberhauttasche tief in die Unterhaut eingesenkt sind.

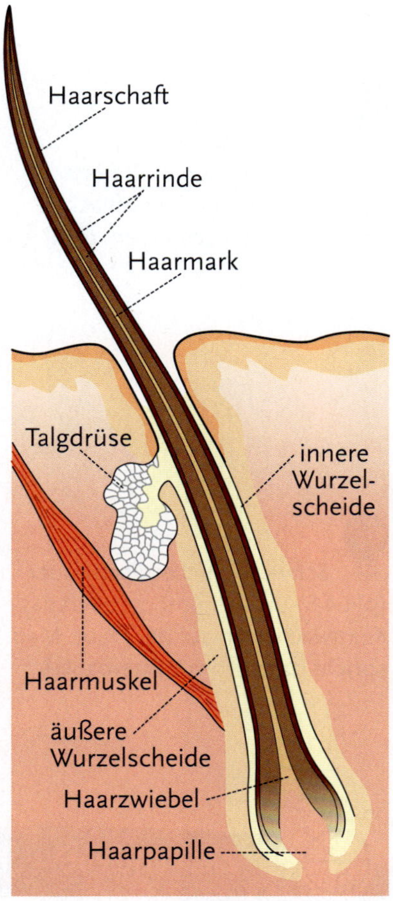

Schnitt durch eine Haarwurzel

Die **Haarpapille** enthält viele Blutgefäße und versorgt das wachsende Haar mit Nahrung. Das Haar wächst um etwa 0,4 mm pro Tag. Die Haarfarbe wird vom Melaningehalt in den verhornten Zellen bestimmt. Eine verminderte Melaninproduktion und gleichzeitig Lufteinschlüsse im Haarschaft sind für die Graufärbung der Haare verantwortlich.

Talg wird in **Talgdrüsen** gebildet. Er bewahrt das Haar vor Austrocknung und erhält die Haut geschmeidig. Zudem verhindert Talg eine übermäßige Wasserverdunstung und das Wachstum bestimmter Bakterien.

Aufgabenstellung – „Hautanhangsgebilde"

- \+ Recherchieren Sie, welche Haar- bzw. Hautpflegeprodukte die natürliche Talgproduktion nicht stören. Denken Sie an die Entstehung von Schuppen bzw. fetten Haaren.

Durch Nervennetze um die Haarzwiebel sind die Haare auch an der **Tastempfindung** beteiligt.

Wie entsteht die Gänsehaut?
Entlang des Haarbalges verläuft ein Bündel von glatten Muskelzellen. Bei Kälte oder Stress ziehen sich die Muskelfasern zusammen und stellen so die Körperhaare senkrecht.

Nägel bestehen aus besonders dicht gepackten, harten, verhornten Zellen der Oberhaut. Sie sind in eine Vertiefung der Lederhaut, das Nagelbett, eingesenkt. Zu den Funktionen der Nägel gehören:

- Erleichterung beim Ergreifen kleiner Gegenstände
- Verhinderung von Verletzungen an den Finger- und Zehenenden
- Hilfsmittel für das Tastgefühl

Wussten Sie, dass ...
die Schweißdrüsen im Bereich der Stirn sowie der Handflächen und Fußsohlen besonders dicht liegen?

Schweiß ist chemisch sauer (pH 4,5) und hemmt dadurch das Keimwachstum auf der Haut. Man spricht daher vom **Säuremantel.**

Schweißdrüsen verteilen sich über die ganze Körperoberfläche. Der Schweiß ist eine Mischung aus Wasser, Salz, Harnstoff, Harnsäure, Ammoniak, Milchsäure und Ascorbinsäure (Vitamin C), wodurch er eine Bedeutung in der **Ausscheidung von Stoffwechselendprodukten** erlangt.

Die wichtigste Aufgabe des Schweißes ist aber die **Regulation der Körpertemperatur.** Die zum Verdunsten des Schweißes notwendige Energie wird der Körperoberfläche entzogen, wodurch sie abkühlt.

Riecht Schweiß?
Frischer Schweiß auf sauberer Haut ist zunächst völlig geruchsfrei, denn Schweiß besteht zu 99 % aus Wasser. Der Rest beinhaltet vorwiegend Salze. Schweiß riecht erst dann, wenn die auf der Haut vorhandenen Bakterien den Schweiß – nach ca. drei bis vier Stunden – zu zersetzen beginnen.

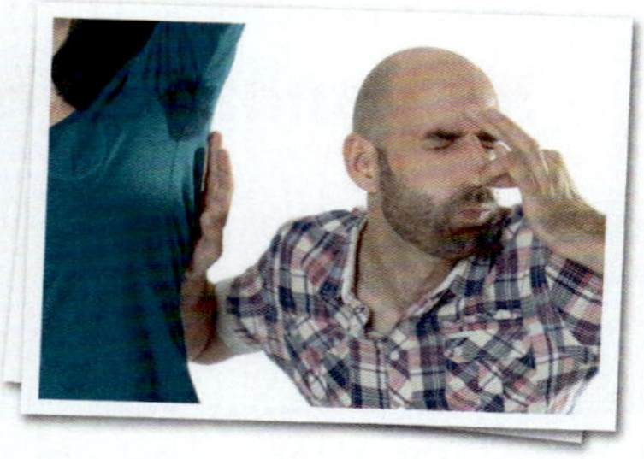

Ziele erreicht? – „Haut“

KOMPETENZ-ERWERB

1. + Erläutern Sie die wesentlichen Funktionen der Haut.

2. + Beschreiben Sie den Aufbau der menschlichen Haut.

3. + Nennen Sie die Hautanhangsgebilde und deren Aufgaben.

4. + Kreuzen Sie die richtige Aussage an.
- ☐ Haare sind Hornfäden, die in einer Oberhauttasche eingesenkt sind.
- ☐ Aufgabe des Schweißes ist die Regulation des Blutkreislaufs.
- ☐ Die Graufärbung der Haare ist auf ein graues Farbpigment zurückzuführen.
- ☐ Melanin schützt die tieferen Hautschichten vor dem gefährlichen UV-Licht.

5. + Lesen Sie den Text und tragen Sie die zur Auswahl stehenden Wörter richtig in die Lücken ein.

Oberhaut ■ Hautkrebs ■ Blasenbildung ■ lange ■ Kleidung ■ Sonnencreme ■ Rötung ■ Lichtschutzfaktor ■ UV-Strahlen ■ Lederhaut

Treffen ______________ auf die Haut, so werden zuerst die Zellen der ______________ geschädigt. Wir bekommen einen Sonnenbrand mit ______________ oder sogar mit ______________. Gelangen die UV-Strahlen tiefer in die ______________, verändern sie die Hautzellen derart, dass sie sich unkontrolliert vermehren. Es entsteht ______________. Deshalb sollte man sich in der Sonne mit ______________ mit hohem ______________ schützen. Außerdem sollte man sich nicht zu ______________ und nicht ohne schützende ______________ in der Sonne aufhalten.

Going international

Now let's use the basics of the chapter "Organsysteme des Menschen" in English!

Exercise 1

Name the following human organs and describe their functions.

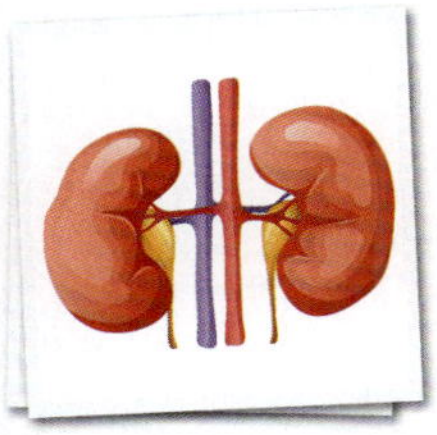
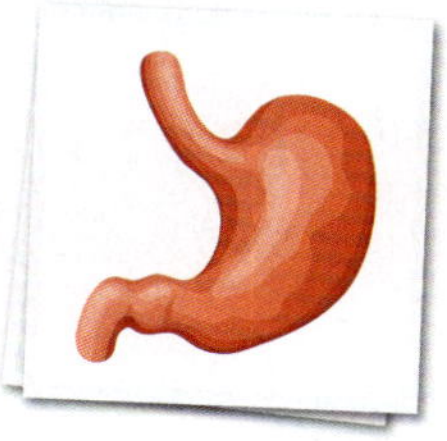
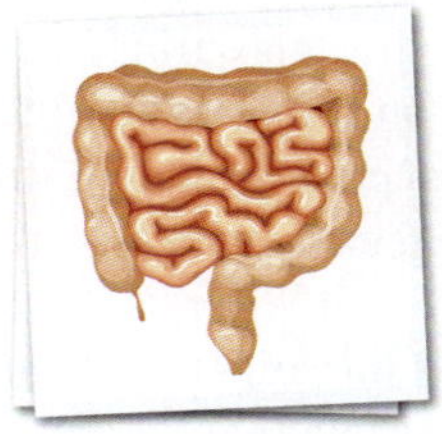
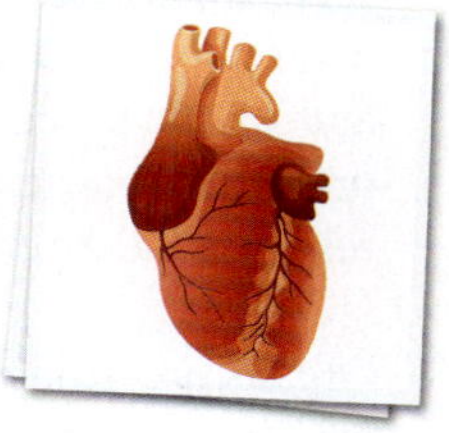

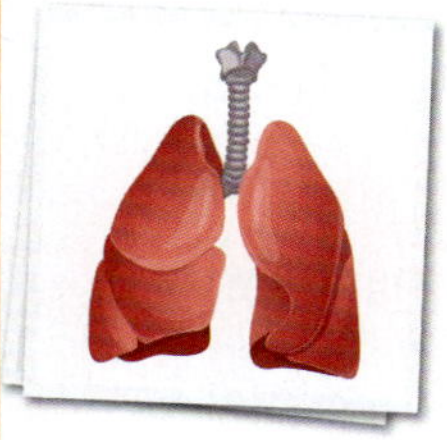
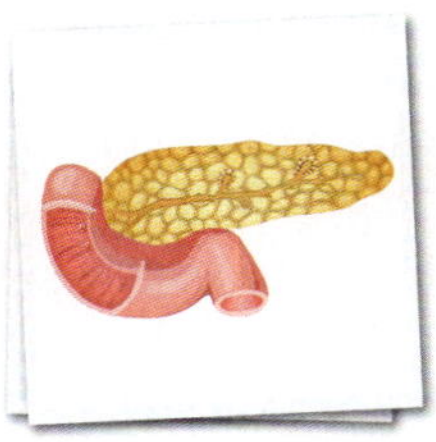
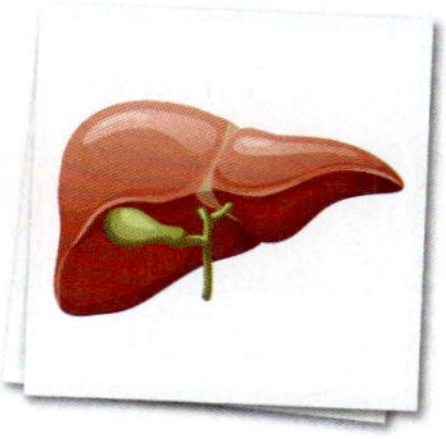
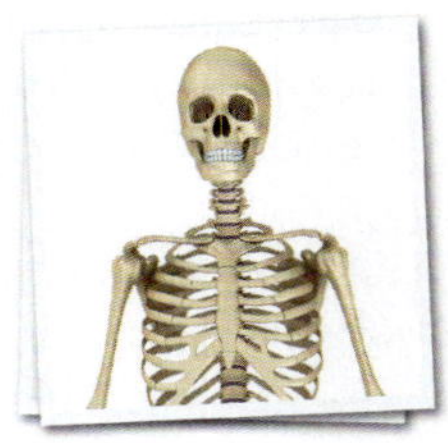

Exercise 2

If air and/or other gases are inhaled into the lungs, the process is called inhalation or inspiration. The air has to travel quite a distance from the mouth or the nose before the oxygen is able to be absorbed into the bloodstream in the lungs.

Research all the parts of the respiratory tract to understand the way of air breathed into the lungs.

Then find all of the necessary organs in the illustration below.

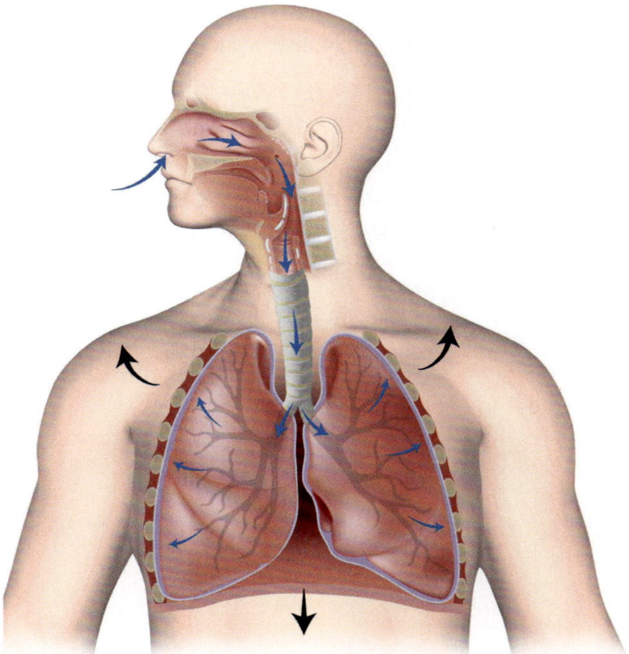

colon
Darm

heart
Herz

kidneys
Nieren

liver
Leber

lung
Lunge

muscoskeletal system
Stütz- und Bewegungsapparat

pancreas
Bauchspeicheldrüse

stomach
Magen

Write down the words that you need to look up below.

Exercise 3

Read the following article about human organ systems and answer the questions below.

Organs and organ systems

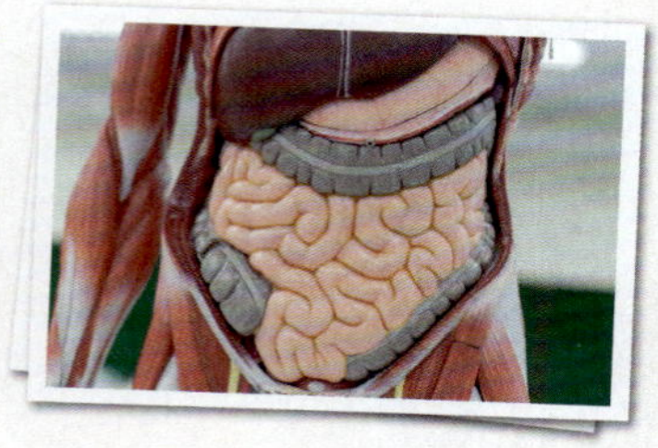

Organs, such as the heart, the lungs, the stomach, the kidneys, the skin, and the liver, serve a particular function. For example, the heart pumps blood, the lungs bring in oxygen and eliminate carbon dioxide, and the skin provides a barrier to protect internal structures from the external environment.

Organs are grouped into organ systems, in which they work together to carry out a particular function for the organism. For example, the heart and the blood vessels make up the cardiovascular system. They work together to circulate the blood, bringing oxygen and nutrients to cells throughout the body and carrying away carbon dioxide and metabolic wastes. Another example is the respiratory system, which brings oxygen into the body and gets rid of carbon dioxide. It includes the nose, mouth, throat, trachea, and lungs.

Although we often talk about the different organ systems as though they were distinct, parts of one system may play a role in another system. The mouth, for instance, belongs to both the respiratory system and the digestive system.

There is also a lot of functional overlap among the different systems. For instance, while we tend to think of the cardiovascular system as delivering oxygen and nutrients to cells, it also plays a role in maintaining temperature. The blood also transports hormones produced by the glands of the endocrine system, and white blood cells are a key component of the immune system.

Just like workers on an assembly line, the organs of an organ system must work together for the system to function as a whole. For instance, the function of the digestive system—taking in food, breaking it down into molecules small enough to be absorbed, absorbing it, and eliminating undigested waste products—depends on each successive organ doing its individual job.

(Source: khanacademy.org, 20 February 2019)

a) Which organs are listed in the article and what are their functions?

b) Organs do not only belong to one organ system but sometimes even two or more. Which organs does the article present as examples for being parts of multiple systems?

c) What are the individual jobs of the digestive system? Assign at least one organ to each of the jobs mentioned.

IV Humanökologie

Die Themen der Humanökologie sind die Beziehungen des Menschen zu seiner natürlichen Umwelt.

Gesundheit und Krankheit

Wenn wir in geselliger Runde das Glas erheben und uns zuprosten, sagen wir oftmals: „Auf deine Gesundheit!" Wieso eigentlich?

Ist körperliches Wohlbefinden keine Selbstverständlichkeit mehr? Ist unsere Umwelt so sehr mit Schadstoffen belastet, dass unsere Gesundheit darunter leidet? Lassen Freizeitstress, Leistungsdruck und Ähnliches keine Ruhephasen mehr zu, sodass wir andere Ventile wie Krankheit oder Suchtmittel suchen, um endlich abschalten zu können?

Meine Ziele

Nach Bearbeitung dieses Kapitels kann ich

- einige Funktionsstörungen und Defekte des menschlichen Körpers nennen;
- die Entstehung, Vermeidung bzw. Behandlung von Infektionskrankheiten beschreiben;
- Infektionskrankheiten benennen und erkennen;
- die wichtigsten Zivilisationskrankheiten beschreiben;
- erklären, wie es zu Störungen des Haltungs- und Bewegungsapparates kommen kann;
- Maßnahmen zur Vorbeugung von Krankheiten vornehmen.

1 Funktionsstörungen und Defekte

1.1 Erbkrankheiten

Fehlerhafte Gene, von einem oder beiden Elternteilen an das Kind weitergegeben, sind die Ursache von Erbkrankheiten, die von Generation zu Generation auftreten können, oft aber auch über längere Zeit latent bleiben.

latent = nicht in Erscheinung tretend

Es ist außerordentlich schwierig, Erbkrankheiten in den Griff zu bekommen, denn sie treten durch **Genmutation** immer wieder neu auf, oftmals machen sie sich auch erst in einem Lebensabschnitt bemerkbar, in dem bereits Kinder gezeugt wurden, oder sie sind über mehrere Generationen latent.

Sind in der Familie bereits vererbbare Störungen aufgetreten, ist eine Untersuchung und genetische Beratung unbedingt empfehlenswert.

Beispiele für Erbkrankheiten
Bluterkrankheit (wird nur über das X-Chromosom vererbt), Chorea Huntington („Veitstanz“)

1.2 Angeborene Missbildungen

Während der Schwangerschaft kann es zu einer Reihe von **Fehlbildungen am Embryo sowie am Fetus** kommen.

Ursachen für Fehlbildungen während der Schwangerschaft

Entwicklungsstörungen beim Embryo	Äußere Einflüsse
Beispiele Hasenscharte, Wolfsrachen, Wasserkopf, verschiedene Herzfehler	**Beispiele** Krankheit oder Unfall der Mutter, Medikamenten-, Alkohol-, Nikotin- und Drogenmissbrauch

So führt eine Rötelerkrankung der Mutter in den ersten Monaten der Schwangerschaft fast immer zu schweren Schäden an Gehirn, Sehkraft oder Gehör. Ein schwieriger Geburtsverlauf mit unzureichender Sauerstoffversorgung, Blutungen in der Plazenta oder der Einsatz einer Zange kann Gehirnschäden verursachen und in schweren Fällen zum Tod fuhren.

1.3 Mangelkrankheiten und Resorptionsstörungen

Das langfristige **Fehlen unentbehrlicher Vitamine und Mineralstoffe** in der Nahrung führt zu schweren organischen Störungen.

Beispiele für Vitaminmangelkrankheiten
- **Rachitis:** Knochenerweichung durch Vitamin-D-Mangel
- **Skorbut:** Bei schwerem Vitamin-C-Mangel
- **Beriberi:** Entsteht durch einen langfristigen Mangel an Vitamin B_1

Wussten Sie, dass ...
die Gefahr für Beriberi besonders groß ist, wenn die Nahrung hauptsächlich aus Weißmehl oder geschältem Reis besteht?

Akute Unterernährung bei Säuglingen bis zu 18 Monaten hat Störungen der geistigen Entwicklung zur Folge, die irreversibel sind.

Treten akute Mangelerscheinungen trotz ausgewogener Kost auf, sind diese sehr häufig auf **Resorptionsstörungen** (z. B. Zöliakie) zurückzuführen.

Zöliakie = Unverträglichkeit gegenüber Gluten (Getreideeiweiß). Gluten schädigt die Darmschleimhaut, die Aufnahme anderer Nährstoffe wird dadurch eingeschränkt.

1.4 Geschwülste (Tumore)

Geschwülste entstehen durch überschießendes Zellwachstum, dessen Ursache oft unbekannt ist. Der Begriff Tumor umfasst viele Arten von Geschwülsten, von der harmlosen Warze bis hin zum tödlichen Krebs.

Myom = Muskelgeschwülste in der Gebärmutter

Sarkom = Wucherungen des Bindegewebes

Einteilung von Geschwülsten

Gutartige Geschwülste	Bösartige Geschwülste
Beispiele Warzen, Muttermale, Myome, Polypen	**Beispiele** Sarkome, Karzinome

Karzinome (Wucherungen des Deckgewebes) wachsen im Allgemeinen außerordentlich rasch und zerstören umliegendes Gewebe. Ist die bösartige Geschwulst noch auf einen operativ zugänglichen Körperbereich beschränkt, kann sie chirurgisch entfernt, durch Bestrahlung oder Chemotherapie bekämpft und zerstört werden. Haben sich die Krebszellen aber bereits über Blut und Lymphbahnen ausgebreitet (d. h. Metastasen gebildet), ist die Heilungschance sehr gering.

Aufgabenstellung – „Funktionsstörungen und Defekte"

■ + Ordnen Sie jeder Kategorie die richtigen Beispiele zu.

Erbkrankheit	Skorbut
Angeborene Missbildung	Muttermal
Mangelkrankheit	Chorea Huntington
Geschwulst (Tumor)	Herzfehler

2 Infektionskrankheiten

Infektionskrankheiten sind durch **folgende Eigenschaften** charakterisiert:
- Sie werden durch kleinste belebte Krankheitserreger hervorgerufen.
- Sie sind ansteckend bzw. ihre Krankheitserreger übertragbar.
- Sie können Seuchen (Epidemien) verursachen.
- Sie laufen meist in drei Stadien ab.

Stadien bei Infektionskrankheiten

Inkubationsstadium	Generalisationsstadium	Organmanifestationsstadium
Dauert vom Beginn der Infektion bis zum Ausbruch der Krankheit.	Dauert vom Beginn der allgemeinen Krankheitszeichen (z. B. Fieber) bis zum Ausbruch der besonderen Krankheitszeichen (z. B. Hautausschlag).	Dauert so lange, wie das für die jeweilige Infektionskrankheit typische Organ verändert ist.

2.1 Erreger

2.1.1 Bakterien

Den Hauptanteil der Krankheitserreger stellen die Bakterien. Viele von ihnen sind als Dauerbewohner des menschlichen Körpers unentbehrlich. Wechseln sie den Standort, dann können auch sie krankheitserregend wirken. Im Allgemeinen werden Bakterien erst aktiv, wenn die Abwehrkräfte des Organismus geschwächt sind.

Beispiel für von Bakterien verursachte Krankheiten
Magengeschwüre (*Heliobacter pylori*), Cholera (*Vibrio cholerae*)

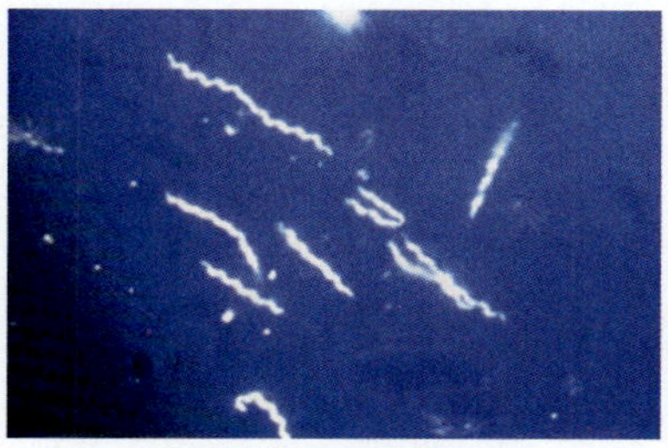

Die schraubenförmigen Borrelien sind Bakterien, die beim Menschen Rückfallfieber sowie Borreliose auslösen. Übertragen werden Sie auf den Menschen z. B. durch Zecken.

Wussten Sie, dass ...
das Bakterium *Escherichia coli* (*E. coli*) im Dickdarm Vitamin K produziert?

2.1.2 Viren

Sie sind wesentlich kleiner als Bakterien und nur unter dem Elektronenmikroskop sichtbar. Sie besitzen die Fähigkeit, sich mithilfe fremder Zellen zu vermehren, wobei die Zelle selbst meist zugrunde geht.

Beispiele für von Viren versursachte Krankheiten
Grippe (Influenza), Aids (HI-Virus), Herpes, Hepatitis, Hirnhautentzündung (FSME), Ebola, Gelbfieber

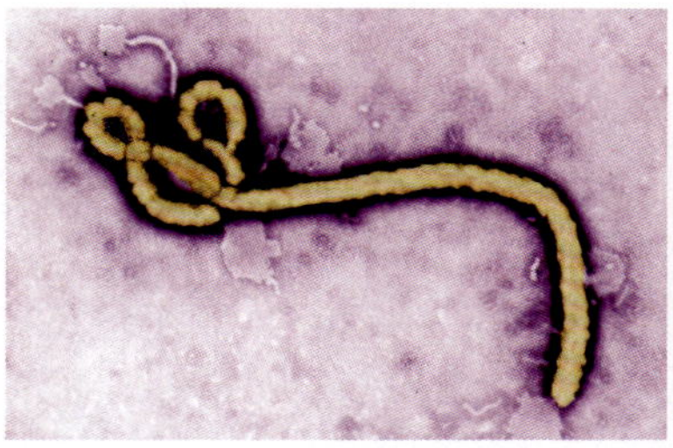

Ebolavirus unter dem Elektronenmikroskop

2.1.3 Pilze

Pilze schaden den Menschen auf verschiedene Art und Weise:
- **Indirekt,** indem sie die Ernte verderben und zerstören, was wiederum zu Mangelernährung und Hungersnöten führt.
- Durch die Produktion und **Freisetzung von Sporen,** die als Allergene wirken und zu Atembeschwerden und Asthma führen.
- Durch die **Bildung von Pilzgiften,** die durch die Aufnahme von winzigen Giftmengen bzw. kontaminierter Lebensmittel zu Pilzvergiftungen führen.
- Durch **Eindringen in menschliches Gewebe.**

Beispiele für von Pilzen verursachte Krankheiten
Fußpilz, Atembeschwerden durch giftige Sporen von Schimmelpilzen

Schimmelpilze an Mauern und Decken können giftige Sporen produzieren, die zu Atembeschwerden führen.

2.1.4 Parasiten

Parasiten leben teilweise oder ganz **auf Kosten eines Wirts.**

Unterscheidung von vielzelligen Parasiten

Außenparasiten	Innenparasiten
Schmarotzen von außen.	Sitzen im Inneren des Wirtskörpers.
Beispiele Zecke, Floh, Laus, Milbe	**Beispiele** Bandwurm, Madenwurm, Trichinen

Protozoen hingegen sind **einzellige Parasiten,** die v. a. für die Ausbreitung zahlreicher Tropenkrankheiten, wie Malaria und Amöbenruhr, verantwortlich sind.

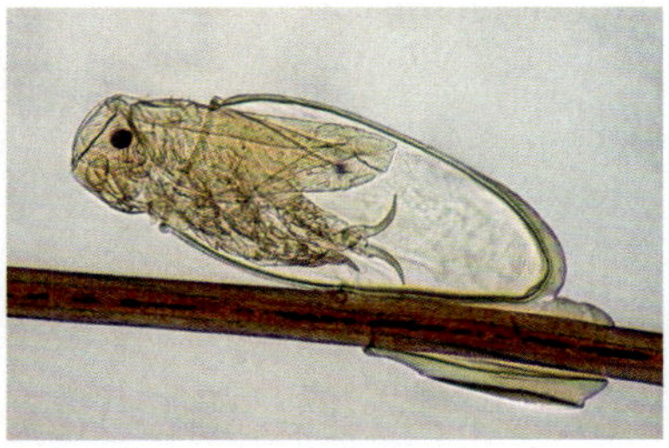

Eier der Kopfläuse, sogenannte Nissen, werden von den Läusen an die Haarwurzel zementiert. Hier schlüpft gerade eine Laus aus der Nisse.

2.2 Ansteckungsarten

Sie sind unterschiedlich und hängen von der Lebensfähigkeit der Erreger in der Außenwelt ab.

2.2.1 Direkte Ansteckung von Mensch zu Mensch

Sie erfolgt meistens durch Erreger, die in der Außenwelt rasch absterben, und zwar durch Berührung des Kranken, durch keimbeladene Tröpfchen aus dem Atmungstrakt des Kranken, durch infiziertes Blut und andere Körperflüssigkeiten.

Bei Untersuchungen werden Einmalhandschuhe verwendet, um eine Infektion auf medizinisches Personal sowie von einer zu behandelnden Person auf die nächste zu verhindern.

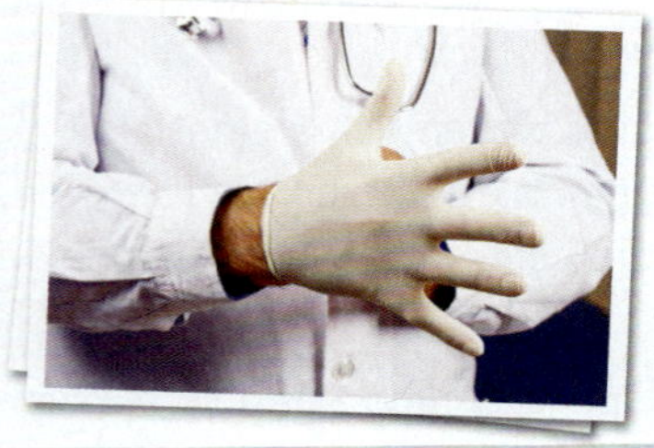

Beispiele für Krankheiten der direkten Ansteckungsart
Schnupfen, Grippe, Windpocken, Aids

2.2.2 Indirekte Ansteckung von Mensch zu Mensch

Sie findet statt, wenn die **Keime in der Außenwelt lebensfähig** sind. Überwiegend kommt die Ansteckung hier durch Gegenstände, die durch Absonderungen oder Ausscheidungen von Kranken verschmutzt sind (Wäsche, Geschirr, Spielzeug), oder durch Stoffe, die durch Ausscheidungen verunreinigt sind (Wasser und Nahrungsmittel), zustande.

Beispiele für Krankheiten der indirekten Ansteckungsart
Typhus, Cholera, Kinderlähmung

Wussten Sie, dass ...
Toxoplasmose eine von Protozoen ausgelöste Infektionskrankheit ist, die vor allem Katzen betrifft, jedoch auch Menschen befallen kann? Normalerweise verläuft eine Infektion ohne große Auswirkungen, bei der Infektion eines ungeborenen Kindes kann die Toxoplasmose jedoch zu Fehlbildungen führen!

2.2.3 Ansteckung über den Mutterkuchen

Auf diesem Weg gelangen die Erreger mit dem mütterlichen Blut zum ungeborenen Kind.

Beispiele für Krankheiten mit einer Infizierung über den Mutterkuchen
Syphilis, Toxoplasmose, Aids

2.2.4 Ansteckung durch Tiere

Reservoir = Speicher(-becken), Vorrat

Die Keime haben ihr Reservoir in Tieren. Die Ansteckung kann direkt oder indirekt erfolgen. Der Weg der Übertragung eines Keims von einem Wirt auf einen anderen nennt man **Infektkette.** Bei einer Übertragung von Tiererregern auf den Menschen endet diese meist im Menschen wie in einer Sackgasse.

Beispiele für Erreger, die von Tieren übertragen werden
Rinderbandwurm, Salmonellen

2.2.5 Ansteckung durch tierische Zwischenwirte

Als übertragende Zwischenwirte sind Insekten oder Milben tätig, in denen sich die Erreger vermehren und/oder entwickeln. So gelangen bei der Infektion große Mengen von Krankheitserregern und deren Gifte in den Menschen. Auf diese Weise entstehen nicht ansteckende, sondern nur übertragbare Infektionskrankheiten.

Beispiel für durch Zwischenwirte übertragene Krankheiten
Malaria, FSME (Frühsommer-Gehirnhautentzündung)

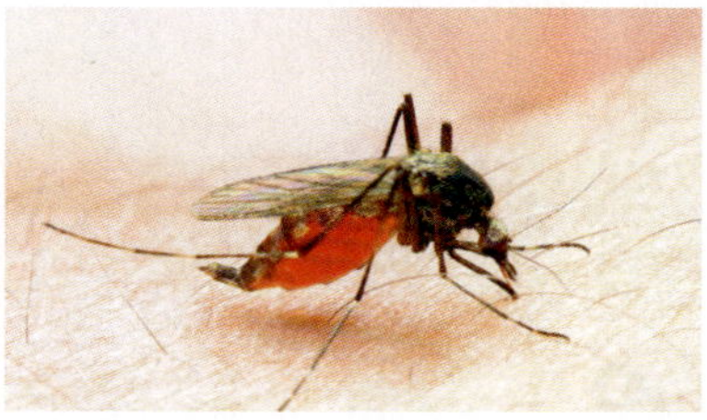

Der Erreger der Malaria wird durch die Anopheles-Mücke übertragen.

2.3 Vorbeugung und Behandlung

„So viele verschiedene Krankheiten, mit denen man sich infizieren kann!", wundert sich Ralf. „Aber sicher gibt es Möglichkeiten, sich schon vorbeugend vor einer Ansteckung zu schützen."

Nach Herz- und Kreislauferkrankungen sowie krebsartigen Leiden sind Infektionskrankheiten die häufigste Ursache für Todesfälle.

Eine große Gefahr dieser Krankheiten geht von seuchenartigen Ausbreitungen aus sowie von den selbst nach Überstehen der eigentlichen Erkrankung häufig zurückbleibenden schweren Körperschäden.

Beispiele für Körperschäden nach einer Infektionskrankheit
Herzleiden, Lähmungen, Erblindung

Bekämpfung von Infektionskrankheiten

Vorbeugung	Absonderung Erkrankter	Allgemeine Hygiene	Ärztliche Behandlung
Beispiel Impfung	**Beispiel** Kein direkter Kontakt zu anderen Personen	**Beispiel** Häufiges Waschen der Hände	**Beispiel** Medizinische Untersuchung und Versorgung

Wussten Sie, dass ...
Klima- und Ernährungsumstellungen die Abwehrkräfte des Organismus schwächen? Auf ungewohnte Erreger reagiert er zudem nicht in ausreichendem Maße. Es ist daher bei Auslandsreisen ratsam, bestimmte Empfehlungen zur Hygiene zu beachten (z. B. Obst vorher zu schälen), für leichtere Infekte Medikamente mitzunehmen und sich vor Fernreisen unbedingt impfen zu lassen.

Aufgabenstellungen – „Infektionskrankheiten"

1. \+ Nennen Sie die unterschiedlichen Erreger für Infektionskrankheiten und geben Sie jeweils Beispiele für durch diese verursachte Krankheiten an.
2. \+ Führen Sie unterschiedliche Arten der Ansteckung bei Infektionskrankheiten an.

Will man die Entstehung von Infektionsherden verhindern, ist Hygiene im privaten und öffentlichen Bereich oberstes Gebot (z. B. Abwasser- und Abfallbeseitigung, regelmäßiges Händewaschen, Desinfektion von Krankenzimmern, Vernichtung schmutzigen Verbandszeugs).

Wussten Sie, dass ...
Herz- und Kreislauferkrankungen die Todesursache Nr. 1 in Österreich sind?

Näheres zum Blutdruck haben Sie bereits auf S. 80 ff. erfahren.

Schon eine Gewichtsreduktion um 10 kg kann eine Blutdrucksenkung von 10 mmHg bewirken. Allerdings sind diese Erfolge nicht bei allen Patientinnen/Patienten zu beobachten.

Symptome wie Kopfschmerz und Schwindel können natürlich auch eine Reihe von anderen Ursachen haben und lassen nicht automatisch auf Bluthochdruck schließen.

3 Blutkrankheiten und Erkrankungen des Herz-Kreislauf-Systems

3.1 Bluthochdruck (Hypertonie)

Bluthochdruck zählt zu den häufigsten Beschwerden des Herz-Kreislauf-Systems. Arteriosklerose und Bluthochdruck erhöhen das Herzinfarkt- und Schlaganfallrisiko stark. Aus diesem Grund sollte zu hoher Blutdruck auf alle Fälle behandelt werden.

Optimale Blutdruckwerte liegen bei **120 : 80 mmHg.** Als normal gelten Werte von 130 : 85 mmHg. Der höhere Wert ist der systolische (bei Kontraktion der Herzkammer), der niedrigere Wert der diastolische (wenn das Herzmuskel erschlafft und die Herzkammer sich mit Blut füllt).

Klassifikation von Blutdruckbereichen

Klassifikation	systolisch (mmHg)	diastolisch (mmHg)
Optimal	<120	<80
Normal	<130	<85
Milde Hypertonie (Schweregrad 1)	140–159	90–99
Mittelschwere Hypertonie (Schweregrad 2)	160–179	100–109
Schwere Hypertonie (Schweregrad 3)	ab 180	ab 110

Als Therapie bieten sich verschiedene Maßnahmen an. Behandlungsziel ist ein systolischer Wert von unter 140 mmHg, der diastolische Wert sollte unter 90 mmHg liegen.

Viele Personen benötigen für eine effektive Blutdrucksenkung eine **medikamentöse Therapie**. Aber auch durch andere Maßnahmen kann man den Blutdruck reduzieren.

Beispiele für einfache Maßnahmen zur Blutdrucksenkung
Gewichtsnormalisierung, regelmäßige körperliche Aktivität

Weiters sollten Menschen mit erhöhtem Blutdruck salzarm essen, wenig Alkohol trinken und nicht rauchen, da sich die gefäßverengende Wirkung des Nikotins bei diesen Personen besonders fatal auswirkt – ihr Herzinfarktrisiko steigt deutlich an.

Wer sich Sorgen über seinen Blutdruck macht, dem ist eine **Blutdruckmessung** zu empfehlen. Zu hoher Blutdruck macht nämlich häufig keine Beschwerden. Warnhinweise können Kopfschmerzen, Schwindel und Nasenbluten sein, allerdings haben nicht alle Personen diese Symptome.

3.2 Arteriosklerose (Arterienverkalkung)

Arteriosklerose ist die häufigste Erkrankung der Arterien. An der Arterieninnenwand entstehen Wucherungen aus Bindegewebe. In diese lagern sich Cholesterin, Fettsäuren und Kalk ein. Dadurch verdicken und verhärten die Gefäßwände („Verkalkung"). Sie verlieren ihre Elastizität und der Hohlraum (Lumen) verengt sich zunehmend. Das Blut kann somit nicht mehr ungehindert fließen.

Bildung von Arteriosklerose

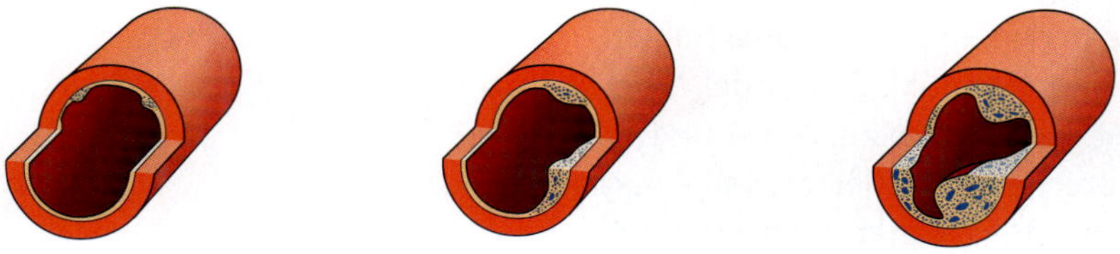

Erste Ablagerungen bilden sich.	Bindegewebe wuchert mit der Zeit über diese und weitere Ablagerungen.	Aufgrund von ausgeprägten Gefäßverengungen sind Auswirkungen zu erwarten.

Arteriosklerose ist ein natürlicher Alterungsprozess. Sie kann jedoch durch einige Risikofaktoren gefördert werden und dadurch bereits in jüngeren Jahren auftreten.

Je unelastischer die Blutgefäße sind, desto eher können sie bei Bluthochdruck platzen. Ein häufigeres Problem ist jedoch der zu geringe Gefäßhohlraum. Je geringer er ist, desto leichter können die Arterien durch ein Blutgerinnsel verstopft werden. Ist das Blutgefäß völlig verschlossen, spricht man von einer **Thrombose.**

Befindet sich das Blutgerinnsel in den Herzkranzgefäßen, spricht man von einem **Herzinfarkt,** verstopft es ein wichtiges Blutgefäß im Gehirn, von einem **Schlaganfall.** Wird ein Blutgerinnsel von seinem Bildungsort mit dem Blut weggeschwemmt und setzt es sich an einem anderen Ort fest, spricht man von einer **Embolie.**

Ablauf einer Thrombose
Der Grund für ein Blutgerinnsel in einer Vene, die wegen des großen Hohlraums nicht so verstopfungsgefährdet ist, ist der starke Abfall der Blutflussgeschwindigkeit. Je langsamer das Blut fließt, desto leichter kann es verklumpen, wie z. B. bei bettlägrigen Patienten oder Menschen, die durch ein Gipsbein oder aus anderen Gründen in der Bewegung eingeschränkt sind.

3.3 Angina pectoris

Sind die **Herzkranzgefäße verengt,** bekommt das Herz zu wenig Blut und somit auch zu wenig Sauerstoff zugeführt.

Typisch für Angina pectoris sind **dumpfe, krampfartige Schmerzen in der Herzgegend,** die auch in den linken Arm ausstrahlen können (ganz selten in den rechten Arm). Begleitet werden die Schmerzen meist von einem Gefühl der Enge und Beklemmung, auch Todesangst kann auftreten.

Glauben Sie, dass Nikotinpflaster und -kaugummi das Risiko von Herz- und Kreislauferkrankungen erhöhen? Diskutieren Sie mit Ihren Kolleginnen und Kollegen.

Risikofaktoren für Arterienverkalkung
- Fettreiche Ernährung
- Nikotin (Rauchen)
- Bluthochdruck
- Diabetes
- Chronische Entzündungen
- Hormone der Antibabypille

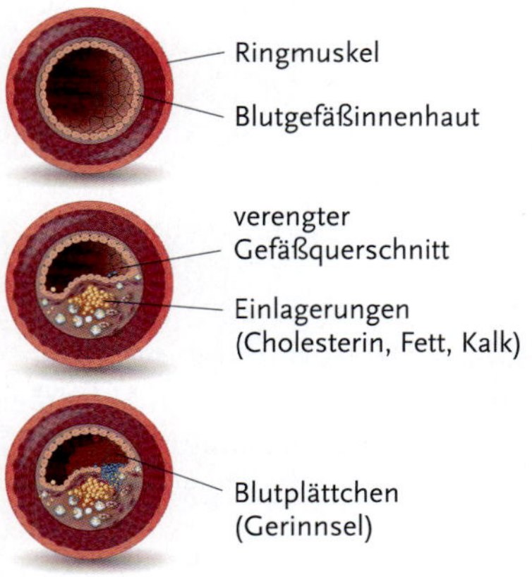

Der Weg hin zur Thrombose im Arterienquerschnitt

Wussten Sie, dass ...
sich Menschen mit verengten Arterien bei Langstreckenflügen präventiv eine Thrombosespritze geben lassen können? Diese Vorsorge muss allerdings am Urlaubsort wiederholt werden.

3.4 Herzinfarkt

Ist ein wichtiges **Herzkranzgefäß verstopft,** kommt es zu einer mangelnden Sauerstoffversorgung des Gewebes – es stirbt ab. Je nach Ausmaß des abgestorbenen Gewebes spricht man von einem leichten oder schweren Infarkt. Je leichter ein Herzinfarkt ist, desto besser sind die Überlebenschancen.

Symptome sind Herzschmerzen, die in den linken Arm ausstrahlen, Schwächegefühl, Schwindel, Übelkeit, kalter Schweiß, Angst und Erbrechen. Eine Person sollte nach einem Herzinfarkt mit **leicht erhöhtem Oberkörper** liegend gelagert werden. Die Beine dürfen nicht hoch gelagert werden, wie z. B. bei einem Kreislaufkollaps. Der vermindert leistungsfähige Herzmuskel könnte den vermehrten Blutrückfluss aus den Beinen nicht bewältigen.

Wussten Sie, dass ...
Frauen, wenn sie einen Herzinfarkt erleiden, oft nicht die typischen Herzschmerzen haben? Daher kann ein Herzinfarkt leichter übersehen werden.

Bei einem leichten Herzinfarkt klingen die Beschwerden oft nach kurzer Zeit wieder ab, wodurch der Herzanfall oft unterschätzt wird und eine nötige Behandlung unterlassen wird. Zur Abklärung sind ein EKG sowie eine Blutuntersuchung notwendig.

EKG = **E**lektro**k**ardio**g**ramm; Darstellung der elektrischen Aktivitäten der Herzmuskulatur.

3.5 Schlaganfall

Es handelt sich dabei um eine **Durchblutungsstörung im Gehirn.** Ist die linke Gehirnhälfte betroffen, kann die rechte Körperseite gelähmt oder berührungsunempfindlich sein (Halbseitenlähmung) und umgekehrt. Die Ursache kann eine **Hirnblutung** oder eine **Thrombose in einem wichtigen Blutgefäß** sein.

Symptomatisch für einen Schlaganfall sind Lähmungen der Gegenseite, Bewusstseinstrübung, röchelnde Atmung, Aufblähen der Wange der gelähmten Seite, ein hängender Mundwinkel sowie eine Blickwendung zur gelähmten Seite. Es kann auch das Sprach- und Sehzentrum ausfallen.

Erste Hilfe bei einem Schlaganfall
- Liegend lagern, Kopf leicht erhöht
- Rettung oder Arzt rufen
- Bei Bewusstlosigkeit stabile Seitenlagerung

3.6 Blutvergiftungen

Die Blutvergiftung (Sepsis) ist eine Infektion, bei der von einem Entzündungsherd im Körper **krank machende Keime in den Blutkreislauf** gelangen. Diese verursachen hohes Fieber, Schüttelfrost sowie Puls- und Atembeschleunigung. Eine rasche **Behandlung mit Antibiotika** oder sogar ein chirurgischer Eingriff ist zur Heilung unbedingt notwendig.

Die Bezeichnung Blutvergiftung ist eigentlich falsch, da es sich nicht um eine Vergiftung sondern um eine Infektionskrankheit handelt.

Aufgabenstellung – „Blut- & Herz-Kreislauf-Erkrankungen“

■ + Ordnen Sie den Begriffen die korrekten Beschreibungen zu.

EKG	Bluthochdruck
Lumen	spezifischer Abwehrstoff des Körpers
Hypertonie	Hohlraum einer Arterie
Antikörper	Darstellung der Aktivität des Herzmuskels

4 Erkrankungen des Atmungssystems

Das Atmungssystem soll einerseits Sauerstoff aus der Luft aufnehmen und Kohlenstoffdioxid aus der Lunge abgeben, andererseits das Eindringen von Erregern mit Staubteilchen und weiteren Fremdstoffen verhindern. Der Gasaustausch erfordert eine große Fläche, was die Abwehr erschwert.

Beim Niesen wird die eingeatmete Luft ruckartig durch Mund und Nase ausgestoßen. Und zwar mit einer Geschwindigkeit von bis zu 160 km/h!

4.1 Erkrankungen der Nase und der Nasennebenhöhlen

Über Tröpfchen, wie sie beim Sprechen, Husten und besonders beim Niesen entstehen, verbreiten sich die Erkältungsviren sehr rasch und verursachen eine Entzündung der Nasenschleimhaut. Es kommt zum **Schnupfen.**

Die Krankheitssymptome beginnen häufig im Rachen- oder Nasenbereich und verstärken sich im Verlauf von 48 Stunden rasch. Die meisten Erkältungen treten im Herbst und in den Wintermonaten auf.

Bei sehr schweren Fällen können die Öffnungen der Nasennebenhöhlen und die Atemwege verlegt und damit Schmerzen durch **entzündete und verstopfte Nasennebenhöhlen** erzeugt werden. Dehnt sich die Infektion zum Tränengang hin aus, tränt das Auge permanent.

Wussten Sie, dass ...
Erkältungsviren mehrere Stunden auf der Hautoberfläche überleben können? Daher ist es wichtig, sich nach dem Putzen der Nase die Hände gründlich zu waschen. Bei einer Begrüßung per Händedruck gelangen die Viren sonst auf ihr nächstes Opfer, das sich beim Reiben der Augen oder beim Naseputzen infizieren kann.

4.2 Erkrankungen des Rachenraumes

Der Rachenraum ist besonders stark Mikroorganismen ausgesetzt. Häufigste Erkrankung in diesem Bereich ist die **Angina.** Die **Mandelentzündung** ist wegen ihrer Nebenwirkung auf andere Organe (Herz, Nieren, Gelenke) nicht zu unterschätzen.

Eine **Entzündung von Kehlkopf und Luftröhre (Krupp)** beginnt mit Fieber und einem trockenen Husten, gefolgt von Heiserkeit, sobald der Kehlkopf infiziert wird. Kinder zwischen einem und fünf Jahren, die an Krupp erkranken, beginnen schwer und geräuschvoll zu atmen, werden heiser oder verlieren die Stimme ganz. Sie haben einen bellenden Husten, Fieber sowie abends und in der Nacht Attacken schwerer Atemnot bis zu Erstickungsanfällen.

Wussten Sie, dass ...
eine Angina entweder als harmlose (von Viren verursachte) oder als eitrige (von Bakterien verursachte) Angina auftreten kann?

4.3 Erkrankungen der Lunge

Erkrankungen der Lunge beginnen meist in den Bronchien und werden durch Viren, aber auch durch Bakterien ausgelöst.

Die Folgen einer Bronchitis sind Atemnot, der Luftstrom in den Atemwegen wird stark behindert, die Lungen werden überbläht.

4.3.1 Bronchitis und Bronchiolitis

Alle Viren, die sowohl den unteren als auch den **oberen Atemtrakt** befallen, können eine **Bronchitis** auslösen. Typische Krankheitssymptome sind hartnäckiger Reizhusten mit schleimigem Auswurf, Fieber und Schmerzen hinter dem Brustbein.

Die **Bronchiolitis** kündigt sich durch eine **Infektion der oberen Atemwege** an, abrupt folgen Fieber und Kurzatmigkeit infolge einer **Verstopfung der Bronchiolen.**

Eine **chronische Bronchitis** kann aus wiederholten Bronchitiserkrankungen entstehen. Häufigere Ursachen sind jedoch chronische Reizzustände der Bronchien durch Staub oder chemische Dämpfe am Arbeitsplatz sowie übermäßiges Zigarettenrauchen. Die chronische Bronchitis zerstört mit der Zeit den fein aufgebauten Reinigungsmechanismus der Lunge, was zu Atemnot führen kann.

Schleim bildet sich aufgrund einer viralen oder bakteriellen Infektion in den Atemwegen. Zudem schwillt das entzündete Gewebe an und die Muskeln rundherum werden gestrafft. Somit kommt es zu einer teilweisen Verstopfung der Atemwege und die Luft kann schlecht aus den Lungenbläschen entweichen. Deshalb ist es wichtig, dass der Schleim abgehustet wird.

Gesunde Bronchiole und aufgrund einer Entzündung auftretender Schleim

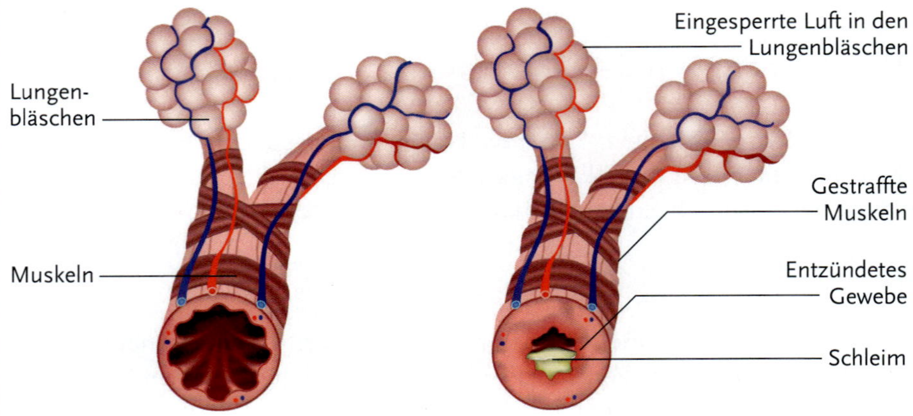

FILM AB!

Die Gefährlichkeit der Tuberkulose und die aktuelle Verbreitung dieser Krankheit thematisiert folgendes Video.
www.trauner.at/nawi_v125.aspx

4.3.2 Tuberkulose (Tbc)

Die Tuberkulose wird meist durch Tröpfchen übertragen, entwickelt sich aber nur bei einem Teil der infizierten Personen. Die Entstehung der Krankheit und ihr Ausmaß werden von der Giftigkeit und Menge der Bakterien, vom allgemeinen Gesundheits- und Ernährungszustand sowie vom Immunstatus beeinflusst.

Innerhalb weniger Tage kommt es zu einer raschen Vermehrung und Ausbreitung in Lungenteilen und anderem Gewebe (z. B. Lymphknoten, Knochen). Erhöhte Temperatur, Unwohlsein, Appetitlosigkeit, Müdigkeit, leichter Husten sind die Anzeichen dieser Erstinfektion. Bei der Mehrzahl von Personen geht die Infektion innerhalb weniger Wochen spontan zurück.

Verlauf der Tuberkuloseinfektion im Lungenflügel:

- Beginn der Tuberkulose-Infektion (hier im rechten Oberlappen der Lunge – weißer Fleck)
- Infektion führt zur Bildung von ersten Hohlräumen
- Rasche Ausbreitung im Lungenflügel führt zu weiteren Infektionsherden und Hohlräumen

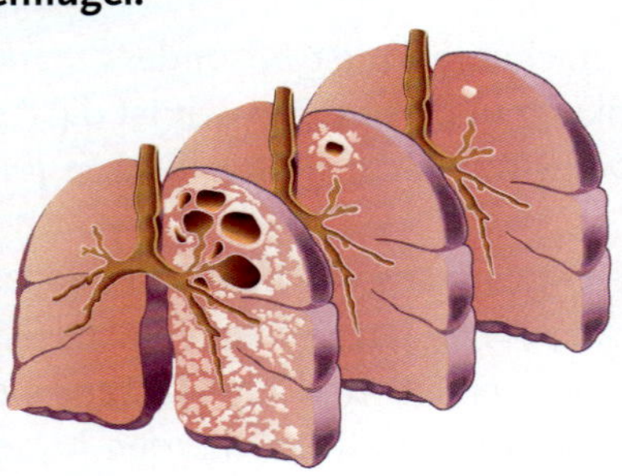

4.3.3 Keuchhusten

Die Keuchhustenbakterien werden durch **Tröpfcheninfektion** übertragen und heften sich an die Zellen des Flimmerepithels der Bronchien. Es ist eine ziemlich langwierige Erkrankung, die oft erst nach Wochen überstanden ist.

Nach einem Vorstadium mit Schnupfen, leichtem Fieber und Husten beginnt die Erkrankung mit plötzlich heftigen Hustenattacken. Diese enden meist mit einer tiefen, pfeifenden Einatmung und dem Aushusten von zähem Schleim.

Wussten Sie, dass ...
eine Schutzimpfung gegen Keuchhusten bereits im Alter von drei Monaten möglich ist?

4.3.4 Asthma bronchiale

Dabei handelt es sich um eine **chronische Entzündung der Atemwege.** Ursache ist eine Überempfindlichkeit der Atemwegsschleimhaut auf verschiedene Reize (z. B. Pollen, Hausstaub, Tierhaare, Zigarettenrauch, Feinstaub).

Bei einem Asthmaanfall schwillt die Bronchialschleimhaut an. Eine vermehrte Schleimproduktion verengt die Atemwege, zusätzlich zieht sich die Muskulatur krampfartig zusammen. Durch diese Vorgänge wird die Luftversorgung zur und von der Lunge verringert oder verhindert – Atemnot ist die Folge.

Bronchienerweiternde Sprays führen zu einer sofortigen Erweiterung der Atemwege durch die Entspannung der Atemmuskulatur.

5 Erkrankungen des Verdauungssystems

Zu den schweren bakteriellen Infekten des Magen-Darm-Traktes zählen **Cholera,** Typhus und einige Formen der **Ruhr.** Man behandelt sie mit Antibiotika, Diät, oft auch mit intravenöser Tropfinfusion zum Ausgleich des starken Flüssigkeitsverlusts.

Bei einer **Salmonelleninfektion** leiden Betroffene an einer typischen akuten Darmentzündung, die für zwei oder drei Tage anhält. Der Beginn ist abrupt mit einem allgemeinen Krankheitsgefühl, Übelkeit, Kopf- und Bauchschmerzen und Durchfall. Einige erbrechen. Fieber und Schüttelfrost sind bei schwereren Fällen häufig anzutreffen. Bei sehr jungen bzw. sehr alten Betroffenen wird häufig eine Austrocknung mit Krämpfen beobachtet, was letztendlich tödlich enden kann.

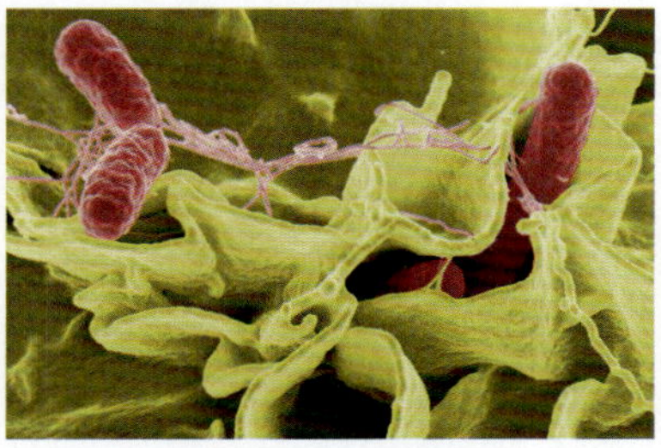

Salmonellen (rot eingefärbt) unter dem Elektronenmikroskop – diese stäbchenförmigen Bakterien können bei Mensch und Tier Erkrankungen des Verdauungstrakts verursachen.

Die für eine Infektion benötigte Salmonellendosis ist sehr groß und kann nur dann erreicht werden, wenn sich die Keime in der Nahrung vor dem Verzehr vermehren können. Durch korrekte Handhabung, Zubereitung und Aufbewahrung von Speisen kann eine Infektion verhindert werden.

Eine Leberentzündung geht in den meisten Fällen auf eine Ansteckung mit **Hepatitisviren** zurück. Die wichtigsten Hepatitisviren werden als A, B und C bezeichnet. Die wichtigsten Symptome einer Hepatitis sind Gelbsucht, entfärbter Stuhl und dunkler Urin. Hepatitis B und C können zu Leberzirrhose oder Leberkrebs führen.

6 Erkrankungen in Zusammenhang mit den Nieren

Purin = Eiweiß, das in Fleisch, Innereien und Hülsenfrüchten vermehrt zu finden ist.

Gicht ist eine Stoffwechselerkrankung, bei der der Abbau der Proteine, genauer gesagt der Purine, nicht funktioniert. Dadurch erhöht sich die Harnsäuremenge im Blut so, dass sie nicht mehr über die Niere ausgeschieden werden kann. Die überschüssige **Harnsäure bildet Kristalle,** die sich in den Gelenken und auch im Gewebe ablagern.

Wussten Sie, dass ...
an Gicht Leidende darüber klagen, dass selbst das Gewicht der Bettdecke auf der großen Zehe unerträgliche Schmerzen bereitet?

Im Anfangsstadium ist die Gicht häufig symptomfrei, kann aber bei Blutuntersuchungen an den erhöhten Harnsäurewerten bereits erkannt und mit entsprechender Diät in Schach gehalten werden.
Bei Fortschreiten der Erkrankung treten **akute Gichtanfälle** auf, häufig nach einem „Festessen" oder nach übermäßigem Alkoholkonsum. Die Symptome sind sehr starke Schmerzen in einem Gelenk, meist dem Großzehengrundgelenk. Weiters ist das betroffene Gelenk gerötet, geschwollen und erwärmt.

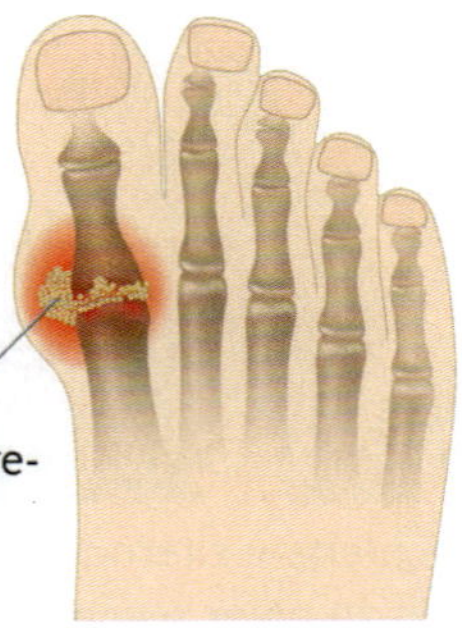

Kristallbildung der Harnsäure bei Gicht hier im Zehengelenk.

Von **chronischer Gicht** spricht man bei regelmäßigen Gichtanfällen. Diese geht mit einer zunehmenden Nierenschädigung einher. Auch die Ablagerungen der Harnsäure in den Gelenken nehmen zu. Sie verursachen einerseits die Gelenksschmerzen, andererseits kommt es durch die Kristalle zu einer Knorpelschädigung und einer anschließenden Gelenksverformung.

Außerdem ist es ratsam, ausreichend zu trinken (mindestens zwei Liter Flüssigkeit pro Tag). Alkohol, besonders Bier, sollte nicht konsumiert werden.

Zur **Behandlung** muss eine Diät gehalten werden, die eine purinarme Kost vorsieht. Daher sollten Nahrungsmittel mit hohem Purinanteil gemieden werden.

Beispiele für Lebensmittel mit hohem Purinanteil
Fleisch, Fisch, Innereien, Hülsenfrüchte und Fertignahrungsmittel

7 Erkrankungen des Bewegungsapparates

Bei Störungen des Haltungs- und Bewegungsapparates wird zwischen funktionellen und strukturellen Störungen unterschieden. Strukturelle Störungen sind meist angeborene Fehlentwicklungen, wobei eine Normalisierung nicht mehr möglich ist. Wird eine funktionelle Störung rechtzeitig erkannt, ist sie noch korrigierbar.

Schmerzen beim Sitzen können auf eine falsche Arbeitshaltung hinweisen.

Unterscheidungen von Abweichung der Haltung von der Norm

Haltungsschwächen	Haltungsfehler	Haltungsschäden
Die Leistung der Haltungsmuskeln ist reversibel eingeschränkt.	Die Muskelfunktionen sind gestört, die Fehlhaltung ist noch aktiv korrigierbar.	Knöchern fixierte Formabweichungen sind gegeben und können muskulär nicht ausgeglichen werden.

7.1 Arthritis (Gelenksentzündung)

Sie tritt **akut oder chronisch** auf und kann verschiedene Gründe haben. 70 % der Erkrankten haben ein bestimmtes **Gen, das für den Ausbruch der Krankheit verantwortlich ist.** Arthritis kann jedoch auch **infektiös** verursacht werden oder durch mechanisch bedingte Gelenksschädigung entstehen.

Die **Behandlung** umfasst neben Medikamenten eine Physiotherapie, Bewegungsbäder, Kälteanwendungen sowie Reizstrombehandlungen.

Typen von Kälteanwendungen	
Lokale Kältetherapie	Darunter wird ein intensiver lokaler Wärmeentzug verstanden (z. B. durch Auflegen von Kältebeuteln).
Systemische Kältetherapie	Läuft mithilfe einer Kältekammer (mit Temperaturen bis ca. –130 °C) ab.

In beiden Fällen wird der Stoffwechsel im entzündeten Bereich gedämpft und der Entzündungsprozess gehemmt.

Wussten Sie, dass ...
2–3 % der Bevölkerung von Arthritis betroffen sind, Frauen dreimal so häufig wie Männer? Die meisten Erkrankungen beginnen ab dem vierten Lebensjahrzehnt.

Symptomatisch für Arthritis sind Gelenksschwellungen, Schmerzen in den Gelenken, Funktionsbeeinträchtigungen und eine damit einhergehende gelenkstypische Entlastungshaltung. Im Laufe der Zeit wird das Gelenk verformt.

Arthritis kann entweder auf ein Gelenk beschränkt sein oder mehrere Gelenke betreffen, im letzteren Fall spricht man von **Polyarthritis.**

7.2 Arthrose (Gelenksabnutzung)

Bei der Arthrose handelt es sich um eine **chronische, schmerzhafte Gelenksveränderung.** Allerdings ist sie im Unterschied zur Arthritis nicht entzündlich. Durch die **Veränderung des Gelenks** wird die Funktion zunehmend beeinträchtigt.

Arten von Arthrose	
Primäre Arthrose	Altersbedingte Abnützung, v. a. beim Knie- und Hüftgelenk
Sekundäre Arthrose	Gewebs- und Knorpelminderwertigkeit; (angeboren oder von Arthritis verursacht)

Gesundes Kniegelenk im Gegensatz zu einem veränderten und schmerzhaften Gelenk mit Arthrose.

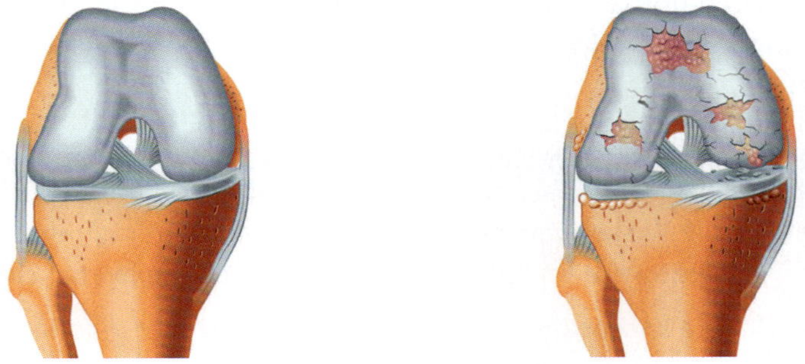

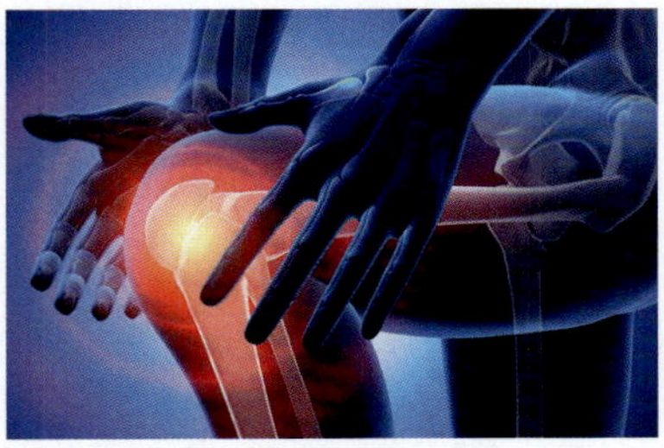

Weitere Gründe für eine Gewebsminderwertigkeit können Überbelastungen oder eine Schädigung durch Unfall sein.

Auch hier umfasst die **Behandlung** Medikamente und eine Physiotherapie sowie Wärme- und Kältebehandlungen, Elektrotherapie und Ultraschall. Darüber hinaus ist oft ein **operativer Eingriff** nötig, um z. B. Gelenke oder Gelenkteile zu ersetzen.

Aufgrund von entzündlichen Prozessen löst sich bei Arthrose die Knorpelmasse an Gelenken auf.

Aufgabenstellung – „Arthritis und Arthrose"

- \+ Unterscheiden Sie Arthritis und Arthrose voneinander. Welche dieser Krankheiten ist mit zunehmendem Alter wahrscheinlicher?

Eine Übersicht mit Tipps zur richtigen Haltung finden Sie in der TRAUNER-DigiBox.

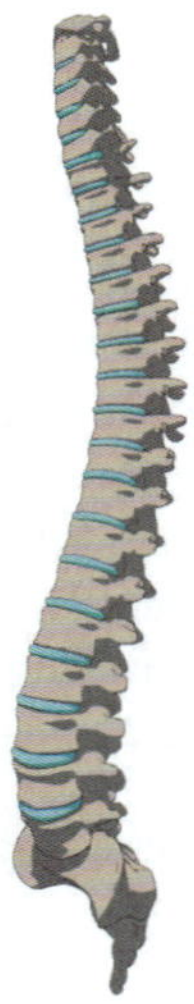

Von der Seite betrachtet ist eine gesunde Wirbelsäule keineswegs gerade sondern weist leichte Biegungen auf. Am Hals z. B. eine Biegung nach vorne oder im Brustbereich nach hinten.

Ursachen für Haltungsfehler

- Bewegungsmangel
- Chronisch schlechte Sitz- und Lesehaltung bei zu niedrigen Schulbänken

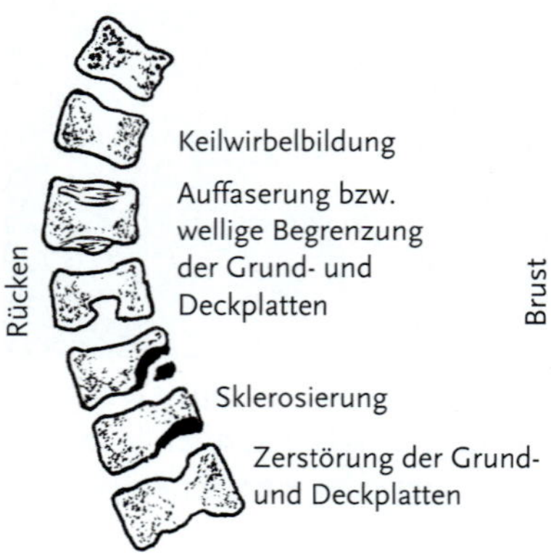

Wirbelsäulenveränderungen bei Morbus Scheuermann

7.3 Verformungen der Wirbelsäule

Die Wirbelsäule kann ihrer Aufgabe nur nachkommen, wenn die Haltung des Menschen entsprechend aufrecht ist. In den runden Belastungshaltungen wird sie auf Biegung beansprucht und weist vorzeitig Alterungserscheinungen auf.

Verformungen der Wirbelsäule

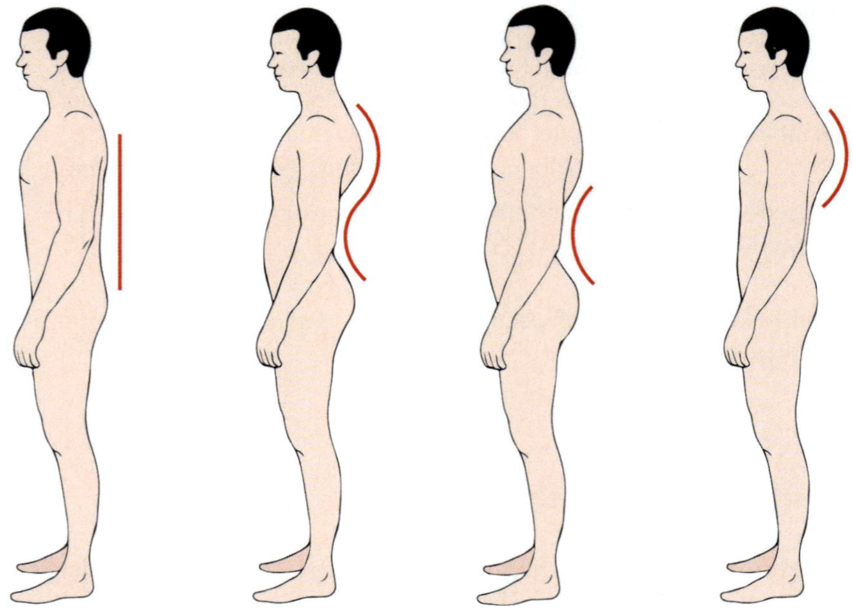

7.3.1 Runder Rücken

Beim Rundrücken liegt eine verstärkte **Brustwirbelsäulenverkrümmung** ohne gleichzeitige Beckenkippung nach vorne vor. Dieser Haltungsfehler kann muskulär bedingt sein, es kann sich aber auch um **Morbus Scheuermann** handeln.

Morbus Scheuermann ist eine wachstumsbedingte verstärkte Wirbelsäulenkrümmung der mittleren und unteren Brustwirbelsäule. Die Krankheit tritt während der Hauptwachstumsphase (zwischen dem 8. und 13. Lebensjahr) bei ca. 30 % der Jugendlichen auf.

Ursachen von Morbus Scheuermann	
Wirbel	Die Wirbel wachsen vorne langsamer als hinten und durch das verzögerte Knochenwachstum kann ein Keilwirbel entstehen.
Deckplatten der Wirbel	Die knorpelige Deckplatte der Wirbelkörper gibt nach, sodass es zu Einbrüchen von Bandscheibengewebe in den Wirbelkörpern kommt.

7.3.2 Hohlrunder Rücken

Beim Hohlrundrücken liegt ein Rundrücken mit verstärkter Verkrümmung der Lendenwirbelsäule bei Kippung des Beckens nach vorne vor. Meist ist die Beckenkippung auf eine schwache Bauchmuskulatur zurückzuführen.

7.3.3 Flacher Rücken

Beim Flachrücken liegen eine **Abflachung der Wirbelsäulenschwingung** und eine gleichzeitige Beckenaufrichtung vor. Der Flachrücken ist häufig familiär bedingt. Durch die Krümmungsabflachung kommt es zu einer Abnahme des Federungsweges und damit zu einer geringeren dynamischen Beanspruchbarkeit der Wirbelsäule.

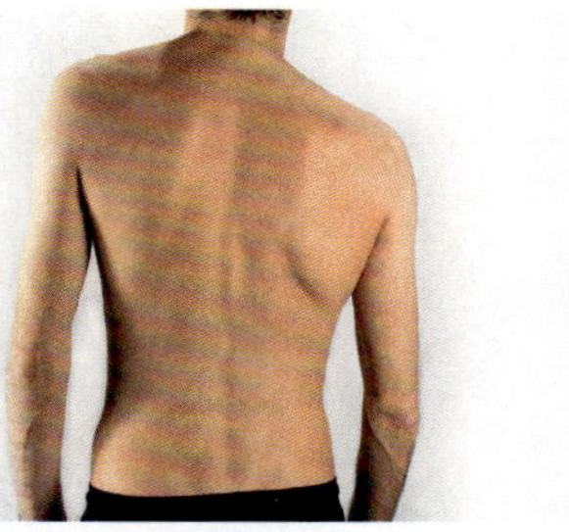

Skoliose

7.3.4 Seitliche Haltungsabweichung (Skoliose)

Die Skoliose ist eine **Verkrümmung der Wirbelsäule zur Seite.** Früher trat dies häufig bei Rachitis oder nach einer Erkrankung an Kinderlähmung auf. Aber auch bei einem etwas verkürzten Bein, bei Hüft- und Kniegelenkserkrankungen oder schiefer Haltung kann es zu einer Skoliose kommen.

7.4 Bandscheibendegeneration

Die Bandscheiben bestehen aus Faserknorpeln, in deren Mitte sich ein Gallertkern befindet. Sie sind die Puffer zwischen den Wirbeln.

Mit zunehmendem Alter kommt es in den Bandscheiben zu einem **Flüssigkeitsverlust,** was die Elastizität beeinträchtigt. Der Faserring um den Gallertkern wird brüchig und reißt ein. Das Gewebe des Gallertkerns kann nun in diese Risse hineinwandern und den Ring nach außen vorwölben. In schweren Fällen reißt auch der äußerste Teil des Rings, dann tritt Bandscheibengewebe in den Wirbelkanal oder in das Zwischenwirbelloch aus. Man spricht von einem **Bandscheibenvorfall.**

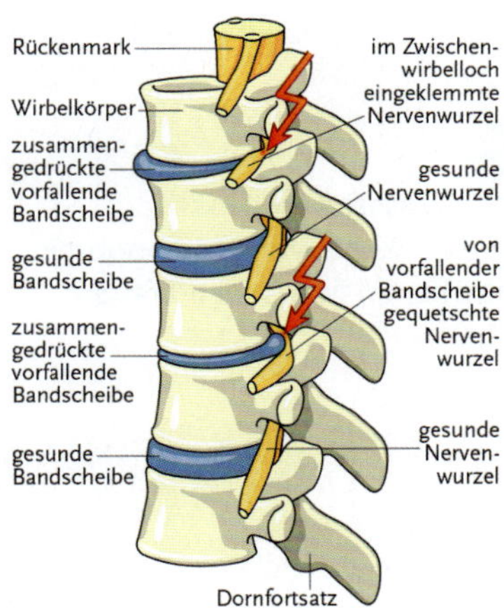

Schematische Darstellung der Wirbelsäule mit normalen und krankhaften Bandscheiben

Ein Bandscheibenvorfall kann ohne Symptome verlaufen. Treten jedoch **Symptome** auf, sind sie hauptsächlich auf den Druck gegen einzelne Nervenwurzeln oder das Rückenmark in der Lendenwirbelsäule zurückzuführen.

Krankheitssymptome

Symptome bei Druck gegen eine Nervenwurzel	Symptome bei Druck gegen das Rückenmark
Intensive Schmerzen an einem Bein oder Arm, verbunden mit Gefühlsstörungen (Ameisenlaufen, Kribbelgefühl, Taubheit) bis hin zu Lähmungen	Krämpfe an Beinen, Lähmung oder Gefühlsstörung bei Druckausübung auf das Rückenmark in der Brustwirbelsäule, fehlende Beherrschung der Blasen- und Darmfunktion

Gründe für Bandscheibendegeneration

- angeborene Bindegewebsschwäche
- Haltungsfehler
- erzwungene Fehlhaltungen (z. B. bei Schreibtischberufen)
- ständige Erschütterungen des Körpers (z. B. beim Autofahren)
- Übergewicht

Versuch – „Bandscheiben"

Führen Sie morgens direkt nach dem Aufstehen die erste Messung der Körpergröße durch. Am einfachsten machen Sie das, indem Sie sich an eine Wand stellen, ein Buch auf den Kopf legen und dort (am besten mit einem leicht zu entfernenden) Bleistift einen Strich ziehen.
Das Gleiche machen Sie am Abend.

Sie werden feststellen: Zwischen Morgen und Abend liegen 1–2 cm.

Verantwortlich für diesen Größenverlust sind die Schwerkraft sowie die Wirbelsäule. Denn über Nacht saugen sich die Bandscheiben mit Flüssigkeit voll. Tagsüber – beim Sitzen, Laufen, Gehen und einfach auch durch das eigene Körpergewicht – geben sie die Flüssigkeit wieder ab. So wird die Wirbelsäule zusammengedrückt und kürzer!

Im Alter und bei bereits eingetretener Osteoporose führt körperliche Aktivität zur Anregung der Osteoplastentätigkeit, die für die Reparatur und Renovierung des Knochens zuständig sind. Bei Frauen ist ein ausreichender Östrogenspiegel von der Pubertät bis zur Menopause von Bedeutung.

7.5 Osteoporose (Knochenschwund)

Die **primäre Osteoporose** ist die häufigste Form, an ihr erkranken Frauen wesentlich häufiger als Männer. Grund dafür ist, dass Frauen im Durchschnitt etwa **ein Drittel weniger Knochenmasse** besitzen. Außerdem kommt es bei den meisten Frauen mit Absinken des Geschlechtshormons Östrogen – also mit Beginn des Wechsels – zu einem **Verlust der Knochensubstanz.** Weiters spielen auch Bewegungsmangel, falsche Ernährung und Lebensgewohnheiten eine große Rolle.

Die **sekundäre Osteoporose** hingegen tritt als **Begleiterscheinung anderer Krankheiten** (z. B. Schilddrüsenüberfunktion) bzw. bei deren Behandlungen (z. B. langjährige Kortisonbehandlungen bei rheumatischen Erkrankungen) auf, zeigt aber das gleiche Krankheitsbild.

Wussten Sie, dass ...
rund 80 % der von Osteoporose betroffenen Menschen Frauen sind?

Beispiele: Faktoren für die Ausbildung von Osteoporose
- erhöhte Bluttfettwerte
- hohe Cholesterinwerte
- Arterienverkalkung infolge mangelnder Bewegung

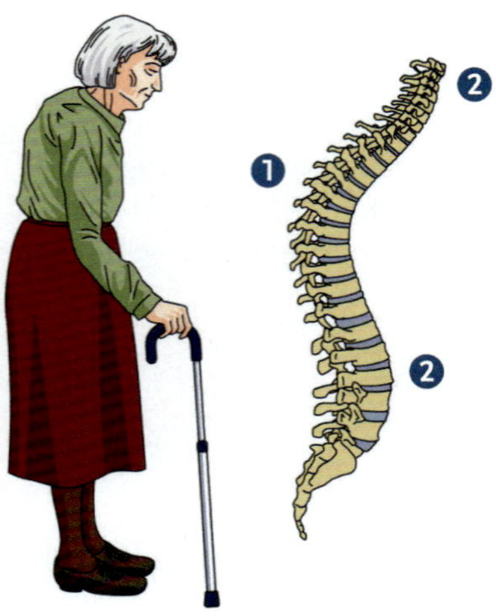

Auffallendes Merkmal ist die verstärkte Wirbelsäulenverkrümmung im Brustbereich nach hinten ❶, die auch als **Altersrundrücken** bezeichnet wird. Kompensatorisch entsteht eine Krümmung der Hals- und Lendenwirbelsäule nach vorne ❷, von welcher die meisten Beschwerden ausgehen. Die Wirbelsäulenverkürzung lässt den Bauch stärker hervortreten – dadurch entstehen Hautfalten in der Taille, die den sogenannten **Tannenbaumrücken** bilden. Der Rippenbogen kann den Beckenkamm berühren und dort Schmerzen verursachen. Im weiteren Verlauf treten Knochenbrüche auf, Wirbelkörper verformen sich und werden kleiner.

Typische Merkmale bei Osteoporose
- Man wird kleiner
- Der Rücken schmerzt und wird rund
- Der Bauch steht vor
- Tannenbaumrücken
- Druckempfindlichkeit von Dornfortsatz, Rippenbogenrand und Muskelansatz

Man sollte in der Jugend und im mittleren Lebensabschnitt das Skelett mit so viel Calcium und Knochensubstanz ausstatten, dass im Alter genügend Reserven vorhanden sind. Durch tägliche Gymnastik, Sport sowie mit einer calcium-, eiweiß- und vitaminhaltigen Kost kann man ein solides Skelettsystem aufbauen und erhalten.

Auf einem Röntgenbild des Knochens können typische Anzeichen einer Osteoporose erst erkannt werden, wenn bereits 30–40 % der Knochenmasse fehlen. Der Knochen wirkt dann durchscheinend und dünner.

Aufgabenstellungen – „Gelenkserkrankungen“

1. + Ist Arthrose mit zunehmendem Alter seltener oder häufiger? Begründen Sie Ihre Antwort.

2. + Erklären Sie die Unterschiede zwischen Haltungsschwäche, Haltungsfehler und Haltungsschaden.

8 Erkrankungen des Nervensystems

Viren und Bakterien verursachen **Entzündungen des Gehirns (Enzephalitis)** und **Entzündungen der Hirn- und Rückenmarkshäute (Meningitis).** Die Enzephalitis kann dabei direkt durch bestimmte Viren oder durch andere Infektionen, wie Mumps, Masern oder Grippe, ausgelöst werden.

8.1 Frühsommer-Meningoenzephalitis (FSME)

FSME wird durch **Zecken** übertragen. In der ersten Phase der Krankheit kommt es zu Fieber, Kopf- und Muskelschmerzen und eventuell einem Hautausschlag. Nach drei bis acht Tagen geht die Krankheit in ein zweites, schweres Krankheitsbild über. Verwirrtheit oder Bewusstseinstrübungen bis zur Bewusstlosigkeit, mitunter Erbrechen, Lähmungen und Sprechstörungen können sich ergeben.

Als beste Vorbeugemaßnahme hat sich die Impfung mit abgetöteten Viren der FSME bewährt. Zwei Impfungen erfolgen im Abstand von einem bis drei Monaten, die dritte Impfung erfolgt neun bis zwölf Monate nach der zweiten Impfung. Alle fünf Jahre sollte eine Auffrischung gemacht werden.

Kleines Tier mit ungeheurer Wirkung ...
Nach einem Aufenthalt in einer zeckenverseuchten Gegend sollte man den Körper nach Zecken absuchen. Werden Zecken entdeckt, müssen diese möglichst rasch mechanisch entfernt werden. Die Stich- bzw. Bissstelle soll in den nächsten vier Wochen auf Zeichen von Rötung, Schwellung und Entzündung beobachtet werden.

Wesentlich gefährlicher und gefürchteter ist **die durch Bakterien (Meningokokken) ausgelöste ansteckende Hirnhautentzündung.** Sie verursacht Genickstarre, hohes Fieber und führt bei zu später Behandlung zum Tode.

Aufgabenstellung – „FSME“

- ++ Geben Sie an, was bei einer FSME-Infektion zu beachten ist. Nennen Sie wirksame Maßnahmen, um sich vor so einer Infektion zu schützen.

8.2 Botulismus

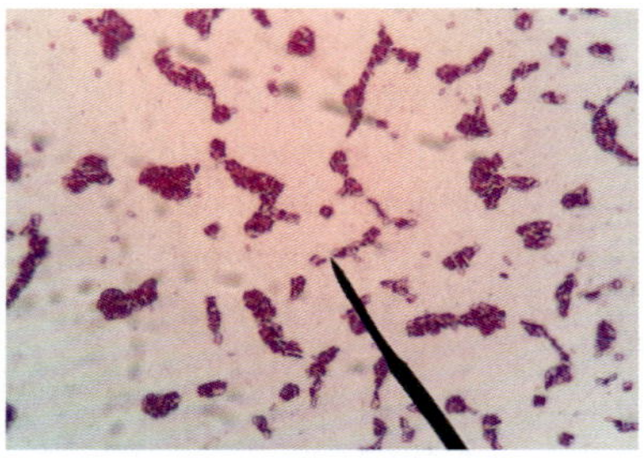

Bei *Clostridium botulinum* handelt es sich um ein Stäbchenbakterium.

Zu den schwersten Lebensmittelvergiftungen gehört der Botulismus. Ausgelöst wird er durch den Verzehr von Dosengerichten, geräucherten oder fermentierten Nahrungsmitteln, die mit **Clostridium-botulinum-Sporen** kontaminiert sind.

Die Krankheitssymptome des Botulismus schwanken von einer sehr milden Form bis zu einer schweren Krankheit mit einem Kollaps, der innerhalb eines Tages zum Tode führen kann. Die ersten Symptome treten normalerweise zwischen zwölf und 72 Stunden nach dem Verzehr vergifteter Nahrungsmittel auf.

Die Beschwerden (u. a. Erbrechen, Blähungen, Trockenheit in Mund und Nase sowie Schwindelgefühle, Unsicherheit im Stehen) nehmen in der Folge zu: Es kommt u. a zu Schwierigkeiten beim Sprechen oder Schlucken und es treten Probleme auf, den Kopf aufrecht zu halten.

8.3 Tetanus (Wundstarrkrampf)

Tetanusbakterien können über eine mit Erde verschmutzte Wunde in die Blutbahn gelangen.

Der Tetanuserreger lebt im Erdreich und in Tierexkrementen. Die Infektion erfolgt durch Verletzungen der Haut, die mit dem Erreger in Berührung kommen. Das Gift der Erreger wandert zu den motorischen Nervenzellen im Rückenmark und im verlängerten Mark. Dort blockieren sie alle hemmenden Impulse, sodass es zu einer verspannten Starre und zu erhöhter Krampfbereitschaft kommt.

Beispiele für Reaktionen auf eine Infektion
Kopfschmerzen, Schwindel, Muskelschmerzen, Krämpfe, Schüttelkrämpfe und Fieber. Im weiteren Verlauf setzt die Atmung aus, der Tod ist die Folge.

8.4 Polio (Kinderlähmung)

Polio, eine **Virusinfektion,** ist heute bei uns dank Impfung recht selten geworden. Das Virus befällt das Rückenmark, in einigen Fällen auch Teile des Gehirns.

In den allermeisten Fällen läuft die Infektion ohne Symptome oder nur mit kurzem Fieber, Kopfschmerzen, Halsentzündung oder leichten Rückenschmerzen ab. Nach einer vorübergehenden Besserung folgt der **abrupte Beginn der neurologischen Symptome.** Betroffene sind ängstlich, reizbar, schwitzen oft, haben Fieber, Kopfschmerzen, Schmerzen am Hals sowie an den Extremitäten und fühlen sich steif.

⚠ Die Bezeichnung Kinderlähmung ist irreführend. Auch Erwachsene und Jugendliche sind vor Kinderlähmung nicht gefeit!

Bei vielen Betroffenen hört die Infektion in diesem Stadium auf und sie erholen sich innerhalb einer Woche. Die übrigen Fälle erleiden erste **Lähmungserscheinungen** während der Fieberphase.

Ist ein Mensch an Polio erkrankt, kann die Medizin nicht viel für ihn tun. Man gibt schmerzstillende Mittel, bei Atemlähmung künstliche Beatmung. Es kann zu bleibenden Lähmungen der unteren Extremitäten kommen.

9 Erkrankungen der Haut

Die Haut ist einer Vielzahl schädigender Faktoren ausgesetzt, darunter vor allem Bakterien, Viren, Pilzen und Parasiten, die an Schwachstellen eindringen und verschiedenste Reaktionen auslösen können.

Beispiele für Erkrankungen der Haut

- **Virusinfektionen** (z. B. die Gürtelrose): Können besonders bei älteren Menschen schwere Nervenschmerzen auslösen.
- **Bakterielle Infektionen** der Haut: Äußern sich in eitrigen Entzündungen, wie Pusteln, Furunkeln und Abszessen.

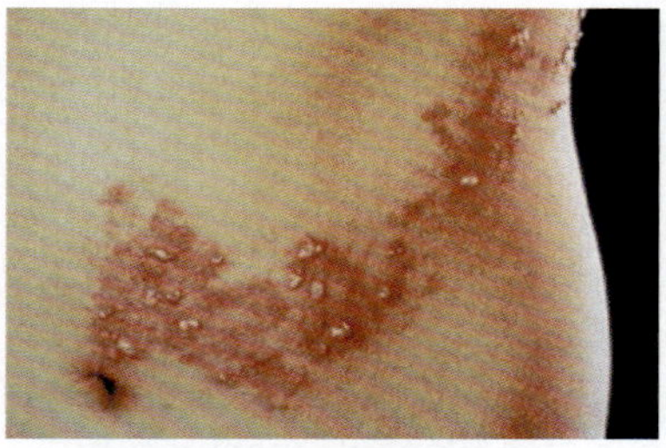

Die Gürtelrose wird durch das Varicella-Zoster-Virus hervorgerufen, dass beim Erstkontakt Windpocken verursacht. Die schmerzhaften Bläschen verlaufen wie ein Gürtel um eine Körperhälfte.

Bei **Fußpilz** ist eine Schuppung zwischen den Zehen. Der Juckreiz ist unterschiedlich, kann aber sehr stark sein. Manchmal bilden sich Blasen zwischen den Zehen und an den Fußsohlen. Auch eine Nagelbeteiligung ist möglich. Die Infektionen sind normalerweise chronisch.

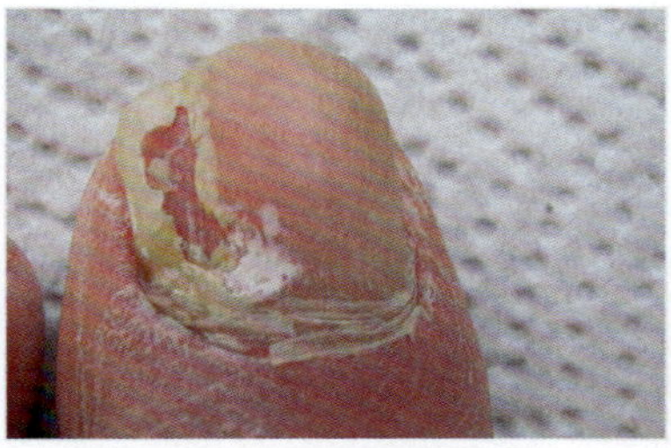

Fußpilz mit Nagelbettbeteiligung

Fußhygiene ist ein wichtiger Schritt zur Heilung. Füße sollen zweimal täglich gewaschen und gut trockenfrottiert werden. Wichtig sind luftiges Schuhwerk im Sommer und das Tragen von Woll- oder Baumwollsocken, um Fußschweiß zu verhindern. Weiters wird mit pilztötenden Medikamenten behandelt.

10 Stoffwechselerkrankungen

Lisas Klassenkollegin Susanne ist Diabetikerin. Susanne erzählt, dass sie zuckerkrank ist, weil ihre Bauchspeicheldrüse nicht in der Lage ist, das Hormon Insulin in ausreichender Menge herzustellen.

Diabetes ist eine Stoffwechselerkrankung, die zu erhöhten Blutzuckerwerten führt. Die Ursache dafür ist mangelndes oder gänzlich fehlendes Insulin bzw. eine Insulinresistenz. Die hohen Blutzuckerwerte führen zu Folgeerkrankungen.

Beispiele für Folgeerkrankungen von hohen Blutzuckerwerten
Erblindung, Nierenschäden, Schlaganfall, Herzinfarkt, Fußbrand

Insulin ist ein Hormon, das in den Langerhans'schen Inseln der Bauchspeicheldrüse gebildet wird. Alle Körperzellen benötigen Insulin, um Zucker aus dem Blut aufnehmen zu können. Können sie keinen Zucker aufnehmen, steigt die Zuckerkonzentration im Blut.

Eine Insulinresistenz bedeutet, dass die Körperzellen mehr Insulin benötigen, um den Zucker aus dem Blut aufzunehmen. In der Folge produzieren die Zellen der Bauchspeicheldrüse mehr Insulin. Diese jahrelange Überproduktion führt jedoch zu einer Erschöpfung, und die Insulinproduktion nimmt mehr und mehr ab.

Aceton hat einen charakteristischen, leicht süßlichen Geruch.

Wussten Sie, dass ...
Typ-2-Diabetes eine Massenkrankheit ist, an der weltweit bereits mehr als 360 Millionen Menschen leiden? Die Ursachen sind neben genetischen Faktoren vor allem Übergewicht, Bewegungsmangel und eine schlechte Ernährungsweise.

Jede Stoffwechselentgleisung schädigt die Blutgefäße. Die Folgen sind Erblindung, Nierenschäden, Schlaganfall, Herzinfarkt und Fußbrand.

Formen von Diabetes

Typ-1-Diabetes	Typ-2-Diabetes
▪ Körpereigene Abwehrstoffe zerstören die insulinproduzierenden Zellen der Bauchspeicheldrüse. ▪ Insulin muss lebenslang zugeführt werden. ▪ Beginnt meist schon im Kindes- oder Jugendalter.	▪ Entsteht durch eine verminderte Empfindlichkeit der Körperzellen gegenüber Insulin (Insulinresistenz). ▪ Wird auch als Altersdiabetes bezeichnet, da er meist im Erwachsenenalter beginnt. In den letzten Jahren sind jedoch immer mehr Erkrankungen stark übergewichtiger Jugendlicher zu verzeichnen.

Symptome bei Diabetes
- Häufiger Harndrang
- Starker Durst
- Gewichtsverlust, Heißhungerattacken (besonders zu Beginn der Krankheit)
- Abgeschlagenheit, Müdigkeit und Kraftlosigkeit
- Mundtrockenheit und Acetongeruch der Atemluft
- Nächtliche Wadenkrämpfe

Diese Symptome treten sowohl beim Typ-1- als auch beim Typ-2-Diabetes auf. Bei Typ-1-Diabetikern zeigen sich die Symptome allerdings innerhalb von einigen Tagen bis wenigen Wochen. Typ-2-Diabetes entwickelt sich meist über einen weit längeren Zeitraum (von bis zu zehn Jahren). Dadurch bleibt die Erkrankung unerkannt und unbehandelt, mit dem Resultat, dass die Bauchspeicheldrüse zunehmend geschädigt wird.

Blutzuckerentgleisungen

Unterzuckerung (Hypoglykämie)	Überzuckerung (Hyperglykämie)
Der Blutzucker sinkt infolge zu geringer Kohlenhydrataufnahme bzw. zu hoher Insulinzufuhr zu stark ab. Einnahme von Traubenzucker schafft Abhilfe; bei Bewusstlosigkeit ist Glukagon zu spritzen.	Der Blutzucker steigt über den Normalbereich; meist durch Diätfehler verursacht. Frühzeitige Insulingabe ist das einzige Mittel, um den Blutzuckerspiegel zu senken.
Beispiele für Symptome Schwitzen, Zittern, Hunger, Herzklopfen, Seh- und Sprachstörungen, Krampfanfälle und Bewusstlosigkeit	**Beispiele für Symptome** Durst, Harndrang, Übelkeit, Verwirrtheit, Kreislaufversagen, Bewusstlosigkeit (führt unbehandelt zum Tod)

Typ-1-Diabetiker/innen müssen sich mehrmals täglich Insulininjektionen verabreichen und täglich ihre Blutzuckerwerte kontrollieren.

Typ-2-Diabetiker/innen können durch rechtzeitige Gewichtsabnahme, gesunde Ernährung und ausreichende Bewegung eine Insulinbehandlung abwenden bzw. hinauszögern. Häufig werden auch blutzuckersenkende Medikamente verschrieben und, wenn dies nicht mehr ausreicht, ebenfalls Insulin.

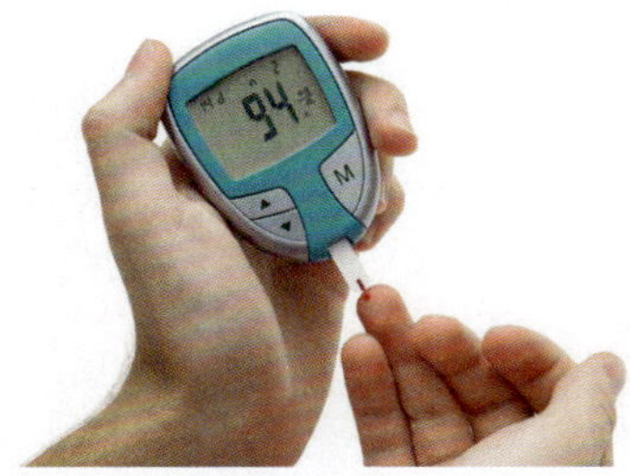

Beim Schnelltest wird durch einen kleinen Stich in die Fingerkuppe ein Bluttropfen abgenommen und auf einen Teststreifen aufgetragen. Dieser Streifen wird in das Blutzuckermessgerät gesteckt, das den Zuckergehalt auswertet und anzeigt.

Aufgabenstellungen – „Diabetes"

1. ++ Recherchieren Sie, warum Typ-1-Diabetiker/innen Insulin bisher nur über Injektionen und nicht auch oral (z. B. als Pille) zu sich nehmen können.
2. + Nennen Sie einige Risikofaktoren für diese Erkrankung.
3. + Beschaffen Sie sich im Zuge einer Recherche Informationen über Spätfolgen von Diabetes. Vergleichen Sie Ihre Ergebnisse in der Klasse.

Ziele erreicht? – „Gesundheit und Krankheit"

KOMPETENZ-ERWERB

1. ++ Zählen Sie Bestandteile einer Bekämpfung von Infektionskrankheiten auf. Welche dieser Vorgehensweisen wirkt präventiv (vorbeugend) und welche greifen erst bei einer bereits bestehenden, ausgebrochenen Krankheit?
2. ++ Betrachten Sie das folgende Bild und beschreiben Sie, was hier passiert ist, um welche Erkrankung es sich handelt sowie um den Verlauf dieser Krankheit. Nennen Sie auch Faktoren, die zu so einer Erkrankung führen können.

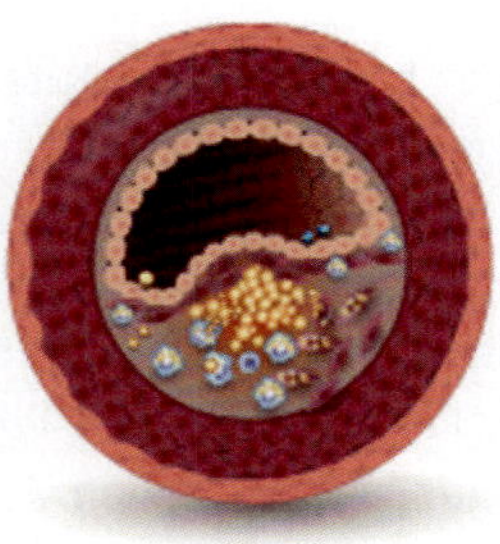

3. + Erklären Sie den möglichen Zusammenhang zwischen einer Angina pectoris und einem Herzinfarkt.
4. ++ Führen Sie an einer Mitschülerin/einem Mitschüler durch, welche Maßnahmen Sie als Ersthelfer/in bei einer von einem Herzinfarkt betroffenen Person ergreifen würden. Begründen Sie Ihre Maßnahmen.
5. + Wählen Sie eine Erkrankung des Atmungssystems aus. Recherchieren Sie dazu weitere Informationen (Häufigkeit, Behandlung, Vorsorgemaßnahmen, Erreger etc.) und präsentieren Sie Ihre Ergebnisse vor der Klasse.
6. ++ Recherchieren Sie, was passiert, wenn die Nieren nicht korrekt funktionieren. Welche Möglichkeiten gibt es dann für die Medizin?
7. ++ Recherchieren Sie, weshalb die Zuckerkonzentration im Blut von Diabetes-Patientinnen/-Patienten anhand von Urinproben überprüft werden kann. Wie gelangen die großen Mengen an Glucose in den Urin der Patientinnen/Patienten?

Einen interaktiven **Safety-Check** finden Sie in der TRAUNER-DigiBox.

Sucht und Suchtvorbeugung

psychoaktiv = auf die Psyche einwirkend

Suchtprävention bedeutet, der Sucht bzw. Abhängigkeit zuvorzukommen. Möchte man das Entstehen von Abhängigkeiten verhindern, muss man sich mit den Ursachen beschäftigen.

Das Phänomen des Gebrauchs von psychoaktiven Substanzen und der damit verbundenen Probleme ist in der Geschichte der Menschheit zu allen Zeiten und in allen Kulturen immer wieder zu finden.

Der **Begriff „Droge"** bezieht sich heute in der Umgangssprache nur auf diejenigen Substanzen, deren Herstellung, Weiterverbreitung und Besitz gesetzlich verboten sind (wie z. B. Heroin, Kokain, Cannabis, LSD, Ecstacy). Der Drogenbegriff ist demnach in der deutschen Sprache eine enge Verbindung mit dem geltenden Recht eingegangen. Von diesem Begriff werden andere psychoaktive Stoffe als **Genussmittel** (wie z. B. Alkohol, Tabak, Kaffee und Tee) und als **Arzneimittel** (wie z. B. Aufputsch-, Schmerz-, Beruhigungs- und Schlafmittel) abgegrenzt.

Im folgenden Text wird aufgrund der umgangssprachlichen Verwendung des Begriffes Droge der Begriff **„psychoaktive Substanz"** verwendet.

KOMPETENZ-ERWERB

Meine Ziele

Nach Bearbeitung dieses Kapitels kann ich

- erklären, was unter den Begriffen Sucht und Suchtformen verstanden wird;
- die Merkmale einer Sucht erkennen;
- Ursachen und Auswirkungen von Essstörungen beschreiben;
- verschiedene Erklärungsmodelle zur Suchtentstehung erläutern;
- über die möglichen Ursachen einer Sucht Auskunft geben;
- die Wirkungen und Risiken legaler und illegaler Drogen beschreiben.

1 Sucht bzw. Abhängigkeit

Mit großem Staunen stellt Ralf bei einer Informationsveranstaltung der Suchthilfe fest, wie viele Menschen mit einer Sucht zu kämpfen haben. Sucht bzw. Abhängigkeit sind nicht Probleme weniger willensschwacher Menschen, gewisser sozialer Schichten oder bestimmter Altersgruppen. Sie können jeden betreffen. Es sind auch nicht Probleme, die nur durch bestimmte Suchtmittel (legal oder illegal) hervorgerufen werden.

Sucht und Abhängigkeit sind immer begleitet vom Begriff der Zwanghaftigkeit: Ein **zwanghaftes Verlangen** nach psychoaktiven Substanzen oder nach Ausübung bestimmter Tätigkeiten wird zum bestimmenden Lebensprinzip.

Suchtformen

Stoffgebundene Sucht	Stoffungebundene Sucht

Ist an eine spezifische Substanz gebunden.	Ist der Zwang, eine bestimmte Tätigkeit immer wieder auszuüben bzw. sich in eine bestimmte Situation zu begeben und diese immer wieder aufzusuchen.
Beispiele Koffeinsucht, Nikotinsucht, Alkoholsucht, Medikamentensucht	**Beispiele** Spielsucht, Arbeitssucht, Esssucht, Internetsucht

Merkmale der Sucht bzw. Abhängigkeit

Die Übergänge zwischen experimentierendem Konsum, gelegentlichem Konsum, gesundheitsgefährdendem Konsum bis zur Abhängigkeit sind fließend.

Als wesentliches Kriterium für Abhängigkeit wird laut internationalen Klassifikationssystemen der fortgesetzte Konsum trotz anhaltender sozialer, psychischer oder körperlicher Probleme, die durch den Gebrauch der psychoaktiven Substanz verursacht oder verstärkt werden, angeführt.

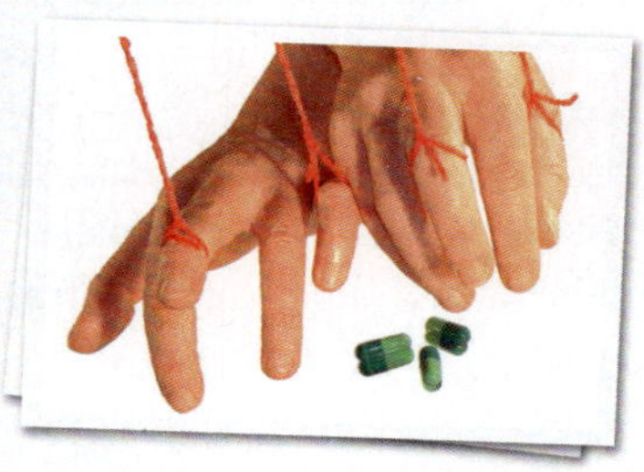

Laut WHO (Weltgesundheitsorganisation) wird das zwanghafte Verlangen nach einer Substanz bzw. einem Erleben als **Abhängigkeit** bezeichnet. Beim diesem Begriff besteht das Problem, dass darunter vorrangig substanzgebundene Abhängigkeiten verstanden werden.
Der Begriff **Sucht** wird jedoch auch von Fachpersonal immer noch synonym verwendet. Hierbei muss man allerdings zwischen der Verwendung im medizinischen Sinne und der Alltagsverwendung (z. B. Bio-Bäckerei macht süchtig nach gutem Brot) unterscheiden.
Es wird deswegen auch in Fachkreisen debattiert, welcher Begriff der passendere ist.

Bei **Koffein** handelt es sich um eine psychoaktive Substanz, deren Wirkung, Entzugserscheinungen und Suchtgefahr keineswegs mit denen von Nikotin oder Alkohol vergleichbar sind. Ob Koffein als Suchtmittel einzustufen ist, wird heftig diskutiert.

Weitere Merkmale sind:
- Kontrollverlust/Wiederholungszwang/Abstinenzunfähigkeit
- Toleranzentwicklung
- Interessenabsorption (Hobbys werden aufgegeben etc.)
- Psychische und physische Abhängigkeit

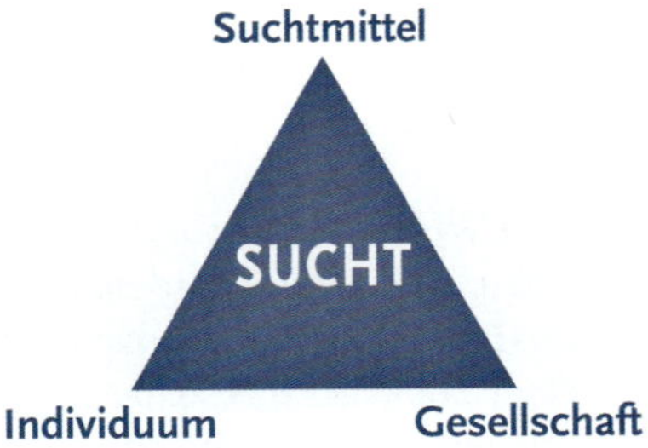

Ursachendreieck zur Entstehung von Sucht bzw. Abhängigkeit

Ursachen der Sucht bzw. Abhängigkeit

Es ist heute weitgehend anerkannt, dass die Entstehung von süchtigem Verhalten als Folge des Zusammenspiels einer Vielzahl von Faktoren gilt, die in einem dichten wechselseitigen Ursachen- und Bedingungsverhältnis zueinander stehen.

Die verschiedenen Entstehungstheorien zu Sucht und Abhängigkeit haben gemeinsam, dass sich dieser Prozess im Spannungsfeld „Person – Suchtmittel – Gesellschaft" abspielt. Dies lässt sich durch ein „Ursachendreieck" verdeutlichen.

2 Legale und illegale Substanzen

Alkohol, Nikotin, Medikamente, synthetisch hergestellte Stoffe und sogar manche Pilze sind Substanzen, die Einfluss auf die Psyche haben können.
Lisa ist überrascht, dass es so viele unterschiedliche Suchtmittel gibt. Doch worin unterscheiden sie sich und was sind ihre Gefahren?

Einteilung der psychoaktiven Substanzen

Legale psychoaktive Subtanzen

Beispiele
Alkohol, Nikotin

Illegale psychoaktive Subtanzen

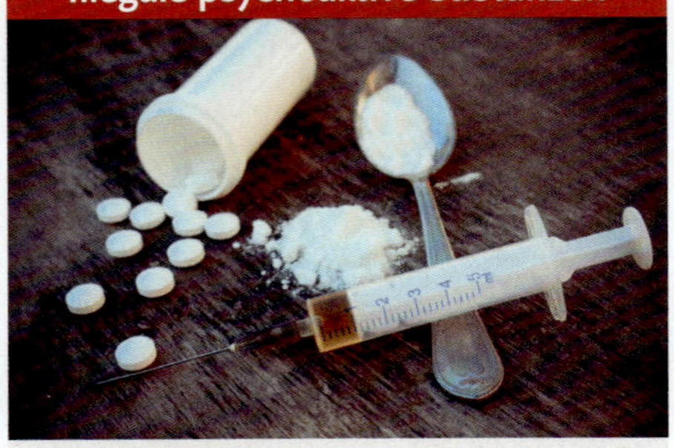

Beispiele
Heroin, Cannabis, Opiate

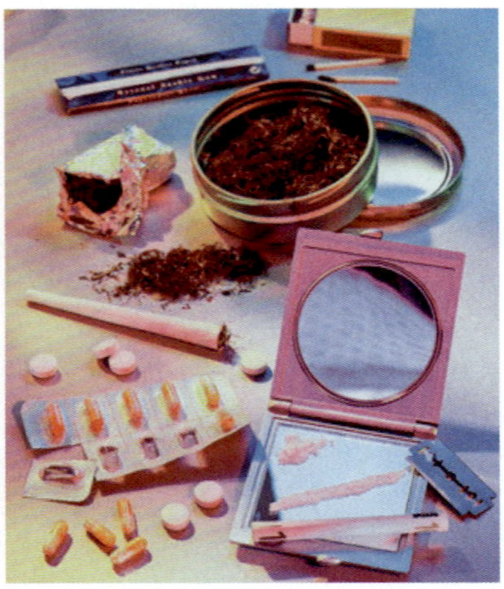

Inwiefern sich die jeweiligen Gefahren der jeweiligen Substanzen äußern, hängt grundsätzlich von mehreren Faktoren ab und kann sich von Person zu Person unterscheiden.

Einfluss auf die Wirkung von Suchtmitteln haben:

Häufigkeit des Konsums	Form der Einnahme	Psychischer Zustand	Körperlicher Zustand
Beispiel mehrmals täglich	**Beispiele** oral, intravenös	**Beispiel** depressiv	**Beispiel** erschöpft

Jeder übermäßige Konsum kann zur Abhängigkeit führen und verursacht Schädigungen an Körper, Psyche und sozialem Umfeld. Spätfolgen sind bei Missbrauch vieler psychaktiver Substanzen nicht auszuschließen.

2.1 Alkohol

Wirkung	Ehe die betäubende Wirkung einsetzt, erlebt die/der „Berauschte" ein sogenanntes **Erregungsstadium.** Diese Erregung lässt sich als Abfallen von Hemmungen definieren. Die Leistungsfähigkeit für komplizierte Aufgaben wird schon durch kleine Mengen merklich verschlechtert.
Abhängigkeit	Alkohol kann bei Dauerkonsum psychisch und körperlich abhängig machen. Mögliche Entzugserscheinungen sind Schlaflosigkeit, Gereiztheit, Zittern, Schweißausbrüche, Angst und Verwirrtheit.
Schädigungen	Sie sind von der Konsummenge und -häufigkeit abhängig. Durch langjährigen übermäßigen Alkoholkonsum können krankhafte Veränderungen der Nerven, des Gehirns und Geisteskrankheiten auftreten.

Je mehr getrunken wird, um so mehr treten negative Wirkungen auf, wie depressive Stimmung, Aggressionen, Verlust der Selbstkontrolle, Gleichgewichts- und Sprachstörungen bis zu Betäubung, Atemschwierigkeiten, Vergiftungserscheinungen. Eine Überdosis kann zum Tod führen.

Folgeleiden des Alkoholismus sind u.a. Schädigung des ungeborenen Kindes, Krebsarten der oberen Verdauungswege. Darüber hinaus bedingt Alkohol Verkehrsunfälle, Arbeitsunfälle, Gewaltverbrechen, Zerstörung von sozialen Beziehungen.

Wussten Sie, dass ...
in Österreich bei jedem zweiten tödlichen Verkehrsunfall von Jugendlichen Alkohol die Unfallursache ist?

2.2 Nikotin/Tabak

Wirkung	Nikotin übt eine starke Wirkung auf das Nervensystem, das Herz und verschiedene andere Körperstrukturen aus. Es hat eine stark stimulierende oder entspannende Wirkung.
Abhängigkeit	Nikotin erzeugt sowohl körperliche als auch psychische Abhängigkeit. Entzugserscheinungen sind Nervosität, Schlafstörungen, Unruhe, Reizbarkeit. Die Entzugsphase kann mehrere Monate dauern.
Schädigungen	Die toxischen Substanzen im Zigarettenrauch sind Nikotin, Kohlenstoffmonooxid (CO) und Teer. CO verdrängt Sauerstoff im Blut, während Nikotin die Belastung des Herzens steigert. Es kann zu Gefäßerkrankungen kommen.

In Österreich sterben derzeit jährlich 14 000 Menschen an den Spätfolgen des Rauchens.

Weitere mögliche Schäden sind Atemwegserkrankungen (z. B. Atemschwierigkeiten, erhöhte Infektionsanfälligkeit, Bronchitis), Krebs (Lunge, Mundraum, Rachen, Kehlkopf). Gleichzeitiger Alkoholkonsum lässt die Gefahr, an Krebs zu erkranken, steigen. Nikotinkonsum während der Schwangerschaft führt zu negativen Auswirkungen auf den Embryo.

Je früher jemand mit dem Rauchen beginnt, umso stärker wird sein Körper geschädigt.

psychedelisch = das Bewusstsein verändernd; einen euphorischen, tranceartigen Gemütszustand hervorrufend.

Wussten Sie, dass ...
Cannabis auch als Arzneimittel eingesetzt wird? So z. B. in der Behandlung von chronischen Schmerzen, bei multipler Sklerose, bei gewissen Krebsformen sowie bei Epilepsie. Zurzeit wird auch deshalb in vielen Staaten über eine Legalisierung von Cannabis nachgedacht.

Viele Medikamente bergen bei einer Überdosis ein tödliches Risiko!

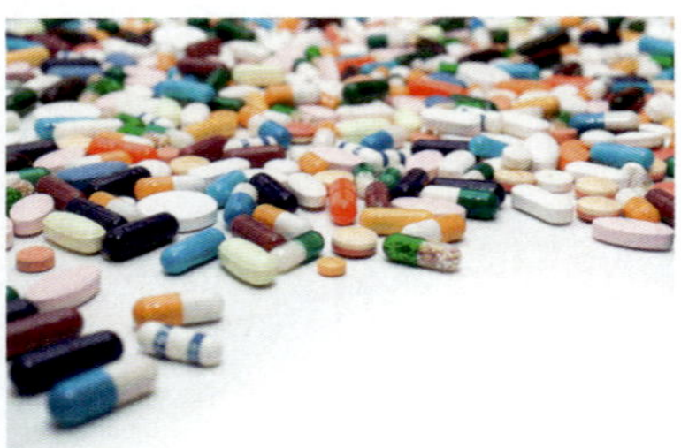

Ecstasy = Methylendioxymethamphetamin, kurz MDMA.

Durch das Gefühl erhöhter Energie wird ein totaler Erschöpfungszustand nicht wahrgenommen. Ein Hitzschlag kann die Folge sein.

2.3 Cannabis (indischer Hanf)

Für **Haschisch** (Shit) verwendet man das Harz der Pflanze, für **Marihuana** (Gras, Pot) die getrockneten Blätter und Blüten. Haschischöl ist ein Konzentrat von Haschisch und ca. 10- bis 20-mal stärker als sein Ausgangsprodukt.

Wirkung	Kann einen deutlichen Rausch und psychedelische Wirkungen verursachen. Die Leistungsfähigkeit wird herabgesetzt. Eine Verstärkung der Grundstimmung (z. B. Ausgelassenheit, Angstzustände) kann bei ängstlich-depressiven Personen zu Verfolgungsphantasien führen.
Abhängigkeit	Häufiger, regelmäßiger Konsum kann zu einer psychischen Abhängigkeit führen. Das Problem körperlicher Abhängigkeit stellt sich nicht.
Schädigungen	Häufiger Konsum über längere Zeiträume hinweg kann ähnliche Krankheiten wie Tabakrauchen verursachen. Weiters kann es bei massivem Cannabiskonsum zu einer Verzögerung des psychischen Reifungsprozesses (z. B. während der Pubertät) kommen.

2.4 Medikamente

Missbrauch wird vor allem mit **Schmerz-, Beruhigungs-, Schlaf- und Anregungsmitteln** oder anderen vermeintlich harmlosen Mitteln, die **Alkohol** oder Codein enthalten, wie Hustensirup, Stärkungsmitteln oder Abmagerungspillen, betrieben.

Wirkung	Je nach Inhaltsstoffen wirken Medikamente entspannend, beruhigend, schlaffördernd, berauschend, leistungssteigernd oder stimmungsaufhellend.
Abhängigkeit	Bei vielen Medikamenten ist ein hohes Abhängigkeitspotenzial gegeben, das häufig unterschätzt wird.
Schädigungen	Neben körperlichen Schäden können sie ebenso Persönlichkeitsveränderungen bewirken. Zusammen mit anderen Drogen kann ihre Wirkung verstärkt werden und unberechenbar machen.

2.5 Ecstasy und verwandte Wirkstoffe

Ecstasy wird hauptsächlich in Labors synthetisch hergestellt.

Wirkung	Gefühl vermehrter Energie, das mehrere Stunden anhält, darauf folgend Erschöpfung und möglicherweise Depression.
Abhängigkeit	Führt meist nicht zu einer Abhängigkeit im allgemeinen Sinn, wenngleich manche Personen unkontrollierte Gebrauchsmuster entwickeln. Bei hoher Dosierung kann jedoch auch bei Ecstasy eine Abhängigkeitsproblematik entwickelt werden.
Schädigungen	Mögliche Folgen sind Leber- und Gedächtnisschädigungen. Darüber hinaus kann es zur Zerstörung von Hirngewebe durch Abbauprodukte von MDMA sowie zu teilweise fortdauernden Wahrnehmungsstörungen kommen. Zudem sind psychotische Effekte (z. B. Panikattacken) möglich.

2.6 Amphetamine

Der Ausdruck Amphetamine wird auf eine Gruppe von Drogen angewandt, die zumindest folgende Substanzen beinhalten: Benzedrine, Dexedrine, Meth(yl)amphetamine. Der bekannteste Szenenname für Amphetamine ist **Speed,** für Methamphetamine vor allem **Crystal Meth** oder **Ice.**

Wirkung	Psychische Wirkungen sind gesteigerte Aufmerksamkeit, Wachheit, Stimmungsaufhellung und verstärkte motorische Erregung. Bei höherer Dosis kann es zu Unruhezuständen, Muskelzittern und einer Herabsetzung des Schlafbedürfnisses kommen.
Abhängigkeit	Starkes Abhängigkeitspotenzial! Übermäßiger Gebrauch führt zu einer psychischen und möglicherweise auch zu einer physischen Abhängigkeit. Es bildet sich schnell eine Toleranz gegenüber dem Wirkstoff aus, sodass die Dosis gesteigert werden muss.
Schädigungen	Bei gehäuftem Gebrauch nehmen die unangenehmen Wirkungen an Häufigkeit und Schwere zu. Die Gesundheit leidet aufgrund des Nahrungs- und Schlafdefizits.

Immer neue Zusammensetzungen von Designerdrogen erschweren es, Wirkung und Gefahren richtig abzuschätzen.

Werden Amphetamine über einen längeren Zeitraum wiederholt eingenommen, können gelegentlich stereotype oder sinnlose Verhaltensweisen auftreten. Aggressionen, Gewaltanwendungen, paranoide Wahnvorstellungen sind unter diesen Bedingungen beschrieben worden. Chronischer Missbrauch ist oft von schweren Schlafstörungen begleitet.

2.7 Lösungsmittel

Wirkung	Die Erfahrung gleicht einem starken Rausch nach exzessivem Alkoholkonsum, die Wirkung hält ca. 45 Minuten an.
Abhängigkeit	Psychische Abhängigkeit ist möglich.
Schädigungen	Die größte Gefahr liegt in Tod oder Verletzung durch Unfälle, Bewusstlosigkeit, Ersticken und Herzversagen. Lang anhaltender Konsum kann Hirn, Leber und Nieren schädigen.

Lösungsmittel und Gase (Verdünner, Benzin, Lacke, Reinigungsmittel, Äther etc.) werden geschnüffelt.

2.8 Heroin und andere Opiate

Ausgangsbasis für die Herstellung ist der eingetrocknete Saft der **Schlafmohnkapsel** (Rohopium). Morphium wird in der Medizin als wirkungsvolles Schmerz- und Betäubungsmittel gebraucht. Heroin ist ein weißes Pulver und sechsmal stärker als Morphium.

Wirkung	Ist ein starkes Schmerzmittel, das auf Körper und Psyche gleichermaßen stark wirkt. Unangenehme Empfindungen werden betäubt. Um die entsprechende Wirkung zu erzielen, werden zunehmend höhere Dosen benötigt.
Abhängigkeit	Besitzt ein großes Abhängigkeitspotenzial (psychisch und physisch). Beim Absetzen treten starke Entzugserscheinungen auf.
Schädigungen	Vor allem Beisätze, um den Stoff zu strecken, und Infektionen beim Tauschen von gebrauchten Spritzen (z. B. Aids, Blutvergiftung, Gelbsucht) führen zu Schädigungen. Tod durch Überdosis ist ein ständig gegenwärtiges Risiko.

Schlafmohnkapseln werden angeritzt und aus dem danach austretenden Saft werden Opiate gewonnen.

2.9 Kokain

Kokainhydrochlorid ist ein weißes Pulver und wird aus den Blättern des **Kokastrauches** gewonnen.

Wirkung	Erzeugt Euphorie und Leistungssteigerung. Allerdings sind auch Panik- und Angstzustände möglich. Negative Wirkungen ergeben sich, sobald sich Wiederholungen der Einnahme häufen.
Abhängigkeit	Es besteht ein hohes Risiko des abhängigen Gebrauchs, besonders psychische Abhängigkeit. Beim Absetzen der Droge können Depressionen und Angstzustände auftreten.
Schädigungen	Möglich sind Erschöpfungszustände, Gewichtsverlust oder Depressionen. Oft kommt es zu Schädigungen der Nase beim Aufschnupfen.

Angefangen von Ruhelosigkeit und Reizbarkeit können sich die Symptome bis hin zu Wahnvorstellungen und psychoseähnlichen Zuständen steigern.

2.10 LSD und andere Halluzinogene

LSD = Lysergsäurediethylamid

LSD wird in Labors aus Rohstoffen hergestellt, die aus dem **Mutterkornpilz** gewonnen werden. Halluzinogene Wirkstoffe sind in verschiedenen Pflanzen enthalten. Einige **natürlich vorkommende Pilze** haben ähnliche halluzinogene Eigenschaften (z. B. Psilocybinpilze).

Wirkung	Rauschzustände sind von **Halluzinationen** geprägt. Es besteht die Gefahr, auf einen qualvollen **Horrortrip** zu kommen, der in Form von Rückblenden (Flashbacks) wiederkehren kann.
Abhängigkeit	Physische Abhängigkeit kommt nicht vor. Bei wiederholtem Konsum reagiert der Körper nicht mehr auf die Droge, die Wirkung stellt sich erst wieder nach einer Einnahmepause ein.
Schädigungen	In berauschtem Zustand können unkontrollierte Handlungen erhebliche Gefahren bergen. Ebenso besteht die Gefahr, von einem Trip nicht mehr „herunterkommen" zu können.

3 Essstörungen

Bei Essstörungen handelt es sich um **individuelle Verhaltensweisen,** die zuweilen eine krankhafte, suchtartige Form annehmen. Das Essen an sich und die Beschäftigung mit Nahrung bzw. die Nahrungsverweigerung spielen eine zentrale und enorm wichtige Rolle im Leben der betroffenen Person.

Essstörungen sind in der westlichen, industrialisierten Welt ein stetig wachsendes Gesundheitsproblem.

Essstörungen sind Strategien zur Lebensbewältigung. Sich zu überessen oder nicht zu essen kann **kurzzeitig ein Gefühl der Erleichterung, Sicherheit oder Unabhängigkeit** verschaffen. Da es sich dabei immer nur um eine kurzfristige Befriedigung oder Entspannung handelt, braucht man Wiederholungen. Diese werden zwanghaft und geraten außer Kontrolle.

Allgemeine Aspekte von Essstörungen	
Psychische Probleme	Sind meist die Grundlage von Essstörungen.
Sozialstruktur	Essstörungen finden sich in allen gesellschaftlichen Schichten.
Druck der Gesellschaft	Koppelung von magersüchtigen Idealen an Erfolg und Glück in der Gesellschaft.
Kollektives Diätverhalten	Diäten sind heutzutage allgegenwärtig; diese können in Essstörungen münden.
Kulturelles Problem	Sie treten nur in modernen Kulturen auf, wo Nahrung in Überfluss vorhanden ist.

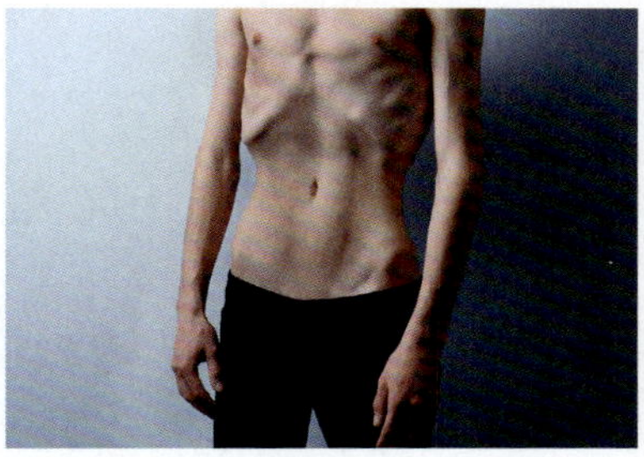

Magersucht ist nur eine Form von Essstörungen.

Bislang waren wesentlich mehr Frauen als Männer von der Problematik betroffen. Es zeigt sich jedoch auch bei Männern eine steigende Tendenz, da auch sie zunehmend einem perfektionistischen Körperkult unterworfen werden. Von den Essstörungen Magersucht und Ess-Brech-Sucht sind zu etwa 90 % Frauen betroffen. Bei Kindern nimmt vor allem die Adipositas zu.

Formen von Essstörungen

Magersucht (Anorexia nervosa)

Hierbei wird aus Angst vor einer Gewichtszunahme die Nahrungsaufnahme reduziert bzw. verweigert. Grund für einen selbst herbeigeführten auffallenden Gewichtsverlust (u. a. durch Diäten und/oder Missbrauch von Abführmitteln und Appetitzüglern) sind eine verzerrte Körperwahrnehmung und fehlende Krankheitseinsicht.
So werden selbst definierte, sehr niedrige Gewichtsgrenzen gesetzt und es herrscht eine panische Angst vor Gewichtszunahme.

Ess-Brech-Sucht (Bulimia nervosa)

Das Erbrechen wird dabei nach Essattacken selbst eingeleitet und wird oft mit Appetitzüglern, Abführmitteln, Medikamenten und Alkohol kombiniert.
Der Grund für das Erbrechen ist eine Gewichtsregulierung.
Oft ist das Gewicht der Betroffenen Schwankungen unterworfen.
Psychische Symptome sind geringes Selbstwertgefühl, psychische Labilität, Depressionen.

Fettsucht (Adipositas)

Bei der Fettsucht vermehrt sich das Körperfett und führt so oft zu einer Reihe von Folgeerkrankungen.
Hierbei spielen vor allem genetische Faktoren und umweltbedingte Einflüsse eine Rolle. Aber auch Überernährung und Bewegungsmangel tragen dazu bei.
Fettsucht ist nicht auf einen speziellen Lebensabschnitt beschränkt; besonders kritische Phasen sind jedoch z. B. Kindheit, Pubertät, Schwangerschaft, Menopause.

4 Suchtprävention

Unter Prävention versteht man eine Vorbeugung; Suchtprävention bedeutet somit: **der Sucht bzw. Abhängigkeit zuvorkommen.**

Sucht und Abhängigkeit beginnen im Alltag – Suchtprävention auch. Lösungen müssen dort gesucht werden, wo die Ursachen für das Suchtverhalten liegen: bei den Schwierigkeiten im Alltag, der Persönlichkeit eines Menschen, den Einflüssen aus Umwelt und Gesellschaft und den Suchtmitteln.

Suchtvorbeugung setzt bereits ein, **bevor Symptome auftreten.** Sie möchte die umfassende Fähigkeit vermitteln, Lebensbedingungen selbstständig zu ändern und zu verbessern. Moderne Suchtvorbeugung orientiert sich an den Ursachen. Sie informiert über Möglichkeiten, sich vor Sucht bzw. Abhängigkeit zu schützen.

147 – Rat auf Draht
Österreichweit – anonym – rund um die Uhr! Die Hotline für Kinder und Jugendliche ist unter der Telefonnummer 147 in ganz Österreich erreichbar. Hier gibt es Adressen von Beratungsstellen in ganz Österreich. Im Notfall kann auch ein direkter Kontakt hergestellt werden.
Der Anruf ist kostenlos, gleich ob vom Festnetz oder vom Handy.

Wichtige Ansätze der Prävention	
Vermittlung eines gesunden Selbstwertgefühls	Ein gesundes Selbstwertgefühl bewahrt einen davor, Halt z. B. in Drogen zu suchen.
Aktiver Umgang mit Problemen	Probleme müssen angegangen werden und Erfahrung in deren Bewältigung gesammelt werden.
Verbesserung der Lebensbedingungen	Bessere Lebensqualität z. B. in den Bereichen Luft, Lärm, soziales Klima.
Drogenpolitik	Entsprechende Gestaltung von Gesetzen.

Zusätzlich sind **Früherkennung** und **Frühbehandlung** wichtige Maßnahmen der Vorbeugung von Sucht und Abhängigkeit. Diese setzen ein, wenn die ersten Symptome sichtbar werden. Ihr Ziel ist die **Schadensminimierung.**

4.1 Das Tankmodell

Apropos: Wie schaut's im Moment mit Ihrem Tank aus?

Das Tankmodell (nach Christoph Lagemann) beschreibt die Entstehung süchtigen Verhaltens und zeigt andererseits Möglichkeiten auf, die den Weg in die Sucht bzw. Abhängigkeit verhindern sollen.

In unserem **Seelentank** (= psychischer Tank) brauchen wir viele verschiedene „Treibstoffe“, um uns wohlzufühlen. Unser Tank ist allerdings nicht immer gleich voll bzw. gleich leer. Abhängig von äußeren und inneren Ursachen haben wir manchmal einen vollen Tank, manchmal ist er nur halb voll und manchmal ist er ziemlich leer. So ist das bei jedem Menschen.

Ständig sind wir durch Medien, Werbung usw. einer Welt ausgesetzt, in der es scheinbar nur starke, schöne, erfolgreiche Menschen gibt, die scheinbar keine Traurigkeit, keine Sehnsüchte und Ängste kennen. Diese Botschaften können dazu führen, dass sich Menschen schämen, wenn es ihnen einmal nicht so gut geht (sie also einen leeren Tank haben).

Psychische Gesundheit ist „nicht die Abwesenheit von Problemen, sondern der Mut, mit Problemen umzugehen“.

Natürlich handelt es sich hier um eine **Scheinwelt:** Krisen und Traurigkeit sind genauso Teil eines jeden Lebens wie Erfolg und Freude. Ein leerer Tank hat nichts mit Krankheit zu tun, er ist natürlicher Teil unseres Lebens. Menschen, die das nicht wissen, die sich an dieser Scheinwelt orientieren, erscheinen die eigenen Traurigkeiten, Sehnsüchte und Ängste krankhaft, und es steigt das Bedürfnis, diese Gefühle vor der Außenwelt zu verstecken.

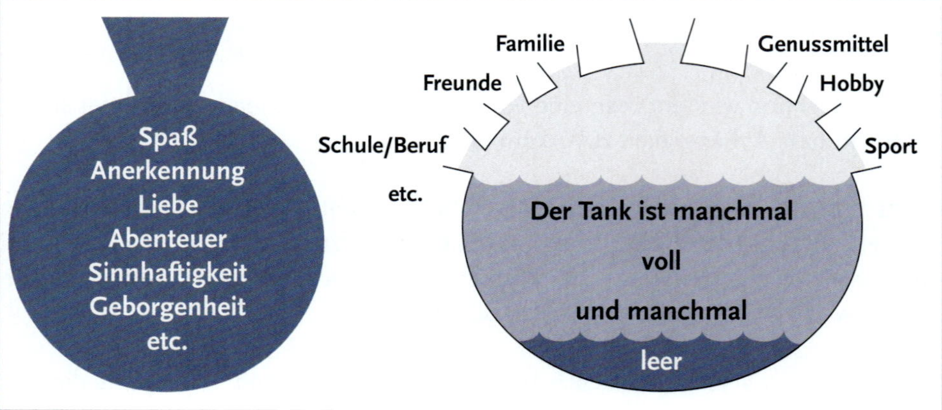

Um unseren Tank zu füllen, brauchen wir Tankstellen.

Tankstellen

Wenn wir uns umsehen, entdecken wir eine Unmenge an Tankstellen (übrigens, gleich neben Ihnen sitzt eine!).

Manchmal sind die Zugänge verstopft, manche Tankstellen schließen wir und eröffnen dafür neue. Äußere Faktoren (Gesellschaft, Umwelt etc.) und auch wir selbst bestimmen die Anzahl und Qualität der Tankstellen.

Für manche Menschen stellt die Natur eine wichtige Tankstelle dar, für andere ist es die Kunst. Der Verein, wo ich Mitglied bin, das Fest, zu dem ich demnächst eingeladen bin etc. – unser Tank und unsere Tankstellen sind einer ständigen Dynamik unterworfen. Manche Tankstellen versiegen, neue werden erschlossen.

Aufgabenstellung – „Tankmodell"

■ + Zeichnen Sie Ihren persönlichen Tank und fügen Sie die Inhalte ein, die Sie brauchen (ungefähr 15).
Fügen Sie dann noch Ihre persönlichen Tankstellen hinzu (ungefähr 25).

Diskutieren Sie mit Klassenkolleginnen/Klassenkollegen in Kleingruppen.
- Wie/wo tanke ich was?
- Welche äußeren und inneren Ursachen bestimmen die Veränderungen im Tank mit?

Wie gesagt, unser Tank ist nicht immer voll. Auftanken ist nicht immer leicht. Die Verlockung, zu **Ersatzhandlungen** zu greifen, ist groß: Schokolade statt Liebe, Glücksspiel statt Partner/in, Alkohol oder Drogen statt Lust und Abenteuer, Ecstasy statt Ekstase.

In unserer schnelllebigen Zeit werden die verschiedenen Sehnsüchte häufig mit Ersatzmitteln scheinbefriedigt. Die Werbung forciert den Griff zum Ersatzmittel.

Viele Menschen haben sich verschuldet, in der Meinung, Konsumgüter könnten menschliche Sehnsüchte befriedigen. Hinter der Konsumsucht steht die Sehnsucht.

Beispiele für Verlockungen zu Ersatzmitteln in der Werbung
- „Du hast einen Freund – deine Versicherung"
- „Liebe heißt – eine bestimmte Jeansmarke tragen"
- „Freiheit und Abenteuer – Zigaretten"

Aufgabenstellung – „Werbung für Ersatzmittel"

■ + Finden Sie weitere Beispiele aus der Werbung. Geben Sie an, mithilfe welcher Tankinhalte welche Produkte verkauft werden. Präsentieren Sie Ihre Erkenntnisse und vergleichen Sie sie in der Klasse.

Ersatzstoffe oder Ersatzhandlungen wirken wie **Stoppel** auf unseren Tanks. Sie verschließen den Tank, decken die Mängel zu. Der Griff zum Stoppel ist weitverbreitet und etwas fast Alltägliches. Dahinter steht häufig der Versuch, unangenehme Gefühle, Unzulänglichkeiten nicht an die Oberfläche treten zu lassen.

Beispiele für Stoppel
- veränderte Essgewohnheiten
- Griff zu Alkohol und Medikamenten
- stundenlanges Fernsehen
- vermehrter Konsum

Vom Stoppel zur Sucht/Abhängigkeit

Es passt nicht jeder Stoppel auf jeden Tank. Hat jedoch jemand seinen „idealen" Stoppel gefunden und verwendet ihn immer wieder, besteht die **Gefahr der Gewöhnung,** und es kann sich in weiterer Folge eine Sucht bzw. Abhängigkeit entwickeln. Der Stoppel wird zum Mittelpunkt des Interesses.

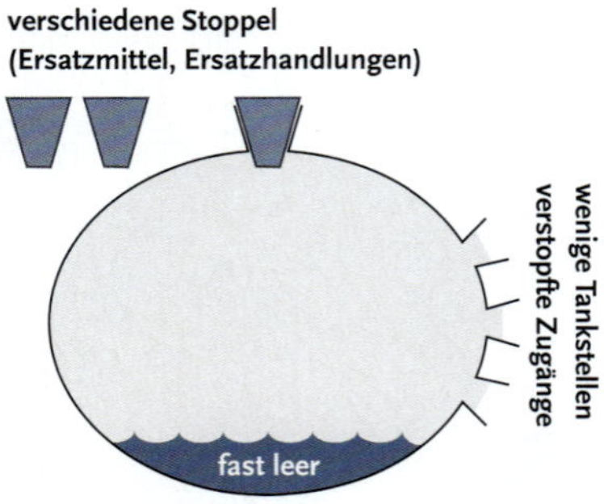

Welche Stoppel verwenden Sie und wofür stehen sie?

Hinter jeder Sucht bzw. Abhängigkeit steht der Versuch einer Selbstheilung, der Stoppel ist das Symptom für eine Störung im Tank. Die Gefahr der Entwicklung einer Sucht bzw. Abhängigkeit ist dann besonders groß, wenn eine Substanz oder ein Verhalten Ersatzfunktion im Leben einnimmt. In Krisensituationen erhöht sich diese Gefahr.

Betrachten wir das Tankmodell, werden wir bemerken, dass es nicht die „guten Tankstellen" und die „bösen Stoppel" gibt. Vieles, das manchen von uns als Tankstelle dient, dient anderen als Stoppel. Mehr oder weniger können alle Tankstellen, missbräuchlich verwendet, zum Stoppel werden. Umgekehrt kann alles, entsprechend verwendet, als Tankstelle dienen.

Unterschiedliche Wirkung von Stoffen und Handlungen

Alkohol

Ein Glas Sekt unterstreicht zu Silvester die Bedeutung des Augenblicks, für andere ist der Alkohol aber zum lebensbestimmenden Stoppel geworden.

Fernsehen

Ein guter Film ist für viele eine Tankstelle, übermäßiges Fernsehen ist für viele Ersatz für Zuwendung, Spaß oder Abenteuer.

Diskutieren Sie anhand von ungefähr 20 Beispielen die unterschiedlichen Funktionen verschiedener Verhaltensweisen und Substanzen.

4.2 Sucht und Abhängigkeit entstehen nicht von heute auf morgen

Sie entsteht meist unbemerkt mit dem Ausweichen vor unangenehmen Situationen, mit dem Griff zum Ersatzmittel, zur Ersatzhandlung.

Gesundheit ist auch die Fähigkeit, aufzutanken, neue Tankstellen zu suchen und anzuzapfen sowie verstopfte Zugänge zu reinigen.

Wenn sich Sucht bzw. Abhängigkeit jedoch einmal entwickelt haben, ist ihre Dynamik schwer zu durchbrechen. Der Stoppel wird zum Mittelpunkt des Lebens, um den alles kreist. Er deckt nicht nur die eigenen Ängste und Mängel zu, er verhindert auch, dass sich der Tank wieder füllen kann.

Deshalb ist es in der Behandlung abhängigger Personen unbedingt nötig, nach Entfernung des Stoppels **(Entzug)** großes Augenmerk auf Tank und Tankstellen zu legen. Andernfalls bleibt die Leere im Tank bestehen und (wie in einem Gefäß, in dem ein Vakuum herrscht) zieht der Tank den Stoppel wieder an **(Rückfall).**

Aber nicht nur in der Suchtbehandlung sind der Tank und die Tankstellen von zentraler Wichtigkeit. Wollen wir Sucht und Abhängigkeit vorbeugen (Prävention), müssen wir uns mit unserem Tank und unseren Tankstellen auseinander setzen. Wir sind der Dynamik in unseren Tanks nicht ausgeliefert. Wir können sie zu einem wesentlichen Teil mitgestalten.

Ziele erreicht? – „Sucht und Suchtvorbeugung“

KOMPETENZ-ERWERB

1. ++ Erklären Sie, wann eine Sucht bzw. Abhängigkeit vorliegt.
2. \+ Beschreiben Sie, was man unter einer Toleranzentwicklung versteht.
3. \+ Nennen Sie die Ihnen bekannten Drogen/Substanzen und teilen Sie sie ein. Nach welchen Kriterien erfolgt Ihre Einteilung?
4. \+ Welche Essstörungen kennen Sie? Recherchieren Sie die Symptome von mindestens zwei Essstörungen. Präsentieren Sie Ihre Ergebnisse in der Klasse und vergleichen Sie sie.

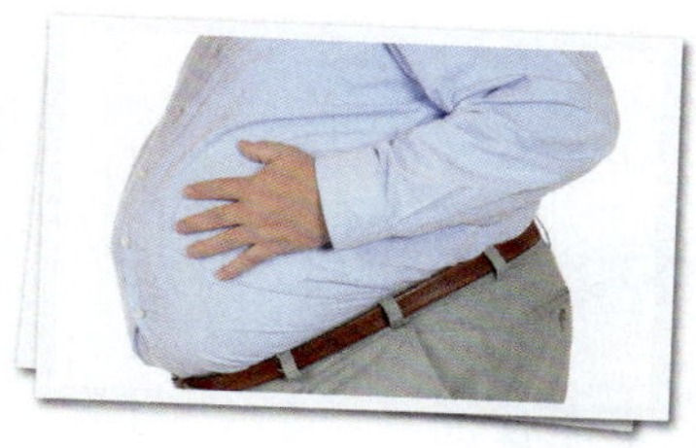

5. \+ Erklären Sie kurz die Inhalte des Tankmodells.
6. \+ Füllen Sie das Ursachendreieck zur Sucht bzw. Abhängigkeit korrekt aus. Erklären Sie, was zusammenspielen muss, damit es zu einer Sucht bzw. Abhängigkeit kommt bzw. welche Faktoren eine Sucht hervorrufen können.

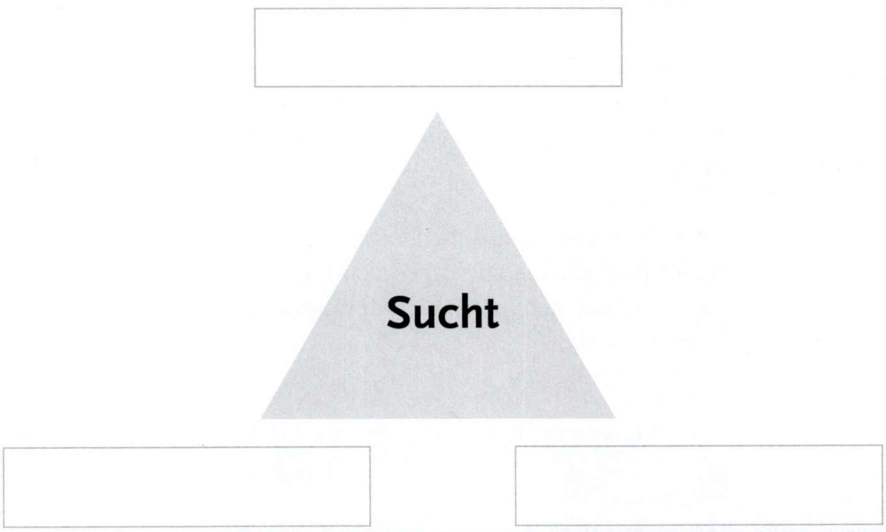

Einen interaktiven **Safety-Check** finden Sie in der TRAUNER-DigiBox.

Psychohygiene und Stress

Anhand der Bedürfnishierarchie von Abraham Maslow zeigt sich, wie sich psychohygienische Maßnahmen vornehmen lassen.

5. Selbstverwirklichung

4. Ansehen und Status

3. Zugehörigkeit und Liebe

2. Sicherheitsbedürfnis

1. Physiologische Bedürfnisse

Abraham Harold Maslow, 1908 bis 1970, amerikanischer Psychologe

Der Mensch strebt nach Harmonie und Glück. Vieles, was wir tun, ist darauf ausgerichtet, und die merkwürdigsten Irrwege werden oft eingeschlagen, nur weil der Mensch meint, dieser oder jener sei der einzig richtige Weg zum Glück. Gerade solche Absichten sind meist schon ein Indiz dafür, dass der Glückszustand schwer zu erreichen ist, denn Fanatismus erzeugt in der Regel Unglück und bewirkt keineswegs jenes Glücksgefühl, das man mit einer bestimmten Idee zu erreichen vermeint.

Gelingt es dem Menschen nicht, ausreichend für eine notwendige Befriedigung seiner Bedürfnisse zu sorgen, kann es zu gravierenden gefühlsmäßigen Defiziten kommen, die sich im Bereich der psychosomatischen Krankheiten niederschlagen können.

psychosomatische Krankheiten = körperliche Erkrankungen, die seelisch verursacht sind oder stark von Gefühlserfahrungen mitbestimmt sind.

KOMPETENZ-ERWERB

Meine Ziele

Nach Bearbeitung dieses Kapitels kann ich

- die einzelnen Bedürfnishierarchien nach Maslow unterscheiden;
- erklären, warum wir in bestimmten Situationen versagen;
- Auswirkungen von Stress auf unseren Organismus beschreiben;
- Entspannungsübungen durchführen und bewerten.

Bedürfnisebenen nach Maslow

Physiologische Bedürfnisse	Sicherheitsbedürfnisse	Bedürfnisse nach sozialen Bindungen	Selbstachtungsbedürfnisse	Selbstverwirklichungsbedürfnis
Werden elementare Grundbedürfnisse nicht ausreichend befriedigt, kommt es zu gravierenden Mangelerscheinungen im organischen Bereich, die mit dem vorzeitigen Tod enden.	Bedürfnisse nach Sicherheit (schätzender Abhängigkeit, Ordnung, Gesetzlichkeit, Verhaltensregulierung) und Schutz vor Schmerz und Angst.	Hängen eng mit den Sicherheitsbedürfnissen zusammen und sind vor allem durch die Sehnsucht nach Liebe, Zärtlichkeit und Geborgenheit gekennzeichnet.	Auch diese Bedürfnisse zählt man zu den höheren Bedürfnissen. In der Regel können sich Menschen besser entfalten und fühlen sich wohler, wenn sie ausreichend Lob und Zustimmung erhalten.	Kann die Persönlichkeit entsprechend entwickelt werden, ist man in der Regel mit dem Schicksal zufrieden. Das Fehlen solcher Möglichkeiten führt zu einem existenziellen Mangel.
Beispiele Hunger, Durst, Schlaf	**Beispiele** Sicherheit, Regelung	**Beispiele** Liebe, Geborgenheit, Sex	**Beispiele** Leistung, Geltung, Ansehen, Status	**Beispiel** Realisierung der eigenen Möglichkeiten und Fähigkeiten

Wichtiges Motiv bei Menschen, die stark nach Selbstentfaltung streben, ist das Bedürfnis, nicht nur etwas zu erreichen, sondern darüber hinaus jene Vorgänge, mit denen sie sich beschäftigen, auch zu verstehen und zu begreifen, ohne einen unmittelbaren konkreten Nutzen daraus ziehen zu können.
Solche Ziele sind in der Regel auch jenseits finanzieller oder anderer materieller Interessen angesiedelt und sind nicht stark durch soziale Beziehungen beeinflusst. Viele dieser Menschen treten mit ihrem Talent nicht an die Öffentlichkeit, es geht vielmehr um Selbstentfaltung.

Rezepte für ein erfülltes Leben gibt es nicht, jeder Mensch muss seiner eigenen Bestimmung entsprechend handeln.

Psychoregulation

Angst nennen wir das Gefühl, in bestimmten (z. B. bedrohlichen) Situationen etwas nicht zu schaffen. **Stress** ist der körperliche Zustand, der gemeinsam mit dem Gefühl der Angst auftritt und ab einer gewissen Stärke als unangenehm belastend empfunden wird.

Der Körper braucht Stress, behauptet Hans Selye, der wohl berühmteste Stressforscher. Die absolute Abwesenheit von Stress bedeutet den Tod des Menschen.

Eine Stressreaktion ist eine natürliche Reaktion des Menschen. Bei Gefahr werden rasch Energiereserven für extreme Körperleistungen mobilisiert. Dabei wird das Denken ausgeschaltet und eine vorprogrammierte Soforthandlung tritt an ihre Stelle. Ist die Gefahr vorbei, kommt man wieder zu Ruhe, kann (wenn man es gelernt hat) den Stress abbauen, man entspannt sich.

Dieser **Wechsel von Stressreaktion und Stressabbau** ist wichtig. Doch bei der Reizdichte in der heutigen Zeit summieren sich die Alarmreaktionen des Stresses zu einer immer höheren Anspannung, einem **Dauerstress,** der gesundheitsschädigend wirkt.

Es ist ganz normal, bei Prüfungen etwas Angst zu verspüren. Zu viel Angst blockiert jedoch unsere Handlungsfähigkeit.

„Stress ist die Epidemie unseres Jahrhunderts." Was sagen Sie zu dieser Aussage? Diskutieren Sie darüber mit Ihren Mitschülerinnen und Mitschülern.

Der Organismus findet im Dauerstress kaum noch zu seinem normalen Spannungsniveau zurück. Die mobilisierten Stoffe und Energien werden nicht abgebaut. Die Regulation z. B. der hormonellen Vorgänge ist gestört, unsere Lern- und Leistungsfähigkeit lässt nach. Zahlreiche Krankheiten können die Folge sein.

Die Wahrnehmung des Stressreizes aktiviert das **vegetative Nervensystem.** Dessen Aufgabe ist die automatische Steuerung lebenswichtiger Organfunktionen, wie z. B. des Kreislaufs, der Atmung oder des Stoffwechsels. Es arbeitet weitgehend ohne Beeinflussung durch den Willen. Das vegetative Nervensystem gliedert sich sowohl im Aufbau als auch nach seiner Funktion in zwei Teilsysteme, die oft gegensinnige Wirkung zeigen.

Dreitakt der Stressreaktion

- In der **Vorphase** wird die Energie für die Alarmreaktion bereitgestellt. Kreislauf- und Stoffwechselvorgänge stehen auf Sparflamme.
- In der **akuten Alarmphase** steigt die Aktivität steil an. Der Sympathikus ist aktiv.
- In der **Phase der Erholung** klingt die Erregung des Sympathikus ab, die gesteigerten Kreislauf- und Stoffwechselfunktionen pendeln sich wieder ein.

Teilsysteme des vegetativen Nervensystems

Sympathikus	Parasympathikus
Wird vor allem bei Aktivitäten erregt, die nach außen gerichtet sind.	Steuert dagegen nach innen gerichtete Körperfunktionen.
Beispiele körperliche Arbeit, Reaktionen auf Stressreize	**Beispiele** Essen, Verdauen, Ausscheiden

Verschiedene Stresstypen können sich ausbilden, je nachdem, welcher Teil des vegetativen Nervensystems überwiegt:

- Eine Person mit einem dominanten Sympathikus ist leicht erregbar, nervös, rege und temperamentvoll. Die Alarmphasen sind hoch, die Erholungsphasen vermindert. Mögliche Folgen sind z. B. Herzklopfen, Kopfschmerzen, Bluthochdruck, Krankheiten des Kreislaufsystems, Herzinfarktgefahr.
- Überwiegt der Parasympathikus, wirkt die Person äußerlich ruhig und scheinbar ausgeglichen. Die Alarmphase kommt mit Verzögerung oder fehlt. Mögliche Folgen sind z. B. Magen- und Darmbeschwerden, niedriger Blutdruck.

Ein paar Entspannungsübungen genügen oft, um den Stress in Griff zu bekommen.

Wie kann man Stress abbauen?
In stressbedingten Situationen ist es wichtig, den Körper wieder zu beruhigen, zu entspannen. In Phasen der Entspannung kann der Körper wieder Energie tanken und sich auf neue Aufgaben vorbereiten.
Die einfachste und gesündeste Form der Entspannung ist die sportliche Betätigung. Durch Bewegung (Laufen, Radfahren etc.) werden im Blut bereitgestellte Energieträger verarbeitet. Autogenes Training und Entspannungsübungen sind eine weitere Möglichkeit, innere Ruhe wieder zu erlangen.

In der TRAUNER-DigiBox finden Sie Anleitungen zu unterschiedlichen Entspannungsübungen.

Ziele erreicht? – „Psychohygiene und Stress“

KOMPETENZ-ERWERB

1. \+ Nennen Sie verschiedene Grundbedürfnisse des Menschen und teilen Sie sie nach der Maslow'schen Bedürfnispyramide ein.
2. ++ Erklären Sie, wie Stress entsteht, wie er sich auf unseren Körper auswirkt und wie man ihm entgegenwirkt.
3. ++ Beschreiben Sie unterschiedliche Entspannungsübungen. Führen Sie sie durch und bewerten Sie deren Wirkung.

Lernbiologie

Vielleicht haben Sie schon vom **Nürnberger Trichter** gehört. Dieser reiht sich in eine ganze Reihe von „Erfindungen" ein, für die die Wissenschaft zwar einen Namen hat, die jedoch in der Praxis nicht funktionieren.

Die Idee war einfach: Man wollte eine bequemere Methode als das Lernen für die Wissensvermittlung finden. Würde es gelingen, Wissen einfach mithilfe eines Trichters in den Kopf zu füllen, müssten die Schülerinnen und Schüler nicht mehr so mühsam lernen.

Der Mensch ist ein Lernwesen. Von Geburt an entwickelt er sich in **aktiver Auseinandersetzung mit seiner Umwelt** – Mensch und Umwelt beeinflussen einander gegenseitig. Lernen ist Bestandteil der lebenslangen Entwicklung des Menschen. Die Psychologie versteht unter Lernen jede überdauernde Änderung des Verhaltens, die durch Beobachtung, Nachahmung, Versuch oder Übung entstanden ist. Lernen heißt also Erfahrungen machen.

Wie Sie aus Erfahrung wissen, bedeutet Lernen auch heute noch immer harte Arbeit. Ein Schlagwort, das im Moment in aller Munde liegt heißt „kompetenzorientiertes Lernen" – soll heißen: „Wissen" alleine reicht nicht. Es muss mit „Können" verknüpft sein.
Wissen und Können im Zusammenhang mit Kenntnissen über Gehirn und Lernmethoden können Ihnen helfen, sich Dinge besser zu merken und Zusammenhänge schneller zu verstehen.

Meine Ziele

Nach Bearbeitung dieses Kapitels kann ich

- die Bedeutung wesentlicher Inhalte der Lernbiologie erklären;
- Lernmethoden für das Lernen in der Schule oder zu Hause anwenden;
- Informationen zu den Themen Gehirn und Lernen selbstständig beschaffen.

KOMPETENZ-ERWERB

1 Gehirnentwicklung und Gedächtnis

Nur durch aktive Auseinandersetzung ist Lernen möglich. Es gibt keinen funktionierenden Nürnberger Trichter!

Die Bedeutung des ersten Spiels
Das Kind übt durch das Spielen Funktionen ein, erkundet seinen Körper und sammelt im Umgang mit Dingen erste Kenntnisse über

- Formen (z. B. rund, eckig, groß, klein),
- Beschaffenheit (z. B. hart, weich, rau, glatt),
- motorische Vorgänge wie Ergreifen und Fallenlassen.

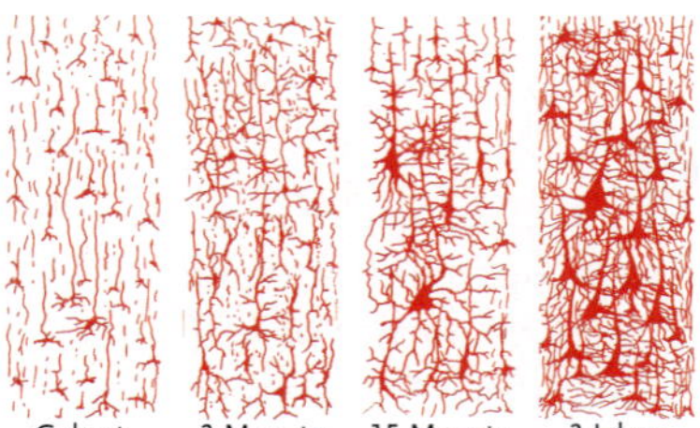

Verschiedene Stadien der menschlichen Gehirnreifung

Bis zur Geburt ist der größte Teil des menschlichen Gehirns ausgebildet. Die restlichen Zellen und ihre festen Verknüpfungen entstehen in den ersten Wochen und Monaten nach der Geburt. Damit ist das eigentliche Gehirnwachstum abgeschlossen. Dies ist die Garantie dafür, dass Lebewesen überhaupt lernen können. Denn wenn sich die Zellen unseres Gehirns ständig vermehren würden, dann würden in der gleichen Zeit auch entsprechend viele Zellen absterben. Mit ihnen ginge die gesamte darin gespeicherte Information für immer verloren, da bei der Zellteilung zwar die gespeicherte Erbinformation, nicht aber das neu Hinzugelernte als Information weitergegeben wird.

Damit das Gehirn aber überhaupt damit beginnen kann, die ersten Eindrücke der äußeren Welt zu speichern, im Gehirn einzuordnen und wiederzufinden, muss zunächst ein **Netz aus fest verbundenen Fasern** gebildet werden, in dem sich später Informationen befestigen. Ein Teil dieser Verknüpfungen ist schon vor der Geburt durch die Erbmasse verankert.

Der restliche Teil der Gehirnreifung wird in den ersten Lebensmonaten vollendet, in denen sich die Gehirnzellen noch teilen und vermehren und in denen sie mit ihren faserartigen Fortsätzen gegenseitig Kontakte knüpfen. Später nimmt die Teilungsrate der Gehirnzellen sehr stark ab, da ansonsten gespeichertes Wissen verloren ginge.

Gehirnentwicklung

Vor der Geburt	Erste Lebensmonate	Abschluss der Gehirnreifung
Bis zur Geburt ist der größte Teil des menschlichen Gehirns inkl. einzelner Nervenverknüpfungen ausgebildet.	Aufbau des Netzes aus fest verbundenen Nerven, in dem sich später die Informationen festigen.	Speicher- und Lernfähigkeit vorhanden bzw. voll ausgebaut.

Nach Beendigung der Gehirnreifung laufen **unterschiedliche Mechanismen zur Speicherung von Informationen** ab. Es gilt als sicher, dass Synapsen, je nachdem ob sie in Anspruch genommen werden oder nicht, umorientiert, geteilt oder von nicht mehr genutzten Kontakten zurückgezogen werden können.

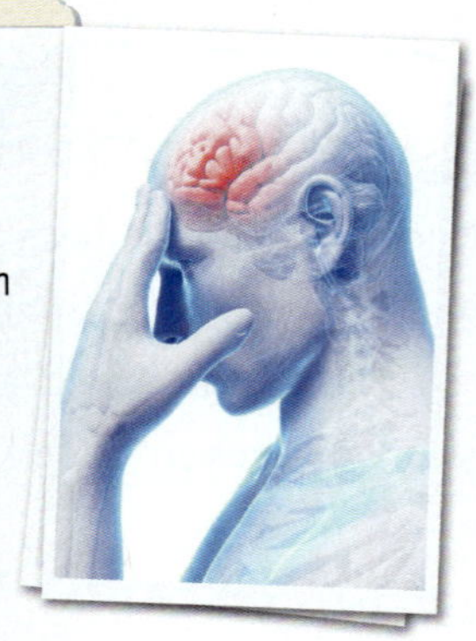

Die Tatsache, dass Nervenzellen sich nach Abschluss der Differenzierungsvorgänge nicht mehr teilen können, hat schwerwiegende Folgen im Falle einer Verletzung. Verletzte oder geschädigte Nervenzellen können sich regenerieren, abgestorbene Zellen können aber nicht ersetzt werden und fallen völlig aus. Heilungsprozesse sind langwierig. Schädigungen an Gehirn und Nervensystem sind oft irreparabel. In manchen Fällen können andere Hirnzentren die Funktionen der verletzten Gebiete übernehmen. Doch diese Lernprozesse sind mühsam und am aussichtsreichsten im Jugendalter.

2 Arten des Lernens

Arten des Lernens

Kognitives Lernen	Soziales Lernen
Dazu zählen Lernleistungen, die dazu dienen, das **Wissen zu erweitern** und den **Verstand zu entwickeln,** z. B. ▪ etwas auswendig zu lernen (Fakten), ▪ Querverbindungen zwischen verschiedenen Fakten herzustellen und Zusammenhänge zu erkennen, ▪ vorhandenes Wissen mit neuen Informationen zu verknüpfen, ▪ etwas logisch weiterzudenken, ▪ Schlüsse zu ziehen, ▪ zu abstrahieren.	Lernen ist nicht nur Anhäufung von Wissen, sondern auch das **(Kennen-) Lernen von Gefühlen, Einstellungen und Wertungen:** ▪ Gefühle (Freude auf ..., Angst vor ...), ▪ Verhalten (in einer bestimmten Situation handle ich in bestimmter Art und Weise), ▪ Wertungen, Einstellungen (ob ich mich von bestimmten Menschen, Orten, Situationen angezogen oder abgestoßen fühle).

Gefühle, Einstellungen und Wertungen werden erworben durch

Lernen aus Signalen	Lernen aus den Konsequenzen	Beobachtungslernen – Lernen am Modell
Die Auslösefunktion von Signalen kann auch auf andere Umweltsignale übergehen.	Das Verhalten wird durch Belohnung oder Bestrafung positiv oder negativ verstärkt.	Verhalten wird durch Nachahmung und Beobachten von anderen Personen gelernt. Dies erklärt Ähnlichkeiten in Verhalten, Meinung, Neigung usw. zwischen Eltern und Kindern, die nicht durch Vererbung erklärbar sind.
Beispiel Beim Neugeborenen wird durch ein leichtes Berühren des Mundbereiches der Saugreflex ausgelöst. Nach wenigen Wochen beginnt der Säugling schon zu saugen, wenn er zum Stillen hochgenommen wird.	**Beispiel** Die Mutter verstärkt das Lächeln des Kindes positiv durch Zurücklachen und ermutigende Worte. Ein gewünschtes Verhalten kann durch dauernde positive Verstärkung aufgebaut werden. Werden Verhaltensweisen nicht verstärkt (nicht beachtet), so verschwinden sie im Laufe der Zeit.	**Beispiel** Kinder kopieren das, was sie sehen oder hören. Nicht nur positives Verhalten wird nachgeahmt, sondern auch unerwünschtes und negatives, wie z. B. Aggression.

Lernen, wie es der Zwergschimpanse Kanzi macht, ist schon fast wie schulisches Lernen. Kanzi lernt Lesen und Schreiben, allerdings im Einzelunterricht.

Der Zwergschimpanse Kanzi ist durch seine Lernleistungen weltberühmt geworden. Kanzi kennt mehr als 250 Symbole, mit denen er Wünsche und Bedürfnisse mitteilen sowie schriftliche Anweisungen verstehen, befolgen und Antworten auf Fragen geben kann.

FILM AB!

Wie Kanzi mithilfe von Symbolen kommunizieren kann, zeigt Ihnen das folgende Video.
www.trauner.at/nawi_v116.aspx

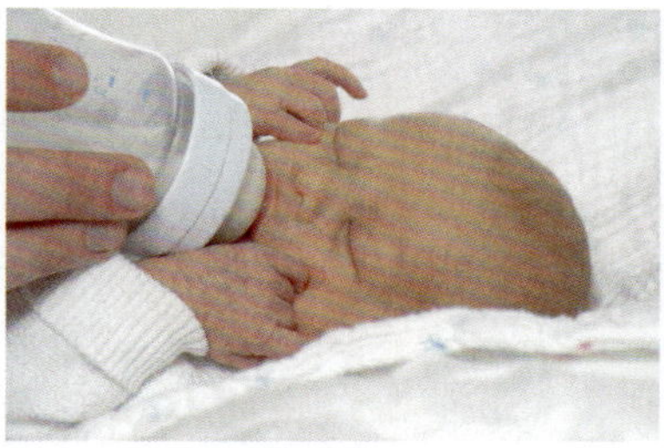

Der Saugreflex wird beim Säugling durch Berührung der Mundbereiche ausgelöst.

Durch Lächeln und liebevolles Zusprechen ermutigt die Mutter das Kind, mit dem Wasser zu spielen.

Lernen durch Körpererfahrung

Die angeborenen Voraussetzungen für Körperfähigkeiten, wie z. B. Sitzen, Stehen, Gehen, werden erst durch **Übung (Lernen)** richtig entwickelt. Der Säugling spielt beispielsweise mit den Fingern und lernt durch Versuch und Irrtum, Gegenstände mit der ganzen Hand zu fassen. Er bringt Daumen und Zeigefinger miteinander in Feinabstimmung und kann schließlich die Bewegung seiner Finger bewusst steuern.

Dabei lösen Wahrnehmung und Verarbeitung von Reizen die Verknüpfung von Nervenzellen durch Bildung von Synapsen aus. Wesentlich dabei sind sowohl **Reize von außen** über Sinnesorgane als auch **Reize von innen** (z. B. Stellung der Gliedmaßen, Muskelspannung). Damit wird die **körperliche Betätigung des Kindes zur wesentlichen Grundlage für die Gehirnentwicklung** und damit für das spätere Lernen.

Viele motorische Bewegungsabläufe können nur **im Kontext eines bestimmten Bewegungsablaufes** abgerufen werden. So löst bei einer Person, die Radfahren gelernt hat, allein das Sitzen auf dem Fahrrad die entsprechenden motorischen Bewegungsabläufe für das Radfahren aus. Diese Abläufe können nach entsprechendem Training ohne darüber nachzudenken ausgeführt werden.

Pyramidenzellen = pyramidenförmige Gehirnzellen der Großhirnrinde, die für die Automatisierung von Bewegungsabläufen verantwortlich sind

Motoneuronen = Nervenzellen, die Bewegungsimpulse an Muskelzellen weitergeben

Über die notwendigen Bewegungen und Handlungen beim Autofahren muss man als Fahrschüler/in bzw. Führerscheinneuling konzentriert nachdenken. Nach etwas Fahrtrainung und mit viel Übung laufen die Bewegungen ab, ohne dass sich die fahrende Person bewusst wäre, was sie genau in diesem Moment macht. Die Automatisierung dieser Handlungen erfolgt über **das pyramidale System.** Dieses stellt eine direkte Verbindung zwischen Pyramidenzellen der Großhirnrinde und Motoneuronen in tieferliegenden Teilen des Gehirns und des Rückenmarks dar.

Auch in den schulischen Fächern wie Werken, Zeichnen, Musik und Sport wird **sensomotorisch,** also mit dem Körper, gelernt. Die Beweglichkeit des Körpers (Motorik) wird verfeinert, die Sinne (Sensorik) werden geschärft.

3 Lernen und Gedächtnis

Jedes Jahr vergisst Ralf den Geburtstag von Lisa. Doch diesmal will er ihr am richtigen Tag gratulieren und auch ein Geschenk parat haben. „Wenn ich das Datum nur oft genug wiederhole, dann wird die Information irgendwann in meinem Langzeitgedächtnis gespeichert. Und wenn es einmal dort gespeichert ist, dann werde ich es mein ganzes Leben wohl nicht mehr vergessen.“

Spielerisch lernen Kinder am besten, vorhandene Fähigkeiten zu festigen.

Reize, die aus der Umwelt oder aus dem Körper selbst kommen, werden durch Erregungen der Nervenzellen der Großhirnrinde abgebildet. Dieser Vorgang vollzieht sich in Bruchteilen einer Sekunde. Da man sich an einen Reiz noch zu einem späteren Zeitpunkt erinnern kann, muss der Erregungsvorgang im Nervenzellverband eine „Spur“ hinterlassen. Diese Spur bildet die Grundlage des Gedächtnisses.

Die Sinnesinformationen werden in mehreren Schritten gespeichert. Die dabei stufenweise durchlaufenen Gedächtnisformen unterscheiden sich in ihrem Fassungsvermögen und in der Dauer der Informationsspeicherung.

Ablauf der Speicherung von Sinnesinformationen

Ultrakurzzeitgedächtnis ▶	Kurzzeitgedächtnis ▶	Langzeitgedächtnis
Aktuelle Sinneseindrücke werden für eine halbe bis eine Sekunde aufbewahrt. Die Sinnesinformationen werden nur so lange behalten, wie sie für das Wahrnehmen, Erkennen, Urteilen usw. benötigt werden. Anschließend verblassen sie wieder – sie werden vergessen.	Eine begrenzte Menge von Informationen wird kurz (Sekunden bis Minuten) gespeichert, bis entschieden ist, ob die neue Information dauerhaft gespeichert werden soll (Vorzimmer des Gedächtnisses).	Durch Wiederholen (Üben) wird der Inhalt des Kurzzeitgedächtnisses in das Langzeitgedächtnis übertragen. Es kann große Datenmengen (z. B. Wortschatz von Sprachen, Erinnerungen, Gefühle und motorische Fähigkeiten) über Jahre oder das ganze Leben speichern.

Die Zeitspanne, für die eine Information im Kurzzeitgedächtnis erhalten bleibt, kann durch **aktives Wiederholen** der Information beträchtlich erweitert werden (z. B. wenn man eine Telefonnummer immer wieder vor sich hersagt). Der Speicherinhalt wird vergessen, wenn neue Informationen die alten verdrängen.

Aufgabenstellung – „Lernen"

■ + Erklären Sie, warum es notwendig ist, immer und immer wieder zu wiederholen, damit man sich den Lernstoff merkt.

Wie die moderne Hirnforschung herausgefunden hat, kann das Lernen durch Neugier stark verbessert werden. Befriedigte Neugier führt über ein körpereigenes Belohnungssystem in unseren Körpern zu einem Erfolgserlebnis. Vom Belohnungszentrum des Gehirns wird ein Belohnungssignal ausgesandt. Dabei spielt ein Botenstoff namens **Dopamin** ($C_8H_{11}NH_2$) eine wichtige Rolle. Dieser Stoff überträgt Signale für Erregung, Motivation und Belohnung. Als Folge kann das körpereigene Belohnungssystem die Neugier auf weitere Wissensinhalte ausdehnen, sodass Interesse an immer mehr Wissen entsteht.

Zur Ausschüttung des Hormons Dopamin kommt es aber nicht nur durch erfolgreiches Lernen sondern z. B. auch durch ein gutes Essen, Sport, Sex und andere Belohnungen des täglichen Lebens. Der ausgeschüttete Stoff führt zu einem Glücksgefühl. Dieses beeinflusst das Lernen, weil das Gehirn dieses Glücksgefühl wieder erleben will.

Verschiedene **Drogen** greifen in den Dopaminstoffwechsel des Gehirns ein. Sucht führt dazu, dass bestimmte Drogen immer wieder in immer größeren Dosen zu sich genommen werden müssen, um zum erwünschten Glücksgefühl zu kommen. Dadurch entsteht für Süchtige ein Teufelskreis, aus dem man nur sehr schwer wieder herauskommt.

Wussten Sie, dass ...
Zuwendung von Erwachsenen wie auch die Förderung der Eigenständigkeit des Kindes das Lernen und auch die Entfaltung der Persönlichkeit fördern? Das Beantworten von Fragen des Kindes ist ebenfalls von enormer Bedeutung.

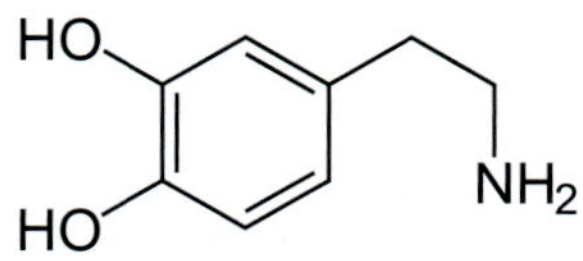

Strukturformel von Dopamin, das auch „Glückshormon" genannt wird.

Die **Gründe für das Auftreten von Lernschwierigkeiten** sind vielfältig:

- Geringes Interesse,
- unverständlicher Lernstoff,
- problematisches Lehrer-Schüler-Verhältnis,
- persönliche Probleme oder
- Stress.

Häufig sind Lernschwierigkeiten ein Produkt der Lerngeschichte der Betroffenen oder Ergebnis der gegebenen Lebensbedingungen.

Weitere Informationen zu Sucht und Suchtprävention haben Sie bereits auf S. 144 ff. erhalten.

4 Lerntypen

Persönliche Lerntypen entstehen aus persönlichen Lerngewohnheiten, d. h., wenn jemand bestimmte Lernwege bevorzugt.

Lerntypen

Visueller Typ	Akustischer Typ	Motorischer Typ
Er behält, was er vor Augen hat. Der neue Lernstoff muss geschrieben, gedruckt oder gezeichnet sein, um gut behalten zu werden.	Er merkt sich, was er hört. Der akustische Typ muss das Neue gehört haben, lernt laut, oft auch mit leiser Hintergrundmusik.	Lernen ist mit Bewegung verbunden. Der motorische Typ lernt z. B. indem er schreibt, zeichnet oder geht.

Welcher Lerntyp sind Sie?

Neuere Untersuchungen der Hirnforschung lassen an der Existenz verschiedener Lerntypen zweifeln. Sicher ist, dass Informationen nicht nur über einen einzigen Kanal, sondern **über verschiedene Kanäle** gelernt werden sollen, um sie möglichst gut zu behalten: Lesen, Schreiben, Zeichnen, Sprechen...

Besser verstehen kann man neue Informationen, wenn man sie mit bereits bekanntem Wissen in Zusammenhang bringen kann, und wenn man der neuen Information Interesse entgegen bringt. Wissen zu erwerben, das man gar nicht will, ist schwierig. Interessante Informationen etwa zu den eigenen Hobbys merkt man sich leicht – ohne sie mühsam lernen zu müssen. Wenn es uns gelingt, unsere Aufmerksamkeit und unser Interesse an zu lernenden Informationen zu wecken, wird es uns wesentlich leichter fallen, sie zu lernen.

Aufgabenstellungen – „Lerntypen"

1. + Stellen Sie für ein Schularbeitenfach einen Lernplan zusammen.

2. ++ Führen Sie den Lerntypentest, den Sie in der TRAUNER-DigiBox finden, durch. Suchen Sie nach weiteren Tests und vergleichen Sie die Ergebnisse. Mit welchen Lernmethoden können Sie am besten lernen?

Ziele erreicht? – „Lernbiologie"

KOMPETENZ-ERWERB

1. ++ Die Reize, die auf ein Kind im Säuglings- und Kleinkindalter einwirken, haben großen Einfluss auf die spätere Lernfähigkeit des Kindes. Erklären Sie diese Tatsache anhand der Entwicklung des Gehirns.

2. + Was ist zu tun, wenn Eltern ihr Kind dazu motivieren wollen, Sport zu betreiben? Überlegen Sie, welcher Weg dazu am besten funktionieren wird. Begründen Sie Ihre Überlegung

3. + Erklären Sie die Begriffe „Ultrakurzzeitgedächtsnis", „Kurzzeitgedächtnis" und „Langzeitgedächtsnis".

4. ++ Rufen Sie sich die verschiedenen Arten des Lernens ins Gedächtnis. Auf welche Art lassen sich am ehesten Gefühle und Werte vermitteln? Überlegen Sie sich ein Beispiel, wo so etwas täglich passiert.

5. + Erklären Sie, wie unser Gedächtnis funktioniert. Gehen Sie dabei auf die drei besprochenen Formen des Gedächtnisses ein.

6. + Beschreiben Sie die verschiedenen Lerntypen und geben Sie zu jedem Typ eine entsprechende Form des Lernens als Beispiel an.

Verhaltensbiologie

Unter Verhalten versteht man die Summe aller durch endogene oder exogene Reize ausgelösten Aktionen bzw. Reaktionen. Als Teildisziplin der Biologie untersucht die **Verhaltensbiologie (Ethologie)** menschliches und tierisches Verhalten mit naturwissenschaftlichen Methoden. Sie versucht herauszufinden, welche Vorteile ein bestimmtes Verhalten bringt, und sieht Verhalten als Anpassung an die Umweltbedingungen. Es wird untersucht, was ein Verhalten auslöst und steuert.

Die Verhaltensbiologie entwickelte sich als wissenschaftliche Disziplin hauptsächlich im 20. Jahrhundert. Als wichtigste Vertreter werden unter anderem KONRAD LORENZ und NIKOLAAS TINBERGEN genannt. Obwohl die Ethologie selbst noch eine relativ junge Wissenschaft ist, gibt es heute bereits eine Reihe von Teilgebieten.

Beispiele für Teilgebiete der Ethologie
- Verhaltensgenetik: Untersucht, ob Verhaltensweisen angeboren oder erlernt sind.
- Verhaltensökologie: Beschäftigt sich mit der Anpassung des Verhaltens an die Umwelt.
- Verhaltensphysiologie: Erforscht die Auslöser von Verhaltensweisen.
- Humanethologie: Untersucht das Verhalten des Menschen.

endogen = von innen kommend, z. B. Hunger, Angst

exogen = außerhalb des Organismus entstehend, von der Umwelt ausgehend

Die Österreicher KONRAD LORENZ (1903–1989) und KARL VON FRISCH (1886–1982; Entschlüsselung der Bienensprache) sowie der Niederländer NIKOLAAS TINBERGEN (1907–1988) erhielten für ihre Leistungen im Jahre 1973 den Nobelpreis.
Kritisch zu betrachten sind bei LORENZ jedoch die Sympathien zum Nationalsozialismus. Das war auch der Grund für die Entziehung des Ehrendoktorats der Universität Salzburg im Jahr 2015.

Meine Ziele

KOMPETENZERWERB

Nach Bearbeitung dieses Kapitels kann ich
- die wichtigsten Methoden in der Verhaltensbiologie nennen;
- Formen von angeborenem und erworbenem Verhalten unterscheiden;
- die wichtigsten Ausprägungen des Sozialverhaltens von Mensch und Tier (Kommunikation, Rangordnung, Revierverhalten, Aggressionen, Sexual- und Brutpflegeverhalten) erklären.

1 Methoden der Verhaltensbiologie

Für den Artenschutz sind Verhaltensstudien von großer Wichtigkeit, da sie es ermöglichen, gefährdete Arten in ihren Lebensräumen besser zu schützen. Weiters kann eine artgerechte Haltung von Tieren besser durchgeführt werden, wenn ihre Ansprüche an den Lebensraum umfassender verstanden werden. Kennt man die biologischen Grundlagen menschlichen Verhaltens, fällt es auch leichter, z. B. umweltschädliches Verhalten der Menschheit zu verstehen. Damit kann man eventuell auch leichter das Verhalten positiv korrigieren.

Jane Goodall, geb. 1934, britische Verhaltensforscherin

Heute nimmt man an, dass fast alle Verhaltensweisen aus einer Kombination von ererbten und erlernten Komponenten bestehen, die eng ineinander verzahnt sind. Interessant dabei ist, wie das Größenverhältnis zwischen Erbanteil und Umwelteinfluss ist. Es ist eine große Herausforderung für Forscher/innen, Nachweismethoden zu finden, mit denen man sicher feststellen kann, welche Anteile des Verhaltens tatsächlich angeboren sind.

1.1 Forschungsmethoden in der Tierethologie

Seit 1960 hat Jane Goodall eine Schimpansengruppe in Afrika beobachtet und ihr Verhalten dokumentiert. Ralf ist verwundert, wie aufwändig es sein muss, ethologische Studien durchzuführen, und wie lange es anscheinend dauert, bis man das Verhalten auch nur einer Tiergruppe erforscht hat.

1.1.1 Freilandbeobachtungen

Eine gute technische Ausrüstung – Tonbandgerät, Filmkamera, Fotoapparat sowie seit einigen Jahren natürlich auch die Computerunterstützung – ist sicherlich förderlich für das Erforschen des tierischen Verhaltens – Geduld, Ausdauer und die genaue Beobachtungsgabe des Forschers bzw. der Forscherin sind jedoch ebenso wichtige Voraussetzungen. Es waren vor allem die **Langzeitbeobachtungen** mancher Forscher/innen, die zu vielen neuen Erkenntnissen führten.

1.1.2 Experimente

Experimente im Labor ermöglichen es, den Fragestellungen von Freilandbeobachtungen gezielter nachzugehen. Sie sind außerdem wiederholbar und die Richtigkeit der Aussagen kann leichter überprüft werden.

Arten von Experimenten in der Ethologie

Attrappenversuche	Isolierungsexperimente	Versuche mit elektrischen Hirn- und Nervenreizungen
Dienen vor allem der Erforschung des Instinktverhaltens. Mithilfe von Nachbildungen der natürlichen Reize kann man herausfinden, wie der Schlüsselreiz beschaffen ist, der eine Instinkthandlung auslöst.	Es werden dabei neugeborene Tiere von ihren Artgenossen isoliert, sodass ein Lernen von Artgenossen ausgeschlossen wird. Auf diese Weise kann man herausfinden, welches Verhalten erworben und welches angeboren ist.	Dabei können mit feinsten Elektroden gewisse Regionen des Gehirns gereizt und dadurch bestimmte Verhaltensweisen ausgelöst werden.

Schlüsselreiz = Außenreiz, der ein bestimmtes Verhalten in Gang setzen oder aufrechterhalten kann; Schlüsselreize passen zu den Auslösemechanismen wie der Schlüssel zum Schloss

Isolierungsexperimente werden auch als Kaspar-Hauser-Versuche bezeichnet und sind ethisch nicht unbedenklich.

Beispiel für einen Attrappenversuch
Amseljunge reagieren auf das Erscheinen der Eltern am Nest mit dem Sperren (Aufreißen der Schnäbel). Man versucht zuerst, dieses Verhalten auch durch das Präsentieren möglichst naturgetreuer Nachbildungen (Stopfpräparate) auszulösen. Nun werden Schritt für Schritt Details verändert oder weggelassen und die Reaktionen der Jungen gemessen. Man verwendet immer einfachere Vogelsilhouetten und schließlich nur mehr eine Kombination schwarzer Kreise als Attrappen.

Zweiköpfige Attrappen zur Auslösung der Sperrreaktion bei Amseljungen

Beide Attrappen haben gleich große Köpfe, jedoch verschieden große Rümpfe. Bei Attrappe a wird der kleinere, bei b der größere Kopf angesperrt. Der Schlüsselreiz ist demnach ein bestimmtes Größenverhältnis zwischen Kopf und Rumpf.

Beispiel für einen Versuch mit elektrischen Reizungen
Ein Hahn fängt zu krähen an, wenn eine bestimmte Hirnregion gereizt wird. Beim Reizen eines anderen Hirnbereichs beginnt er plötzlich zu picken.

Wussten Sie, dass ...
die Wirkung von Attrappen von Jägern und Fischern ausgenützt wird? Auch Tiere nützen die Nachahmung von Reizen zum Beutefang. Die Anhänge der Anglerfische locken beispielsweise Fische an, die sich Beute erhoffen, dann aber selbst verspeist werden.

Aufgabenstellungen – „Experimente in der Ethologie"

1. + Nennen Sie bei Tieren eingesetzte ethologische Forschungsmethoden.
2. + Recherchieren Sie zum Begriff Kaspar-Hauser-Versuch. Welcher Art von Experiment der Tierethologie würden Sie diese Versuchsart zuordnen?

1.2 Forschungsmethoden in der Humanethologie

Der Mensch zeichnet sich durch seine **hohe Lernfähigkeit** aus. Deshalb ist eine Unterscheidung, welche Verhaltenselemente ererbt und welche erworben sind, besonders schwierig.

Eine weitere Erschwernis ist, dass Experimente, die schon bei Tieren fragwürdig erscheinen, bei Menschen schlichtweg undenkbar sind. Das trifft insbesondere bei den Isolierungsexperimenten zu. Nebenbei drängt sich die Frage auf, inwieweit man menschliches und tierisches Verhalten vergleichen kann. Deshalb stehen zur Erforschung des menschlichen Verhaltens andere Methoden zur Verfügung.

Methoden zur Erforschung des menschlichen Verhaltens	
Verhalten von Kindern, die sowohl taub als auch blind zur Welt gekommen sind	Diese Kinder lächeln, obwohl sie diese Gebärde nicht sehen können.
Verhalten von Neugeborenen	Obwohl Kinder bereits im Mutterleib vieles lernen, können einige Verhaltensweisen bei der Geburt noch nicht erlernt worden sein.
Interkulturelle Vergleiche	Manche Verhaltensweisen sind weltweit bei den verschiedensten Kulturen in gleicher Weise vorhanden.

Der Mensch ist Natur- und Kulturwesen, daher überlagert und moduliert das erlernte Verhalten das ererbte besonders intensiv. Die Diskussion, ob und wie weit die Verhaltensweisen des Menschen genetisch bestimmt sind, ist außerdem stark von Ideologien beeinflusst.

Bei der Geburt können z. B. alle Kinder sofort laut schreien.

Beispiel für ein interkulturell gleiches Verhalten
Hochheben der Augenbrauen bei einer freundlichen Begrüßung.

2 Angeborenes Verhalten

2.1 Unbedingte Reflexe

Unbedingte Reflexe haben oft eine **Schutzfunktion.** Sie laufen sehr rasch und immer in gleicher Weise ab, sind jederzeit wiederholbar und nicht bewusst beeinflussbar. Das bekannteste Beispiel für einen unbedingten Reflex ist wohl der Kniesehnenreflex beim Menschen.

Unbedingte Reflexe sind **besonders schnelle, bestimmte Reaktionen auf bestimmte Reize.** Normalerweise wird ein Reiz über sogenannte sensible Nervenbahnen vom Sinnesorgan zum Gehirn geleitet und dort verarbeitet.

Beispiel: Erweiterung bzw. Verengung der Pupille bei einem Beleuchtungswechsel
Ein Reiz (Beleuchtungswechsel) erreicht ein Sinnesorgan (Auge). Über eine sensible Nervenbahn wird der Reiz zum Zentralnervensystem geleitet. Eine motorische Nervenbahn schickt sofort einen Befehl an das Zielorgan, im speziellen Fall die Iris oder Regenbogenhaut, die sofort darauf reagiert und sich erweitert bzw. verengt.

Andere unbedingte Reflexe verlaufen ähnlich. Dabei erfolgt die Umschaltung von den sensiblen auf die motorischen Nervenbahnen schon im Rückenmark.

Beim Stolpern schnellt der Unterschenkel nach vorne und verhindert dadurch einen Sturz.

Der Kniesehnenreflex kommt vor dem Fall
Beim Kniesehnenreflex schnellt der Unterschenkel nach einem Schlag auf die Patellasehne unterhalb der Kniescheibe ruckartig nach vorne. Dieser Reflex ist die Folge einer Reizung der mechanischen Sinneszellen im Oberschenkelmuskel. Auch Ärztinnen/Ärzte überprüfen manchmal anhand des Kniesehnenreflexes, ob Störungen im Nervensystem vorliegen. Dabei sitzt die Patientin/der Patient und es wird mit einem Reflexhammer auf die Sehne des locker herunterhängenden Unterschenkels geschlagen.

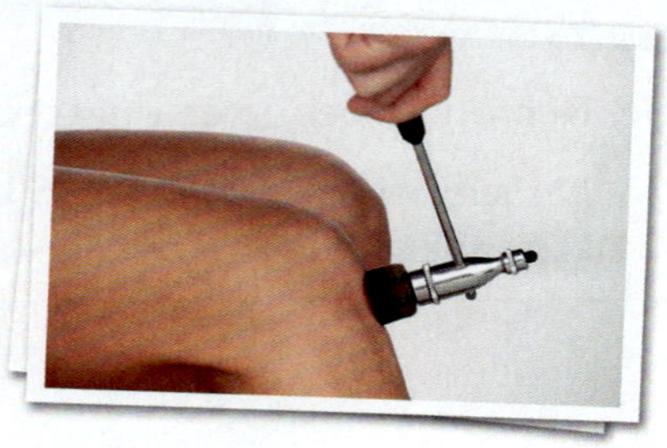

Der **Lidschlussreflex** funktioniert nicht nur beim raschen Annähern eines Gegenstandes an das Auge, sondern auch bei einem lauten Knall. Er ist aber nur eingeschränkt als Reflex zu verstehen, da er vom Willen teilweise beeinflussbar ist und bei Ermüdung nicht mehr funktioniert.

Weitere Beispiele für eine Schutzfunktion durch Reflexe
- Pupillenverengung bei starkem Lichteinfall
- Schluckreflex
- Speichelfluss beim Anblick köstlicher Speisen

2.2 Automatismen

Körper- und Gliedmaßenbewegungen von Wirbeltieren – z. B. Schlängelbewegung des Aals, Flossenbewegungen der Fische, Bewegung der Gliedmaßen von Säugern – laufen rhythmisch und koordiniert ab.

Im Tierversuch an Fischen wurden die sensiblen Wurzeln der Rückenmarksnerven und die Verbindung zwischen Rückenmark und Nachhirn durchtrennt. Die Flossen dieser Tiere schlugen spontan in gleichmäßigem Rhythmus. Das Rückenmark muss also in der Lage sein, ohne Einfluss äußerer Reize selbständig rhythmische Erregungen zu erzeugen. Automatismen sind durch das Zentralnervensystem **ohne Mitwirkung äußerer Reize** gesteuerte Aktionen.

2.3 Instinkthandlungen

Instinkthandlungen laufen bei passenden Umweltbedingungen sehr präzise ab, wodurch Tiere in manchen Situationen besonders intelligent oder geschickt wirken. Tatsächlich sind Instinkthandlungen **automatische und genetisch vorprogrammierte Antworten auf bestimmte Reize zum Zweck der Lebens- und Arterhaltung.** Reine Instinkthandlungen müssen nicht erlernt werden und laufen daher von Anfang an (also auch schon bei den Jungtieren) mit gleicher Genauigkeit ab.

Instinkthandlungen sind ererbte Verhaltensweisen. Sie sind sehr zweckmäßig, aber wenig veränderbar und im Gegensatz zu den Reflexen komplexe Verhaltensweisen.

Beispiele für kompliziert ablaufende Instinkthandlungen
Netzbau der Spinnen, Wabenbau der Bienen, Beutefangverhalten bei Fröschen

Appetenzverhalten = Suche nach einem auslösenden Reiz (z. B. Suche nach Beute

Handlungsschritte beim Instinktverhalten

Ungerichtetes Appetenzverhalten	Gerichtetes Appetenzverhalten	Instinktive Endhandlung
Beispiel das Suchen eines Mäusebussards nach Beute	**Beispiel** die gerichtete Annäherung an eine erspähte Maus	**Beispiel** das Ergreifen, Töten und Verzehren der Maus

Die Henne reagiert nur, wenn sie die Klagerufe des Kükens hört.

Diese drei Handlungsschritte liegen in vielen Fällen von Ernährungs- und Fortpflanzungsverhalten hintereinander. Damit Instinkthandlungen ablaufen, muss eine **innere Bereitschaft (Trieb),** z. B. Hunger, vorhanden sein. Durch einen Schlüsselreiz wird das Verhalten schließlich ausgelöst. Einmal ausgelöst, läuft Instinktverhalten sehr starr ab.

Beispiele für Schlüsselreize

- Hennen eilen sofort zu Hilfe, wenn sie die Klagerufe von Küken hören. Sie reagieren jedoch nicht, wenn sie ein klagendes Küken sehen, aber nicht hören.
- Das Kindchenschema ist ein Schlüsselreiz, der das Fürsorgeverhalten auslöst. Beim Menschen sind das u. a. die Merkmale klein, rundlich, große Augen, großer Kopf, hohe Stirn, Pausbacken, kurze Arme/Beine, tollpatschige Bewegungen.

Handlungsketten

Instinkthandlungen bestehen häufig aus einer **Kette von Einzelhandlungen.** Diese folgen zeitlich geordnet aufeinander.

Beispiel: Balz der Stichlinge
Das Erscheinen des Weibchens im Nestrevier des Männchens löst wechselseitige Reaktionen beider Tiere aus. Bei dieser Handlungskette bewirkt, einmal ausgelöst, das Verhalten eines Partners jeweils ein bestimmtes Verhalten des anderen, bis schließlich die gesamte Handlungskette beendet ist. Dabei lassen sich die einzelnen Phasen des Gesamtablaufs durchaus auch mit geeigneten Attrappen auslösen, die in geeigneter Form den Schlüsselreiz nachahmen.

Ein Video der Balz der Stichlinge finden Sie hier:
www.trauner.at/nawi_v115.aspx

Handlungskette der Balz beim Stichling

Konfliktverhalten

Instinkthandlungen sind keine isolierten Verhaltensweisen. Häufig besteht zum selben Zeitpunkt eine innere Bereitschaft für verschiedene Handlungen. Hungrige Vögel unterbrechen ihre Nahrungssuche, wenn sie von einer Katze oder einem anderen Feind bedroht werden. Im Konflikt zwischen Fress- und Fluchttrieb **setzt sich der stärker aktivierte Trieb durch.**

Manchmal führen Konflikte jedoch zu eigenartigen Situationen. Wenn nämlich die Triebe für Angriff und Flucht in einem Fall etwa gleich stark sind, verfallen die Tiere plötzlich in eine völlig sinnlos erscheinende Handlung **(Übersprungshandlung).**

Beispiele für Übersprungshandlungen
- Hähne unterbrechen ihren Kampf und beginnen nach Futter zu picken.
- Säbelschnäbler stecken während des Kampfes den Kopf ins Gefieder.

Die Erklärung liegt nach LORENZ in einem Triebstau, der entsteht, wenn ein bestimmter Reiz zu lang nicht auftritt. Die Instinkthandlung wird dann durch immer unspezifischere Reize ausgelöst.

Leerlaufhandlungen

Nach KONRAD LORENZ läuft eine Leerlaufhandlung ohne Schlüsselreiz ab.

Beispiel für eine Leerlaufhandlung
Verhalten eines Hundes, der, weil er selber nie Beute machen muss, die Schuhe oder Pantoffeln seines Frauchens/Herrchens schnappt und sie tot schütteln will.

Ritualisierung

Wird ein Verhaltenselement durch Bedeutungswechsel zu einem neuen Signal, spricht man in der Ethologie von Ritualisierung. Dadurch wird das Register an angeborenen Verhaltensweisen vor allem für das Sozialverhalten wesentlich erweitert.

Aus Sicht der Evolutionsforschung ist die Ritualisierung angeborenen Verhaltens einer stammesgeschichtlichen Abwandlung ein und desselben Organs vergleichbar.

Beispiel: Balzverhalten der Flussseeschwalbe
Das Männchen bietet dem Weibchen im Flug einen gefangenen Fisch an. Anbieten von Futter kommt sonst nur bei der Jungenaufzucht vor, wird allerdings häufig übertragen beim Sexualverhalten als Signal verwendet. Es zeigt dem Weibchen, dass es vom Männchen umworben wird.

Aufgabenstellung – „Angeborenes Verhalten“

- \+ Erklären Sie die folgenden Begriffe und nennen Sie Beispiele dafür: Schlüsselreiz, Leerlaufhandlung, Übersprungshandlung

3 Erworbenes Verhalten

Verhaltensweisen können auch erwerben werden, ermöglichen so eine Anpassung an bestimmte Umwelt- und Lebenssituationen und bieten Raum für individuelle Entscheidungen. Neue Situationen und geänderte Lebensumstände können dadurch besser bewältigt werden. Die Speicherung und Verarbeitung von Erfahrungen, die Verhaltensänderungen herbeiführen, bezeichnet man als **Lernen.**

Grundlagen und Formen des menschlichen Lernens haben Sie bereits im Kapitel Lernbiologie auf S. 159 ff. kennengelernt.

Die Lernfähigkeit verschiedener Tierarten ist dabei sehr unterschiedlich. Herausragend und von keiner Tierart nur annähernd erreicht ist das Lernvermögen des Menschen. Es zeigen aber auch manche Tierarten erstaunliche Lernleistungen.

Iwan Petrowitsch Pawlow, 1849 bis 1936, russischer Biologe und Mediziner

3.1 Bedingte Reflexe

Zu Beginn des 20. Jahrhunderts führte Iwan Pawlow Versuche an Hunden durch. Schon der Anblick von Nahrung regt bei Hunden den Speichelfluss an. Läutet jedes Mal, wenn ein Hund gefüttert wird, eine Glocke, führt bald allein das Läuten einer Glocke zum Speichelfluss – auch ohne Futter. Diese erlernte Reaktion wird als **bedingter Reflex** bezeichnet. Läutet längere Zeit beim Füttern keine Glocke mehr, kann die erlernte Reaktion wieder verlernt werden.

Bedingter Reflex

Der Speichelfluss wird beim Anblick der Nahrung ausgelöst. Später löst ein neutraler Reiz (Ton) diesen Reflex aus.

Der sogenannte Pawlow'sche Hund erlangte weltweite Berühmtheit.

3.2 Lernen bedingter Appetenzen

Ein **neutraler Reiz** (z. B. ein Farbreiz) wird mit einer Belohnung (etwa der Befriedigung des Antriebs zur Nahrungsaufnahme) verknüpft. Als Folge löst allein der Farbreiz gerichtetes Appetenzverhalten aus.

Beispiele

- Bietet man hungrigen Elritzen im Aquarium Futter immer vor einer roten Scheibe, schwimmen sie nach mehrmaliger Wiederholung immer dorthin, um nach Futter zu suchen.
- Finden Bienen in blauen Blüten reichlich Nektar, suchen sie auf weiteren Flügen bevorzugt blaue Blüten auf.

3.3 Lernen bedingter Aktion

Der amerikanische Psychologe B. F. Skinner entwickelte eine Versuchsanordnung, die nach ihm als Skinner-Box bezeichnet wird. In diesen Boxen werden Nagetiere (Hamster, Mäuse) für spezielle Verhaltensweisen mit Futter belohnt.

Nachdem zufällig richtige Aktionen belohnt wurden, lernten die Tiere, das Verhalten gezielt anzuwenden, um an das Futter heranzukommen. Die beschriebene Form des Lernens wird auch als instrumentelles Lernen (auch instrumentelle oder operante Konditionierung) bzw. als **Lernen am Erfolg** bezeichnet.

Skinner-Box

Oft spricht man von **Lernen durch Versuch und Irrtum.** Positive und negative Erfahrungen führen zum Aneignen von Verhaltensweisen. Sowohl in der Dressur als auch in der Erziehung von Kindern wird man den besten Erfolg durch Belohnen gewünschten Verhaltens erreichen.

3.4 Lernen bedingter Aversion

Nicht nur positive sondern auch **negative Erfahrung** prägt sich ins Gedächtnis ein. Tiere lernen, eine bestimmte Reizsituation, die sie einmal erlebt haben, zu vermeiden. Diese Form von Lernen wird auch als **Lernen am Misserfolg** oder als erlerntes Vermeiden bezeichnet.

Beispiele
- Pferde scheuen an Orten, an denen sie einmal erschreckt wurden.
- Gelangt eine Ratte auf ihrem gewohnten Weg einmal in eine Falle und kann sie sich daraus befreien, wird sie in Zukunft einen anderen Weg nehmen.

KONRAD LORENZ prägte mehrmals Graugansküken auf sich. Sie folgten ihm als „Ersatzmutter“ überall hin.

3.5 Prägung

Sie wurde vom Nobelpreisträger KONRAD LORENZ entdeckt. Kurz nach dem Schlüpfen folgen Gänseküken demjenigen bewegten Objekt, das sie zuerst sehen. Dies ist eine angeborene Nachfolgereaktion.

Unter natürlichen Umständen ist das betroffene Objekt meist die Mutter. Wird die Reaktion allerdings von einem Menschen ausgelöst, folgt das Küken fortan dieser Person. Eine männliche Dohle, die so auf einen Menschen geprägt wurde, wird sich wohl einem Dohlenschwarm anschließen, zur Balzzeit wird sie nach Möglichkeit einen Menschen anbalzen. Prägung funktioniert nur in einer kurzen sensiblen Phase und ist dann gewöhnlich irreversibel.

Beispiel: Nachlaufprägung bei Gänsen
Gänseküken geben nach dem Schlüpfen Stimmfühlungslaute ab, die Mutter antwortet mit Lockrufen. Das Reizmuster der Mutter wird den Küken in den ersten 36 Stunden ihres Lebens unlöschbar eingeprägt.

Kommt es in dieser sensiblen Zeit zu Störungen (Wechsel der Bezugsperson), so gewinnt das Kind keine Sicherheit und kein Vertrauen in die Umwelt. Die Folgen sind Verhaltensstörungen.

Die **Mutter-Kind-Bindung beim Menschen** ist der Prägung bei Tieren ähnlich. Der Säugling bindet sich an eine Bezugsperson, die nicht immer die Mutter sein muss. Die prägende Phase liegt zwischen dem zweiten und 18. Lebensmonat.

3.6 Lernen durch Neugier und Nachahmung

Bei Säugern und Vögeln erreichen Jungtiere ein Entwicklungsstadium, in dem sie unbekannte Dinge nicht mehr fürchten, sondern neugierig zu untersuchen beginnen. Man nennt dieses Verhalten **Neugierdeverhalten.**

Ein bekanntes Spielverhalten ist die Beschäftigung der Kätzchen mit Wollknäueln.
Ein besonders ausgeprägtes Spielverhalten zeigen auch Menschen bis ins hohe Alter. Dieses steht mit einer lebenslangen Lernbereitschaft im Zusammenhang.

Arten von Neugierdeverhalten	
Erkundungsverhalten	Ungerichtetes Durchstreifen der Umgebung.
Neugierdeverhalten	Gerichtetes Aufsuchen und Untersuchen unbekannter Gegenstände.
Spielverhalten	Sowohl angeborene als auch erlernte Verhaltensanteile, die einander beliebig abwechseln können. Oft werden diese frei kombiniert. Das Spiel unterscheidet sich vom Verhalten im Ernstfall.

Im Spiel werden verschiedene Elemente des Beutefangs wie Anschleichen, Sprung und Zubeißen spielerisch geübt. Spielende Katzen strecken dabei beim Fangschlag mit der Pfote die Krallen nicht aus. Junge Hunde beißen beim Angriffsspiel nicht ernsthaft zu. Wird ein Tier von einem Artgenossen ernstlich angegriffen, flieht es, bis es außer Reichweite ist. Im Verfolgungsspiel wird dagegen der Artgenosse geradezu aufgefordert hinterherzulaufen.

Im Spiel ahmen Jungtiere auch ihre Artgenossen nach **(Nachahmungslernen).** Dabei werden vor allem Verhaltensweisen der Eltern und anderer Artgenossen in das eigene Verhalten übernommen.

Beispiel für Nachahmungslernen
Mithilfe von Halmen, die in Löcher der Bauten gesteckt werden, können Schimpansen Termiten herausziehen. Jungtiere beobachten die Erwachsenen und ahmen sie nach.

Lernen durch Versuch und Irrtum, Erkunden, Spielen und Nachahmen spielt auch beim Menschen (vor allem im Kleinkindalter) eine große Rolle. Die Lernbereitschaft scheint dabei weitgehend angeboren zu sein, sie kann jedoch durch die Umgebung, in der ein Kind aufwächst, stark gefördert oder gehemmt werden.

Der Psychologe Wolfgang Köhler untersuchte von 1914 bis 1920 Werkzeuggebrauch und Problemlöseverhalten von Schimpansen. Die Versuchstiere steckten mehrere Stöcke zusammen und stapelten Kisten übereinander, um das Futter zu erreichen. Das Nachahmen von Artgenossen war dabei ausgeschlossen.

3.7 Einsichtiges Verhalten

Einsichtiges Verhalten ist die Fähigkeit, auf neue Umweltsituationen ohne vorheriges Probieren mit neuen Verhaltensweisen sinnvoll zu reagieren. Dabei werden Zusammenhänge durch Überlegen erfasst. Der Mensch nimmt in diesem Bereich eine unangefochtene Sonderstellung ein. Lernen durch Einsicht kann aber auch in Ansätzen bei Tieren beobachtet werden.

Das Leben der Bienen im Bienenstaat ist so organisiert, dass keines der Individuen für sich allein leben kann, wesentlich ist die streng geregelte Arbeitseinteilung einer Arbeitsbiene im Lebenslauf.

4 Sozialverhalten

Viele Tiere leben als Einzelgänger (solitär) oder in Ansammlungen (Aggregationen) ohne wesentliche soziale Kontakte.

Formen von Zusammenschlüssen

Offene anonyme Verbände

Individuen kennen sich einander nicht persönlich.

Beispiel
Schwarm von Staren

Offene nicht anonyme Verbände

Hier kennen sich die direkt benachbarten Individuen.

Beispiel
Brutkolonie bei Flamingos

Geschlossene anonyme Verbände

Individuen kennen einander am Nestgeruch. Aufgaben sind streng eingeteilt.

Beispiel
Bienenstaat

Geschlossene individualisierte Verbände

Tiere kennen einander und bilden eine Rangordnung aus.

Beispiele
Wolfsrudel, Elefantenherde

Das Leben in der Gruppe bietet folgende Vorteile:
- Besseren Schutz vor Feinden, die zudem schneller entdeckt werden.
- Umgekehrt sind Räuber, die in Gruppen jagen, erfolgreicher. Durch Arbeitsteilung kann die Leistung gesteigert und es können auch größere Beutetiere überwältigt werden.

Am höchsten ist die Kommunikation im Tierreich bei den Menschenaffen entwickelt. Den Zwergschimpansen KANZI, der ansatzweise mit Menschen kommunizieren kann und einige englische Worte versteht, haben Sie bereits auf S. 157 kennengelernt.

Mit dem Kopf voran gehen Gänse zum Angriff über.

FILM AB!

Der Bienentanz im Bienenstock wird in einem Video gezeigt und analysiert.
www.trauner.at/nawi_v117.aspx

Während die Bienensprache angeboren ist, wird der Gesang vieler Singvogelarten zumindest teilweise vom Vater übernommen, von manchen Arten werden sogar technische Geräusche nachgeahmt. Im Tierreich ist die Kommunikationsfähigkeit von Menschenaffen am höchsten entwickelt. So können beispielsweise Schimpansen eine Art Zeichensprache erlernen.

4.1 Kommunikation

Die Kommunikation zwischen Individuen kann auf verschiedenste Weise geschehen. Wesentliche Kommunikationsmittel sind Lockrufe, Warnrufe, Rufe des Verlassenseins, Duftstoffe (z. B. Nestgeruch), optische Signale (z. B. Gefiederzeichnung), Bewegung des Kopfes oder des Schwanzes, Aufrichten der Ohren, Sträuben der Haare, Augenzwinkern...

Damit ein sozialer Verband funktioniert, sind Verhaltensweisen für den Kontakt zwischen den Gruppenmitgliedern notwendig („Sprache der Tiere"). Die Signale sind oft umgewandelte Verhaltenselemente. Man nennt diese Erscheinung **Ritualisierung.**

Beispiel für eine Ritualisierung
Gänse strecken ihren Hals vor, wenn sie angreifen. Genauso bei der Begrüßung des Partners. Dabei zeigt der Kopf aber nicht direkt auf den Partner, sondern knapp an ihm vorbei.

Eine besondere Form der Verständigung zeigen **Honigbienen.** Findet eine Biene eine ergiebige Futterquelle, so kann sie deren Lage den anderen Stockmitgliedern mitteilen. Der österreichische Biologie KARL VON FRISCH konnte diese Bienensprache entschlüsseln. Die Verständigung erfolgt sowohl über Duft- und Kostproben als auch über bestimmte Bewegungen (Tänze).

Der Tanz der Honigbienen
Befindet sich die Futterquelle in unmittelbarer Nähe des Stockes, vollzieht die Suchbiene den sogenannten Rundtanz. Bei weiter entfernten Futterquellen erfolgt der Schwänzeltanz, der über Folgendes Auskunft gibt:
- **Richtung:** Die Richtung der Schwänzelbewegung zeigt den Ort des Futters an.
- **Entfernung:** Je weiter die Futterquelle entfernt ist, desto langsamer ist der Tanz.
- **Ergiebigkeit:** Je reichhaltiger die Quelle, umso intensiver ist der Tanz.

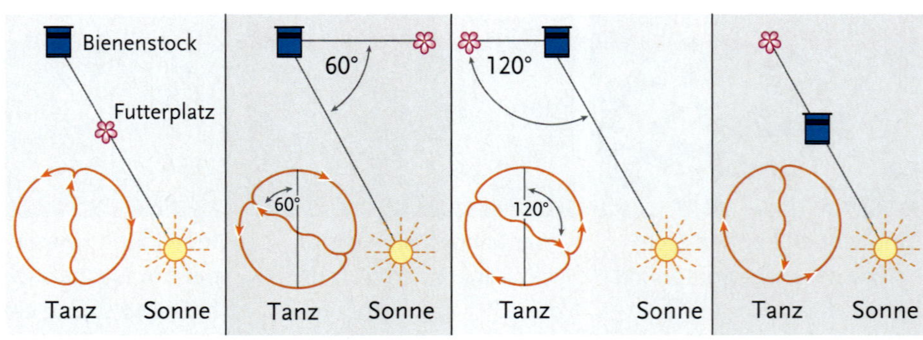

Die Richtung des Schwänzeltanzes auf der Wabe gibt die Flugrichtung zur Futterquelle im Vergleich zum Sonnenstand an.

Auch im Bereich der Kommunikation nimmt der Mensch eine Sonderstellung ein. Die menschliche Sprache besteht im Unterschied zu den Signalen der Tiere aus Begriffen, die erlernt werden. Weiters besteht sie nicht nur aus Lauten, sondern kann auch durch Schrift anderen mitgeteilt werden. Voraussetzung für die Begriffsbildung ist abstraktes Denkvermögen, das losgelöst von konkreten Situationen sein kann.

Neben der Sprache gibt es auch vielfältige Verständigungsmöglichkeiten durch Mimik, Gesten und Körperhaltung, mit denen Stimmungen und Gefühle ausgedrückt werden können.

An der Konrad-Lorenz-Forschungsstelle in Grünau im Almtal wird das Verhalten der Kolkraben erforscht. Diese Vögel konkurrieren u. a. mit größeren Tieren (Wölfen usw.) um Aasfutter. Um in solchen Auseinandersetzungen keinen Schaden zu nehmen, ist es von Vorteil, das Verhalten der anderen Tiere abschätzen zu können. Dabei stellt sich heraus, dass Kolkraben dem Blick anderer Tiere folgen können, um deren Verhalten vorherzusehen.

Konkurrenz um Futter zwischen Raben und einem Bussard

4.2 Weitergabe von Erfahrung

Wenn ein Individuum in einer Gruppe eine Technik erfunden hat und sie durch Lernen am Vorbild weitergegeben wird, so führt das dazu, dass eine einzelne Gruppe eine bestimmte Technik beherrscht.

Beispiele für die Weitergabe von Erfahrungen
Das Waschen erdiger Kartoffel mit Wasser oder das Trennen von Sand und Reiskörnern wie beim Goldwaschen sind Makaken nicht angeboren.

FILM AB!
Hier können Sie ein Video ansehen, das die Makaken beim Waschen der Kartoffeln zeigt.
www.trauner.at/nawi_v118.aspx

4.3 Rangordnung

Die Rangordnung gibt an, welchen Platz ein Individuum innerhalb einer Gruppe einnimmt, und wird durch **Rangordnungskämpfe** bestimmt. Sie beginnen meist mit **Droh-** oder **Imponiergebärden,** kommt es zu Kämpfen, verlaufen diese meist nach strengen Regeln. Gibt das unterlegene Tier auf, zeigt es sogenannte **Demutsgebärden.** Dabei werden z. B. besonders empfindliche Körperteile (Kehle oder Bauch) dargeboten. Es kommt aber nicht zum tödlichen Biss, da die Demutsgebärden einen **Hemmmechanismus** auslösen, der den Sieger am Zubeißen hindert.

Wussten Sie, dass ...
die Rangordnung auch Hackordnung genannt wird? Das kommt daher, da ranghohe Hennen die ersten beim Futter sind und die schwächeren vertreiben (hacken). Das ranghöchste Tier darf alle hacken, während das rangniedrigste von allen gehackt wird.

Demutsverhalten beim Wolf: Futterbetteln und passive Unterwerfung

Tiere kämpfen nach festen Regeln, durch die verhindert werden soll, dass sie sich ernsthaft verletzen. Solche Kämpfe werden als Turnier- oder Kommentkämpfe bezeichnet.

Ist eine Rangordnung festgelegt, werden energieraubende Streitigkeiten weitgehend vermieden. Meist reichen Drohgebärden aus, um die Ruhe wiederherzustellen. Ist keine eindeutige Rangordnung vorhanden, sind Auseinandersetzungen häufig, und der Beute- und Fortpflanzungserfolg der ganzen Gruppe kann beeinträchtigt werden.

Tiere mit einer hohen Stellung haben bessere Fortpflanzungschancen und größere Erfolge bei der Jungenaufzucht. In sozialen Verbänden wird sichergestellt, dass das stärkste, geschickteste und kampfbereiteste Tier (Alphatier) die Gruppe führt.

Genauso ist die Herstellung einer Rangordnung beim Menschen zu beobachten. Die Rangordnung ist meist mit einem sozialen sowie beruflichen Aufstieg verbunden und wird durch Statussymbole offenbart (Haus, Auto, Kleidung, Titel usw.). Das unterschiedliche Verhalten gegenüber ranghöheren und rangniederen Mitmenschen fällt oft sehr deutlich aus (Demutsgebärden, Drohgebärden).

Aufgabenstellung – „Sozialverhalten"

■ + Ordnen Sie die Begriffe den richtigen Erklärungen zu.

Ritualisierung	Rangordnung
Aggregation	Turnierkampf ohne Verletzungen
Alphatier	Ansammlung von Tieren ohne besondere Beziehung zueinander
Hackordnung	Signale zur Kommunikation zwischen Tieren
Kommentkampf	Anführer einer Tiergruppe

4.4 Territorialverhalten

Auch beim Menschen ist ein Revierverhalten durch Zäune, Hecken, Mauern und andere Grenzziehungen oder auch durch Beanspruchen bestimmter Stammplätze sichtbar. Zu Hause fühlt man sich am sichersten und stärksten. „Eindringlinge" bringen Gastgeschenke mit, die zur „Besänftigung" der Besitzer dienen.

Ein **Territorium** oder **Revier** ist ein Gebiet, in dem Tiere ihren Lebensgewohnheiten nachgehen (z. B. Nahrungserwerb, Schlaf, Fortpflanzung), und das sie gegen Artgenossen, aber auch gegen artfremde Tiere verteidigen. Dieses Verhalten sichert dem Besitzer die Abdeckung des Nahrungsbedarfs für sich und seine Jungen.

Die Reviermarkierung erfolgt durch verschiedenartige Signale. Singvögel zeigen durch Gesang die Besetzung eines Reviers an, Wölfe setzen Duftmarken durch ihren Harn, Marder haben eine eigene Drüse an der Schwanzwurzel.

4.5 Aggressionsverhalten

Aggressivität ist die Bereitschaft zu kämpfen, **Aggression** ist ein Angriff auf ein anderes Lebewesen.

Aggressives Verhalten kann ganz **unterschiedliche Antriebe** haben: im Dienste der Feindabwehr, der Revierverteidigung, der Hierarchiebildung, der Gruppenverteidigung oder eine Aggression gegen einen Gruppenaußenseiter.

Beim Menschen dient aggressives Verhalten ebenfalls der Sicherung des Überlebens, der Verteidigung, der Erhöhung der sozialen Stellung etc. Nirgendwo in der Tierwelt zeigt Aggressivität jedoch so negative Auswirkungen wie beim Menschen (Diskriminierungen, Ausgrenzungen, Kriege).

Beispiele: Gründe für aggressives Verhalten
- Hunger löst Angriff auf Beute aus
- Gegenangriff von in die Enge getriebenen Tieren
- Eltern beschützen ihre Jungen
- Rangordnungskämpfe

Aufgrund der technischen Möglichkeiten (Schusswaffe, Atombombe usw.) kann **aggressives Verhalten beim Menschen** besonders gefährlich sein, da die natürlichen Schutzmechanismen, die die Tötung eines anderen Menschen verhindern nur beim direkten Kampf bzw. Kontakt zueinander funktionieren. Über die Distanz durch Schusswaffen ist die Funktion des Schutzmechanismus bereits geringer. Beim anonymen Auslösen einer Bombe, bei der keinerlei Kontakt zum Gegenüber mehr vorhanden ist, funktioniert der natürliche Schutzmechanismus nicht mehr.

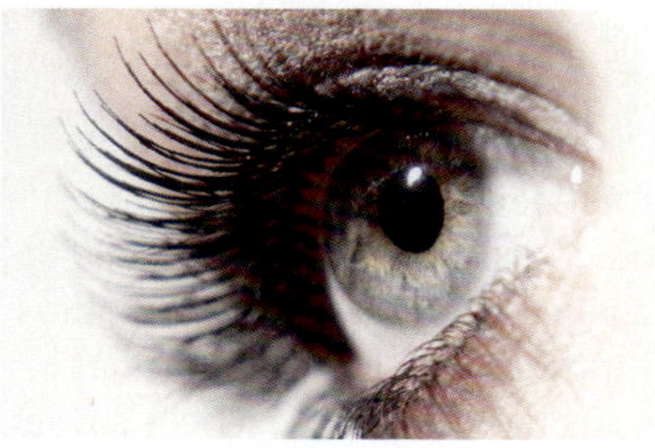

Ein Hinweis auf unsere Aggressivität ist die Tatsache, dass beim Menschen das Weiße des Augapfels ständig sichtbar ist. Bei Tieren erscheint dieses Weiß nur in Situationen größter Wut. Erscheinen wir Tieren gegenüber als besonders aggressiv, und ist dies der Grund, warum sich Tiere, die um vieles stärker sind, zähmen und dressieren lassen?

4.6 Partnersuche und Sexualverhalten

Da die Fortpflanzung neben dem eigenen Überleben zum wichtigsten Lebensvorgang gehört, sind sexuelle Verhaltensweisen vielfach übergeordnet. Die Bereitschaft zum Sexualverhalten wird hormonell gesteuert und führt zu speziellen Verhaltensweisen, die hauptsächlich instinktiv, also erblich festgelegt sind.

Die Dauer der Paarbildung kann sehr unterschiedlich sein. Bei Stubenfliegen dauert es vom Erkennen eines paarungsbereiten Weibchens bis zur Begattung durch das Männchen nur wenige Augenblicke.

Dauer der Paarbildung

Dauerehe	Saisonehe
In einer längeren „Verlobungszeit" gewöhnen sich die Partner langsam aneinander. Diese Tiere führen dann auch eine lebenslange Ehe	Dauert nur eine Brutsaison. Während dieser Zeit wird das Revier gemeinsam verteidigt. Nach der Aufzucht der Jungen trennt sich das Paar wieder.

Die langen Schwanzfedern der Pfaue dokumentieren die Fitness der Männchen. Je prächtiger sie sind, umso größer sind die Chancen, von einem Weibchen gewählt zu werden.

Verhaltensweisen von Männchen und Weibchen, bei denen um einen Partner geworben wird, heißen **Balz.** Die Gesellschaftsbalz mancher Vogelarten (z. B. Stockenten) ist eine Art ritualisierter Turnierkampf, bei dem die Männchen gemeinsam balzen. Die Weibchen beobachten genau und wählen anschließend ihren Partner.

Das Hormon Oxytocin, das bei der Geburt und auch beim Stillen ausgeschüttet wird, verstärkt die Mutter-Kind-Bindung. Darüber hinaus hat es beim Kuscheln sowie beim Sex Einfluss auf die Partnerbindung. Neueste Untersuchungen zeigen, dass bei Blickkontakt bzw. beim Kuscheln zwischen Mensch und Hund der Oxytocin-Spiegel ebenfalls steigt. Offenbar ist Oxytocin auch für die Mensch-Tier-Beziehung von Bedeutung.

Beim Menschen sind bei Fortpflanzung und Partnersuche sexuelle Auslöser von Bedeutung. Das typische **Frau-Schema** weist einen runden Körperumriss, breite Hüften, schmale Schultern, Brüste, lange Haare, volle Lippen und weiche Gesichtszüge auf. Das **Mann-Schema** zeigt breite Schultern, ausgeprägte Muskulatur und markante Gesichtszüge. Diese Schemata werden durch Kleidung besonders betont.

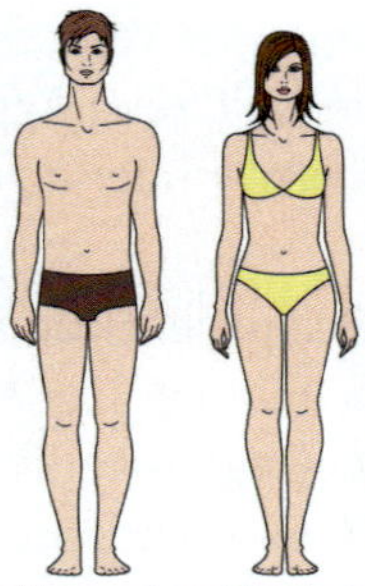

4.7 Brutpflegeverhalten

Verhaltensformen bei der Brut

Brutvorsorge	Brutfürsorge	Brutpflege
Vorkehrungen, die im Sinne der Arterhaltung getroffen werden. Diese enden mit dem Zeitpunkt der Eiablage.	Bodenwasser mit gelösten Stoffen	Die Eltern beschäftigen sich aktiv mit der Brut.
Beispiel Schildkröten vergraben Eier im Sand und lassen sie von der Sonne ausbrüten	**Beispiele** Bau von Nestern, Bewachen des Geleges, Eiablage nahe bei Nahrungsquellen	**Beispiele** Katzen transportieren ihre Jungen behutsam im Maul, Affen tragen sie herum

Brutpflege: Ein Orang-Utan-Weibchen trägt ihr Junges mit sich herum.

Der Mensch benötigt aufgrund seiner hohen Lernfähigkeit eine besonders intensive Betreuung, wobei das Kindchenschema die entsprechenden Pflegereaktionen auslöst. Die Kindheit des Menschen dauert extrem lange. Soziale Bindungen, vor allem das Vorhandensein einer Bezugsperson, sowie eine angstfreie Umgebung sind wichtige Voraussetzungen für eine gute Entwicklung.

Versuch – „Stimmlage der Mutter"

Die hohe Stimmlage von Frauen ist besonders attraktiv für Kinder und dient der Mutter-Kind-Bindung.

- Stellen Sie fest, bei welchen Gelegenheiten eine Mutter mit ihren Kindern in einer besonders hohen Tonlage spricht.
- Sprechen Sie selbst in Anwesenheit eines Kleinkindes in Ihrem Familien- oder Bekanntenkreis mit ausnehmend hoher Stimme und beobachten Sie, wie das Kind reagiert.

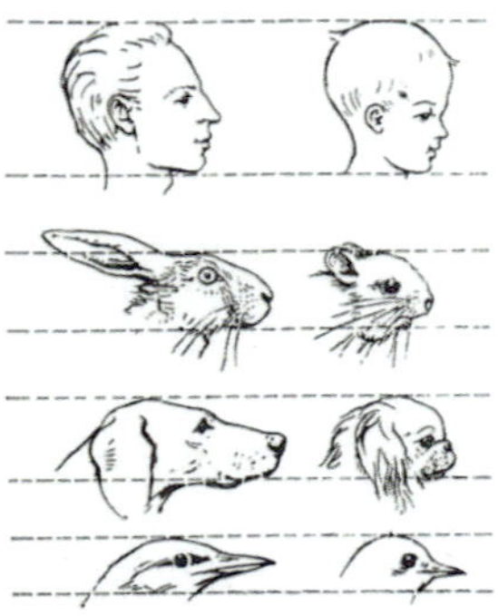

Kindchenschema bei Mensch und Tier im Vergleich zu erwachsenen Individuen

5 Besonderheiten menschlichen Handelns

Die physiologischen Prozesse des menschlichen Körpers unterliegen den gleichen Gesetzen wie bei den Tieren. Auch das menschliche Verhalten ist weitgehend mit tierischem ident.

Menschliches Verhalten

Reflexverhalten und Antriebe	Kulturelle Verhaltensweisen
Hunger, Durst, Geschlechtstrieb und Schlafbedürfnis unterliegen nicht unserem Willen sondern vor allem physiologischen Prozessen.	Sprache oder Tradition werden erlernt. Typisch menschlich sind unser Denken, Fühlen und Wollen.

Antriebe wie Hunger können allerdings auch bewusst unterdrückt werden. So zum Beispiel bei einem Hungerstreik.

Die **angeborene Bindungsbereitschaft** von Säuglingen führt zu einem enormen Vertrauen (Urvertrauen) gegenüber der Mutter. Wird die Mutter-Kind-Bindung in ihrer sensiblen Phase gestört (z. B. durch Unterbringen in einem Heim), kann sich daraus eine tiefgreifende Verhaltensstörung entwickeln (Hospitalismus).

Die Bindung von Mutter und Kind ist der Prägung bei Tieren sehr ähnlich.

Die **sprachliche Kommunikation** des Menschen unterscheidet sich von tierischen Kommunikationsformen wesentlich. Die menschliche Sprache besteht als Begriffen. Diese werden nach bestimmten Regeln verknüpft. Die Sprache muss erlernst werden. Möglich wird das erst durch die hohe Abstraktionsfähigkeit. Zum Denken des Menschen gehört die Bildung von Begriffen, deren Kombination zu Aussagen und Schlussfolgerungen.

Der Mensch ist von Natur aus ein **soziales Wesen.** Wichtiger Antrieb für menschliches Verhalten ist die Emotion. Die meisten Gefühle werden durch soziale Reize ausgelöst: Liebe, Hass, Neid, Eifersucht, Scham, Stolz usw. Die menschliche Gesellschaft zeigt eine Rangordnung, wie wir sie auch von vielen Tieren kennen und die durch Statussymbole verdeutlicht wird.

Durch kulturelle Ritualisierung haben sich beim Menschen spezifische Handlungsmuster wie Tischmanieren, Begrüßungsgesten usw. gebildet.

Wenn Menschen miteinander kommunizieren, hören sie nicht nur deren Sprache sondern lesen auch ständig deren Mimik und Gestik mit. Ortet man einen Widerspruch zwischen der gesprochenen Aussage einerseits und der Mimik bzw. Gestik andererseits leidet darunter die Glaubwürdigkeit unseres Gegenüber.

Mimik = Gesichtsausdruck

Gestik = Ausdruck mithilfe der Hände

Thomas Bugnyar arbeitet an der Konrad-Lorenz-Forschungsstelle in Grünau im Almtal und erforscht das Verhalten der Kolkraben. Diese fressen vor allem Fleisch, vorwiegend als Aas. Sie suchen gerne gemeinsam nach fressbarem. Dazu rufen sie ihre Artgenossen oder holen sie von ihrem Schlafplatz ab. Werden die Vögel fündig, werden die Partner schnell zu Konkurrenten. Häufig kommt es auch zu Auseinandersetzungen um das Aas mit großen Tieren wie etwa Wölfen. Um in solchen Auseinandersetzungen keinen Schaden zu nehmen oder die Beute vor Konkurrenten zu verstecken ist es von Vorteil, den Wissenstand der anderen Tiere und auch deren Verhalten im Voraus abschätzen zu können. Dabei stellt sich heraus, dass Raben dem Blick anderer Tiere folgen können, um das Verhalten des anderen Tieres vorherzusehen. Für soziale Säuger wie Menschenaffen, Hunde und Delfine war diese Fähigkeit bereits bekannt. Unter Vögeln wurde sie erstmals für den Raben nachgewiesen.

Entdeckt wurden die Spiegelneuronen Anfang der 1990er-Jahre bei Makaken. Weiters wollten Wissenschaftler/innen bei Schimpansen herausfinden, welche Zellen aktiv werden, wenn ein Tier nach einer Nuss greift. Verblüfft stellten sie fest, dass bestimmte Zellen auch dann aktiv wurden, wenn nicht der Affe selbst nach der Nuss griff, sondern wenn er beobachtete, wie ein Forscher danach griff.

Wir Menschen können aber noch mehr. Wir können uns in die Lage unseres Gesprächspartners versetzen. Wir können mit ihm/ihr mitfühlen und sogar mitleiden. Verantwortlich dafür sind sogenannte **Spiegelneuronen** im Gehirn. Dabei handelt es sich um Nervenzellen, die uns das Befinden unseres Gesprächspartners spiegeln, also mitfühlen lassen.

Wenn wir beobachten, wie sich jemand in den Finger schneidet, können wir seinen Schmerz mitfühlen. Auch Freude teilen wir so miteinander.

Bei Autisten ist die Funktion der Spiegelneuronen beeinträchtigt. Das macht es ihnen sehr schwer, Stimmungen und auch Verhalten von Mitmenschen nachzuvollziehen. Die Kommunikation mit anderen Mitmenschen ist erschwert.

Die Forschung ist dabei, immer neue Erkenntnisse zu gewinnen. So wurde herausgefunden, dass es eine enge **Wechselwirkung zwischen Verdauungstrakt und Gehirn** gibt. Wesentlich dabei scheint auch eine Kommunikation über kurzkettige Fettsäuren, die von Darmbakterien produziert werden. Somit hat unsere Darmflora wesentlichen Einfluss auf unsere Hirnentwicklung, indem deren Fettsäuren Gene in den Gehirnzellen an- und abschalten. Auf diese Weise könnten diese Bakterien möglicherweise sogar Einfluss auf unser Sozialverhalten haben.

Ziele erreicht? – „Verhaltensbiologie"

KOMPETENZ-ERWERB

1. + Zählen Sie die Methoden auf, die zur Erforschung des menschlichen Verhaltens angewendet werden. Wodurch unterscheiden sich die Methoden, die menschliches Verhalten untersuchen, von denen, die das Verhalten von Tieren untersuchen?

2. ++ Was hat Mineralwasser mit Erotik zu tun? Untersuchen Sie das abgebildete Werbeplakat und bewerten Sie, inwiefern hier ein bedingter Reflex ausgelöst wird bzw. werden soll.

3. ++ Die sexuellen Merkmale werden besonders gerne von der Werbung aufgegriffen und oft in gesteigerter Form dargestellt. Es werden dabei positive Assoziationen mit dem umworbenen Objekt erzeugt, was zu einer Erhöhung der Konsumbereitschaft führen soll. Nehmen Sie TV-Werbungen bzw. Werbeeinschaltungen in Illustrierten unter die Lupe: Welche Produkte werden besonders gerne mit Frauen und Männern im klassischen Sinne beworben? Wo kommt Sexualität ins Spiel?

4. + Beschreiben Sie in Grundzügen, wie die Bienensprache funktioniert.

5. + Erklären Sie, wozu das Balzverhalten dient.

6. + Zählen Sie die unterschiedlichen Formen des Zusammenlebens von Tieren auf und nennen Sie jeweils Beispiele.

7. + Besonders auffällig sind die Frau-Mann-Schemata bei den traditionellen Trachten. Finden Sie Abbildungen einer typischen Tracht Ihrer Heimat und untersuchen Sie, wie das Frau-Mann-Schema zum Tragen kommt.

8. ++ Diskutieren Sie, inwiefern aggressionshemmende Verhaltensweisen, wie sie in der Tierwelt vorkommen, auch auf den Menschen zutreffen. Begründen Sie, warum beim Menschen Verbote, Gesetze und Abkommen unumgänglich sind, um Aggressionen einzudämmen.

Going international

Now let's use the basics of the chapter "Humanökologie" in English!

Exercise 1

Three main learning styles are recognised – visual, auditory and kinaesthetic. Each of these styles represents a favoured way of receiving and processing information in order to learn.

If you take a moment to discover your own learning style, then learning can turn from hard work to a task which is as easy as pie.

People rarely rely completely on just one of the styles; many may be using more than one style with success. Children often change their preferred learning style as they grow, so it is important to continue trying different approaches from time to time. Do you know your preferred learning style?

The three styles can also be put into words:

- **Visual:** see it
- **Auditory:** say and hear it
- **Kinaesthetic:** do it

If you prefer to learn from videos, books and images, you are probably a visual learning type.

Take a look at these ways of learning and match them to the learning types.

- Enjoying reading and making notes, images, charts, diagrams
- Talking about what things look like
- Not enjoying long explanations, talks or lectures
- Speaking and repeating out loud
- Recalling what someone said
- Mostly distracted by noise and needing quietness to learn
- Learning while doing, touching, writing things down, building or using objects
- Taking things apart to see how they work
- Learning better while moving around

Exercise 2

There are lots of illnesses in different parts of the human body. Match the following illnesses to the respective group of organs.

Atherosclerosis	Musculoskeletal system
Tuberculosis	Digestive System
Cholera	Nervous system
Osteoarthritis	Respiratory system
Botulism	Cardiovascular system

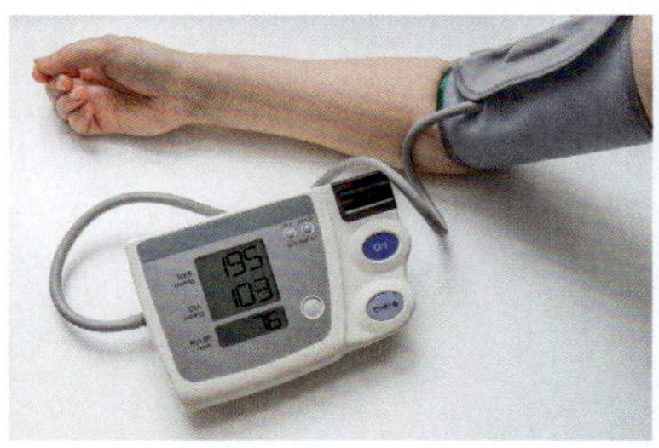

A very common illness of the cardiovascular system is hypertension or high blood pressure. This illness drastically increases the risk of a heart failure, a stroke or artery malfunctions.

Exercise 3

When people talk about drugs in general or a drug problem, they usually mean using illegal substances, such as marijuana, ecstasy, cocaine, LSD, crystal meth, and heroin. But there are also a lot of legal substances that can be used which could cause major problems.

First, find out which kinds of substances are pictured here. Then, specify wether they are legal or illegal substances.

☐ legal ☐ illegal

☐ legal ☐ illegal

☐ legal ☐ illegal

☐ legal ☐ illegal

☐ legal ☐ illegal

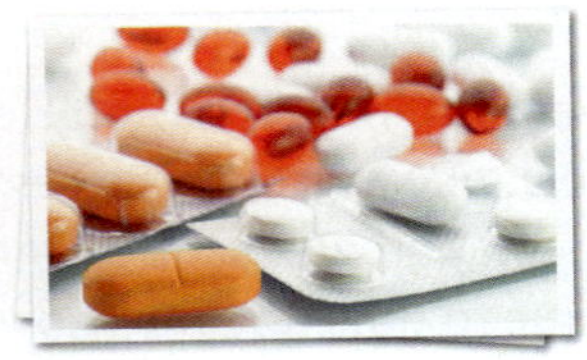

☐ legal ☐ illegal

Which other legal or illegal substances do you know?

Exercise 4

Read the following article about nutritious foods and answer the questions below.

Write down the words that you need to look up below.

The code for cuteness

Those big, shining eyes, that button nose, that soft new fur – few people can resist a cute baby animal. Even creatures that are terrifying as adults somehow begin life as aww-inducing cubs. So how is it that the same fierce or wild animals we would never dream of choosing as pets pull on our heartstrings quite so much when they're born?

There are deep psychological reasons why humans find babies of all species so cute. Scientists believe that the powerful nurturing instinct we have for our own children spills over into an affection for anything that looks just a bit like them.

In 1943, Austrian ethologist and zoologist Konrad Lorenz was the first to suggest that all infants have certain features in common that are universally appealing. They include a large head relative to the body, chubby cheeks, a high forehead, a small nose and mouth, and rounder bodies. We simply can't help but gravitate to anything that fits this cute blueprint, described by Lorenz as the 'baby schema'.

Certain behaviours also seem to have a common appeal. For example, one reason why baby chimps and monkeys attract crowds at zoos is because they can behave just like playful infants. Even a baby elephant, which appears to have little in common with human babies physically, has a clumsy gait that perhaps reminds us of an unsteady toddler.

(Source: Angela Saini, bbcearth.com, 7 February 2019)

a) Why is it that baby animals are so appealing to people?
b) Name the features that the so called 'baby schema' consists of.
c) Which other universal features make us attracted to every baby – human or animal?

V Grundlegende physikalische Größen und ihre Messung

In unserer Umwelt sind wir ständig mit verschiedensten physikalischen Phänomenen konfrontiert. Die erste Reaktion ist häufig Erstaunen oder Bewunderung dieser Erscheinungen der Natur. Wenn man dann aber versuchen will, das Beobachtete genauer zu verstehen, ist eine logische scharf folgernde Denkweise nötig. Die Physik hat dafür Strategien der Beschreibung entwickelt und benutzt dafür als wesentliche Grundlage die Mathematik als exakte Sprache. Das Internationale Einheitensystem hilft beim weltweiten Austausch in den Naturwissenschaften.

Einführung in die Arbeitsweise der Physik

Für die Arbeitsweise der Physik sind die vier Begriffe **Beobachtung, Versuch/Experiment, Hypothese** und **Theorie** grundlegend.

ALBERT EINSTEIN, ISAAC NEWTON, JOHANNES KEPLER und GALILEO GALILEI sind Physiker, die sich auch heute durch sehr große Bekanntheit weltweit auszeichnen. Alle vier waren geprägt von der unbedingten Suche nach den Ursachen der verschiedenen Naturphänomene. Sie besaßen eine ausgezeichnete Beobachtungsgabe, Freude am Experimentieren sowie den Willen, das Können und die Ausdauer, mathematische Beschreibungen ihrer Erkenntnisse zu finden.

Vergleichen Sie hierzu S. 26 ff. im I. Jahrgang.

Fast 2 000 Jahre beherrschten die Theorien des ARISTOTELES (384 v. Chr. bis 322 v. Chr.) das naturwissenschaftliche Denken. GALILEO GALILEI (1564 bis 1642) war einer der Begründer jener Physik, in der das **Experiment** und damit das **Messen** eine zentrale Rolle spielt. Er hat die **Mathematik als exakte Sprache der Physik** etabliert und ihm wird der Satz **„Messen, was messbar ist – messbar machen, was nicht messbar ist."** zugeschrieben.

Die grundlegende Reihenfolge der Erkenntnisgewinnung kennen Sie bereits aus dem I. Jahrgang:

- Annahme (Hypothese)
- Bildung einer Theorie (mithilfe von Beobachtungen und Experimenten)
- Modellbildung (Vereinfachung der Theorie)

KOMPETENZ-ERWERB

Meine Ziele

Nach Bearbeitung dieses Kapitels kann ich

- die Arbeitsweise der Physik wiedergeben und anwenden;
- eine näherungsweise Beschreibung der Natur durch Modelle angeben.

Nehmen wir an, es wäre noch nicht bekannt, dass im Vakuum alle Körper gleich schnell fallen, und dass in Luft die Fallzeit von Form und Oberflächenbeschaffenheit, nicht aber von der Masse abhängt. Es gäbe noch keine ausreichenden technischen Möglichkeiten, ein Vakuum herzustellen.

Vakuum = luftleerer Raum

Sie haben nun die Aufgabe, herauszufinden, ob es einen **Zusammenhang zwischen Masse und Fallzeit** gibt. Wie würden Sie als Wissenschaftler/in vorgehen?

Wahrscheinlich würden Sie zunächst eine **Hypothese** aufstellen. Da Sie es noch nicht besser wissen können und Ihre Alltagserfahrungen zeigen, dass natürlich Steine schneller fallen als Federn, bietet sich folgende Hypothese an: *„Schwere Körper fallen schneller als leichte Körper."*

Im nächsten Schritt geht es darum, diese Hypothese zu überprüfen. Dazu werden Sie ein **Experiment** durchführen. Hier gilt es, das Experiment so zu planen, dass der Ausgang des Experiments ausschließlich von den Massen unterschiedlicher Körper abhängt. Der Einfluss anderer Faktoren muss ausgeschlossen werden können, ansonsten könnte das Experiment zu einem falschen Schluss führen.

Holz- und Metallkugel haben unterschiedliche Massen, aber dieselbe Form

Beispiele für unterschiedliche Massen im Fallzeitversuch
Es könnten demnach die Fallzeiten einer Kugel aus Holz, einer gleich großen Kugel aus Eisen oder einer Hohlkugel, die bei gleicher Form und Oberflächenbeschaffenheit unterschiedliche Massen haben, verglichen werden.

Sie werden sich dann genau überlegen, welche Einflussgrößen sonst noch möglich wären. Nach genauer Betrachtung von unterschiedlichen Körpern kommen Sie zu dem Schluss, dass eventuell auch **Form** und **Oberflächenbeschaffenheit** einen Einfluss haben könnten. Es könnte sein, dass eine Feder deshalb so langsam fällt, weil der Luftwiderstand recht groß ist und die Feder einfach segelt.

Durch Zusammenknüllen eines Blattes Papier kann dessen Form und Oberflächenbeschaffenheit einfach geändert werden.

Beispiel für unterschiedliche Formen und Oberflächenbeschaffenheiten
Dann könnte bei gleicher Masse eines Körpers die Form (kugelförmig, blattförmig) variiert werden.

Für Ihre experimentellen **Versuche zur Fallzeit** ergeben sich folgende Möglichkeiten:

- Sie lassen gleich geformte unterschiedlich massenreiche Kugeln aus großer Höhe fallen (natürlich müssen Sie dafür sorgen, dass so niemand zu Schaden kommt). Sie werden die Kugeln fallen lassen, die Fallzeiten messen und vergleichen.
- Sie nehmen ein Blatt Papier und messen die Zeit, bis es von einer bestimmten Höhe den Boden erreicht. Danach falten Sie es und messen erneut die Fallzeit. Den Faltvorgang können Sie mehrmals wiederholen.

Erst der **Vergleich der Ergebnisse Ihrer Messungen** wird Sie die objektive Tatsache erkennen lassen. Ihre zuerst gestellte Hypothese stellt sich als falsch heraus. Sie gelangen zur Erkenntnis: *„Die Fallzeit ist unabhängig von der Masse der Körper."*

Wussten Sie, dass ...
diese bzw. ähnliche Fallversuche häufig GALILEO GALILEI zugeschrieben werden? Er soll sie angeblich auf dem schiefen Turm von Pisa durchgeführt haben.

Ziele erreicht? – „Einführung in die Arbeitsweise der Physik"

KOMPETENZ-ERWERB

1. + Geben Sie die vier zentralen Begriffe für die Arbeitsweise der Physik an.

2. ++ Führen Sie die drei Punkte – Beobachtung, Experiment und Hypothese – für die Dehnung s einer (Stahl-)Feder (z. B. in Druckkugelschreibern) aus. Beobachten und untersuchen Sie insbesondere den Zusammenhang zwischen Dehnungskraft und Dehnung. Dokumentieren Sie Ihre Ergebnisse in einem Versuchsprotokoll.

Das Internationale Einheitensystem

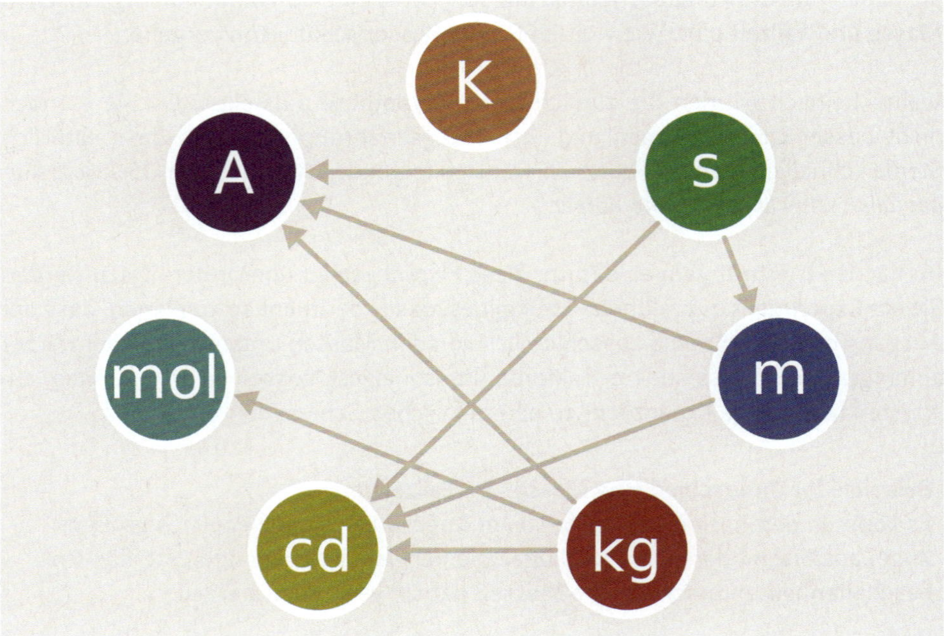

Das Internationale Einheitensystem, abgekürzt SI (von frz. *Système international d'unités*) wurde in Österreich 1973 per Gesetz eingeführt.

Die Physik beschäftigt sich mit messbaren Merkmalen der Natur. Diese messbaren Merkmale werden **physikalische Größen** genannt. Dabei unterscheiden wir zwischen den **sieben Grundgrößen des SI** und **abgeleiteten Größen.**

Um weltweit vergleichbare Messungen durchführen zu können, muss man sich auf **Einheiten** einigen. Für alle nur denkbaren messbaren Größen wurden **sieben Grund- oder Basisgrößen** definiert.

Die **Fläche** (eines Rechtecks) ist eine abgeleitete Größe: Fläche $A = a \cdot b$

Abgeleitete Größen wie Geschwindigkeit, Beschleunigung, Impuls, Kraft, Energie, Leistung, Ladungsmenge und elektrische Spannung werden aus den Grundgrößen mithilfe von **Definitionsgleichungen** gewonnen.

Δ = griech. Großbuchstabe *Delta*; er wird verwendet, um Differenzen darzustellen.

Beispiele für abgeleitete Größen
- **Geschwindigkeit** ist zurückgelegter Weg pro benötigter Zeit ($v = \frac{\Delta s}{\Delta t}$).
- **Beschleunigung** ist Geschwindigkeitsänderung pro benötigter Zeit ($a = \frac{\Delta v}{\Delta t}$).
- **Kraft** ist das Produkt aus Masse m und Beschleunigung a ($F = m \cdot a$).

KOMPETENZ-ERWERB

Meine Ziele

Nach Bearbeitung dieses Kapitels kann ich
- die sieben Grundgrößen und die zugehörigen Grundeinheiten des Internationalen Einheitensystems angeben;
- abgeleitete Größen nennen und ihre Einheit ableiten;
- die wichtigsten Zehnerpotenzen und die zugehörigen Kurzzeichen (Präfixe) benennen und damit physikalische Größen ausdrücken;
- mit physikalischen Größen rechnen.

Die Kraft ist ebenso wie der Weg, die Geschwindigkeit und die Beschleunigung eine gerichtete Größe. Die Richtung ist also zur vollständigen Beschreibung anzugeben.

Die sieben Grundgrößen des SI und deren Einheiten

Grundgröße	Symbol	Grundeinheit	Abkürzung
Länge	l	Meter	m
Zeit	t	Sekunde	s
Masse	m	Kilogramm	kg
Temperatur	T	Kelvin	K
Stromstärke	I	Ampere	A
Lichtstärke	I_V	Candela	cd
Stoffmenge	n	Mol	mol

Beispiel: Die Grundeinheit Meter
Licht legt im Vakuum in einer Sekunde eine Strecke von 299 792 458 Metern zurück. Daher ist ein Meter die Strecke, die das Licht im Vakuum in einer Zeit von $\frac{1}{299\,792\,458}$ Sekunde zurücklegt.
Diese Definition gilt seit Oktober 1983. Damals wurde die Lichtgeschwindigkeit im Vakuum mit 299 792 458 m/s festlegt.

Auch für die anderen Grundgrößen gibt es genaue Messdefinitionen!

Messen

Um eine Messung durchführen zu können, bedarf es einer **Maßeinheit.**

Die Länge eines Tisches können wir mit einem Meterstab messen. Die Länge des Meterstabs stellt die **Maßeinheit** dar. Dann stellen wir durch Vergleichen fest, wie oft diese Maßeinheit in der zu messenden Größe (Länge) enthalten ist. Dieses Ergebnis ist die **Maßzahl.**

Maßeinheit und Maßzahl — Länge des Tisches = 1,8 mal 1 Meter
Physikalische Größe = Maßzahl · Maßeinheit — $G = \{G\} \cdot [G]$

Jede **physikalische Größe G** lässt sich als Produkt von Maßzahl {G} und Einheit [G] schreiben: $G = \{G\} \cdot [G]$

Beispiel: Umrechnen zwischen km/h und m/s
a) Wir rechnen die Geschwindigkeit v = 36 km/h in m/s um.

$$36\ \text{km/h} = \frac{36\,000\ \text{m}}{\text{h}} = \frac{36\,000\ \text{m}}{3\,600\ \text{s}} = 10\ \text{m/s} \qquad \text{allgemein: } x\ \text{km/h} = (x : 3{,}6)\ \text{m/s}$$

b) Beim Umrechnen von m/s in km/h erhält man:

$$1\ \text{m/s} = \frac{1\ \text{m}}{\frac{1}{3\,600}\ \text{h}} = \frac{3\,600\ \text{m}}{\text{h}} = 3{,}6\ \text{km/h} \qquad \text{allgemein: } y\ \text{m/s} = (y \cdot 3{,}6)\ \text{km/h}$$

Die Maßzahl hängt von der Einheit ab, wie das Tischlängenbeispiel zeigt.

Tischlänge
$l = 1{,}8$ m
$l = 18$ dm
$l = 180$ cm
$l = 1\,800$ mm
$l = 1{,}8 \cdot 10^3$ mm
$l = 0{,}0018$ km
$l = 1{,}8 \cdot 10^{-3}$ km

Beim Messen können sehr kleine (Atome und Moleküle; Nanotechnologie) oder auch sehr große Maßzahlen (Taktfrequenz und Speicherkapazität eines Laptops; Masse eines Planeten oder Sterns; Entfernungen im Weltall) auftreten. Daher ist es oft übersichtlicher und bequemer, **Bruchteile** oder **Vielfache einer Maßeinheit** zu verwenden. Man benützt in der Regel **Zehnerpotenzen** mit positiven oder negativen Exponenten und setzt vor die Einheit Vorsätze.

Gerade durch die **Informationstechnologie** (Speicherkapazitäten wie GB und TB und Taktraten wie GHz und THz) gehen die Präfixe in die Alltagssprache ein. Die **Nanotechnologie** hat ihren Namen direkt von der Vorsilbe übernommen und ist mittlerweile ein enormer wichtiger Wirtschaftszweig geworden.

Eine **Potenz** besteht aus Grund- und Hochzahl bzw. aus Basis und Exponent:
Potenz = $\text{Grundzahl}^{\text{Hochzahl}}$
Potenz = $\text{Basis}^{\text{Exponent}}$

Beispiele für Potenzen

- $10^2 = 10 \cdot 10$
- $10^{-1} = \frac{1}{10} = 0{,}1$
- $10^{-4} = \frac{1}{10^4} = \frac{1}{10\,000} = 0{,}000\,1$
- $a^3 = a \cdot a \cdot a$
- $a^{-2} = \frac{1}{a^2} = \frac{1}{a \cdot a}$
- $a^0 = 1$

FILM AB!

Der Film „Zehn Hoch“ („*Powers of Ten*“) veranschaulicht sehr schön die Zehnerpotenzen.
www.trauner.at/nawi_v62.aspx

Die Vorsätze der **Zehnerpotenzen** sind zum Teil Altsprachen entnommen:

- *gigos* (griech.) Riese
- *mille* (lat.) tausend
- *nanos* (griech.) Zwerg

Beispiele für Vorsilben für Vielfache
1 dag = 10 g
1 hl = 100 l
1 km = 1 000 m
1 Mt = 1 000 000 t
1 GV = 1 000 000 000 V
1 TW = 1 000 000 000 000 W

Beispiele für Vorsilben für Teile
1 dm = 0,1 m
1 cl = 0,01 l
1 ms = 0,001 s
1 µg = 0,000 001 g
1 nF = 0,000 000 001 F
1 ps = 0,000 000 000 001 s

Zehnerpotenzen

Zehnerpotenz	Wert	Vorsilbe (Präfix)	Abkürzung
10^{18} = 1 000 000 000 000 000 000	Trillion	Exa	E
10^{15} = 1 000 000 000 000 000	Billiarde	Peta	P
10^{12} = 1 000 000 000 000	Billion	Tera	T
10^{9} = 1 000 000 000	Milliarde	Giga	G
10^{6} = 1 000 000	Million	Mega	M
10^{3} = 1 000	Tausend	Kilo	k
10^{2} = 100	Hundert	Hekto	h
10^{1} = 10	Zehn	Deka	da
10^{0} = 1	Eins	–	–
10^{-1} = 0,1	Zehntel	Dezi	d
10^{-2} = 0,01	Hundertstel	Zenti	c
10^{-3} = 0,001	Tausendstel	Milli	m
10^{-6} = 0,000 001	Millionstel	Mikro	µ
10^{-9} = 0,000 000 001	Milliardstel	Nano	n
10^{-12} = 0,000 000 000 001	Billionstel	Piko	p
10^{-15} = 0,000 000 000 000 001	Billiardstel	Femto	f
10^{-18} = 0,000 000 000 000 000 001	Trillionstel	Atto	a

Beispiel: Zehnerpotenzen – wissenschaftliche Darstellung
Um mit einem Blick die **Größenordnung** einer physikalischen Größe bzw. einer Zahl x erkennen zu können, verwendet man die **normierte Gleitkommadarstellung:** $x = \pm a \cdot 10^z$ mit $1 \leq a < 10$ und $z \in \mathbb{Z}$

a) Die **Masse der Erde** beträgt rund
6 000 000 000 000 000 000 000 000 kg = $6 \cdot 10^{24}$ kg.

b) Die Entfernung Erde – Sonne, die als **astronomische Einheit AE** bezeichnet wird, ist im Mittel 149 600 000 000 m = $1{,}496 \cdot 10^{11}$ m groß.

c) Atome haben einen Durchmesser von ungefähr
0,000 000 000 1 m = $1 \cdot 10^{-10}$ m = 10^{-10} m.

d) Für **Atomkerne** gibt es die Näherungsformel $r(A) = r_0 \cdot \sqrt[3]{A}$ mit der Massenzahl A und $r_0 \approx 0{,}000\,000\,000\,000\,001\,2$ m = $1{,}2 \cdot 10^{-15}$ m,
also $r(A) = 1{,}2 \cdot 10^{-15} \cdot \sqrt[3]{A}$ m.

Umwandlung von Fläche und Volumen

- Bei Flächenumwandlungen helfen Quadrate:
$1\ cm^2 = 10\ mm \cdot 10\ mm = 100\ mm^2$

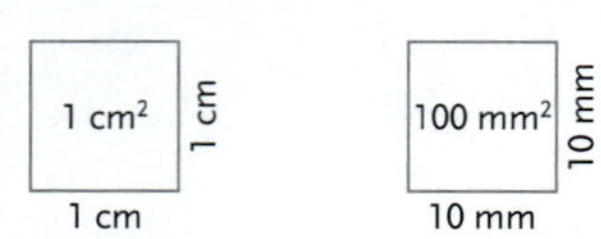

- Bei Volumenumwandlungen helfen Würfel:
$1\ m^3 = 10\ dm \cdot 10\ dm \cdot 10\ dm = 1\,000\ dm^3$

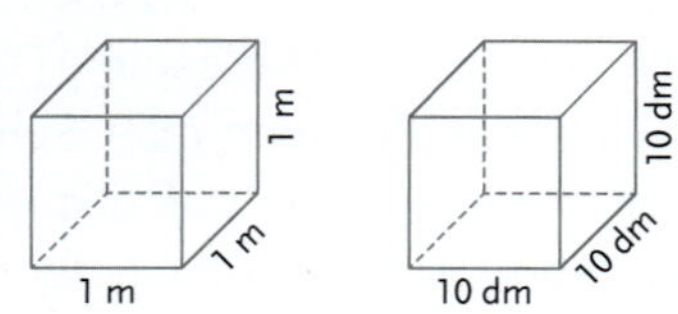

Ziele erreicht? – „Das Internationale Einheitensystem“

KOMPETENZ-ERWERB

1. + Geben Sie die sieben Basisgrößen des Internationalen Einheitensystems samt ihren Einheiten an.

2. + Geben Sie drei abgeleitete physikalische Größen samt ihren Einheiten an.

3. + Leiten Sie die Einheit des Drucks (= Kraft pro Fläche) aus den Basiseinheiten kg, m und s ab.

4. + Geben Sie physikalische Größen samt Einheiten an, die sich aus nur einer Basisgröße bzw. aus zwei verschiedenen Basisgrößen ableiten lassen.

5. + Recherchieren Sie zur Einheit der (Massen-)Dichte und geben Sie den Umrechnungsfaktor für kg/dm^3 in kg/m^3 an.

6. ++ Beim Urkilogramm handelt es sich um einen Platin-Iridium-Zylinder von 39 mm Höhe und 39 mm Durchmesser. Recherchieren Sie das Mischungsverhältnis von Platin und Iridium, wenn die Dichte von Platin 21 450 kg/m^3 und die von Iridium 22 650 kg/m^3 beträgt.

7. + Geben Sie den Umrechnungsfaktor für Geschwindigkeiten von m/s auf km/h an und begründen Sie das Ergebnis.

8. + Rechnen Sie folgende Geschwindigkeiten in km/h um:

- $v_1 = 8$ m/s
- $v_2 = 14$ m/s
- $v_3 = 22$ m/s
- $v_4 = 40$ m/s
- $v_5 = 100$ m/s
- $v_6 = 200$ m/s

9. + Die Schallgeschwindigkeit in einem Klassenzimmer beträgt bei 20 °C rund 340 m/s. Rechnen Sie diese Geschwindigkeit in km/h um.

10. + Licht breitet sich in einem bestimmten Festkörper mit 200 000 km/s aus. Rechnen Sie diese Lichtgeschwindigkeit in m/s und km/h um.

11. + Schreiben Sie die folgenden physikalischen Größen jeweils in normierter Gleitkommadarstellung.

a) 314 nm = ________ nm = ________ µm

b) 5 270 ms = ________ ms = ________ s

c) 100 008 µg = ________ µg = ________ mg

= ________ g

12. + Schreiben Sie die folgenden Flächen jeweils in normierter Gleitkommadarstellung.

a) 1 205 mm^2 = ________ mm^2 = ________ cm^2

b) 50,736 m^2 = ________ m^2 = ________ dm^2

c) 0,004 78 km^2 = ________ km^2 = ________ m^2

13. + Schreiben Sie die folgenden Volumina jeweils in normierter Gleitkommadarstellung.

a) 0,000 452 dm^3 = ________ dm^3 = ________ cm^3

b) 0,050 1 m^3 = ________ m^3 = ________ dm^3

c) 178 km^3 = ________ km^3 = ________ m^3

Skalare und vektorielle Größen

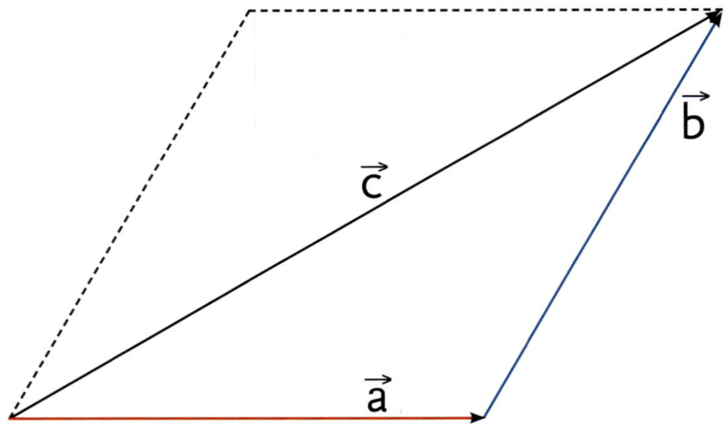

> Der Name **Vektor** bedeutet Träger (oder Fahrer). In der Physik misst der Vektor (oder Fahrstrahl), wohin ein Ding getragen wird.
> Angenommen, das Ding wird drei Meter nach vorn, dann fünf Meter nach rechts und schließlich sechs Meter nach oben getragen. Sein Verschiebungsvektor wäre dann (3, 5, 6). Vektoren kann man sich als Pfeile vorstellen, die den Ort, woher ein Ding getragen wird, mit dem Ort verbinden, wohin das Ding getragen wird.
>
> LEWIS C. EPSTEIN: DENKSPORT PHYSIK

Zu einem Skalar kann nur ein dimensionsgleicher Skalar addiert werden; z. B. $l_1 + l_2 = l_{ges}$

Zu einem Vektor kann nur ein dimensionsgleicher Vektor addiert werden; z. B. $\vec{F}_1 + \vec{F}_2 = \vec{F}_{ges}$

Ein **Skalar** oder eine skalare Größe ist durch eine Maßzahl und eine Einheit bestimmt und beschreibbar. Eine skalare Größe ist eine nicht gerichtete Größe.

Beispiele für Skalare
- Länge l
- Zeit t
- Masse m
- Volumen V

Ein **Vektor** (vektorielle Größe, **gerichtete Größe**) hingegen wird durch die Angabe seines Betrages und seiner Richtung vollständig beschrieben.

Beispiele für Vektoren
- Weg $\vec{s}$
- Geschwindigkeit $\vec{v}$
- Beschleunigung $\vec{a}$
- Kraft $\vec{F}$

KOMPETENZ-ERWERB

Meine Ziele

Nach Bearbeitung dieses Kapitels kann ich
- den Unterschied zwischen skalaren und vektoriellen (gerichteten) Größen benennen;
- Vektoren mittels eines Vektorparallelogramms in zwei Komponenten zerlegen.

Die sieben Basisgrößen des Internationalen Einheitensystems Länge, Masse, Zeit, Temperatur, Stromstärke, Lichtstärke und Stoffmenge sind skalare Größen. Der Weg $\vec{s}$ hingegen ist eine gerichtete Größe, wie das folgende Beispiel zeigt.

Beispiel: Schulweg
Lisa benötigt für ihren Schulweg durchschnittlich 30 Minuten. Diese Zeitspanne ist eine **skalare Größe:** t = 30 min.

Ob Lisa jedoch zur Schule fährt oder von der Schule nach Hause, macht einen großen Unterschied, da der Weg eine **gerichtete** oder **vektorielle Größe** ist.

Zwar ist der Weg gleich lang, aber die Vektoren sind **entgegengesetzt gerichtet.**

Das Beispiel zeigt, dass der Weg durch Angabe einer Maßzahl und einer Einheit nicht ausreichend beschrieben ist. Man muss auch die Richtung des Weges angeben. Ebenso verhält es sich bei Geschwindigkeiten, Beschleunigungen und Kräften.

Die **grafische Darstellung vektorieller Größen** erfolgt durch einen **Pfeil.** Die **Länge des Pfeiles** gibt den **Betrag** an, die **Richtung des Pfeiles** ist gleich der **Richtung des Vektors.**

Vektoren können auch addiert und subtrahiert werden.

$\overrightarrow{AB} + \overrightarrow{BC} = \overrightarrow{AC}$ und $\overrightarrow{AB} = \overrightarrow{AC} - \overrightarrow{BC}$

Beispiel: Roboter – Vektor
Ein Roboter verschiebt Bauteile auf einem Feld, das mit einem kartesischen Koordinatensystem unterlegt ist, jeweils längs der kürzesten Strecke.

a) Wenn ein Bauteil von der Position A (0|0) auf die Position B (4|3) verschoben wird, so ist der Roboter **5 Längeneinheiten (LE)** in Bewegung, weil gemäß dem Lehrsatz des Pythagoras gilt: $\sqrt{4^2 + 3^2} = 5$

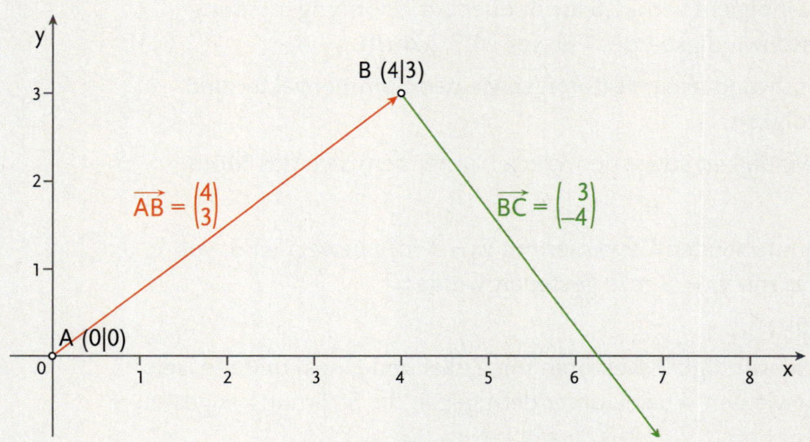

b) Durch Angabe des **Vektors** sind sowohl die Länge als auch die Richtung angegeben.

c) Wird dann der Bauteil von B (4|3) nach C (7|–1) verschoben, wird wieder eine Strecke von **5 Längeneinheiten** zurückgelegt, allerdings in eine **andere Richtung.**

Zwei Vektoren sind nur dann **gleich,** wenn sie **dieselbe Länge** (denselben Betrag) und **dieselbe Richtung** haben.

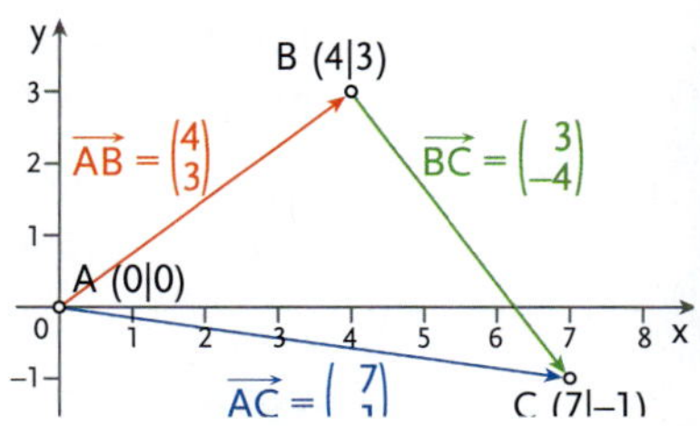

Der Bauteil wird von A nach B und dann von B nach C verschoben. Der direkte Weg von A nach C wird durch den Vektor $\overrightarrow{AC}$ beschrieben.

Es gilt:
- Skalar · Vektor = Vektor
- Vektor + Vektor = Vektor

Bei der Addition von **parallelen Vektoren** werden die **Beträge** der Vektoren entweder addiert oder subtrahiert.

d) Die Verschiebung von B nach C wird durch den **Vektor** $\overrightarrow{BC}$ beschrieben.

e) Wird der Bauteil direkt von A nach C verschoben, so gilt:
$\overrightarrow{AC} = \overrightarrow{AB} + \overrightarrow{BC}$.

Beispiel: Mit dem bzw. gegen den Wind
Ein **Rennradfahrer** trainiert in einem ebenen Gelände mit einer annähernd konstanten Geschwindigkeit von $\vec{v}_R = 35$ km/h bei Windstille.

a) Wenn plötzlich starker **Rückenwind** mit $\vec{v}_W = 15$ km/h aufkommt, schafft der Rennfahrer bei gleicher Anstrengung näherungsweise eine Geschwindigkeit von $\vec{\mathbf{v}}_{\mathbf{ges}} = \vec{\mathbf{v}}_R + \vec{\mathbf{v}}_W =$ **(35 + 15) km/h = 50 km/h.**

b) Wendet der Radfahrer, schafft er wiederum bei gleicher Anstrengung eine näherungsweise Geschwindigkeit von $\vec{\mathbf{v}}_{\mathbf{ges}} = \vec{\mathbf{v}}_R - \vec{\mathbf{v}}_W =$ **(35 – 15) km/h = 20 km/h.** Das sind nur mehr 40 % der zuvor mit Rückenwind erreichten Gesamtgeschwindigkeit.

Ziele erreicht? – „Skalare und vektorielle Größen"

KOMPETENZ-ERWERB

1. + Skizzieren Sie zwei parallele und gleich lange Vektoren $\vec{v}$. Welche zwei Fälle ergeben sich für den Summenvektor der beiden Vektoren?

2. ++ Skizzieren Sie zwei gleich lange und zueinander senkrechte Vektoren und addieren Sie diese grafisch. Welchen Winkel schließt der Summenvektor mit den beiden Einzelvektoren ein?

3. + Ein bestimmtes Flugzeug ist bei Windstille mit $\vec{v}_F = 400$ km/h unterwegs und benötigt für eine einfache Flugstrecke eine Stunde. Berechnen Sie, wie lange der Hin- und Rückflug dauert, wenn ein konstanter Rücken- bzw. Gegenwind mit $\vec{v}_{Wind} = 10$ % von $\vec{v}_F$ weht.

4. ++ Skizzieren Sie zwei zueinander senkrechte Vektoren mit einem Betragsverhältnis von 2 : 1 und addieren Sie die Vektoren grafisch. Welchen Winkel schließt der Summenvektor mit den beiden Einzelvektoren ein?

5. ++ Ein Motorboot wird mit einer Eigengeschwindigkeit von 21,6 km/h quer zur Strömungsrichtung eines Flusses gesteuert. Die Strömungsgeschwindigkeit des Flusses ist 7,2 km/h.
a) Konstruieren Sie die maßstäblichen Geschwindigkeitsvektoren sowie den Summenvektor und messen Sie die resultierende Geschwindigkeit.
b) Berechnen Sie die resultierende Geschwindigkeit sowie den Winkel, unter dem sich das Motorboot zur Strömung bewegt.

6. ++ Ein Ruderboot, das normalerweise in einem ruhenden Gewässer mit $\vec{v}_R = 3$ m/s bewegt wird, soll quer über einen langsam strömenden Fluss mit $\vec{v}_F = ½$ m/s gesteuert werden.
a) Skizzieren Sie die Geschwindigkeitsvektoren.
b) Konstruieren Sie die maßstäblichen Geschwindigkeitsvektoren mit Zirkel und Lineal und messen Sie die resultierende Geschwindigkeit sowie den Winkel, unter dem gegen die Strömung angesteuert werden muss (= Ansteuerwinkel).
c) Berechnen Sie die resultierende Geschwindigkeit und den Ansteuerwinkel.

Messfehler

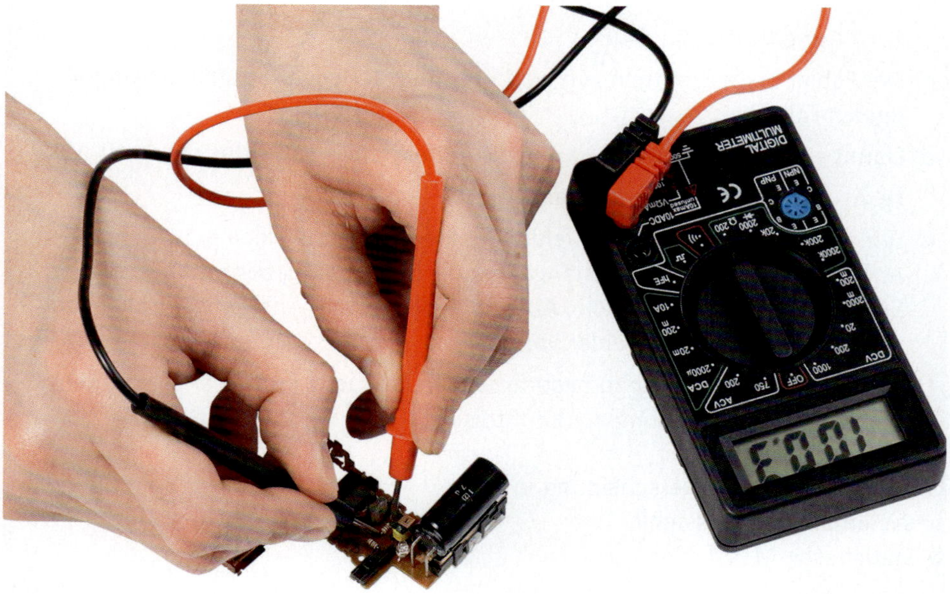

Viele Messgeräte können und müssen auch **kalibriert** werden. Das bedeutet, dass die mit dem Messgerät ermittelten Werte mit denen eines sogenannten Referenzgerätes verglichen werden. Durch diesen Vergleich wird festgestellt, wie groß die Abweichung ist und ob diese innerhalb der erlaubten Schranken liegt. Umgangssprachlich könnte man sagen: Durch die Kalibrierung wird ermittelt, wie genau ein Gerät misst, bzw. ob es ausreichend genau misst.

Eichung nennt man die gesetzlich vorgeschriebene Kalibrierung.
Unter **Justieren** versteht man das exakte Einstellen einer Messgröße oder Anzeige.

Es ist grundsätzlich nicht möglich, bei einer Messung exakt richtige Daten zu erhalten. Durch eine Vielzahl von Ursachen wird die zu messende Größe nicht ganz genau angezeigt. Die Abweichung eines aus einer Messung gewonnenen Wertes (Messwert) vom wahren Wert der Messgröße wird als **Messabweichung** oder **Messfehler** bezeichnet.

Meine Ziele

KOMPETENZ-ERWERB

Nach Bearbeitung dieses Kapitels kann ich
- nachvollziehen, dass Messfehler unvermeidbar sind;
- zwischen zufälligen und systematischen Fehlern unterscheiden.

Zeigten früher alle Messgeräte die Werte analog an, dominieren heute digitale Anzeigen, was Ableseungenauigkeiten beinahe ausschließt, Messfehler aber nicht.

Während eine **analoge Messung** eine stufenlose oder stetige Messung ist und daher grundsätzlich jeden Wert in einem bestimmten Intervall liefern kann, ist eine **digitale Messung** eine stufenförmige Messung.

Prozent und Promille

1 Prozent (1 %) ist ein Hundertstel = 1/100 = 0,01.

1 Promille (1 ‰) ist ein Tausendstel = $\frac{1}{1\,000}$ = 0,001.

Der **absolute Fehler** der Messlatte im Beispiel ist 2 mm. Im Verhältnis zur Solllänge von 1 m = 1 000 mm sind das $\frac{2\text{ mm}}{1000\text{ mm}} = 0{,}002 = 2$ ‰.
Also beträgt der relative Fehler 2 Promille oder 0,2 Prozent.

pro mille = lat. für pro tausend

Beispiel: Experimentelle Frequenzermittlung eines Fadenpendels

Man kann eine bestimmte Messdauer Δt vorgeben und abzählen, wie viele Schwingungen in dem Zeitintervall stattfinden.

a) Die Anzahl der abgezählten Schwingungen nennen wir n (engl. number).

b) Dann gilt für die Periodendauer T des Pendels:
$T = \frac{\Delta t}{n}$ und damit $f = \frac{1}{T} = \frac{n}{\Delta t}$.

c) Der Fehler beim Ermitteln von n ist bei entsprechender Sorgfalt im ungünstigsten Fall ±1.

d) Damit ergibt sich für die Frequenz f ein Messfehler (eine Unsicherheit) Δf:
$f \pm \Delta f = \frac{n \pm 1}{\Delta t} = \frac{n}{\Delta t} \pm \frac{1}{\Delta t}$ und damit $\Delta f = \pm \frac{1}{\Delta t}$

e) Wir erkennen, dass der Messfehler der Frequenz umso kleiner wird, je mehr Aufwand wir treiben, also je länger wir die Schwingung beobachten und die Schwingungszahl n ermitteln. Aber auch bei größter Anstrengung bleibt ein nicht verschwindender Fehler übrig.

f) Dass der Fehler von der zu bestimmenden Frequenz f unabhängig ist, nehmen wir mit Genugtuung zur Kenntnis.

Üblich ist auch die Unterscheidung in
- systematische Messfehler und
- statistische Messfehler.

Beispiel: Systematische Fehler

Irene benötigt 20 m Stoff für ihre neuen Vorhänge. Die Verkäuferin verwendet eine Messlatte aus Holz, die schon seit Generationen verwendet wird und die nicht mehr einen Meter lang ist, wie sie und auch Irene glauben, sondern nur noch 99,8 cm.

Wenn die Verkäuferin den Vorhangstoff durch 20-maliges Anlegen der Messlatte abmisst, macht sie möglicherweise einen systematischen Fehler von $20 \cdot 2\text{ mm} = 40\text{ mm} = 4\text{ cm}$.

Weil systematische Fehler innerhalb einer wiederholten Messung oder eines Experimentes immer gleichartig auftreten, sind sie
- nicht leicht zu identifizieren und daher sind
- ihre Auswirkungen oft nicht genau bekannt.

Statistische Fehler
- Ungenauigkeiten beim Ablesen einer analogen Anzeige, aber auch Temperaturschwankungen, Stromschwankungen, vorbeifahrende Autos, Handymasten und vieles andere können Einfluss auf Messergebnisse nehmen.
- Daraus resultierende Fehler entziehen sich einer Kontrolle, sie verfälschen das Messergebnis von Messung zu Messung in anderer Weise.
- Solche durch Zufälligkeiten hervorgerufene Fehler heißen **statistische Fehler.** Sie sind mathematisch erfass- und korrigierbar.

Ziele erreicht? – „Messfehler"

KOMPETENZ-ERWERB

1. + Geben Sie drei Beispiele für statistische (zufällige) Fehler an.

2. + Ermitteln Sie den systematischen Fehler (absolut und prozentuell), wenn eine Länge von 20 m mit einem 5-m-Maßband gemessen wird und das Maßband durch häufiges Verwenden um 1 mm gedehnt wurde.

VI Mechanik

Die Auswirkungen mechanischer Kräfte sind vielfältig. Sie sind notwendig, wenn ein Gegenstand beschleunigt oder abgebremst werden soll. Sie bestimmen welcher Druck herrscht, wenn eine Kraft auf eine Fläche wirkt, oder welche Arbeit verrichtet wird.

Die Newton'schen Gesetze

Sir Isaac Newton, 1643 bis 1727, englischer Naturwissenschaftler

Unter **Axiom** versteht man in der Physik eine Grundtatsache, einen unmittelbar einleuchtenden Grundsatz, der nicht bewiesen werden muss.

Im antiken Griechenland wurde in der Kraft die Ursache für jede Bewegung gesehen. Erst Galileo Galilei erkannte, dass die Kraft nur die Ursache für eine Bewegungsänderung ist. Isaac Newton verband diese Erkenntnis mit eigenen Beobachtungen und formulierte daraus seine drei Gesetze, die **Newton'schen Gesetze.**

Die drei Gesetze Newtons, auch **Newton'sche Axiome** genannt, beschäftigen sich mit folgenden Problemstellungen:

- Was macht ein Körper, wenn keine Kraft auf ihn wirkt?
- Was bewirkt eine Kraft?
- Wie beeinflussen sich zwei Körper wechselseitig bei Krafteinwirkung?

KOMPETENZ-ERWERB

Meine Ziele

Nach Bearbeitung dieses Kapitels kann ich

- die Newton'schen Axiome als Konzept der Kraft erklären;
- Kräfte mittels Kräfteparallelogramm bestimmen;
- Kräfte berechnen;
- Auswirkungen von Kräften erkennen und bewerten.

1 Erstes Newton'sches Gesetz

Das erste Newton'sche Gesetz besagt:
Ein Körper verharrt im Zustand der Ruhe oder der geradlinig gleichförmigen Bewegung, solange keine Kraft auf ihn wirkt.

Die Auswirkungen dieses Gesetzes können Sie in Filmen von der Raumstation ISS beobachten: Schubst ein Astronaut einen Gegenstand an, so schwebt er danach ungehindert von der Erdanziehungskraft gleichförmig dahin.
Europäische Weltraumbehörde ESA: www.esa.int

Man nennt diesen Satz das **Trägheitsgesetz.** Statt Trägheit wird auch der Begriff **Beharrungsvermögen** verwendet. Diese Eigenschaft wird der Masse des Körpers zugeschrieben.

Beispiele für die Trägheit
Wirkungen auf die Fahrgäste bei Anfahr- und Bremsvorgängen oder in Kurven

Ist ein Körper in Ruhe, z. B. ein Auto auf einem Parkplatz, dann bleibt er so lange an seinem Platz, bis er durch eine von außen wirkende Kraft diesen Zustand ändert. In diesem Fall könnte es eine kräftige Person sein, die das Auto anschiebt und so in Bewegung setzt. Dasselbe Auto würde sich stetig dahinbewegen, würde es nicht von äußeren Kräften – wie etwa der Reibung oder dem Luftwiderstand – wieder zum Stillstand gezwungen.

Zur **Reibung** haben Sie bereits im I. Jahrgang Informationen erhalten.

Versuch – „Trägheit"

Legen Sie ein großes Stück Papier auf einen Tisch.

Füllen Sie einen Behälter mit Wasser und stellen Sie diesen dann auf das Stück Papier.

Versuchen Sie nun, das Blatt Papier wegzuziehen, ohne das Wasser zu verschütten.

Erklären Sie das Prinzip und welche Auswirkungen verschieden schnelles Wegziehen des Papiers hat.

2 Zweites Newton'sches Gesetz

Jede **Kraft bewirkt eine Beschleunigung.** Diese ist umso größer, je größer die angreifende Kraft und je kleiner die Masse des Körpers ist.

Das zweite Newton'sche Gesetz wird auch **dynamisches Grundgesetz** genannt.

Die Größe der **Kraft F** und die durch sie bewirkte **Beschleunigung a** sind **proportional** und **gleich gerichtet.**
Will man **verschiedenen Massen** jeweils die **gleiche Beschleunigung** erteilen, benötigt man **verschieden große Kräfte.**

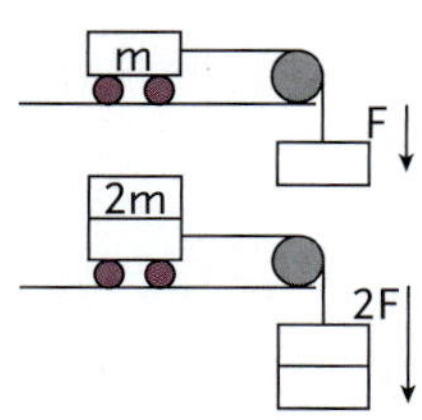

Die Kraft ist proportional der Beschleunigung und die Kraft ist proportional der Masse.

Die Einheit der Kraft beträgt kg · m/s^2 und wird mit N (Newton) abgekürzt.

Aus diesen beiden Erfahrungstatsachen ergibt sich als einfachste Definition der Kraft:

Kraft = Masse · Beschleunigung	$F = m \cdot a$

1 N ist jene Kraft, die einem Körper mit der Masse 1 kg die Beschleunigung 1 m/s^2 erteilt.

Wenn auch das Trägheitsgesetz schon von GALILEI formuliert wurde, so wurde die Gleichung $F = m \cdot a$ erstmals von NEWTON als Grundgesetz der Mechanik erkannt.

$F = m \cdot a$ enthält auch das Trägheitsgesetz:
Für $F = 0$ muss bei m = konstant auch $a = 0$ sein.

Aufgabenstellung – „Zweites Newton'sches Gesetz"

■ + Berechnen Sie mit den Definitionen des zweiten Newton'schen Gesetzes die Kraft, die notwendig ist, einen Pkw mit $m = 800$ kg um $a = 4$ m/s^2 zu beschleunigen.

3 Drittes Newton'sches Gesetz

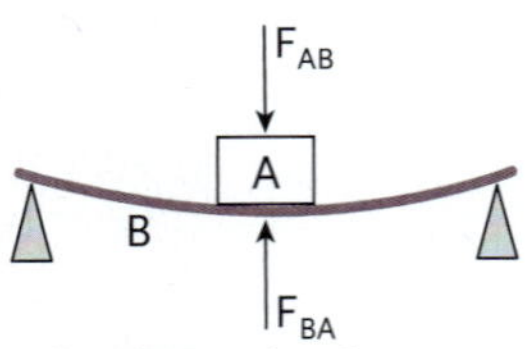

Wechselwirkungskräfte

Kräfte treten immer paarweise auf. Bei der **Wechselwirkung zweier Körper** wirken diese mit gleich großen, entgegengesetzt gerichteten Kräften aufeinander.

Übt ein Körper A auf einen anderen Körper B eine Kraft aus *(actio)*, so wirkt eine gleich große, aber entgegengesetzt gerichtete Kraft von Körper B auf Körper A *(reactio)*.

Dieses Gesetz wird auch **Wechselwirkungssatz** oder Prinzip von *actio* und *reactio* bezeichnet.

F_{AB} und F_{BA} heißen **Wechselwirkungskräfte:** $F_{AB} = -F_{BA}$

Beispiel
Ein Mensch drückt nicht nur den Stein im Schuh mit seinem Gewicht, der Stein drückt auch ihn.

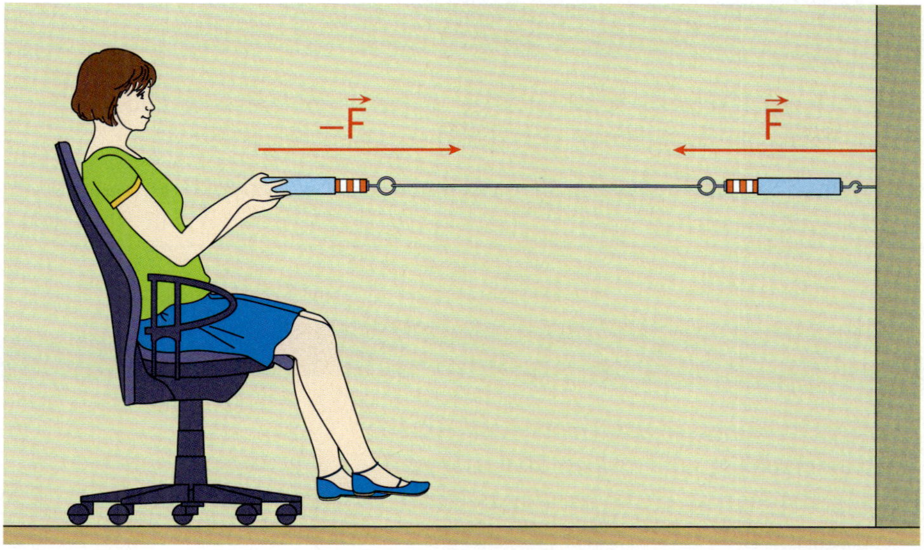

Die Dame zieht an einem Seil, das an einer geschlossenen Tür befestigt ist. Dadurch übt sie eine Kraft $\vec{F}$ auf die Tür aus *(actio)*. Doch die Tür übt ihrerseits eine gleich große, aber entgegengesetzt gerichtete Kraft $-\vec{F}$ auf die Dame *(reactio)* aus. Die Dame bewegt sich (beschleunigt!) auf ihrem Rollsessel in Richtung Tür.

Man unterscheidet **Wechselwirkungskräfte** von **Gegenkräften.**

Unterscheidung von Wechselwirkungs- und Gegenkräften

Wechselwirkungskräfte

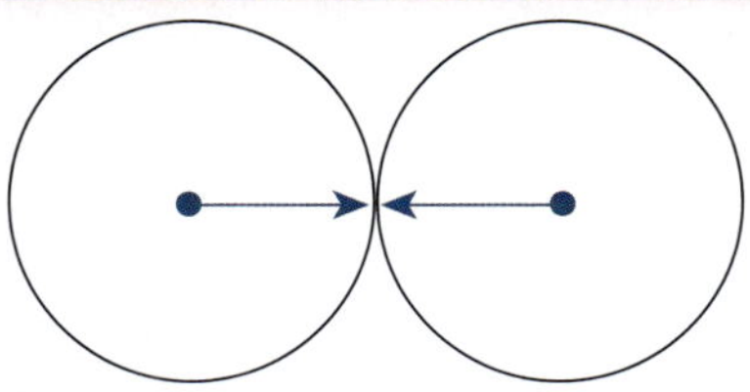

Wechselwirkungskräfte greifen paarweise in entgegengesetzter Richtung **an zwei verschiedenen Körpern** an.

Gegenkräfte

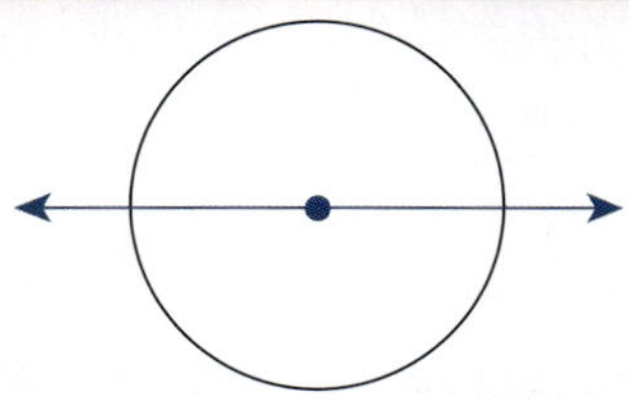

Gegenkräfte greifen paarweise in entgegengesetzten Richtungen **an demselben Körper** an. Haben sie denselben Betrag, dann herrscht Kräftegleichheit.

Beispiel: Gegenkraft bei der Fortbewegung einer Rakete
Aufgrund der starken Beschleunigung der Verbrennungsgase und ihrer Masse wirkt eine große Kraft entgegen der Bewegungsrichtung einer Rakete. Nach dem dritten Newton'schen Gesetz ist mit dieser Kraft eine gleich große, aber entgegengesetzt wirkende Kraft verbunden. Diese Gegenkraft beschleunigt die Rakete in Bewegungsrichtung.

Die Fortbewegung der Ariane-Raketen der Europäischen Weltraumorganisation ESA kann mit dem dritten Newton'schen Gesetz erklärt werden.

Eine Abänderung des Versuchs kann bei entsprechender Geschicklichkeit auch mit Skateboards durchgeführt werden.

Versuch – „Drittes Newton'sches Gesetz"

Zwei etwa gleich schwere Personen sitzen auf je einem Rollsessel und eine Person versucht, die andere zu sich zu ziehen. Dann umgekehrt.

Beobachten Sie, welche Person sich welche Strecke bewegt. Erklären Sie das Ergebnis des Versuchs.

Bei der Verformung eines Körpers muss ebenfalls eine Kraft aufgewendet werden. Bei der Dehnung eines Expanders oder eines Bandes muss eine umso größere Kraft aufgewendet werden, je mehr gedehnt wird.

Versuch – „Federkraftmesser"

Zwei Federkraftmesser werden über den Haken aneinandergehängt und an zwei Stativstangen befestig. Erhöht man die Entfernung zwischen den Stativstangen, erhöht sich die Kraftwirkung zwischen den Federkraftmessern.

Vergleichen Sie die ablesbaren Werte der Federkraft an den beiden Federkraftmessern. Was schließen Sie aus diesen Werten?

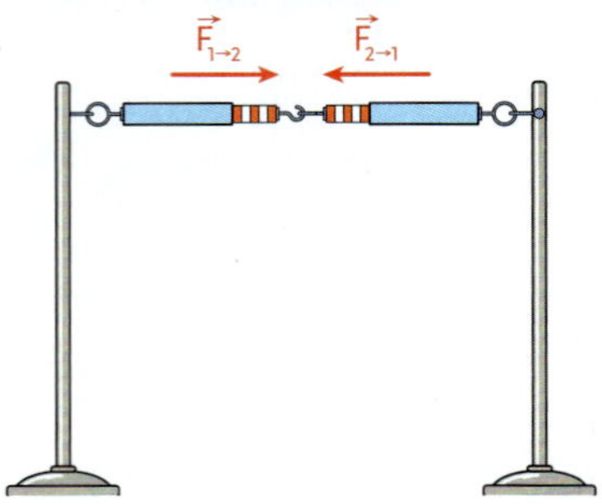

4 Kräftegleichgewicht

Ein Kräftegleichgewicht herrscht dann an einem Körper vor, wenn die **resultierende Kraft** an dem Körper **Null** beträgt.

Ein Körper befindet sich im **Kräftegleichgewicht,** wenn zwei oder mehrere Kräfte seinen Bewegungszustand nicht ändern.

Beispiel
Gehen auf dem Wasser ist nicht möglich, da die Auftriebskraft des Wassers zu gering ist, es stellt sich also kein Gleichgewicht gegen die Gravitationskraft ein. Beim Gehen über Quecksilber würde man übrigens nur etwa $^{1}/_{13}$ des Körpervolumens einsinken, da Quecksilber die 13-fache Dichte von Wasser besitzt.

Anhand von Hebeln lassen sich die Auswirkungen von Kräften besonders gut beobachten und nachvollziehen.

Hebelkraft

Ein **Hebel** ist ein um eine feste Achse (Drehachse) drehbarer starrer Körper, an dem zwei oder mehrere Kräfte senkrecht zur Drehachse angreifen.

Gleichgewichtsbedingung für den Hebel
Am Hebel herrscht Gleichgewicht, wenn die Summe der Drehkräfte null ist.

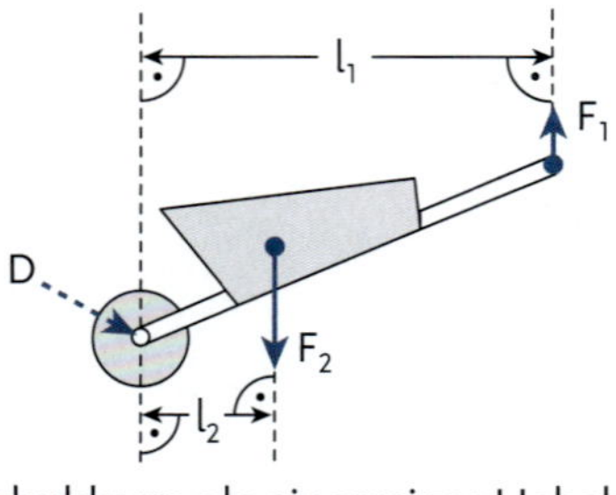

Schubkarre als einarmiger Hebel: D ist der Drehpunkt, F_1 bzw. F_2 die jeweiligen Kräfte und l_1 bzw. l_2 stehen für Kraftarm und Lastarm.

Aus der Gleichgewichtsbedingung für zwei Kräfte folgt, dass die beiden entstehenden Drehmomente gleich sein müssen, das bedeutet:

Hebelgesetz
Kraft · Kraftarm = Last · Lastarm $F_1 \cdot l_1 = F_2 \cdot l_2$

Hebelarten

Einarmiger Hebel	Zweiarmiger Hebel
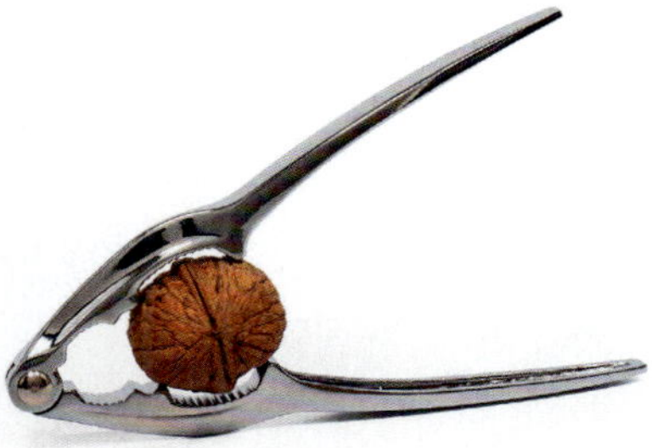	
Die Kräfte greifen an der gleichen Seite der Drehachse an; die Drehachse liegt also am Ende des Hebels.	Die Kräfte greifen an verschiedenen Seiten der Drehachse an; die Drehachse liegt also zwischen den beiden angreifenden Kräften.
Beispiele Schubkarre, Nussknacker, Unterarm	**Beispiele** Wippschaukel, Schere, Balkenwaage

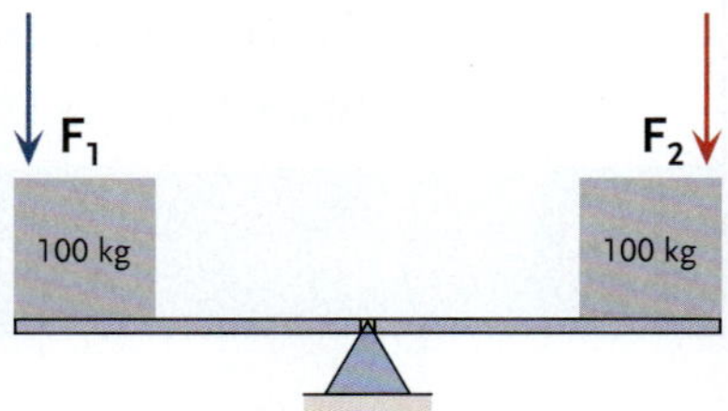

Zweiarmiger Hebel im Gleichgewicht: Kraftarm und Lastarm sind gleich lang und die Kräfte auf beiden Seiten sind auch ident.

Bei einem zweiarmigen Hebel lässt sich aber auch ein Gleichgewicht herstellen, wenn Lastarm und Kraftarm unterschiedlich lang sind. Dazu müssen allerdings die jeweiligen Kräfte auch entsprechend geändert werden.

Zweiarmiger Hebel mit unterschiedlich langen Armen

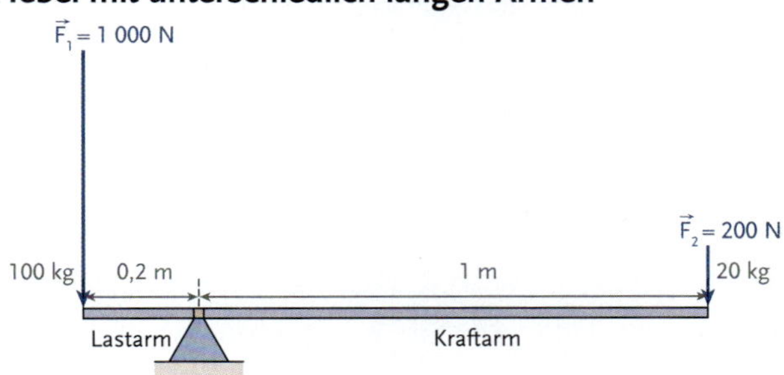

Eine Masse von 100 kg im Abstand von 0,2 m steht im Gleichgewicht mit einer Masse von 20 kg in fünffachem Abstand. Auch hier gilt:

Kraft	·	Kraftarm	=	Last	·	Lastarm
1 000 N	·	0,2 m	=	200 N	·	1 m

Hierbei gilt die **goldene Regel der Mechanik:** Was an Kraft gespart wird, geht an Weg verloren. Es muss demnach also ein größerer Weg zurückgelegt werden, um eine Verringerung der benötigten Kraft zu erreichen.

Die goldene Regel der Mechanik lässt sich auch an einer Wippe beobachten: Da der Drehpunkt einer Wippe genau in der Mitte des Holzbalkens ist, muss das Kind mit der geringeren Masse den Abstand zum Drehpunkt verringern, um ein Gleichgewicht des Hebels herzustellen.

Ziele erreicht? – „Die Newton'schen Gesetze"

KOMPETENZ-ERWERB

1. + Formulieren Sie die drei Newton'schen Gesetze und erklären Sie sie.

2. + Berechnen Sie die Kraft, die wirkt, wenn eine Masse von 50 kg mit 10 m/s^2 beschleunigt wird.

3. + Erläutern Sie mittels des Wechselwirkungssatzes, warum ein Jet oder eine Rakete beschleunigt wird.

4. ++ Begründen Sie, warum Sie bei einem Weitsprung nichts von der Erdrotation merken.

5. ++ Wenn ein Pferd eine Kutsche mit der Kraft F_{Pferd} fortbewegt, ist nach dem Wechselwirkungssatz die Kraft, die die Kutsche auf das Pferd ausübt ($F_{Kutsche}$), genauso groß wie F_{Pferd}.

Dann könnte man daraus schließen, dass sich die beiden gleich großen Kräfte einander aufheben und die Kutsche nicht bewegt wird.

Finden Sie den Fehler in dieser Argumentation und stellen Sie sie richtig.

6. + Lisa und Ralf stehen einander auf Rollschuhen bzw. Inlineskates gegenüber und halten ein Seil in ihren Händen. Stellen Sie fest, was bei folgenden Situationen jeweils geschehen wird und wo sich die beiden jeweils treffen werden.

a) Ralf zieht alleine am Seil und Lisa hält nur fest.

b) Ralf und Lisa ziehen beide mit gleicher Kraft am Seil.

c) Ralf zieht am Seil und Lisa übt keinerlei Kraft auf das Seil aus.

Einen interaktiven **Safety-Check** finden Sie in der TRAUNER-DigiBox.

Bewegungen

Objekte werden in Bewegungen versetzt, wenn auf sie eine **Kraft** wirkt.

Menschen wollen sich aus vielen Gründen bewegen. Um fit zu bleiben, um zur Schule oder Arbeitsstätte zu gelangen oder um zu reisen. Entscheidend ist, sie wollen den Ort verändern.

Es gibt grundsätzlich zwei Arten von Bewegungen:
- **Translation** (fortschreitende Bewegung): Alle Punkte eines Körpers beschreiben gleiche geradlinige Bahnen. Die Orientierung des Körpers im Raum ändert sich nicht.
- **Rotation** (Drehbewegung): Alle Punkte des Körpers beschreiben Kreisbahnen, deren Mittelpunkte auf einer gemeinsamen Achse liegen.

Darüber hinaus gibt es noch aus diesen beiden Arten zusammengesetzte Bewegungen, z. B. der Reifen eines fahrenden Autos.

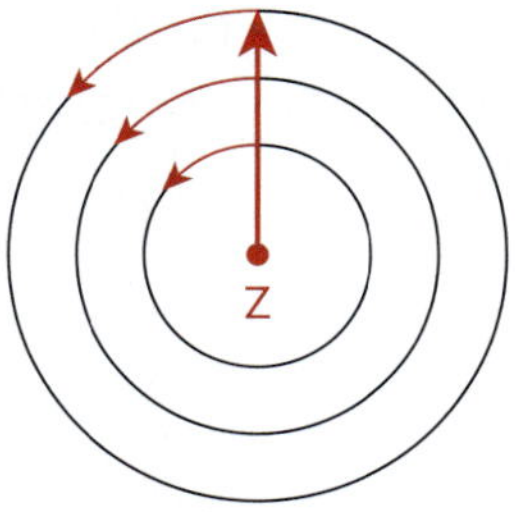

Schematische Darstellung einer Drehbewegung (Z ist die gemeinsame Drehachse)

Meine Ziele

KOMPETENZ-ERWERB

Nach Bearbeitung dieses Kapitels kann ich
- Geschwindigkeiten bestimmen;
- Bewegungsdiagramme interpretieren;
- Bewegungen analysieren und berechnen;
- Kreisbewegungen als beschleunigte Bewegung erklären;
- zusammengesetzte Bewegungen beschreiben.

1 Bewegungsgrößen

Bewegungen beschreiben in Abhängigkeit von der Zeit die Beziehungen zwischen Weg (Ort), Geschwindigkeit und Beschleunigung einer Masse oder eines Körpers.

Diese Größen haben Sie bereits im I. Jahrgang kennengelernt.

Zentrale Größen bei Bewegungen

Weg	Geschwindigkeit	Beschleunigung
Dabei handelt es sich um die Strecke, die bei einer Bewegung zurückgelegt wird.	Die Geschwindigkeit beschreibt, wie schnell und in welche Richtung die Bewegung abläuft.	Mit der Beschleunigung wird eine momentane zeitliche Änderung der Geschwindigkeit angegeben.

Wie können wir nun feststellen, ob ein Körper sich bewegt, ob er seine Lage im Lauf der Zeit verändert?

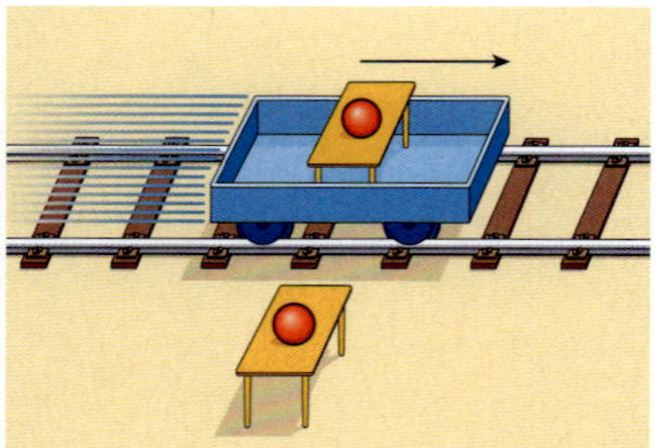

Ist das Bezugssystem in Bewegung (oben), ergibt sich eine andere Bewegung für den roten Ball, als wenn das Bezugssystem ruht (unten).

Wenn wir uns in einem allseits geschlossenen Fahrzeug befinden und sich dieses ganz gleichmäßig auf einer geraden Bahn bewegt, merken wir nichts. Erst wenn wir z. B. durch ein Fenster die Umgebung des Fahrzeuges beobachten können, stellen wir eine Bewegung fest. Diese Umgebung ist dann das **Bezugssystem** für die Bewegung.

Je nach der Wahl des Bezugssystems erhalten wir verschiedene Beschreibungen der Bewegung.

Jede Bewegung ist **relativ** zum gewählten **Bezugssystem.**

Im Allgemeinen verwenden wir im täglichen Leben die Erde als ruhendes Bezugssystem. Aber auch die Erde ist eigentlich kein ruhendes Bezugssystem, denn sie dreht sich um ihre Achse mit einer Geschwindigkeit und sie bewegt sich außerdem noch um die Sonne.

Eine Bewegung im physikalischen Sinn ist eine Lageänderung in einem Bezugssystem im Laufe der Zeit.

In der Praxis sieht man von Ausdehnung, Form, Beschaffenheit u. a. eines Körpers ab. Man betrachtet ihn als einen mit Masse behafteten Punkt, als **Massenpunkt.**

Auch wenn das Auto mehrere Meter lang und breit ist, wird in der Modellvorstellung von einem Massenpunkt ausgegangen.

Ein Massenpunkt ist eine **Modellvorstellung,** bei der man von einem Körper nur seine Masse betrachtet und sich diese in einem Punkt vereinigt denkt.

Beispiel: Modellhafte Vorstellung eines Massenpunktes
Die Position und die Bewegung eines Autos werden durch die geografische Länge und Breite eines Punktes festgelegt ohne Rücksicht auf die tatsächlichen Abmessungen des Autos.

Wenn wir Körper beschreiben, so setzen wir diese zunächst als **starr** voraus. Ein **starrer Körper** verändert durch äußere Einwirkungen seine Gestalt nicht.

Man kann sich einen starren Körper aus Massenpunkten zusammengesetzt denken, deren gegenseitige Lage unverändert bleibt. Im einfachsten Fall ersetzen wir den starren Körper durch einen einzigen Massenpunkt, den **Massenmittelpunkt.**

Die **Bewegung eines Massenpunktes** mit der Masse m wird durch eine Bahnkurve gekennzeichnet. Die Bewegung kann **geradlinig, kreisförmig** oder **krummlinig** sein.

Jede **krummlinige** Bewegung eines Massenpunktes kann man zerlegen in **geradlinige** und **kreisförmige** Bewegungen.

Geradlinige Bewegung

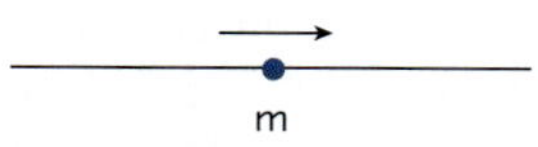

Kreisförmige Bewegung

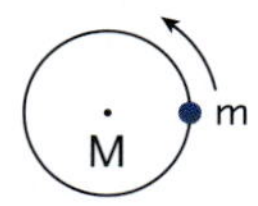

Krummlinige Bewegung

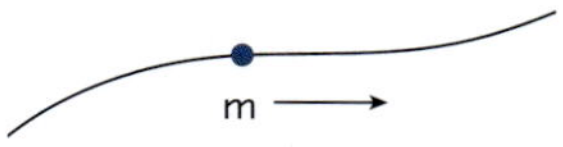

1.1 Geschwindigkeit

Die Geschwindigkeit gibt an, wie schnell sich die Lage des Körpers ändert, d. h. die **Wegänderung pro Zeiteinheit.**

> Die Geschwindigkeit (v) ist der in der Zeiteinheit (t) zurückgelegte Weg (s).

Die Geschwindigkeit wird also in **Meter pro Sekunde (m/s)** angegeben. Eine weitere Maßeinheit für die Geschwindigkeit ist Kilometer pro Stunde (km/h).

Vereinfacht schreiben wir:

Geschwindigkeit $= \frac{\text{Weg}}{\text{Zeit}}$	$v = \frac{s}{t}$

Beispiel
In der nebenstehenden Grafik befindet sich ein Körper
- nach Zurücklegen des Weges s_1 zum Zeitpunkt t_1 im Punkt A und
- nach Zurücklegen des Weges s_2 zum Zeitpunkt t_2 im Punkt B.

Wegdifferenz $\Delta s = s_2 - s_1$ Zeitdifferenz $\Delta t = t_2 - t_1$

Daraus erhalten wir einen Wert im Zeitintervall Δt für die **Geschwindigkeit.**

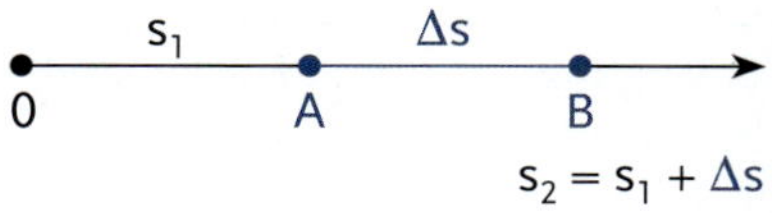

s = lat. *spatium* = Weg (in m)
Δ = griech. Großbuchstabe *Delta;* Zeichen für Differenz
t = lat. *tempus* = Zeit (in s)

Es handelt sich hier um eine **gleichförmige Bewegung.**

1.2 Beschleunigung

Ändert sich die Richtung oder der Betrag der Geschwindigkeit, spricht man von einer **ungleichförmigen Bewegung.** Es tritt eine **Beschleunigung** auf.

> Die Beschleunigung ist die **Änderung der Geschwindigkeit pro Sekunde.** Die Einheit der Beschleunigung ist die Einheit der Geschwindigkeit dividiert durch die Einheit der Zeit, also m/s^2.

Wenn sich die Geschwindigkeit ändert, werden in gleichen Zeiten verschieden lange Wege zurückgelegt.

Wird bei einer Bewegung die Geschwindigkeit größer, bezeichnen wir die Bewegung als **beschleunigt,** wird die Geschwindigkeit kleiner, nennen wir die Bewegung **verzögert.**

Die Zunahme der Geschwindigkeit heißt **Beschleunigung,** die Abnahme der Geschwindigkeit heißt **Verzögerung.** Sie wird in der Einheit **m/s²** gemessen.

Mit der Gleichung $a = \frac{\Delta v}{\Delta t}$ können wir die Beschleunigung bzw. Verzögerung einer gleichmäßig beschleunigten (bzw. verzögerten) Bewegung berechnen.

Umformungen

$\Delta v = a \cdot \Delta t$ $\Delta t = \frac{\Delta v}{a}$

Beschleunigte Bewegungen lernen Sie auf S. 209 kennen.

2 Die unbeschleunigte Bewegung

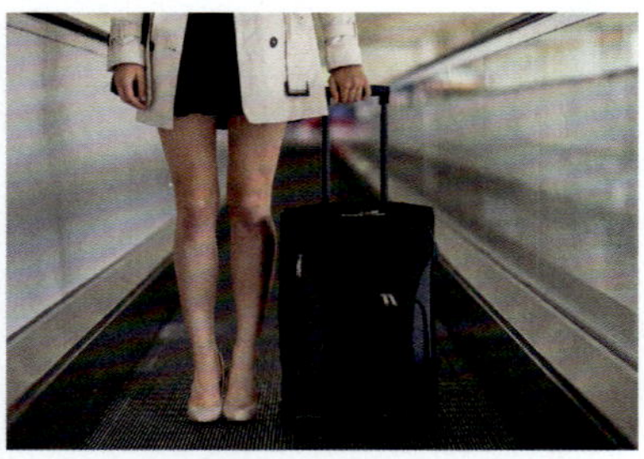

Unbeschleunigte gleichförmige Bewegung auf einem Förderband bzw. Laufband

Laufen gleichförmige Bewegungen ohne Beschleunigung ab (vgl. Beispiel auf S. 205), so handelt es sich um **unbeschleunigte gleichförmige Bewegungen.**

Beispiel: Unbeschleunigte gleichförmige Bewegung auf geradliniger Bahn
Eine Person stellt sich auf ein Förderband, das sich konstant mit 3 m/s fortbewegt; d. h., die Person legt auf dem Förderband pro Sekunde 3 m zurück. Die Bewegung ist gleichförmig.

Eine Bewegung heißt **gleichförmig,** wenn die **Geschwindigkeit nach Betrag und Richtung immer gleich** (konstant) bleibt.

Dies bedeutet, dass eine gleichförmige Bewegung stets auch **geradlinig** ist und der Körper in gleichen Zeiten stets gleich lange Wege zurücklegt.

Da sich bei einer gleichförmigen Bewegung die Geschwindigkeit nicht ändert, ist die Beschleunigung null.

Die konstante Geschwindigkeit v ist so groß wie der Weg je Sekunde, vorausgesetzt, die Bewegung beginnt im Zeitpunkt null:

- Nach einer Zeiteinheit beträgt der zurückgelegte Weg $s = 1 \cdot v$
- Nach zwei Zeiteinheiten beträgt der zurückgelegte Weg $s = 2 \cdot v$
- Nach t Zeiteinheiten beträgt der zurückgelegte Weg $s = t \cdot v$

Daraus ergibt sich für den Gesamtweg nach t Sekunden bei gleichförmiger Bewegung $\mathbf{s = v \cdot t}$.

Zeit	Weg
10	30
20	60
30	
40	

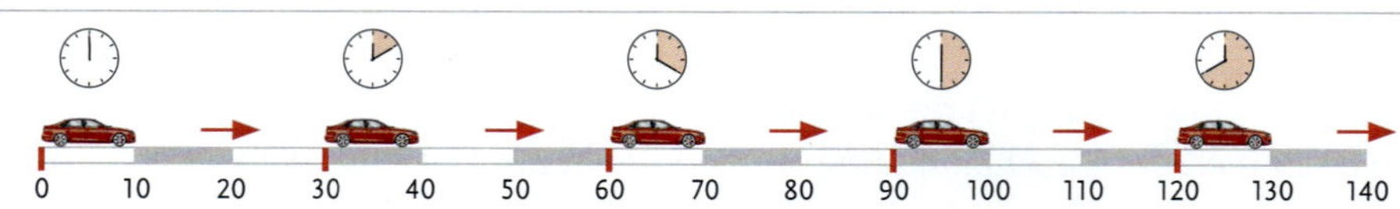

Darstellung einer gleichförmigen Bewegung. Pro Zeiteinheit von 10 s legt das Fahrzeug 30 m zurück.

Lesen Sie aus der Darstellung in der Hauptspalte die weiteren Werte ab und tragen Sie diese in die Tabelle ein.

Durchschnittsgeschwindigkeit

Normalerweise ist eine Bewegung – gerade im Straßenverkehr – alles andere als gleichförmig. Oft hält man an einer Ampel oder verändert die Geschwindigkeit.

Doch kann man mit der gesamten Wegdifferenz und der zugehörigen Zeitdifferenz die **Durchschnittsgeschwindigkeit** für den gesamten Weg berechnen.

$$\text{Durchschnittsgeschwindigkeit} = \frac{\text{Wegdifferenz}}{\text{zugehörige Zeitdifferenz}} \qquad v = \frac{\Delta s}{\Delta t}$$

Beispiel: Durchschnittsgeschwindigkeit
Ein Auto braucht auf einer Strecke von der 100 m-Markierung bis zur 200 m-Markierung 5 s.

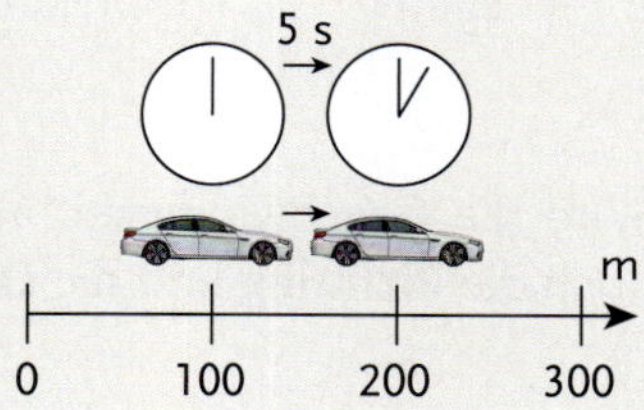

Berechnung der Durchschnittsgeschwindigkeit:

$v = \frac{200 - 100}{5} = 20\ \text{m/s}$

Gleichförmige Bewegungen eignen sich auch, um Vergleiche anzustellen bzw. Geschwindigkeiten zu vergleichen.

Beispiel: Vergleich zweier gleichförmiger Bewegungen
Frau Schuster legt 300 Kilometer in vier Stunden zurück, Herr Berger 240 Kilometer in drei Stunden. Wer fährt schneller?
Wir vergleichen beide Angaben. Dazu berechnen wir, wie viele Kilometer jeder in einer Stunde zurücklegt, also die Geschwindigkeit:

Fr. Schuster: $v = \frac{s}{t} = \frac{300\,000\ \text{m}}{14\,400\ \text{s}} = 20{,}83\ \text{m/s} \approx 75\ \text{km/h}$

Hr. Berger: $v = \frac{s}{t} = \frac{240\,000\ \text{m}}{10\,800\ \text{s}} = 22{,}22\ \text{m/s} \approx 80\ \text{km/h}$

Herr Berger fährt schneller als Frau Schuster.

300 km = 300 000 m
4 h = 240 min = 14 400 s
75 km/h ≈ 20,83 m/s

240 km = 240 000 m
3 h = 180 min = 10 800 s
80 km/h ≈ 22,22 m/s

Versuch – „Der Tachotest“

Sie benötigen für diesen Versuch ein Fahrrad, einen Fahrrad-Tachometer und eine Stoppuhr bzw. ein Handy mit einer Stoppuhrfunktion.
Stecken Sie mit Ihrem Lehrer/Ihrer Lehrerin auf dem Schulgelände (z. B. dem Sportplatz) eine Strecke von 50 m aus.

Eine Schülerin/ein Schüler durchfährt nun z. B. mit einem Fahrrad mit 7 km/h (laut Tachometer am Rad) die Strecke. Zwei andere Schüler/innen messen mit je einer Stoppuhr die Zeit, die er/sie benötigt. Aus den gemessenen Zeiten bilden Sie den Mittelwert.

Mit der soeben gelernten Gleichung $v = \frac{s}{t}$ können Sie nun die Durchschnittsgeschwindigkeit genau berechnen:

Strecke: ______ m Benötigte Zeit: ______ s

Geschwindigkeit (v) laut Tacho: ______ km/h = ______ m/s

Berechnete Geschwindigkeit:

$v = \frac{s}{t} =$ ______ m/s = ______ km/h

Um wie viel Prozent weicht die Anzeige des Tachometers vom berechneten Wert ab?

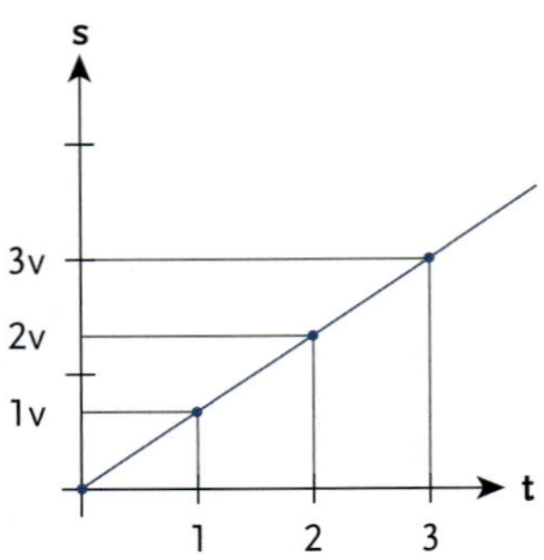

s-t-Diagramm einer gleichförmigen Bewegung

Zwischen **Weg** und **Zeit** besteht ein **linearer Zusammenhang.** Die grafische Darstellung davon ist im **Weg-Zeit-Diagramm** (s-t-Diagramm) eine **Gerade.** Ihre Steigung ist gleich der Maßzahl von v. Je größer die Geschwindigkeit v ist, desto steiler ist die Gerade.

Die Geschwindigkeit ist eine abgeleitete Größe, ihre Einheit eine abgeleitete Einheit. Sie hat eine Richtung, ist daher ein **Vektor.**

v positiv	Der Körper bewegt sich vorwärts.
v negativ	Der Körper bewegt sich rückwärts.

Wie Sie bereits wissen (vgl. S. 190 ff.) bezeichnet man vektorielle Größen durch die entsprechenden Buchstabensymbole mit darüber liegendem Pfeil. Dieser Pfeil wird im Folgenden meist weggelassen werden, um die Lesbarkeit zu erleichtern.

Wird die Geschwindigkeit als **Vektor** $\vec{v}$ dargestellt, so können neben dem Betrag auch die **Richtung** und die **Orientierung** abgelesen werden.

In der TRAUNER-DigiBox steht das Weg-Zeit-Diagramm für Sie zum Download bereit.

Aufgabenstellungen – „Durchschnittsgeschwindigkeit“

1. ++ Berechnen Sie die Zeit, die Tim benötigt, wenn er mit einer Durchschnittsgeschwindigkeit von 12 km/h fährt.

2. ++ Tragen Sie die Werte für die Schulwege von Lena bzw. Tim in das folgende Weg-Zeit-Diagramm ein. Beide Geschwindigkeiten sind konstante Durchschnittsgeschwindigkeiten (ohne Änderung).

Was können Sie aus dem Diagramm ablesen?

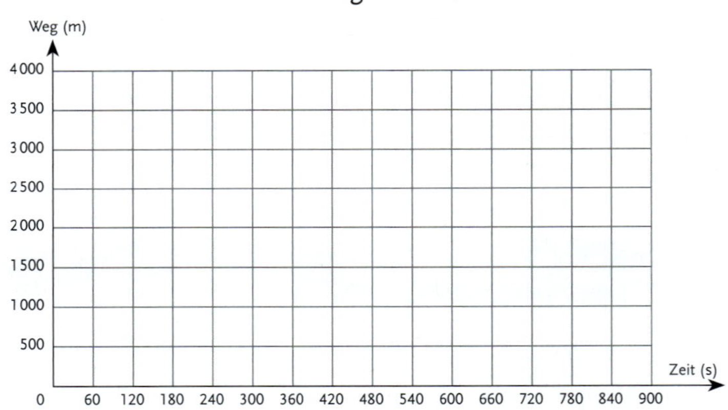

3. + Berechnen Sie jeweils die mittlere Geschwindigkeit und setzen Sie die Ergebnisse in die Tabelle in der Randspalte ein.
- Ein Wanderer geht in zwei Stunden 7,2 km weit.
- Ein Pkw fährt von Linz nach Wien (180 km) in zwei Stunden.
- Ein Flugzeug braucht für die Strecke Wien – New York (6 800 km) neun Stunden und 30 Minuten.
- Ein Punkt am Äquator legt in 24 Stunden den Erdumfang (40 000 km) zurück.

	$\vec{v}$ in km/h	$\vec{v}$ in m/s
Wanderer		
Pkw		
Flugzeug		
Punkt am Äquator		

4. + Ermitteln Sie aus dem Weg-Zeit-Diagramm in der Randspalte die Durchschnittsgeschwindigkeit in m/s sowie in km/h.

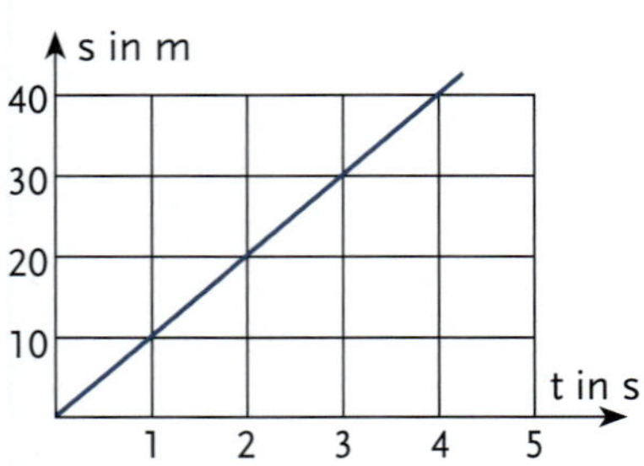

Weg-Zeit-Diagramm zu Aufgabe 4

5. ++ Ein Körper legt in 1 Sekunde 0,5 m zurück, seine Geschwindigkeit beträgt also 0,5 m/s. Erstellen Sie ein Diagramm für die gleichförmige Bewegung. Tragen Sie dazu die Zeit (in s) auf der waagrechten Achse und den gesamten zurückgelegten Weg (in m) auf der dazu senkrechten Achse auf.

Lesen Sie ab, welche Zeit der Körper für den Gesamtweg (1,8 m) benötigt.

Momentangeschwindigkeit

Ein Körper hat im Allgemeinen nicht in jedem Zeitmoment die gleiche Geschwindigkeit, sondern eine bestimmte, aber zeitlich veränderliche **Momentangeschwindigkeit.**

Beispiel
Eine Wanderin hat zu Beginn der Wanderung im flachen Gelände eine höhere Momentangeschwindigkeit. In einem Abschnitt mit einem steilen Anstieg hingegen hat sie eine geringere Geschwindigkeit und während ihrer Pausen ist ihre Geschwindigkeit gleich 0.
Im Durchschnitt legt sie aber die gesamte Wanderung in der Durchschnittsgeschwindigkeit zurück.

Die Wanderin bewegt sich auf ihrer Wanderroute nicht stets mit der gleichen Geschwindigkeit.

Die Momentangeschwindigkeit wird durch die Durchschnittsgeschwindigkeit umso genauer angenähert, je kleiner Δt ist.

In der Praxis begnügt man sich aber meist mit der in Δt konstanten **Durchschnittsgeschwindigkeit** $v = \frac{\Delta s}{\Delta t}$.

In Verkehrsmitteln gibt es Geschwindigkeitsmesser, die es ermöglichen, die jeweilige Momentangeschwindigkeit abzulesen (in diesem Fall ca. 55 km/h).

Aufgabenstellung – „Geschwindigkeit eines Verkehrsmittels"

- ■ + Berechnen Sie die Durchschnittsgeschwindigkeit eines Pkw, wenn dieser zum Durchfahren einer Strecke von 200 m 8 Sekunden benötigt.
  Rechnen Sie das Ergebnis auch in km/h um.

3 Beschleunigte Bewegungen

Unbeschleunigte gleichförmige Bewegungen begegnen uns im Alltag nur selten. **Beschleunigte Bewegungen** finden sich hingegen öfter, es gibt davon allerdings unterschiedliche Arten, die im Folgenden besprochen werden.

Das Formelzeichen für die Beschleunigung ist **a.**

Arten von beschleunigten Bewegungen

Gleichmäßig beschleunigte Bewegung	Kreisbewegung
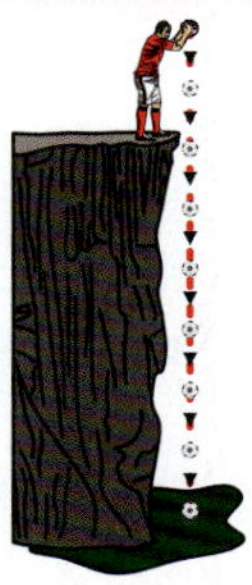	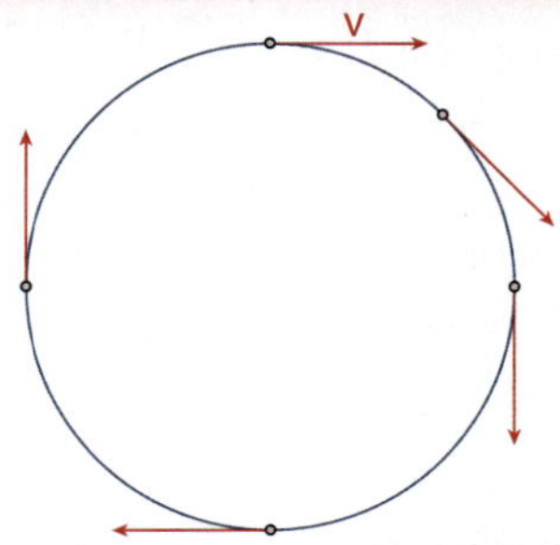
Bei dieser Bewegung ist die Beschleunigung bezüglich Richtung und Stärke konstant. Hierzu zählt z. B. auch der freie Fall.	Hier wird ständig in eine andere Richtung beschleunigt.

Bei der gleichmäßig beschleunigten Bewegung ist also der Geschwindigkeitszuwachs pro Zeiteinheit konstant.

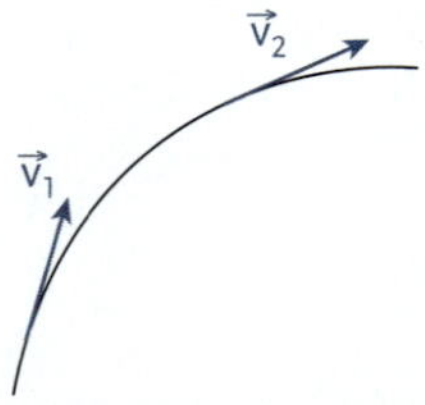

Übrigens ist jede krummlinige Bewegung beschleunigt, da in dieser der Geschwindigkeitsvektor dauernd seine Richtung ändert. Weitere Infos dazu erhalten Sie bei den Kreisbewegungen auf S. 215 ff.

3.1 Gleichmäßig beschleunigte Bewegung

Eine Bewegung heißt **gleichmäßig beschleunigt,** wenn in jedem Zeitpunkt die **Beschleunigung nach Größe und Richtung gleich** (konstant) bleibt.

Beispiel
Ein Körper hat
- zum Zeitpunkt t_1 die Geschwindigkeit v_1 und
- zum Zeitpunkt t_2 die Geschwindigkeit v_2.

Geschwindigkeitsdifferenz $\Delta v = v_2 - v_1$ Zeitdifferenz $\Delta t = t_2 - t_1$

Daraus erhalten wir einen im Zeitintervall Δt **konstanten durchschnittlichen** Wert für die **Beschleunigung.**

$$\text{Durchschnittsbeschleunigung} = \frac{\text{Geschwindigkeitsdifferenz}}{\text{zugehörige Zeitdifferenz}} \qquad a = \frac{\Delta v}{\Delta t}$$

Ebenso wie die Geschwindigkeit ist die Beschleunigung eine abgeleitete Größe, ihre Einheit eine abgeleitete Einheit. Auch die Beschleunigung erfolgt in einer bestimmten Richtung, daher ist sie ein **Vektor.**

Positive Beschleunigung	Der Körper bewegt sich beschleunigt.
Negative Beschleunigung	Der Körper bewegt sich verzögert (er wird abgebremst).

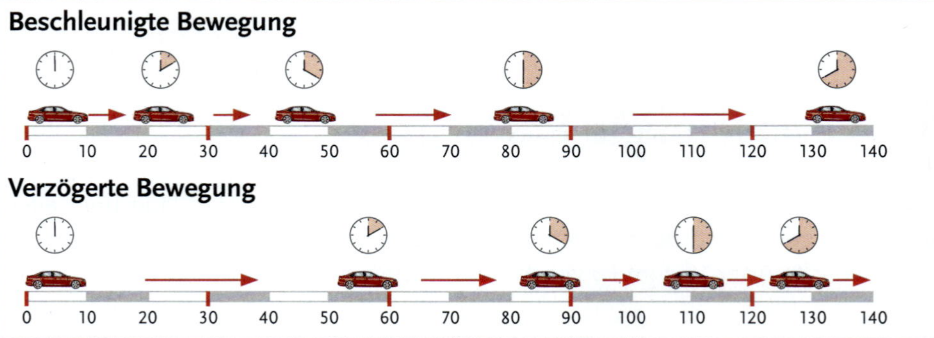

Auch die Beschleunigung eines Körpers ist im Allgemeinen nicht in jedem Zeitpunkt gleich, sondern der Körper hat in jedem Zeitpunkt eine bestimmte **Momentanbeschleunigung.**

Die Momentanbeschleunigung wird durch die Durchschnittsbeschleunigung umso genauer angenähert, je kleiner Δt ist.

Da die Richtung der Beschleunigung gleich bleibt, ändert die durch sie hervorgerufene Geschwindigkeit auch ihre Richtung nicht: **Jede gleichmäßig beschleunigte Bewegung ist geradlinig.**

Für die gleichmäßig beschleunigte Bewegung gilt:

- Nach null Zeiteinheiten beträgt die Endgeschwindigkeit $v = 0 \cdot a$
- Nach einer Zeiteinheit beträgt die Endgeschwindigkeit $v = 1 \cdot a$
- Nach zwei Zeiteinheiten beträgt die Endgeschwindigkeit $v = 2 \cdot a$
- Nach t Zeiteinheiten beträgt die Endgeschwindigkeit $v = t \cdot a$

Daraus ergibt sich für den Gesamtweg nach t Sekunden bei gleichmäßiger Bewegung $\mathbf{s = v \cdot t}$.

Bei 0 Zeiteinheiten beginnt die Bewegung.

Grafische Darstellung der gleichmäßig beschleunigten Bewegung

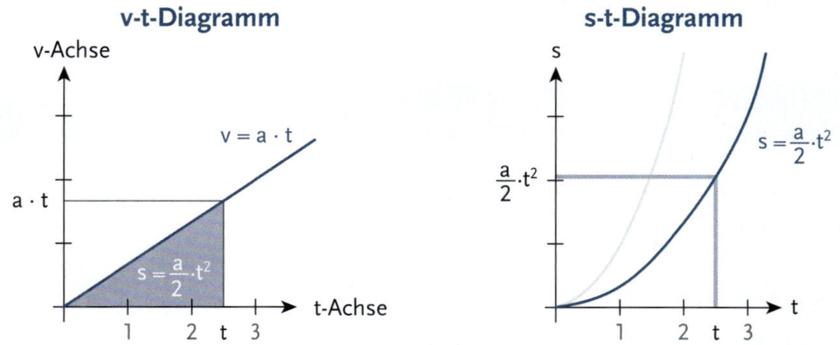

Das Weg-Zeit-Diagramm (s-t-Diagramm) einer gleichmäßig beschleunigten Bewegung stellt eine Parabel dar.

Der gesamte zurückgelegte Weg nach t Sekunden wird durch die rot ausgefüllte Fläche unter v dargestellt und beträgt $s = \frac{a}{2} \cdot t^2$.

Aufgabenstellungen – „Gleichmäßig beschleunigte …“

1. + Berechnen Sie die gleichmäßige Beschleunigung eines Pkw, der nach 10 s vom Stand eine Endgeschwindigkeit von 108 km/h erreicht.
Achten Sie auf die korrekte Umrechnung der Einheiten!

2. + Ein Zug fährt mit 90 km/h. Er wird gleichmäßig gebremst und kommt nach 15 s zum Stillstand.
Berechnen Sie die negative Beschleunigung.

3. + Ein Sportauto beschleunigt aus dem Stand von 0 auf 200 km/h in 9,9 s.
Berechnen Sie die Durchschnittsbeschleunigung.

Bewegungen mit Anfangsgeschwindigkeit

Wir sehen uns das Beispiel eines beschleunigenden Automobils noch einmal an und betrachten es diesmal mit den Differenzen von Geschwindigkeit (Δv) und Zeit (Δt).

Beispiel: Durchschnittsbeschleunigung
Ein Pkw beschleunigt auf einer geraden Straße vom Stand in 10 Sekunden auf 135 km/h.

Wie groß ist die Durchschnittsbeschleunigung in m/s^2?

$$a = \frac{\Delta v}{\Delta t} = \frac{\text{Endgeschwindigkeit} - \text{Anfangsgeschwindigkeit}}{\text{Endzeit} - \text{Anfangszeit}} = \frac{37{,}5\ m/s - 0\ m/s}{10\ s - 0\ s} = 3{,}75\ m/s^2$$

Hier müssen wieder **km** und **h** zuerst in **m** und **s** umgerechnet werden!
135 km/h = 37,5 m/s

In obigem Beispiel wurde für die **Startgeschwindigkeit Null** und für die **Startzeit** ebenfalls **Null** eingesetzt. Es macht also einen Unterschied, ob man „aus dem Stand“ oder von einer bestimmten Geschwindigkeit aus beschleunigt.

Ein Beispiel für eine Bewegung mit Anfangsgeschwindigkeit ist ein Überholvorgang von $v_0 = 70$ km/h auf $v_1 = 100$ km/h.

Unterscheidung von Bewegungen

Bewegungen ohne Anfangsgeschwindigkeit	Bewegungen mit Anfangsgeschwindigkeit
Hier wird von Null weg beschleunigt.	Hier wird von einer bestimmten Geschwindigkeit ausgehend weiter beschleunigt.
$v = a \cdot t$ bzw. $s = \frac{a \cdot t^2}{2}$	$v = v_0 + a \cdot t$ bzw. $s = \frac{v_0 \cdot t + a \cdot t^2}{2}$

Aufgabenstellungen – „Beschleunigung mit Anfangsgeschwindigkeit“

1. + Tim fährt mit seinem Rad. Aus dem Stand erreicht er nach ca. 300 m eine Geschwindigkeit von 18 km/h. Berechnen Sie Tims Beschleunigung auf seine Reisegeschwindigkeit.
Als es bergab geht, beschleunigt er auf einem 800 m langen Abhang von seiner Reisegeschwindigkeit auf 63 km/h. Berechnen Sie nun Tims Beschleunigung auf dem Abhang.

2. + Bestimmen Sie, welches Transportmittel die größte Beschleunigung aufweist.
- Zunächst sollten Sie überlegen, ob die Fortbewegungsmittel von Null weg beschleunigen (ohne Anfangsgeschwindigkeit), oder ob sich der Körper schon mit einer bestimmten Geschwindigkeit bewegt (mit Anfangsgeschwindigkeit).
- Wählen Sie anschließend die passende Formel aus. Vergleichen Sie dazu, welche Angaben Sie haben und welcher Wert berechnet werden soll. Formen Sie die Formel um, falls nötig.

Passagierflugzeug	**Sportauto**	**Magnetschwebebahn**
Benötigt 1 200 m, um die nötigen 270 km/h zum Abheben zu erreichen.	Beschleunigt von 0 auf 200 km/h in 9,9 s.	Beschleunigt in 70 s von 200 km/h auf 500 km/h.

Welche Formeln können Sie verwenden?
Kreuzen Sie an! Dies ist eine Beschleunigung mit/ohne Anfangsgeschwindigkeit:

☐ mit ☐ ohne Anfangsgeschwindigkeit	☐ mit ☐ ohne Anfangsgeschwindigkeit	☐ mit ☐ ohne Anfangsgeschwindigkeit
$v = 270$ km/h = ______ m/s	$v = 200$ km/h = ______ m/s	
$v = \sqrt{2 \cdot a \cdot s} \rightarrow v^2 = 2 \cdot a \cdot s$	$v = a \cdot t$	
$a = \frac{v^2}{2 \cdot s} =$ ______	$a =$ ______	$a =$ ______

Im Folgenden werden mit dem freien Fall und dem waagrechten Wurf zwei Beispiele für gleichmäßig beschleunigte Bewegungen behandelt.

3.1.1 Der freie Fall

Der freie Fall ist näherungsweise – abgesehen vom Luftwiderstand – eine gleichmäßig beschleunigte Bewegung. Fällt ein Körper frei zum Erdboden, so geschieht dies entlang einer geraden Linie in Richtung Erdmittelpunkt (Massenmittelpunkt der Erde) gleichmäßig beschleunigt.

Den Luftwiderstand kann man in den meisten Berechnungen und Versuchen auch einfach vernachlässigen und so zumindest näherungsweise Ergebnisse bekommen.

Die **konstante Beschleunigung** ist dabei **unabhängig von der Masse, der Gestalt und der Größe des Körpers.**

Am gleichen Ort fallen alle Körper gleich schnell; wenn leichte Körper langsamer fallen als schwere, so liegt das am **Luftwiderstand.**

Beispiel: Gleich schnelles Fallen
In einem Behältnis mit Vakuum fallen eine Bleikugel und ein Stückchen Kork gleich schnell.

Vakuum = luftleerer Raum; hier gibt es keinen Luftwiderstand

Ein schönes Experiment zum Nachweis dieses sogenannten Galileischen Gesetzes haben die Astronauten von Apollo 15 im Jahre 1971 auf dem Mond durchgeführt. Missionskommandant David Scott ließ dazu einen Hammer und eine Feder gleichzeitig fallen. Da es auf dem Mond keine Atmosphäre gibt, schlugen beide auch zur selben Zeit im Mondstaub auf.
Eine Aufnahme dieses Experiments können Sie sich unter www.trauner.at/apollo.aspx ansehen.

FILM AB!
Dieses Video zeigt Ihnen einen Versuch zum freien Fall in Luft und Vakuum.
www.trauner.at/nawi_v40.aspx

Die Beschleunigung des freien Falles heißt **Erdbeschleunigung,** Fallbeschleunigung, Gravitationsbeschleunigung oder Schwerebeschleunigung und wird mit dem Formelzeichen **g** bezeichnet. Sie ist zum Erdmittelpunkt gerichtet und für jeden Ort eine Konstante.

Weil die Erde nicht homogen und nicht genau kugelförmig ist, ist g an verschiedenen Orten der Erde etwas unterschiedlich. Auch mit der Höhe nimmt g ab.

Grundsätzlich kann man die Erdbeschleunigung als konstant betrachten. Sie beträgt bei Meeresniveau 9,80665 m/s^2. Bei den meisten Berechnungen können wir die Erdbeschleunigung runden: $g \approx 10\ m/s^2$

Vergewissern Sie sich, dass niemand durch den Versuchskörper getroffen werden kann!

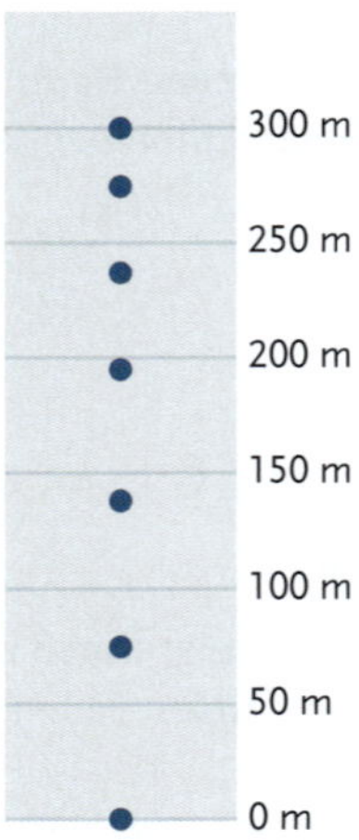

Abbildung zur Aufgabenstellung

FILM AB!

Wie sich eine Wurfparabel (bzw. Fallparabel) bildet, zeigt Ihnen folgendes Versuchsvideo.
www.trauner.at/nawi_v83.aspx

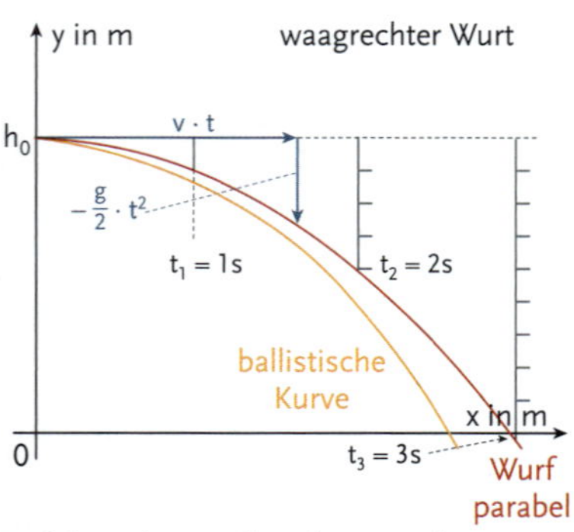

Infolge des Luftwiderstands entsteht jedoch keine echte Wurfparabel, sondern eine ballistische Kurve je nach Größe des Luftwiderstands.

Versuch – „Beschleunigter Ball“

Für diesen Versuch benötigen Sie einen geeigneten Körper (z. B. einen Gummiball mit einem Durchmesser von etwa 10 bis 12 cm), ein Sportmaßband und eine Stoppuhr.

Zur Durchführung sollte zuerst ein hohes Stiegenhaus oder ein frei stehendes Fenster mit einer Abwurfhöhe von zumindest acht Metern ausgewählt werden. Bestimmen Sie die Abwurfhöhe im Stiegenhaus (z. B. mittels Sportmaßband). Ein Schüler bzw. eine Schülerin stellt sich nun zum Abwurfpunkt.

Nun wird der Ball losgelassen, ohne ihm einen Schubs zu geben oder ihn gar zu werfen. Zwei Schüler/innen messen dabei mit je einer Stoppuhr die Zeit, die der Körper vom Loslassen bis zum Aufschlag benötigt.

Berechnen Sie aus den gemessenen Werten den Mittelwert und anschließend die Konstante g durch Einsetzen in folgende Gleichung:

$$g = \frac{2 \cdot s}{t^2} = \_\_\_\_\_\_\_\_\_\_\_\_ = \_\_\_\_\_\_\_\_\_\_\_\_ \text{ m/s}^2$$

Stimmt der von Ihnen errechnete Wert annähernd mit der gerundeten Erdbeschleunigung von 10 m/s^2 überein? Welche Möglichkeiten gibt es, dass Sie mit den von Ihnen gemessenen Werten vielleicht näher an den tatsächlichen Wert herankommen?

Aufgabenstellung – „Freier Fall“

■ ++ Zeichnen Sie das Weg-Zeit-Diagramm für den Fall eines Körpers, dessen Positionen für die ersten acht Sekunden im Sekundenabschnitt in der nebenstehenden Grafik dargestellt werden.

Ermitteln Sie den Fallweg mit dem Lineal (der Abstand zweier Linien beträgt 50 m) und tragen Sie den Wert für jede Sekunde in der Tabelle und dann im Koordinatensystem ein.

Begründen Sie, dass die Funktion eine Parabel ergibt.

Berechnen Sie daraus den Wert der Fallbeschleunigung.

3.1.2 Der waagrechte Wurf

Ein Körper wird mit der Geschwindigkeit v in waagrechter Richtung abgeschossen. Er führt daher eine gleichförmige horizontale Bewegung aus. Gleichzeitig wirkt die Erdbeschleunigung und er führt eine Fallbewegung aus. Beide Bewegungen überlagern sich zur sogenannten **Wurfparabel.**

Die Höhe errechnet man aus Abwurfhöhe minus Fallstrecke, die Wurfweite erhält man durch Multiplikation der Geschwindigkeit mit der Zeit.

Beispiel: Waagrechter Wurf
Eine Person wirft einen Stein mit einer Geschwindigkeit von 8 m/s aus einer Höhe von 50 m weg. Pro Sekunde legt der Stein in waagrechter Richtung eine Strecke von 8 m zurück. Dazu kommt die Fallbewegung nach unten.
Nach 3 s ist er bereits ($s \sim 5 \cdot t^2$) 45 m gefallen und befindet sich 5 m über dem Boden.

Aufgabenstellungen – „Der waagrechte Wurf"

1. + Lesen Sie aus dem Diagramm in der Randspalte ab, wann der Stein auf dem Boden aufschlägt.

2. + Auch Bogenschießen ist eine zusammengesetzte Bewegung und es muss die Fallbewegung berücksichtigt werden. Berechnen Sie die Schussweite eines Pfeils, der mit einer Geschwindigkeit von 48 m/s aus 45 m Höhe waagrecht abgeschossen wird.
Erstellen Sie dazu ein Diagramm wie in der Randspalte.

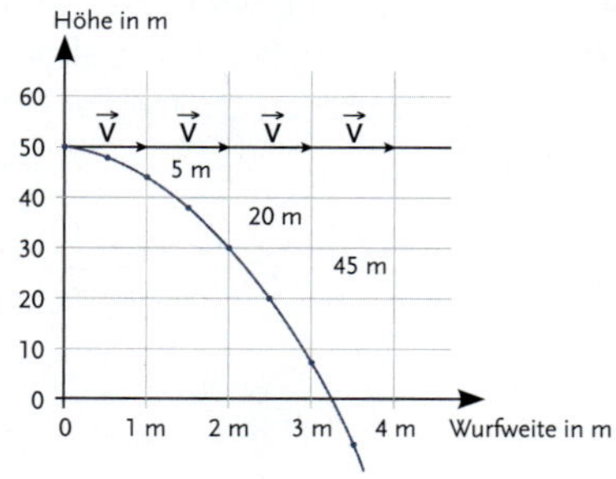

3.2 Kreisbewegungen

Ein starrer Körper dreht sich um eine feste Achse. Dabei beschreiben alle seine Massenpunkte Kreisbahnen, deren Radien die senkrechten Abstände von der Drehachse sind.

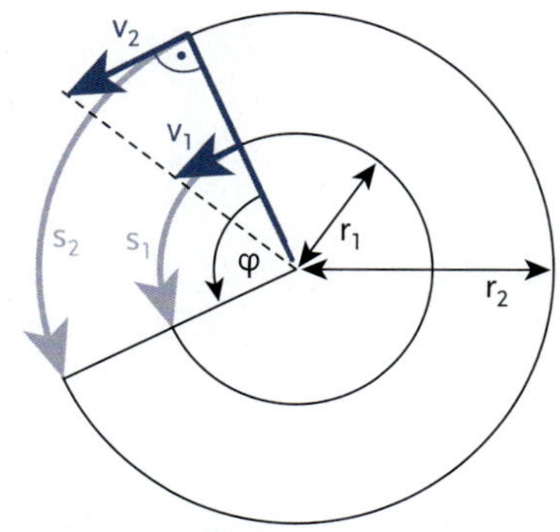

Kreisbewegung

Beispiele für Kreisbewegungen
- Drehung eines Rades
- Allgemeine Rotationen (Drehbewegungen) von Körpern

Dabei ändert sich von jedem Bahnpunkt zum anderen die Richtung des Geschwindigkeitsvektors.

Daher gilt: Jede **Kreisbewegung** ist eine **beschleunigte Bewegung.**

Massenpunkte in **verschiedenen Abständen** von der Drehachse haben daher **verschiedene Bahngeschwindigkeiten. Alle Massenpunkte** des Körpers überstreichen jedoch in derselben Zeit **denselben Drehwinkel** φ**.**

φ = griech. Kleinbuchstabe *Phi*

Geschwindigkeiten von unterschiedlichen Massenpunkten

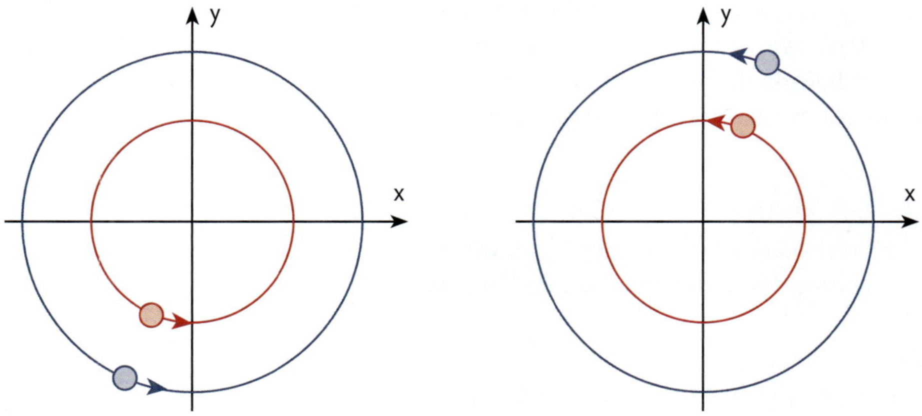

Ist die Winkelgeschwindigkeit der beiden Punkte gleich groß, so muss die Bahngeschwindigkeit des roten Punktes (auf der roten Linie) höher sein als die des blauen Punktes (auf der blauen Linie).

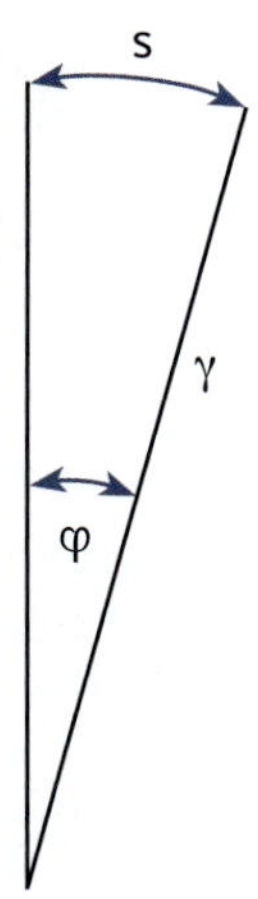

Drehwinkel

Man kann den Ort eines Massenpunkts auf einer Kreisbahn entweder durch den Kreisbogen s oder durch den Drehwinkel φ angeben.

Den Drehwinkel gibt man meist im **Bogenmaß** an. Das Bogenmaß eines Winkels ist gegeben durch die Länge s des vom Winkel ausgeschnittenen Kreisbogens dividiert durch den Radius r des zugehörigen Kreises.

$\text{Drehwinkel} = \frac{\text{Bogenlänge}}{\text{zugehöriger Radius}}$	$\varphi = \frac{s}{r}$

Die **Geschwindigkeit für alle Massenpunkte** beschreibt man mithilfe des Drehwinkels:

ω = griech. Kleinbuchstabe *Omega*

$\text{Durchschnittliche Winkelgeschwindigkeit} = \frac{\text{Änderung des Drehwinkels}}{\text{zugehörige Zeitdifferenz}}$	$\omega = \frac{\Delta\varphi}{\Delta t}$

Massenpunkte in größeren Abständen von der Drehachse haben in derselben Zeit größere Bahnen zurückzulegen und daher größere Bahngeschwindigkeiten. Wie bei der gleichförmigen Bewegung gilt für einen einzelnen Massenpunkt:

$\text{Bahngeschwindigkeit} = \frac{\text{Wegdifferenz}}{\text{zugehörige Zeitdifferenz}}$	$v = \frac{\Delta s}{\Delta t}$

Aus den Gleichungen $\varphi = \frac{s}{r}$ sowie $v = \frac{\Delta s}{\Delta t}$ folgt $\mathbf{v = r \cdot \omega}$.

Kettenkarussell als Beispiel für gleichförmige Kreisbewegung

Die gleichförmige Kreisbewegung

Eine **Kreisbewegung** ist **gleichförmig,** wenn die Bahngeschwindigkeit $v = r \cdot \omega$ konstant bleibt.

Daraus ergibt sich, dass auch die **Winkelgeschwindigkeit** ω **konstant** sein muss. Es werden also in **gleichen Zeiten gleiche Drehwinkel** zurückgelegt.

Beispiel
Ein Kind in einem Kettenkarussell dreht sich mit einer konstanten Geschwindigkeit im Kreis. In einer Zeit t (z. B. 5 s) wird jeweils ein voller Kreis (Weg s; z. B. 50 m) zurückgelegt.

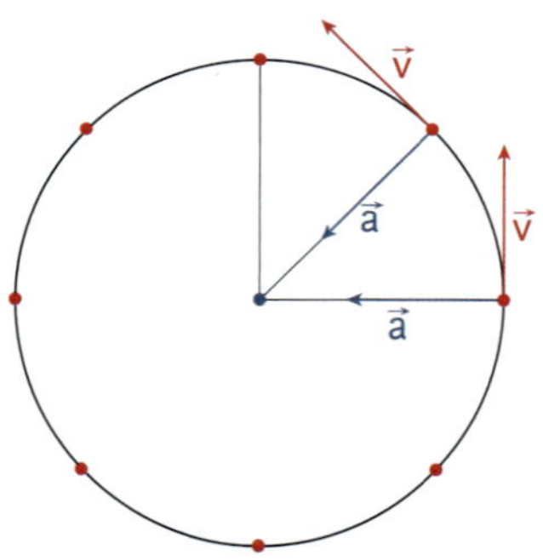

Die Zentripetalbeschleunigung $\vec{a}$ ist die erforderliche Beschleunigung, um den Körper auf einer Kreisbahn zu halten.

Bei der gleichförmigen Kreisbewegung bleibt zwar der Betrag der Bahngeschwindigkeit gleich, jedoch nicht die Richtung der Bewegung. Es tritt dauernd eine konstante Beschleunigung, die **Radialbeschleunigung** oder **Zentripetalbeschleunigung,** auf. Sie bewirkt die Ablenkung von der Geraden und ist senkrecht auf die Drehachse, also zum Kreismittelpunkt gerichtet.

Hört die Radialbeschleunigung zu wirken auf, so bewegt sich der Körper in Richtung der Bahntangente geradlinig fort.

Ziele erreicht? – „Bewegungen“

KOMPETENZ-ERWERB

1. ++ Betrachten Sie das nebenstehende Geschwindigkeits-Zeit-Diagramm.

a) Bestimmen Sie aus dem Geschwindigkeits-Zeit-Diagramm die Geschwindigkeit nach 1, 2, 3, 4 Sekunden.

b) Markieren Sie die Bereiche, in denen die Geschwindigkeit konstant ist.

c) Berechnen Sie den Weg, der von der vierten bis zur sechsten Sekunde zurückgelegt wird.

d) Bestimmen Sie aus dem Diagramm die Beschleunigung nach 1, 2, 3, 4 Sekunden.

e) Beschreiben Sie außerdem die Art der Bewegung in den Bereichen von 0 bis 4 Sekunden, von 4 bis 6 Sekunden und von 6 bis 9 Sekunden.

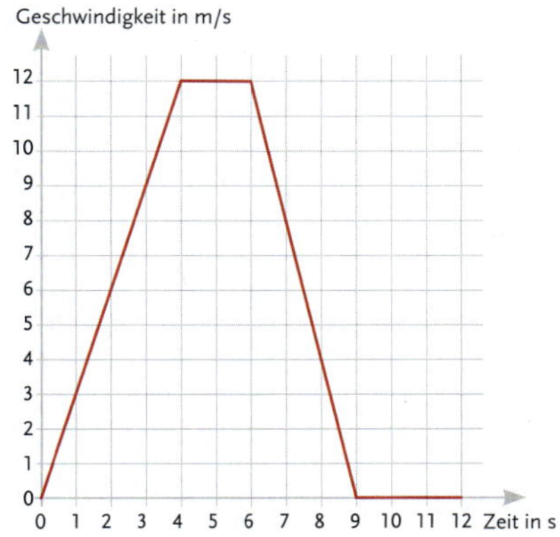

2. + Suchen Sie im Internet den Fahrplan und vergleichen Sie die Durchschnittsgeschwindigkeit eines Fernverkehr-Reisezugs von Wien nach Bregenz auf der Teilstrecke Wien–Linz (184 km) mit der Geschwindigkeit auf der Teilstrecke Innsbruck–Bregenz (194 km) und begründen Sie den Unterschied.

3. + Begründen Sie, warum die Kreisbewegung eine beschleunigte Bewegung ist.

4. + Zeichnen Sie ein v-t-Diagramm einer gleichmäßig beschleunigten Bewegung mit $a = 10\ m/s^2$.
Lesen Sie daraus die Geschwindigkeit nach einer, zwei, drei und vier Sekunden ab. Beschreiben Sie die Form des Diagramms und was Sie daraus ableiten können.

5. + Ein Kind lenkt ein ferngesteuertes Auto. Dieses fährt mit einer Geschwindigkeit von 8 km/h in einer Kurve. Fährt das Auto beschleunigt? Begründen Sie Ihre Antwort.

6. + Lena unternimmt eine Fahrt mit ihrem Auto:

- Sie fährt um 9:00 Uhr los und beschleunigt in der ersten Minute gleichmäßig auf 12 km/h.
- Danach kommt sie auf die Bundestraße und beschleunigt innerhalb weiterer zwei Minuten erneut gleichmäßig auf 60 km/h.
- Um 9:07 Uhr muss Lena plötzlich scharf auf 12 km/h abbremsen, da ihr eine Katze vor das Auto läuft. Die Katze kann zum Glück entkommen.
- Leicht erschrocken entscheidet sich Lena, wieder nach Hause zu fahren. Sie nimmt dabei eine Abkürzung und beschleunigt in den ersten zwei Minuten nach dem Bremsvorgang wieder gleichmäßig auf 36 km/h.
- Sobald sie diese Geschwindigkeit erreicht hat, bremst sie gleichmäßig auf 0 km/h ab und erreicht ihr Ziel um 9:12 Uhr.

Zeichnen Sie anhand der angegebenen Informationen ein v-t-Diagramm.

Markieren Sie darin die Beschleunigungsvorgänge, die Verzögerungsvorgänge sowie die Zeiten gleichförmiger Bewegungen farblich.

Einen interaktiven **Safety-Check** finden Sie in der TRAUNER-DigiBox.

Arbeit, Energie und Leistung

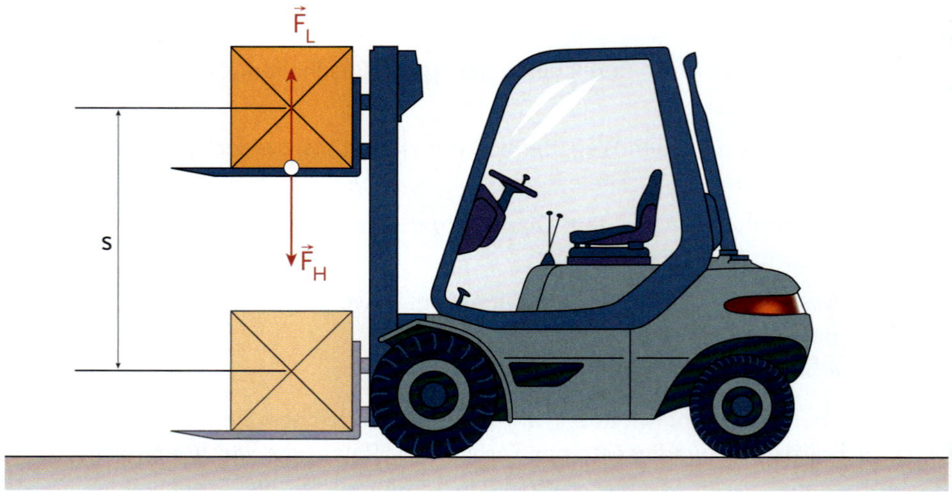

Die Begriffe Energie und Arbeit sind im I. Jahrgang bereits überblicksmäßig behandelt worden.

Leistungen bis zu 200 kW (ca. 270 PS) sind bei Sportwagen keine Seltenheit.

Die Begriffe Arbeit, Energie, Leistung und auch Wirkungsgrad sind aus der Alltagssprache nicht wegzudenken.

Beispiele für die Begriffe in der Alltagswelt
- Lebensmittelkonzerne werben mit Energydrinks oder geben den Energiewert der Nahrung in Kalorien oder Kilojoule an.
- Leistungen von Kraftfahrzeugmotoren werden in PS angegeben.

Meine Ziele

KOMPETENZERWERB

Nach Bearbeitung dieses Kapitels kann ich
- die Begriffe Arbeit und Energie definieren;
- die Einheit der Arbeit und der Energie angeben;
- den Zusammenhang von Arbeit und Energie erklären;
- Formen der Energie beschreiben;
- Arbeit und Energie berechnen;
- die Kraft als Ursache der Arbeit angeben;
- die Kraft aus anderen physikalischen Größen ableiten;
- den Zusammenhang von Arbeit und Leistung erklären;
- Leistung berechnen.

1 Arbeit

Als Arbeit bezeichnen wir in unserem Alltag vieles, das geistige oder körperliche Anstrengung verlangt. Häufig denken wir in Zusammenhang mit Arbeit auch an die „Kraft“, die man dazu benötigt.

In der Physik gilt jedoch: Immer dann, wenn gegen eine Kraft ein Weg zurückgelegt wird, wird mechanische Arbeit verrichtet.

Die Größe der eingesetzten Kraft ergibt sich aus der Körpermasse, an der Arbeit verrichtet werden soll und ihrer Beschleunigung.

Die **Einheit der Arbeit** ist die Einheit der Kraft multipliziert mit der Einheit des Weges, also Nm (Newton-Meter) oder auch $kg \cdot m^2/s^2$. Anstatt Nm wird die Bezeichnung **Joule (J)** verwendet.

Arbeit = Kraft in Wegrichtung · Weg	$W = F \cdot s$

Beispiele: Arbeit
Ein Gabelstapler leistet Arbeit, wenn er gegen die Schwerkraft eine 75 kg-Kiste 2 m hoch hebt.
Eine Möbelpackerin leistet Arbeit, wenn sie einen Tisch in den dritten Stock trägt.

Allerdings müssen die Richtungen von Kraft und Weg übereinstimmen. Tun sie das nicht, wie z. B. bei einem Schlepplift, darf nur jener Kraftanteil für die Arbeitsberechnung herangezogen werden, der in Wegrichtung weist.

$W = F_s \cdot s$

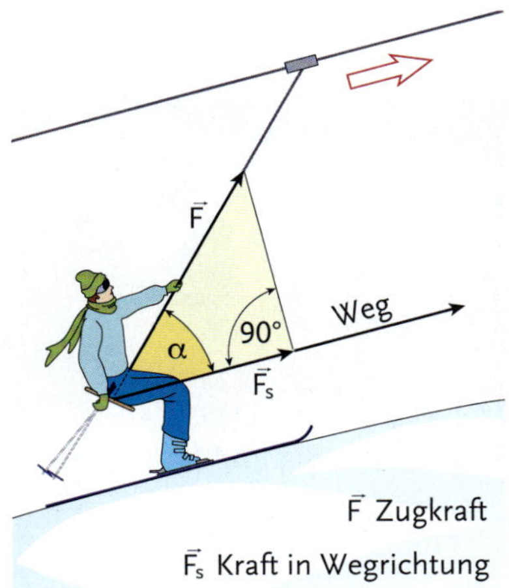

Nur die Kraft F_s weist in Wegrichtung.

Schleppt ein Gepäckträger also einen Koffer den Bahnsteig entlang, leistet er **keine Arbeit im physikalischen Sinn,** da dabei die Kraft senkrecht zum Weg steht.

Entsprechend der Wirkung der Kraft unterscheidet man verschiedene Formen der mechanischen Arbeit. Einige alltägliche Formen der Arbeit werden im Folgenden näher beschrieben.

1.1 Hubarbeit

Hubarbeit wird dann verrichtet, wenn eine ruhende Masse um eine gewisse Höhe gegen die Schwerkraft angehoben wird.

Beispiel für eine verrichtete Hubarbeit
Lisa hebt eine Hantel mit einer Masse von 16 kg auf eine Höhe von 1,80 m. Welche Arbeit verrichtet Sie?

1. Berechnung der Kraft:
   a) Aus dem zweiten Newton'schen Gesetz folgt:
      Kraft = Masse · Beschleunigung
   b) Ermittlung der Beschleunigung: Auf der Erde herrscht die Gravitationsbeschleunigung von $9{,}81\ m/s^2$, gerundet $10\ m/s^2$.
2. Berechnung der Arbeit:
   Aus der Definition Arbeit ist Kraft mal Weg ($W = F \cdot s$) folgt:
   $W = 16 \cdot 10 \cdot 1{,}80 = 288$ J

Die von Lisa geleistete Hubarbeit beim Stemmen der Hantel beträgt 288 Joule.

Beim Heben einer Hantel verrichtet Lisa Hubarbeit.

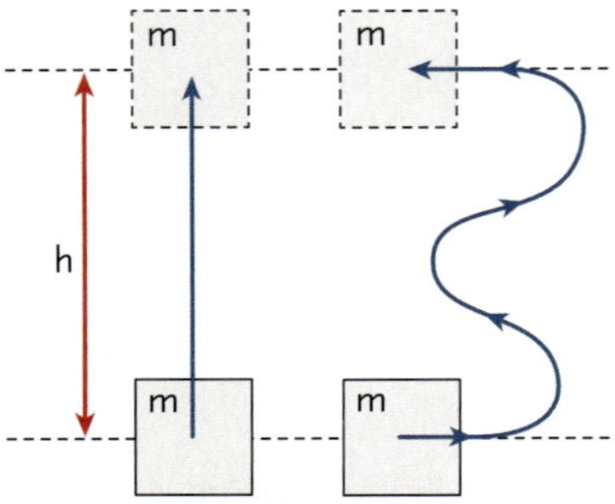

Wie die Masse gehoben wird, spielt dabei keine Rolle, die Hubarbeit ist immer gleich. Da nur die Kraft in Wirkrichtung für die Arbeit von Bedeutung ist.

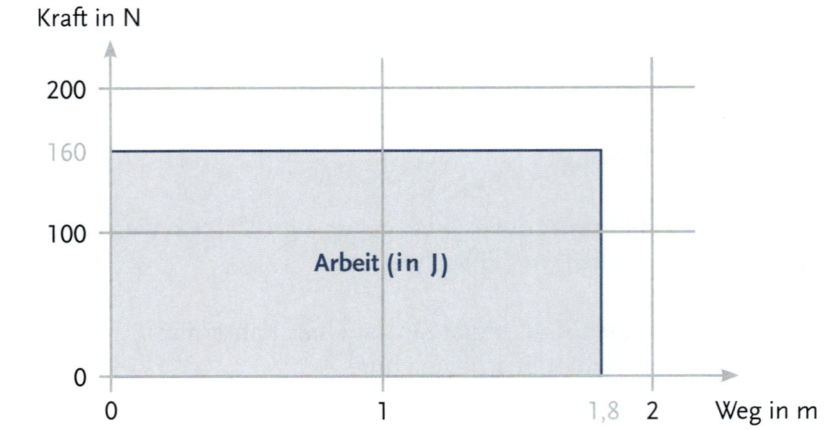

Im Kraft-Weg-Diagramm ist die von Lisa geleistete Hubarbeit die Fläche des Rechtecks aus Weg und Kraft.

Beschleunigung im Motorsport

1.2 Beschleunigungsarbeit

Um einen Körper in Bewegung zu versetzten, muss dieser beschleunigt werden. Nach dem zweiten Newton'schen Gesetz ist dafür eine Kraft nötig.

Das Gesetz **Arbeit = Kraft · Weg** gilt auch hier. Man will aber eine Beziehung zwischen Arbeit und Geschwindigkeit erhalten.

Für die gleichmäßig beschleunigte Bewegung gilt:
$s = \frac{a}{2} \cdot t^2$ sowie $v = a \cdot t$
Durch Elimination von $t = \frac{v}{a}$ erhält man für den Weg: $s = \frac{a}{2} \cdot \frac{v^2}{a^2}$
$W = F \cdot s = (m \cdot a) \cdot \frac{a}{2} \cdot \frac{v^2}{a^2} = \frac{m \cdot v^2}{2}$

Interpretation der Formel
Die Beschleunigungsarbeit ist unabhängig von der Beschleunigung a, wächst aber quadratisch mit der Geschwindigkeit.

Arbeit-Geschwindigkeits-Diagramm

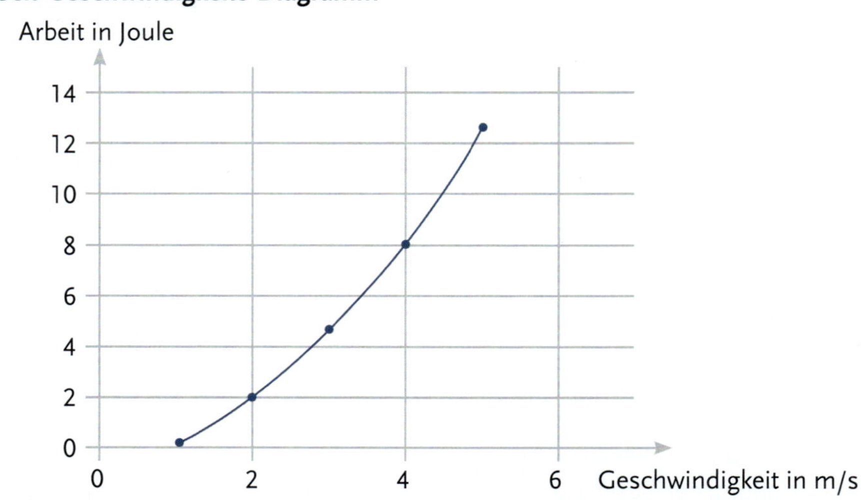

Arbeit, die notwendig ist, um die Masse von 1 kg zu beschleunigen.

Eine weitere Form von Arbeit ist z. B. die Reibungsarbeit.

Aufgabenstellungen – „Beschleunigungsarbeit"

- ++ Erstellen Sie mithilfe eines Tabellenkalkulationsprogrammes ein Arbeit-Geschwindigkeits-Diagramm für einen Pkw (m = 800 kg) bei Geschwindigkeiten von 0–130 km/h in Zehnerschritten.

2 Energie

Zum Heben oder Beschleunigen eines beliebigen Körpers muss stets mechanische Arbeit verrichtet werden. Der Körper wird dadurch in einen neuen Zustand versetzt und ist nun seinerseits in der Lage – durch Herabfallen oder Bremsen – selbst Arbeit zu verrichten. Die an einem Körper verrichtete Arbeit wird also in ihm gespeichert und verleiht ihm eine gewisse Arbeitsfähigkeit. Diese Arbeitsfähigkeit oder gespeicherte Arbeit nennt man auch **Energie.**

Energie ist gespeicherte Arbeit und hat wie sie die Einheit Joule (J).

Je nachdem, welche Arbeit ursprünglich verrichtet wurde, oder woher sie stammt, bezeichnet man die dabei auftretende Energie unterschiedlich.

Verschiedene Energieformen haben Sie bereits im I. Jahrgang kennengelernt.

Beispiele für Energieformen

Lageenergie	Bewegungsenergie	Rotationsenergie	Wärmeenergie	Kernenergie	Strahlungsenergie

Staukraftwerke nutzen die Lageenergie des aufgestauten Wassers.	Die Bewegungsenergie hängt von der Masse und der Geschwindigkeit ab.	Aus der Rotationsenergie z. B. von Windrädern wird elektrischer Strom gewonnen.	Die Bewegungsenergie von Teilchen wird z. B. zur Warmwasseraufbereitung verwendet.	Durch Kernspaltung oder Kernfusion freigesetzter Anteil der Kernbindungsenergie.	Die Strahlungsenergie der Sonne kann zur Stromproduktion verwendet werden.

Energie kann weder erschaffen noch vernichtet, sondern nur **von einer Form in eine andere umgewandelt werden.**

Kernfusion = Verschmelzung zweier Atomkerne

Beispiele: Umwandlung von einer Energieform in eine andere
In einem Wasserkocher wird elektrische Energie in Wärmeenergie umgewandelt.
Bei einem Elektromotor wird elektrische Energie in Bewegungsenergie übersetzt.

Die Energie wird also **nicht erzeugt,** sondern umgewandelt.

Allerdings wird nicht die ganze Energie, die aufgewendet wird, auch genutzt. So wird bei einem Motor ein Teil der Energie in Wärmeenergie umgewandelt und bleibt für die Bewegung ungenutzt.

Energievergleich	
1 J	Energieaufwand des menschlichen Herzens pro Schlag
7 MJ = $7 \cdot 10^6$ J	Täglicher Grundumsatz eines erwachsenen Menschen (m = 70 kg)
576 EJ = $5{,}76 \cdot 10^{20}$ J	Primärenergienutzung der Menschheit weltweit im Jahr 2016
1 kcal = $4{,}186 \cdot 10^3$ J	Benötigte Wärmeenergie, um 1 kg Wasser um 1 K bzw. 1 °C zu erwärmen

Im Alltag spricht man davon, dass **Energie „verloren" geht.** Was allerdings nicht zutrifft, da Energie nicht gewonnen werden kann und auch nicht verloren geht.

3 Leistung

Die Vespa von Ralf hat einen 15-PS-Motor. Der große Pkw seiner Mutter hingegen besitzt eine Leistung von 146 PS. Mit dieser Einheit wird die Leistung des Fahrzeugs angegeben. Aber was sagt die Leistung genau aus und wie lässt sie sich berechnen?

Wenn wir eine Maschine kaufen wollen, finden wir nirgendwo in der Beschreibung eine Angabe über die Arbeit, die sie verrichten kann. Es ist nur die Leistung angegeben. Die Leistung bezeichnet die verrichtete Arbeit pro Zeiteinheit.

Eine alte Einheit der Leistung ist die **Pferdestärke (PS).** 1 PS ist die Leistung, wenn 75 kg in 1 s genau 1 m hoch gehoben werden.

Leistung ist verrichtete Arbeit pro Zeiteinheit: $P = \frac{W}{t}$

Die Leistung wird in Watt (W) angegeben, wobei 1 W = 1 Nm/s.

Die zu überwindende **Erdbeschleunigung g** wird hier der Einfachheit halber auf 10 m/s^2 gerundet.

Beispiel: Leistungsberechnung
Berechnen Sie die Leistung, die Lisa (Masse = 60 kg) verrichtet, wenn sie in 3 s ein Stockwerk von 3 m Höhe hinauf läuft, mit der Leistung von Ralf (Masse = 70 kg), der für die gleiche Höhe 4 s benötigt.

Für die Berechnung der Leistung muss zunächst die Arbeit ermittelt werden. Die Berechnung der Arbeit folgt aus der Formel $W = F \cdot s$, die Berechnung der Kraft aus der Formel $F = m \cdot a$.

Nun lassen sich die entsprechenden Werte einsetzen:

$\text{Kraft}_{Lisa} = 50\ kg \cdot 10\ m/s^2 = 500\ N$	$\text{Kraft}_{Ralf} = 70\ kg \cdot 10\ m/s^2 = 700\ N$
$\text{Arbeit}_{Lisa} = 500\ N \cdot 3\ m = 1\,500\ J$	$\text{Arbeit}_{Ralf} = 700\ N \cdot 3\ m = 2\,100\ J$
$\text{Leistung}_{Lisa} = 1\,500\ J/3\ s = 500\ W$	$\text{Leistung}_{Ralf} = 2\,100\ J/4\ s = 525\ W$

Aufgabenstellungen – „Leistung“

1. + Berechnen Sie die Leistung, in W und PS, wenn ein Gewichtheber seine Hantel von 203 kg im Reißen in 0,3 s 1,8 m hoch hebt.
2. + Ein Bergsteiger von 70 kg Masse steigt durchschnittlich 100 m in 15 Minuten. Wie groß ist seine mittlere Leistung in Watt?
3. + Ein Sportler beschleunigt seinen Körper (m = 70 kg) beim Start zum 100-m-Lauf in 1 s auf 9 m/s. Wie groß ist seine mittlere Leistung?

Gewichtheben

Leider ist es nicht möglich, die gesamte Leistung, die eine Maschine aufnimmt, auch zu nutzen. Ein Teil der Leistung geht z. B. durch Reibung in Form von Wärme „verloren“. Um nun beurteilen zu können, wie viel Leistung in einer Maschine tatsächlich ungenutzt bleibt, hat man den Begriff **Wirkungsgrad** definiert.

η = griech. Kleinbuchstabe *Eta*

Der Wirkungsgrad ist das **Verhältnis der abgegebenen Leistung P_A** (Nutzleistung) **zur zugeführten Leistung P_Z** und wird mit η bezeichnet.

$$\eta = \frac{P_A}{P_Z}$$

Üblicherweise wird der errechnete Wirkungsgrad noch mit 100 multipliziert, um eine Prozentangabe zu erhalten.

Bei der herkömmlichen Glühbirne werden nur etwa 5 bis 10 % der Energie in Lichtenergie umgewandelt – der Rest bleibt als Wärmeenergie ungenutzt.

Nachdem die Nutzleistung stets kleiner als die zugeführte Leistung sein muss, ist der Wirkungsgrad kleiner als 100 %. Viele Geräte sind in sogenannte **Energieeffizienzklassen** eingeteilt. Diese Klassen sagen aus, in welchem Ausmaß es gelingt, Energieverluste klein zu halten.

Beispiel: Berechnung des Wirkungsgrads

Ein Elektromotor gibt 30 kW an Leistung ab und nimmt eine Leistung von 32 kW auf. Der Wirkungsgrad lässt sich mit der Formel $\eta = \frac{P_A}{P_Z}$ berechnen.

$$\eta = \frac{P_A}{P_Z} = \frac{30\ \text{kW}}{32\ \text{kW}} = 0{,}94 = 94\ \%$$

Der Motor hat einen Wirkungsgrad von 94 %, d. h. 6 % der zugeführten Leistung bleiben u. a. in Form von Wärme ungenutzt.

Oft bestehen Maschinen oder Anlagen aus mehreren Komponenten. Den Gesamtwirkungsgrad (η_G) erhält man, indem man die Wirkungsgrade der Einzelkomponenten miteinander multipliziert.

$$\eta_G = \eta_1 \cdot \eta_2 \cdot \eta_3 \ldots$$

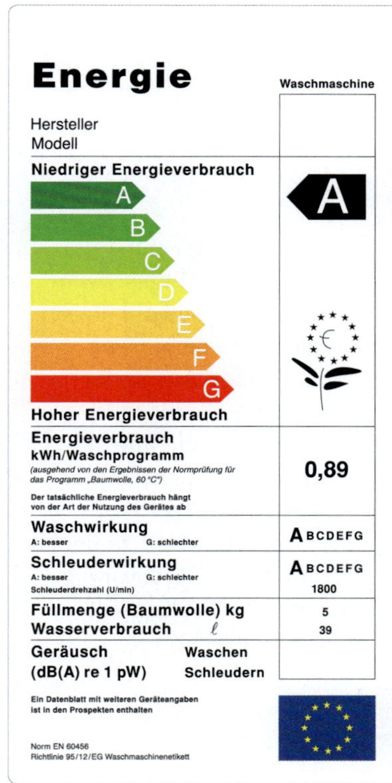

Die Energieeffizienz z. B. von Waschmaschinen muss durch eine Plakette ausgezeichnet werden.

Ziele erreicht? – „Arbeit, Energie und Leistung"

KOMPETENZ-ERWERB

1. + Formulieren Sie die Definitionen von Arbeit, Energie und Leistung
2. + Berechnen Sie die Leistung, die erbracht wird, wenn eine Masse von 50 kg in 10 s auf eine Höhe von 5 m gehoben wird.
3. + Eine Anlage besteht aus folgenden Komponenten: Motor: $\eta = 0{,}5$; Pumpe: $\eta = 0{,}6$; Zylinder: $\eta = 0{,}7$
   Berechnen Sie den Gesamtwirkungsgrad.
4. + Im Kraftwerk Ybbs-Persenbeug werden durchschnittlich 2 000 m^3 Wasser pro Sekunde (über sieben Turbinen) bei einer Fallhöhe von 11 m zur Energieerzeugung genützt. 90 % der Wasserenergie werden dabei nutzbar gemacht. Berechnen Sie die durchschnittliche Nutzleistung (in Megawatt).
5. + Geben Sie an, wo die verrichtete Arbeit am größten ist.

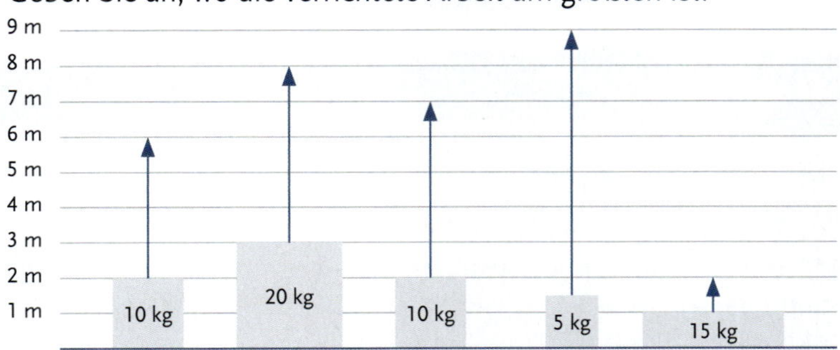

6. + Wer erbringt die größte Leistung? Kreuzen Sie an:
   - ☐ Ein Bergsteiger überwindet bei 70 kg in 10 min einen Höhenunterschied von 100 m.
   - ☐ Ein Gewichtheber hebt 120 kg in 3 s um 1,5 m an.
   - ☐ Ein Kletterer klettert bei 60 kg in 8 s 15 m hoch.

Relativitätstheorie

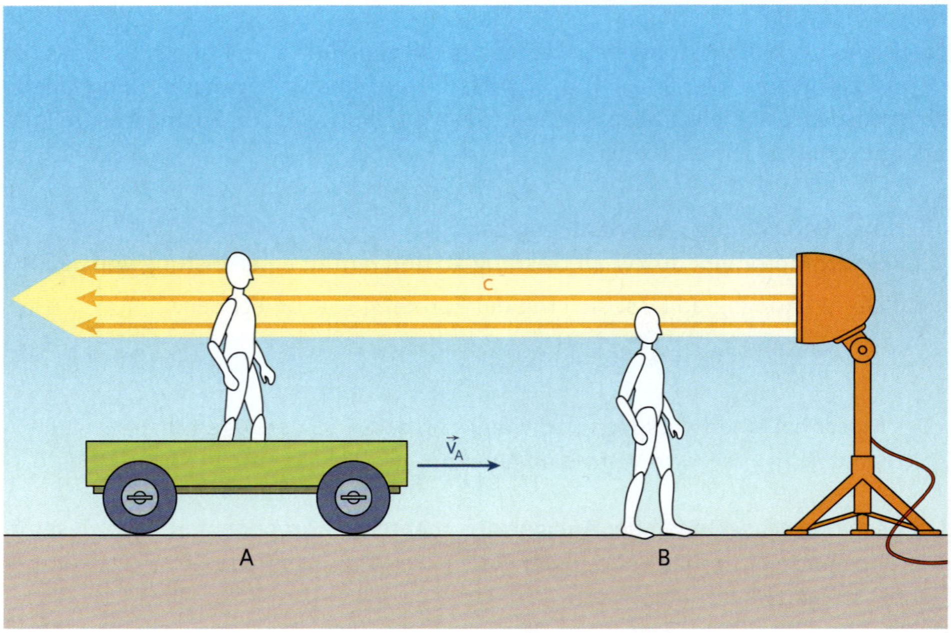

Das Licht breitet sich immer mit der Lichtgeschwindigkeit c aus. Sowohl für die sich zum Licht bewegende Person A (mit der Geschwindigkeit $\vec{v}_A$) als auch für die stehende Person B hat das Licht immer die Geschwindigkeit c_0. Die normalen Gesetze der Addition von Geschwindigkeiten, die im Alltag gelten, gelten hier nicht.

Die Lichtgeschwindigkeit hat das Formelzeichen c. Für die Lichtgeschwindigkeit im Vakuum wird dem Formelzeichen der Index 0 zugefügt (c_0).

ALBERT EINSTEIN, 1879 BIS 1955, IN DEUTSCHLAND GEBORENER PHYSIKER

ALBERT EINSTEIN beschäftigte sich besonders mit der Vorstellung von Bewegungen mit Geschwindigkeiten nahe der Lichtgeschwindigkeit und die dabei entstehenden Effekte.

Seine Überlegungen mündeten in der **Speziellen Relativitätstheorie** (SRT). Weiterführende Gedankengänge unter Einbeziehung der Masse führten zur **Allgemeinen Relativitätstheorie** (ART).

Die Eckpfeiler der speziellen Relativitätstheorie sind das **Relativitätsprinzip** und das **Prinzip der Konstanz der Lichtgeschwindigkeit.**

Diese Annahmen wurden von EINSTEIN getroffen, um manche bis dahin völlig unerklärliche Messergebnisse erklären zu können! Sie waren damals völlig neu und radikal, weil diese der täglichen Erfahrung widersprochen haben und noch immer widersprechen.

KOMPETENZ-ERWERB

Meine Ziele

Nach Bearbeitung dieses Kapitels kann ich

- das Einstein'sche Relativitätsprinzip erklären;
- die Zeitdilation und die Längenkontraktion angeben sowie Beispiele dazu selbstständig lösen;
- einfache Berechnungen für Bewegungen mit Lichtgeschwindigkeit durchführen;
- die Verknüpfung zwischen Raum und Zeit beschreiben;
- die Bedeutung des relativistischen Dopplereffekts erklären;
- Folgerungen aus der Speziellen Relativitätstheorie und der Allgemeinen Relativitätstheorie ziehen und bewerten.

1 Spezielle Relativitätstheorie (SRT)

Betrachten wir das Beispiel mit der Ausbreitung des Lichts auf der vorigen Seite, so würden wir nach der klassischen Physik die Geschwindigkeiten des Lichts und der bewegten Person addieren.

Beispiel für eine klassische Addition von Geschwindigkeiten
In einem mit 100 km/h fahrenden Zug wird eine Kugel mit 20 km/h in Fahrtrichtung gerollt. Damit ergibt sich für einen am Bahndamm ruhenden Beobachter die Gesamtgeschwindigkeit von $v_1 + v_2$: 20 + 100 = 120 km/h

Die Spezielle Relativitätstheorie wurde von Albert Einstein im Jahr 1905 in einer wissenschaftlichen Arbeit zum ersten Mal erwähnt.

Diese klassische Berechnung ist allerdings bei der Lichtgeschwindigkeit nicht mehr zulässig. Mit diesem Phänomen und allgemein der Beziehung von relativ zueinander bewegten Körpern beschäftigt sich die SRT. In der SRT werden nur unbeschleunigte Bezugssysteme verwendet und physikalische Prozesse werden relativ zu diesen Inertialsystemen beschrieben.

1.1 Das Relativitätsprinzip

Um Ort und Bewegung eines Körpers eindeutig festzulegen, ist es nötig, das **Bezugssystem** anzugeben. *In Ruhe* bezüglich eines Mitreisenden kann durchaus *in Bewegung* bezüglich der Erde bedeuten. Dabei unterscheidet man zwischen **ruhenden oder gleichförmig bewegten und beschleunigten Bezugssystemen.**

Eine Sonderform sind sogenannte **Inertialsysteme.** Ein Bezugssystem heißt **Inertialsystem,** wenn es für einen im System befindlichen Beobachter unmöglich ist, festzustellen, ob sich das System bewegt oder in Ruhe befindet.

Bereits Galileo Galilei beschrieb 1630 diese Überlegung: Demnach sollten die Erscheinungen unter Deck eines Schiffes beim Springen, Werfen von Bällen und Ähnlichem gleich sein, unabhängig davon, ob sich das Schiff bewegt oder nicht.

Beispiel für ein alltägliches Inertialsystem
Eine Person, die im Zug sitzt und am Fenster einen Zug vorbeibewegen sieht, kann momentan nicht feststellen, ob sie sich im bewegten Zug befindet oder im ruhenden. Erst eine Bremsung oder ein Anfahren bewirkt eine Klärung, da dann das beschleunigte System kein Inertialsystem mehr ist.

Bezugssysteme haben Sie bereits auf S. 204 kennengelernt.

Ein Inertialsystem ist ein Bezugssystem, in dem die Newton'schen Axiome gelten. Beschleunigte (und damit auch rotierende) Bezugsysteme sind keine Inertialsysteme.

Newton'sche Axiome
1. Trägheitssatz
2. F = m · a
3. Wechselwirkungssatz

Umgekehrt hat schon Galilei die Tatsache, dass es besondere Bezugssysteme gibt, in denen die Naturgesetze gleichermaßen gelten, als Prinzip der Relativität bezeichnet. Einstein hat diese Überlegungen übernommen und Rechenvorschriften angegeben, wie die Bewegungen relativ zu dem Bezugssystem umgerechnet werden müssen.

Relativitätsprinzip
Die Gesetze der Physik nehmen in allen Inertialsystemen die gleiche Form an.

1.2 Die Invarianz der Lichtgeschwindigkeit

Invarianz = Unveränderlichkeit

Die Geschwindigkeit des Lichts hat im Vakuum unabhängig vom Bewegungszustand von Quelle und Beobachter in allen Inertialsystemen immer denselben Wert c_0. Man spricht vom Prinzip der **Konstanz der Lichtgeschwindigkeit** (präziser ausgedrückt auch Invarianz der Lichtgeschwindigkeit).

Die Vakuumlichtgeschwindigkeit c_0 beträgt 299 792 458 m/s. Meist ist es ausreichend, mit 300 000 km/s zu rechnen.

Die Lichtgeschwindigkeit ist in jedem Inertialsystem konstant. Gleichgültig, mit welcher Geschwindigkeit sich das System bewegt. Die Lichtgeschwindigkeit ist auch eine Grenzgeschwindigkeit in unserem Universum und kann für eine Informationsübertragung nicht überschritten werden.

Bei einer Überschreitung der Lichtgeschwindigkeit wäre das Kausalitätsprinzip verletzt – Prinzip von Ursache und Wirkung: man könnte z. B. in die Vergangenheit reisen und seine eigene Geburt verhindern.

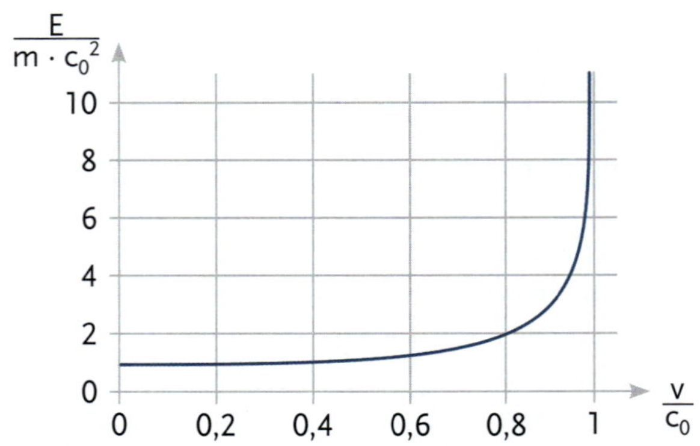

Die Lichtgeschwindigkeit ist eine Grenzgeschwindigkeit. Trotz weiterer Beschleunigung erreicht die Geschwindigkeit nie die Lichtgeschwindigkeit. Die Energie steigt jedoch immer mehr an.

Weil die Vakuumlichtgeschwindigkeit nicht veränderbar ist, kann eben die klassische Geschwindigkeitsaddition hier nicht gültig sein. Man muss hierfür eine andere Formel anwenden, die Einstein ermittelt hat und die für kleine Geschwindigkeiten in die klassische Formel übergeht.

Formel für die relativistische Addition $v_1 + v_2 = \frac{v_1 + v_2}{1 + \frac{v_1 \cdot v_2}{c_0^2}}$

Beispiel: Relativistische Geschwindigkeitsaddition
Ein mit einer beliebigen Geschwindigkeit v ($v < c_0$) relativ zu einem Inertialsystem (z. B. zur Erde) bewegter Körper sendet Licht im Vakuum mit c_0 aus. Für die Geschwindigkeit des ausgesandten Lichts relativ zum Inertialsystem erhalten wir:

$$v_{ges} = \frac{v + c_0}{1 + \frac{v \cdot c_0}{c_0^2}} = \frac{v + c_0}{1 + \frac{v}{c_0}} = \frac{v + c_0}{c_0 + v} \cdot c_0 = c_0$$

Dass die Formel bei kleinen Geschwindigkeiten in die klassische Formel übergeht, zeigt die folgende Addition.

Beispiel: Relativistische Geschwindigkeitsaddition bei kleinen Geschwindigkeiten
Für die Geschwindigkeiten $v_1 = 20$ m/s und $v_2 = 100$ m/s erhalten wir:

$$v_{ges} = \frac{v_1 + v_2}{1 + \frac{v_1 \cdot v_2}{c_0^2}} = \frac{20 + 100}{1 + \frac{2\,000}{c_0^2}} = 119{,}999999999 \text{ m/s}$$

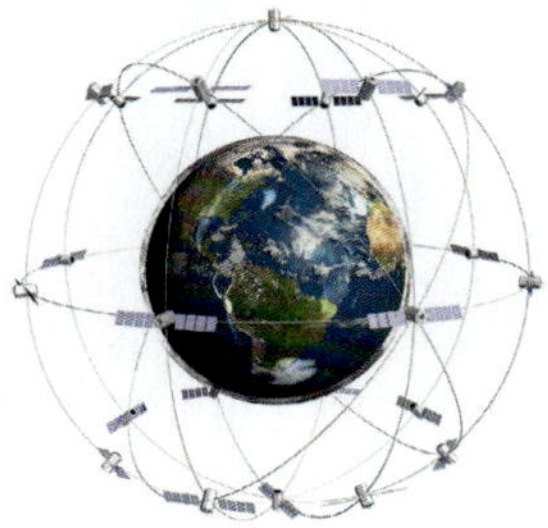

Bei der Satellitennavigation sind relativistische Effekte zu berücksichtigen, weil sich die Satelliten relativ zur Erde bewegen.

1.3 Relativistische Effekte

Im Folgenden werden Ihnen einige Effekte beschrieben, die aus den bisher beschriebenen Prinzipien ableitbar sind. Diese müssen u. a. dafür berücksichtigt werden, um mit Satellitennavigation (z. B. GPS: ***G**lobal **P**ositioning **S**ystem*) auf der Erde präzise Angaben zu erhalten.

1.3.1 Zeitdehnung (Zeitdilatation)

Ein Vorgang, der in einem ruhenden System die Zeit t_r dauert, ergibt bei einer Messung in einem relativ dazu bewegten System die kleinere Zeit t_b.

Formel zur Berechnung der Zeitdehnung

$$t_b = t_r \cdot \sqrt{1 - \left(\frac{v}{c_0}\right)^2}$$

An der Formel ist zu erkennen, dass für **unbeschleunigte Systeme** (also mit $v = 0$ m/s) t_b gleich t_r ist.

Beispiel: Zeitdilatation
Auf einem bestimmten Himmelskörper dauert der Fall eines nach einem Vulkanausbruch in die Höhe geschleuderten Körpers drei Sekunden. Wir berechnen, welche Zeit für diesen freien Fall auf einem Kometen, der sich mit 20 km/s relativ zum Himmelskörper bewegt, gemessen würde.

$t_r = 3$ s, $v = 20$ km/s, $c_0 = 299\,792\,458$ m/s

$$t_b = 3 \text{ s} \cdot \sqrt{1 - \left(\frac{20\,000}{299\,792\,458}\right)^2} \approx 2{,}999\,999\,993$$

Nehmen wir nun an, dass eine **ruhende Uhr** für einen Vorgang eine Zeit t_r von einer Stunde anzeigt, dann zeigt eine Uhr in einem gleichförmig bewegten System – eine **bewegte Uhr** – also eine kleinere Zeitspanne tb als eine Stunde an. **Bewegte Uhren gehen somit langsamer.**

Ein sehr populäres Gedankenexperiment der speziellen Relativitätstheorie ist das **Zwillingsparadoxon.**

In diesem Gedankenexperiment gibt es Zwillingsbrüder, von denen einer in einem Raumschiff mit einer Geschwindigkeit nahe der Lichtgeschwindigkeit unterwegs ist, während der andere auf der Erde verbleibt. Bei der Rückkehr ist der bewegte Bruder gemäß der Zeitdilatation weniger stark gealtert, also jünger geblieben.

Zwillingsparadoxon

1.3.2 Längenverkürzung (Längenkontraktion)

Einstein formulierte aus der Zeitdehnung folgernd, dass **bewegte Maßstäbe verkürzt sind.**

Bewegte Körper schrumpfen in Bewegungsrichtung.

Für eine Strecke der Länge l_r misst ein relativ zur Strecke gleichförmig in Längsrichtung der Strecke bewegter Beobachter die Länge l_b.

$$l_b = l_r \cdot \sqrt{1 - \left(\frac{v}{c_0}\right)^2}$$

Beispiel: Berechnung der Geschwindigkeit
Wie groß muss die Geschwindigkeit eines Körpers in Prozent der Lichtgeschwindigkeit sein, damit seine Länge l auf ein Zehntel schrumpft?

$l_b = l_r \cdot \sqrt{1 - \left(\frac{v}{c_0}\right)^2}$ Aus $l_b = l_r \cdot 0{,}1$ folgt: $l_r \cdot \sqrt{1 - \left(\frac{v}{c_0}\right)^2} = 0{,}1\, l_r$

$1 - \frac{v^2}{c_0^{\,2}} = 0{,}01$

$v^2 = 0{,}99\, c_0^{\,2}$ $v = 0{,}995\, c$

Der Körper müsste sich mit 99,5 % der Lichtgeschwindigkeit bewegen.

1.3.3 Die Relativität der Gleichzeitigkeit

Wir haben bereits erfahren, dass die Zeitdauer eines Vorgangs vom Inertialsystem abhängt, in dem er beobachtet wird. Deshalb hängt auch die Gleichzeitigkeit von zwei Vorgängen vom Beobachter ab.

Zwei Ereignisse, die in einem Inertialsystem gleichzeitig stattfinden, können in einem anderen Inertialsystem deshalb durchaus zu verschiedenen Zeiten stattfinden.

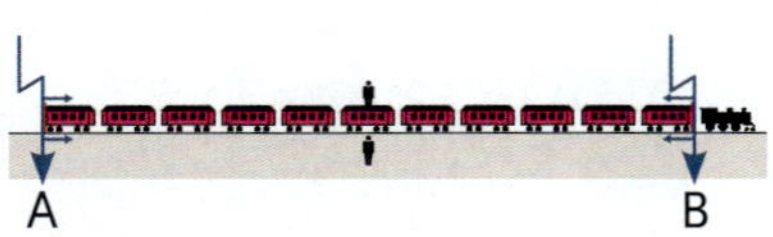

Gleichzeitigkeit wird von zwei Beobachtern verschieden wahrgenommen.

Beispiel für die Relativität der Gleichzeitigkeit
Bei einem fahrenden Zug schlägt in die Gleise vorne und hinten gleichzeitig ein Blitz ein. So sieht es ein in der Mitte stehender Beobachter$_1$ am Bahndamm. Ein Beobachter$_2$ in der Mitte des Zugs nimmt diese Erscheinung anders wahr. Der Blitz am hinteren Ende des Zugs wird von ihm später wahrgenommen als der Blitz am vorderen Ende des Zugs. Der Beobachter$_2$ bewegt sich in der Zeit, die das Licht braucht, um vom hinteren Ende zu ihm zu gelangen, weiter. Daher trifft dieses Signal später bei ihm ein.

Gleichzeitigkeit ist relativ. Deshalb muss bei einer Synchronisation von Uhren zwischen zwei unterschiedlich bewegten Bezugssystemen die **Relativbewegung** mitberücksichtigt werden.

1.3.4 Der relativistische Dopplereffekt

Wir alle kennen den klassischen Dopplereffekt für Schallwellen aus dem Alltag. Wenn sich uns ein Einsatzfahrzeug mit eingeschaltetem Folgetonhorn nähert, nehmen wir eine Frequenzerhöhung, beim Entfernen des Fahrzeuges – der Schallquelle – eine Frequenzerniedrigung wahr. Wir werden nun untersuchen, welche Auswirkung sich für sehr schnell bewegte Lichtquellen aufgrund der Zeitdilatation ergibt.

Bei einer Bewegung einer Lichtquelle tritt, wie bei Schallwellen, ein Dopplereffekt auf.

- Eine **Lichtquelle, die sich auf einen Beobachter zubewegt,** zeigt eine **Frequenzerhöhung,** man sagt eine **Blauverschiebung.**
- Eine **Lichtquelle, die sich wegbewegt,** eine **Rotverschiebung,** also eine **Frequenzerniedrigung.**

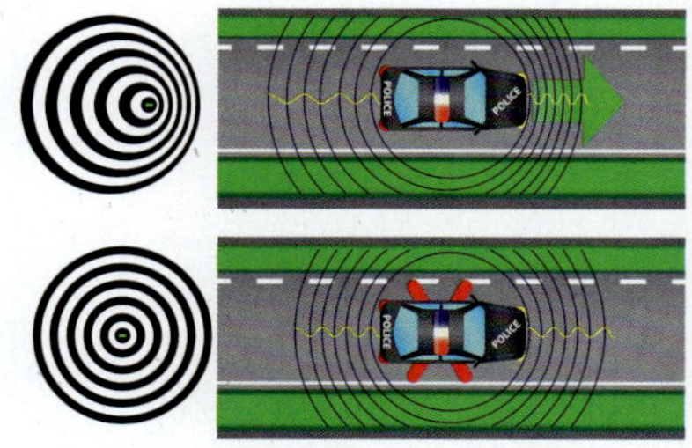

Bei Bewegung eines Senders verformt sich das Bild der ausgesendeten Wellenfronten.
Oben: fahrendes Auto
Unten: stehendes Auto

Wichtig ist dieser Effekt für die Kosmologie. Dass sich unser Weltall ausdehnt, wird dadurch erkannt, dass die Rotverschiebung des Lichts der Galaxien umso größer ist, je weiter sie entfernt sind.

Im Unterschied zum Dopplereffekt in einem Medium (Luft, Wasser) ist es hier nicht relevant, ob sich die Quelle oder der Sender bewegen, da kein Ruhesystem des Ausbreitungsmediums definierbar ist.

1.4 Das Hafele-Keating-Experiment

Ein Experiment, das die Folgerungen aus der Relativitätstheorie bestätigte und großes Aufsehen erregte, war das Experiment der US-amerikanischen Physiker Joseph Hafele und Richard Keating.

Die beiden Forscher mit den Atomuhren an Bord des Flugzeugs.

Die beiden Wissenschaftler reisten im Oktober 1971 mit einer **Atomuhr in einem Verkehrsflugzeug** und verglichen die Zeit vorher und nachher mit einer **Atomuhr in ihrem Labor.** Die bewegte Uhr im Flugzeug blieb dabei einige Nanosekunden hinten. Damit wurde experimentell der Beweis erbracht, dass die Zeit in bewegten Bezugssystemen langsamer vergeht.

Kritiker/innen des Experiments betonen, dass die Genauigkeit der Uhren nicht ausgereicht hätte, den Effekt zu beweisen. Aber viele andere Experimente bestätigten ebenfalls das Vorhandensein relativistischer Effekte. Dazu gehört die verlängerte Lebensdauer von Elementarteilchen im Ringbeschleuniger des CERN nahe Genf und Korrekturen bei der Positionsbestimmung mittels Satellitennavigation.

Aufgabenstellungen – „Spezielle Relativitätstheorie"

1. + Nennen Sie die Eigenschaften eines Inertialsystems und begründen Sie, warum die Erde kein solches Inertialsystem ist.

2. + Formulieren Sie das Relativitätsprinzip.

3. + Erklären Sie den Begriff Zeitdilatation.

4. + Berechnen Sie die relative Zeitänderung für eine mit $v = \frac{c_0}{12}$ gleichförmig bewegte Uhr.

5. + Argumentieren Sie physikalisch die Behauptung $t_b = t_r \cdot \sqrt{1 - \left(\frac{v}{c_0}\right)^2}$.

6. + Beschreiben Sie das Experiment von HAFELE und KEATING sowie, was dieses Experiment beweisen sollte.

7. ++ Diskutieren und bewerten Sie die folgende Behauptung: *„Licht entfernter Galaxien zeigt eine Rotverschiebung."*

2 Allgemeine Relativitätstheorie (ART)

Nicht nur bei einer Bewegung mit einer hohen Geschwindigkeit treten die Effekte von Zeitdilatation, Längenkontraktion und Massenzunahme auf, sondern **auch unter dem Einfluss einer Masse.**

SRT	ART
Nur gleichförmige Bewegungen	Auch eine Gravitationsbeschleunigung wird berücksichtigt

Gegenüberstellung von Spezieller Relativitätstheorie und Allgemeiner Relativitätstheorie

ALBERT EINSTEIN hat seine Spezielle Relativitätstheorie (SRT) 1905 veröffentlicht und danach weitere zehn Jahre für die Einbindung der Gravitation in sein neues Raum-Zeit-Konzept investiert, bevor er 1915 seine Theorie zur ART der Allgemeinheit zugänglich machte. Albert Einstein hat in der SRT lediglich gleichförmig bewegte Bezugssysteme – also Inertialsysteme – analysiert. Er wollte allerdings auch beschleunigte Bezugssysteme und damit die Gravitation beschreiben können.

Grundlage der Allgemeinen Relativitätstheorie ist das **Äquivalenzprinzip.** Experimente im Gravitationsfeld ergeben die gleichen Ergebnisse, als wären sie in einem gleichmäßig beschleunigten Bezugssystem ausgeführt worden.

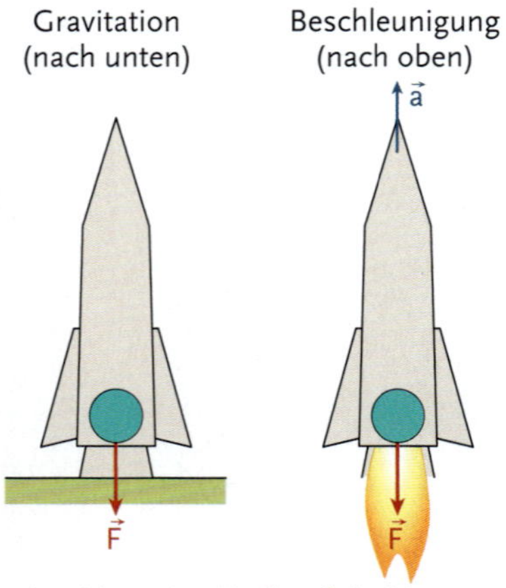

Schwere Masse und träge Masse sind äquivalent (träge Masse = schwere Masse).

Äquivalenzprinzip
Beschleunigte Systeme, die keiner Gravitationswirkung unterliegen, sind von ruhenden Systemen mit Gravitation nicht unterscheidbar. Effekte von Beschleunigung und Gravitation sind allgemein ununterscheidbar. Daraus folgt die Äquivalenz von träger und schwerer Masse.

Beispiel: Äquivalenzprinzip
Befindet sich eine Person in einem geschlossenen Raum, so kann sie nicht unterscheiden, ob sie von einer Gravitationskraft nach unten gedrückt wird oder sich der Raum nach oben beschleunigt bewegt.

Die Eigenschaft der Masse, **schwer** zu sein, ist somit äquivalent mit der Eigenschaft, gegen eine Beschleunigung einen Widerstand entgegenzusetzen, also **träge** zu sein.

Dass auch Gravitation zu relativistischen Effekten führen kann, zeigte EINSTEIN anhand einiger Überlegungen bzw. Tests.

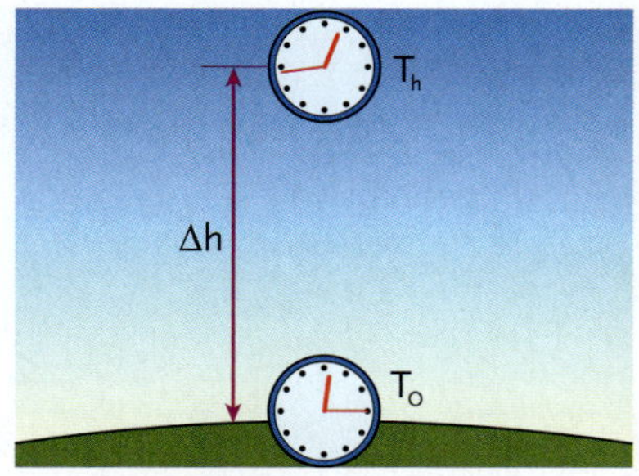

Schematische Darstellung der Zeitdilatation durch eine große Masse

2.1 Zeitdehnung (Zeitdilatation) in der Nähe einer großen Masse

Dauert ein Ereignis in der Höhe Δh über der Oberfläche einer großen Masse mit der Gravitationsbeschleunigung g die Zeit $t_{Höhe}$ (kurz: t_H), so dauert dieses Ereignis an der Oberfläche die Zeit $t_{Oberfläche}$ (kurz: t_O).

Berechnung der Zeitdehnung in der Nähe einer großen Masse

$$t_O = t_H \cdot \left(1 - g \cdot \frac{\Delta h}{c_0^2}\right)$$

Beispiel: Zeitdehnung auf Meeresniveau im Vergleich zum Großglockner
Wir berechnen die relative Zeitdilatation für eine Atomuhr, die von einem Ort auf Meeresniveau auf den Großglockner (3 798 m) gebracht wird.

$$\frac{t_O}{t_H} = 1 - g \cdot \frac{\Delta h}{c_0^2} \approx 1 - 9{,}81 \cdot \frac{3\,798}{299\,792\,458^2} \approx 0{,}99\,999\,999\,999\,6$$

Das ist zwar sehr wenig, aber für bestimmte Erhöhungen bzw. Berge sind solche Zeitunterschiede bereits nachgewiesen worden.

2.2 Längenverkürzung (Kontraktion) in der Nähe einer großen Masse

Weil wir die mit einem Lichtsignal gemessene Messstrecke mithilfe der für das Zurücklegen der Messstrecke benötigten Zeit ermitteln, leuchtet es ein, dass auch Längen durch Massen verändert werden.

Hat ein Maßstab in der Höhe Δh über der Oberfläche einer großen Masse mit der Gravitationsbeschleunigung g die Länge l_H, so ist die Länge an der Oberfläche dieser Masse (l_O) verkürzt.

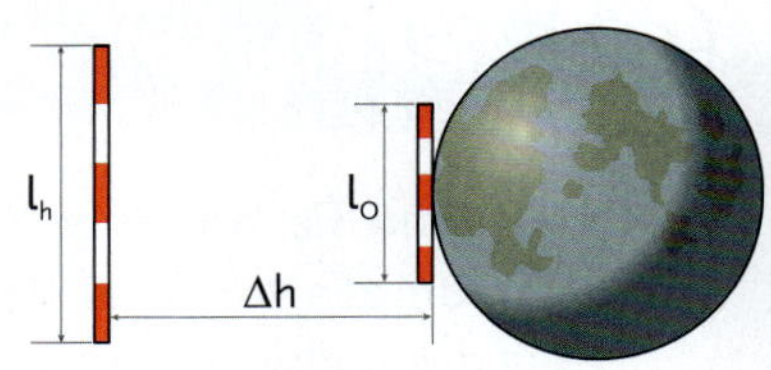

Schematische Darstellung der Längenkontraktion durch eine große Masse

Berechnung der Längenverkürzung in der Nähe einer großen Masse

$$l_O = l_H \cdot \left(1 - g \cdot \frac{\Delta h}{c_0^2}\right)$$

Beispiel: Maßstabsverkürzung auf dem Mond
Wir berechnen die relative Längenänderung eines Maßstabes von einem Meter in einer Höhe von 1 km über der Mondoberfläche.

$$\frac{l_O}{l_H} = 1 - g \cdot \frac{\Delta h}{c_0^2} \approx 1 - 1{,}64 \cdot \frac{1\,00}{299\,792\,458^2} \approx 1 - 1{,}82 \cdot 10^{-14}$$

Das ist wahrlich nicht viel. Unser Mond hat aber auch eine sehr bescheidene Gravitationsbeschleunigung von rund 1,64 m/s².

SRT	ART
Bewegte Uhren gehen langsamer.	Uhren in der Nähe von großen Massen gehen langsamer.
Bewegte Maßstäbe sind in Bewegungsrichtung verkürzt.	Maßstäbe sind in der Nähe von großen Massen verkürzt (kontrahiert).

Korrespondierende Merksätze zur SRT und ART

Wegen der enormen Masse der Sonne erscheint es auch plausibel, dass Licht beim nahen Vorbeigang an ihr von seiner geradlinigen Bahn abgelenkt wird. **Schwarze Löcher** schließlich verschlucken im Allgemeinen auftreffendes Licht.

Perihel = sonnennächster Punkt einer Planetenbahn

Die Periheldrehung – Drehung des sonnennächsten Punktes – des Merkurs ist ein weiterer berühmter Effekt, der die Gültigkeit der ART von ALBERT EINSTEIN untermauert. Bereits die Newton'sche Mechanik konnte die Periheldrehung der Merkurbahn bis auf 43 Bogensekunden pro Jahrhundert genau berechnen. Die ART konnte mit der Raum-Zeit-Krümmung auch diese 43" erklären und berechnen.

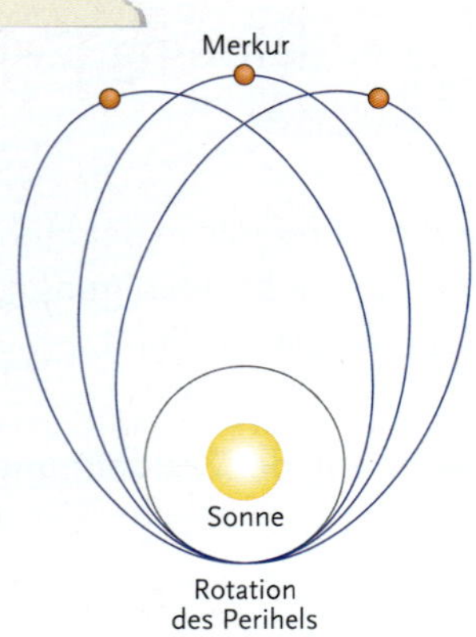

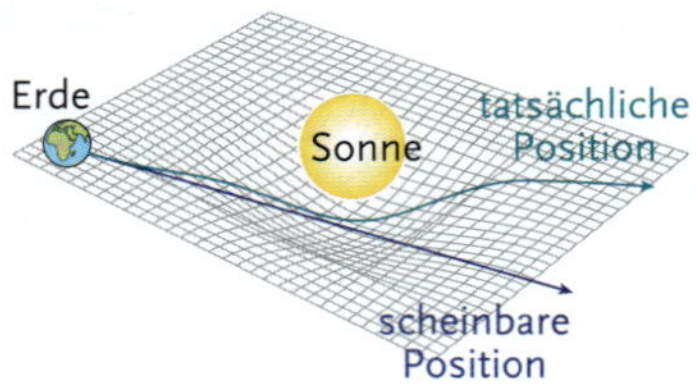

Schematische Darstellung der Raum-Zeit-Krümmung durch unsere Sonne

In der Nähe einer Masse spricht man von einer Krümmung der **Raumzeit,** um die Effekte der Allgemeinen Relativitätstheorie zu erklären

Aufgabenstellungen – „Allgemeine Relativitätstheorie“

1. + Formulieren Sie das Äquivalenzprinzip in eigenen Worten.

2. ++ Recherchieren Sie Beobachtungen, die mit den Prinzipien der Allgemeinen Relativitätstheorie erklärt werden können, bzw. Anwendungen, die erst mithilfe dieser Theorie möglich sind.

Ziele erreicht? – „Relativitätstheorie“

KOMPETENZ-ERWERB

1. ++ Berechnen Sie, wie lange Sie mit einem Sportwagen, der in rund 5,6 Sekunden von 0 auf 100 km/h beschleunigt, ohne Berücksichtigung des Luftwiderstandes und anderer Reibungsverluste beschleunigen müssten, um ein Prozent der Lichtgeschwindigkeit zu erreichen. Welchen Weg würden Sie dabei zurücklegen? Fertigen Sie das zugehörige v-t-Diagramm an.

2. + Erklären Sie die relativistische Zeitdilatation sowie die Längenkontraktion.

3. ++ Berechnen Sie die relative Zeitänderung für einen mit $v = \frac{c_0}{3}$ gleichförmig bewegten Gegenstand.

4. ++ Berechnen Sie die Zeitdilatation für einen Formel-1-Piloten, wenn Sie vereinfachend annehmen, dass er auf einer kreisförmigen Teststrecke eine Stunde lang mit 200 km/h unterwegs ist.

5. ++ Stellen Sie die Spezielle Relativitätstheorie und die Allgemeine Relativitätstheorie möglichst umfassend einander gegenüber.

6. ++ Interpretieren Sie die Formel für die relativistische Addition von Geschwindigkeiten für kleine Geschwindigkeitswerte ($v \ll c_0$).

Going international

Now let's use the basics of the chapter "Mechanik" in English!

Exercise 1

Newton's third law says that if object A exerts a force onto object B, then object B must exert a force of equal magnitude in the opposite direction back onto object A.

to exert force
Kraft ausüben

So forces always occur in pairs. This is also referred to as the combination of action and reaction, where the force exerted is the action and the force experienced as a consequence is the reaction.

For example, if a boxer hits his opponent, the fist of the boxer exerts a force of 1,000 N onto the jaw of the opponent. At the same time, the jaw of the opponent exerts an equal force of 1,000 N onto the fist as a reaction. This remarkable fact is a consequence of Newton's third law.

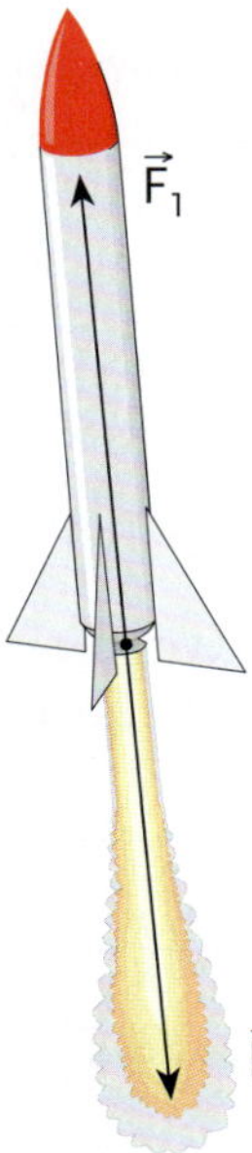

Movement of a rocket

Now use this information to describe how rockets move forward. Use the illustration pictured on the right.

Exercise 2

A circular movement is also called a **rotation.** The lines on which the moving object circulates are called **rotation axes,** and the rate at which it rotates around the centre point of the circle is called **circular velocity** (ω).

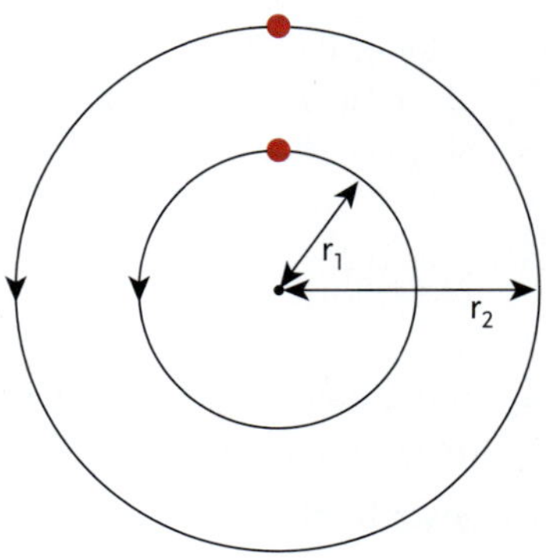

Take a look at the illustration. The two objects on different radii each take the same amount of time to finish one full circle. What is the logical consequence for the circular velocity of both objects of this type?

Formula for the circular velocity for a full circle (360°):

$\omega = \frac{360}{t}$

When you sit with a nice girl for two hours you think it's only a minute, but when you sit on a hot stove for a minute you think it's two hours. That's relativity.
ALBERT EINSTEIN

FILM AB!

This video shows an easily comprehensible explanation of the Special Theory of Relativity by 18-year-old high school student RYAN CHESTER.
www.trauner.at/nawi_v112.aspx

Write down the words that you need to look up below.

____

____

____

____

____

____

____

____

____

Exercise 3

Read the following article about the theory of relativity and answer the questions below.

Theory of Relativity – Light and Time

You may think that light is instantaneous, that when you turn on the light in your room, the light instantly illuminates your entire room. However, it just seems that way, light actually travels at a given speed. That speed is just really fast. The speed of light is 299,792,458 m/s. The speed of light is always the same. In physics, it is a constant and is usually represented by the letter "c".

It turns out that there is nothing faster than light. It was this constant speed of light that inspired Albert Einstein to come up with the theory of relativity. Einstein found that when objects started to approach the speed of light, then the laws of physics that Isaac Newton came up with started to break down.

Astronomers use the speed of light to measure how far away stars and other galaxies are from Earth. A light year is the distance that light travels in one year. It is equal to almost 9,500,000,000,000 km. Some stars and galaxies are so far away that the light we are seeing left the stars billions of years ago. Light can not only travel fast, but it can travel great distances too.

One of the most interesting results of the theory of relativity is time dilation. Time dilation says that time will pass slower for someone traveling near the speed of light relative to someone standing still.

As an example of time dilation, let's imagine you left on a space flight today. On that space flight you flew around outer space at near the speed of light for around three years according to your clock. However, the clock on Earth was moving much faster. In fact, more than sixty years would have passed on Earth. You would only be a few years older, but everyone on Earth would be much older.

In Einstein's theory of general relativity he proposes that time will run more slowly the stronger the gravity. This means that time will pass faster on top of a mountain than at the beach. You will actually age slower at the beach than at the mountains. This is very small difference, however, nothing you would ever notice.

A lot of the theory of relativity seems like science fiction, especially concepts like time dilation. However, scientists have been able to run experiments with very accurate clocks to prove the theory true.

(Source: ducksters.com, 7 February 2019)

a) Name the characteristics of the speed of light, and give an example in which the speed of light is used for measurements.
b) Describe the phenomenon of time dilation.
c) Time is relative, and EINSTEIN says that time passes at different speeds depending on the presence of a big mass and its gravity. What would the consequences of this be if you lived on the moon instead of Earth?

VII Energie und Energiewirtschaft

Die **Summe aller Arbeit in einem Körper** ist seine **Energie.**

Der moderne Mensch ist umgeben von technischen Geräten, sei es bei Arbeit (Computer, Steuerungen usw.), im Zuge der Mobilität (technische Hilfsmittel im Auto, im Flugzeug) oder in der Freizeit (Videospiele, Smartphone usw.). Für diese werden große Mengen an **elektrischer Energie** benötigt.

Der Mensch versucht, eine Reihe von unterschiedlichen Energiearten in elektrische Energie umzuwandeln. Die Energiequellen sind u. a. Wasser, Wind, Wärme oder auch Kernenergie.

Thermodynamik

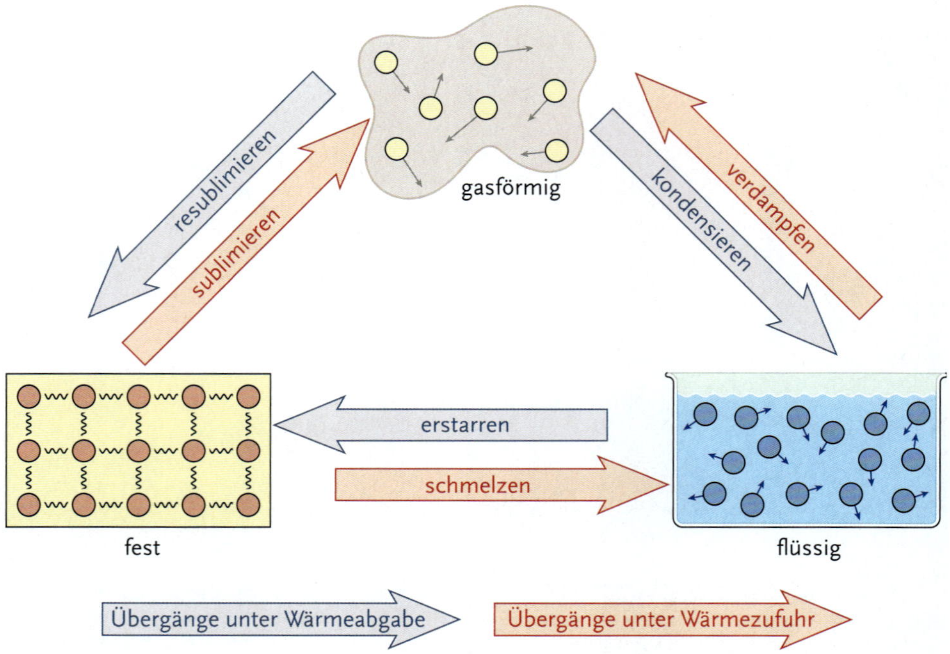

ROBERT BROWN,
1773 BIS 1858,
ENGLISCHER BOTANIKER

Thermische Bewegung

Körper höherer Temperatur:
starke thermische Bewegung

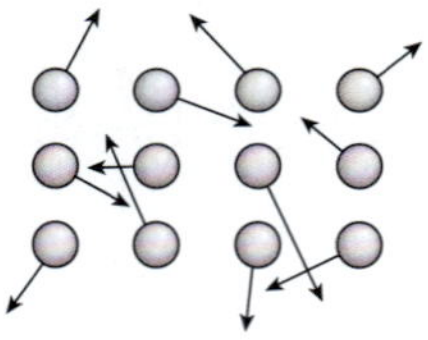

Körper niedrigerer Temperatur:
geringe thermische Bewegung

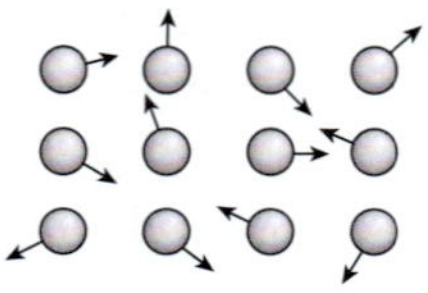

Auch die thermische Ausdehnung (vgl. S. 238 f.) ist hier erkennbar.

ROBERT BROWN stellte fest, dass kleine Teilchen in der Luft (z. B. Rauch und Staub) **ständig unregelmäßige Bewegungen** ausführen. Je kleiner die Teilchen sind, desto stärker sind diese Bewegungen.

Ursache für die sogenannten **Brown'schen Bewegungen** ist, dass sich Moleküle (sowohl in Gasen als auch in Flüssigkeiten und Festkörpern) ständig bewegen und gegen diese kleinen Teilchen stoßen sowie diese damit in Bewegung setzen. Je höher die Temperatur ist, umso größer ist auch die Geschwindigkeit der Moleküle.

Diese thermischen Bewegungen stehen im **Wechselspiel mit den Bindungskräften** zwischen Teilchen. Daraus ergeben sich die unterschiedlichen Zustandsformen (fest, flüssig, gasförmig) sowie deren Übergänge.

Die Wärme ist diejenige Energie, die für diese ungeordneten thermischen Bewegungen der Teilchen eines Körpers benötigt wird.

KOMPETENZ-ERWERB

Meine Ziele

Nach Bearbeitung dieses Kapitels kann ich

- die Begriffe Temperatur, Wärmetransport und Ausdehnung erklären;
- Methoden der Temperaturmessung nennen und solche Messungen durchführen;
- die Hauptsätze der Wärmelehre anhand von Beispielen erklären;
- Zusammenhänge zwischen Energie und Wärme herstellen.

1 Temperatur

Die Temperatur ist die wichtigste physikalische Größe, um Eigenschaften der Materie wie Wärmestrahlung, thermische Ausdehnung von Körpern, elektrische Eigenschaften, Wärmeenergie, klimatische Faktoren und ihre Auswirkungen auf Lebewesen usw. zu beschreiben.

Die Temperatur eines Körpers ist abhängig von den Bewegungen seiner Moleküle und Atome. Der Mensch ist in der Lage, Temperaturen von Körpern relativ zu fühlen. Unsere Vorstellung von Temperatur basiert dabei auf einem Vergleich mit der Körpertemperatur. Dies erklärt die Begriffe heiß und kalt.

Für die Temperaturwahrnehmung ist ein eigener Körpersinn verantwortlich. Weitere Informationen werden Sie im IV. Jahrgang erhalten.

Versuch – „Brown'sche Molekularbewegung"

Auf einen Objektträger wird ein kleiner Tropfen Milch aufgebracht, mit Wasser verdünnt und fein verteilt kein Deckglas aufsetzen). Bei mehr als 500-facher Vergrößerung sind unter dem Mikroskop kleine Kügelchen (Fetttröpfchen) sichtbar. Betrachten und protokollieren Sie ihre Bewegung.

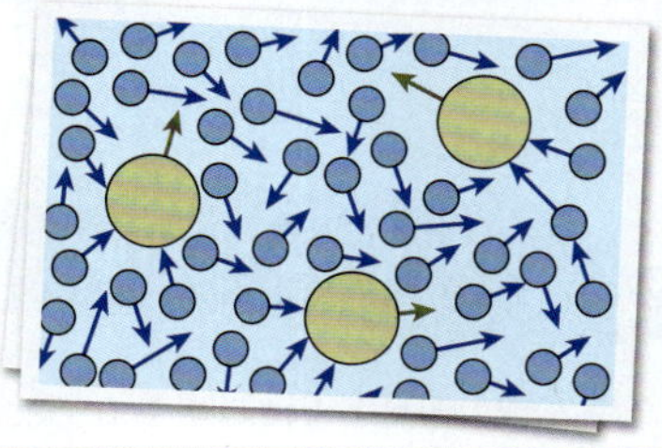

1.1 Einheiten der Temperatur

Die wohl bekannteste und am häufigsten verwendete Temperaturskala ist die **Celsiusskala** mit den Fixpunkten 0 °C (Gefrierpunkt von Wasser) und 100 °C (Siedepunkt von Wasser).

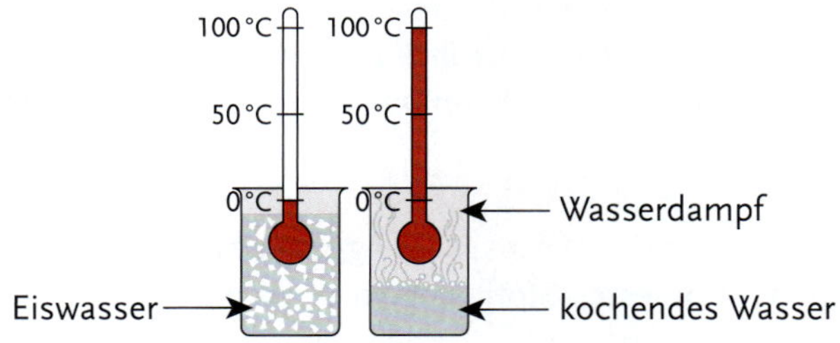

Anders Celsius, 1701 bis 1744, schwedischer Astronom, Mathematiker und Physiker

Angaben in Kelvin bei einem Standarddruck von 1 013,25 hPa:
Gefrierpunkt von Wasser: 273 K
Siedepunkt von Wasser: 373 K

Als offizielle SI-Einheit der Temperatur wird aber Kelvin K verwendet. Die **Kelvinskala** geht vom absoluten Nullpunkt aus. Das ist die Temperatur, bei der sich die Teilchen nicht mehr bewegen. Sie beträgt 0 K (Kelvin), das entspricht –273,15 °C.

Mit der nach Lord Kelvin benannten Skala wird also die **absolute Temperatur** angegeben.

Die Temperaturdifferenz von 1 Kelvin entspricht übrigens genau der Temperaturdifferenz von 1 °C.

In den USA ist die **Fahrenheitskala** noch offiziell in Verwendung. Nullpunkt (0 °F) ist dabei eine Kältemischung von –17,8 °C. Die Körpertemperatur des Menschen von 35,6 °C wurde mit 96 °F und als weiterer Fixpunkt der Gefrierpunkt des Wassers bei 32 °F festgelegt.

William Thomson, Lord Kelvin of Largs, 1824 bis 1907, britischer Physiker

Umrechnung zwischen den Skalen

$°F = °C \cdot 1{,}8 + 32$

$°C = (°F - 32) \cdot \frac{5}{9}$

$°C = K + 273{,}15$

Übersicht zu wichtigen Temperaturen in den unterschiedlichen Skalen

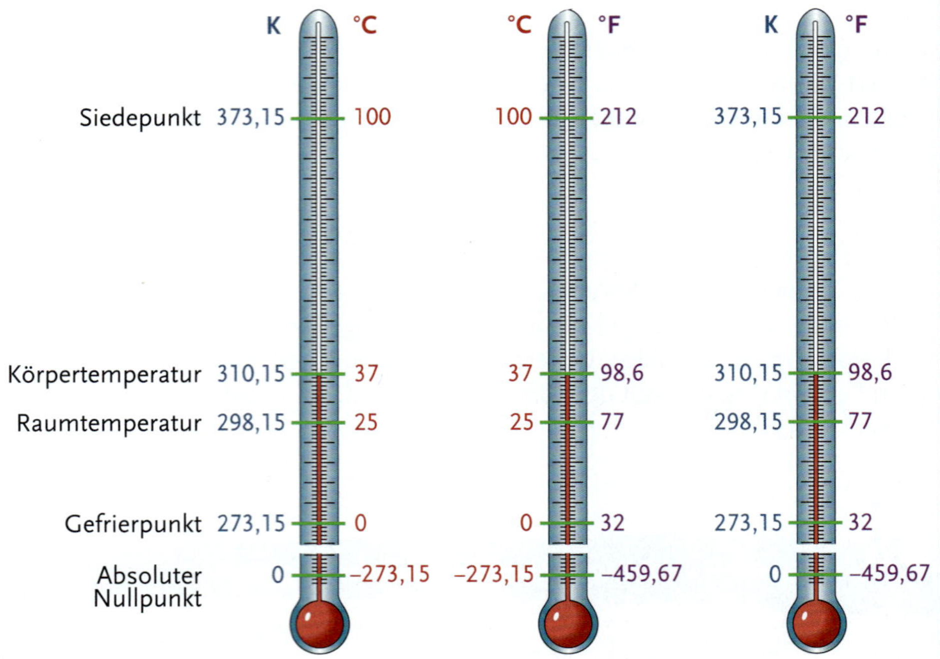

Aufgabenstellungen – „Einheiten der Temperatur"

1. + Rechnen Sie die Temperatur von –40 °F in Grad Celsius um.
2. ++ Recherchieren Sie weitere Temperaturskalen und geben Sie Schmelz- sowie Siedepunkt von Wasser in diesen Skalen an.

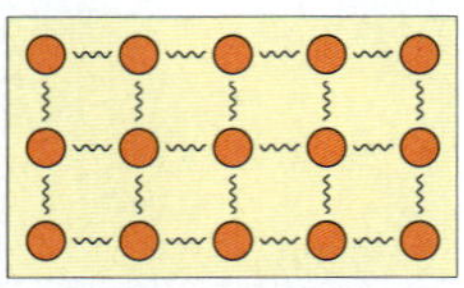

Festkörpermodell: mittels chemischer Bindung regelmäßig angeordnete Atome

1.2 Wärmeausdehnung

Bei höherer Temperatur benötigen die Teilchen der Materie (egal, ob Festkörper, Flüssigkeit oder Gas) mehr **Raum für ihre Bewegung.** Bei Erwärmung kommt es zur Ausdehnung der Materie, bei Abkühlung zum Zusammenziehen (Ausnahme: Anomalie des Wassers).

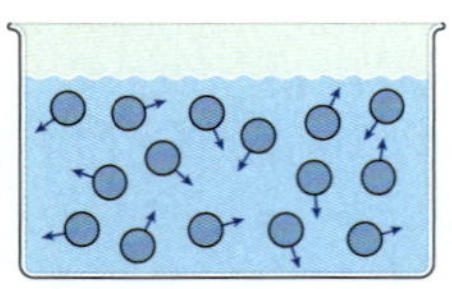

Flüssigkeitsmodell: miteinander in Wechselwirkung tretende bewegliche Atome (Moleküle)

Das ist auch der Grund für den Wechsel der **Aggregatzustände** (fest, flüssig, gasförmig). Erwärmt man einen festen Stoff, so geht er nach Überschreiten des Schmelzpunktes in den flüssigen Zustand über. Kocht man eine Flüssigkeit bis zum Siedepunkt, werden die Atome und Moleküle frei beweglich, es ist ein Gas.

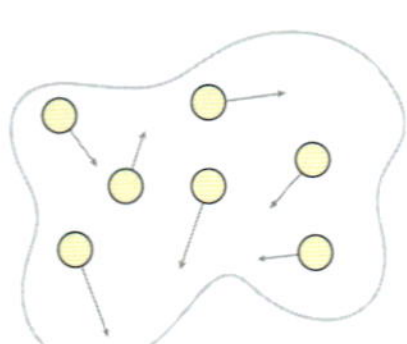

Gasmodell: frei bewegliche Atome (Moleküle)

Darüber hinaus sind für den Aggregatzustand eines Stoffes auch die Anziehungskräfte der einzelnen Atome oder Moleküle zueinander von Bedeutung.

Beispiel: Wechsel der Aggregatzustände von Wasser
Festes Wasser nennt man Eis. Über dem Schmelzpunkt von 0 °C (273,15 K) schmilzt es zu Wasser. Der Siedepunkt von Wasser beträgt 100 °C (373,15 K). Bei dieser Temperatur wird es gasförmig. Das Gas des Wassers wird übrigens als Wasserdampf bezeichnet. Wasserdampf ist unsichtbar, er wird erst sichtbar, wenn er zu Wassertröpfchen kondensiert.

kondensieren = (sich) verflüssigen

1.2.1 Volumenänderung

Steigende Temperaturen verursachen allerdings nicht immer nur eine in die Länge gerichtete Änderung. Sowohl bei Festkörpern als auch bei Flüssigkeiten kommt es zu einer **Zunahme des Volumens.** Fast alle Stoffe zeigen bei Temperaturerhöhung eine Vergrößerung des Volumens und bei Temperaturerniedrigung eine Verkleinerung.

Anhand des **Teilchenmodells** kann man die Volumsänderung erklären: Je höher die Temperatur ist, desto schneller ist die Bewegung der Gasteilchen und desto größerer ist der Raumbedarf bei gleichem Druck.

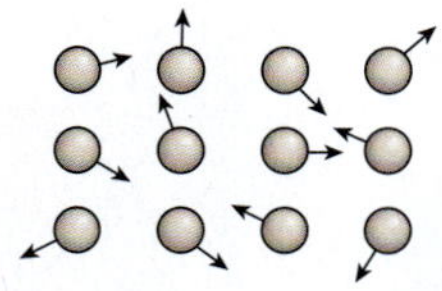

Tiefe Temperatur: Langsamere Bewegungen und geringer Platzbedarf

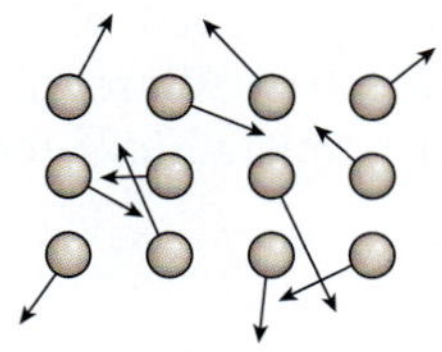

Hohe Temperatur: Höhere Geschwindigkeit und größerer Platzbedarf

Beispiel: Bedeutung Volumenänderung bei Festkörpern
Da unsere Zähne oft unterschiedlichen Temperaturen ausgesetzt sind, verändert sich mit der Temperatur auch ihr Volumen. Dies ist bei einer Zahnfüllung zu bedenken. Stoffe für Zahnfüllungen müssen deshalb so ausgewählt werden, dass ihre Volumenänderung in etwa der von unseren Zähnen entspricht. Ansonsten würden die Füllungen sehr schnell wieder herausfallen.

Volumenausdehnung von Flüssigkeiten

Die Erwärmung von Flüssigkeiten führt zu einer Volumsausdehnung, die logarithmisch ist, aber linear angenähert werden kann.

$V = V_0 \cdot (1 + \gamma \cdot \Delta T)$ V_0 = Ausgangsvolumen; V = Endvolumen

Der Volumsausdehnungskoeffizient γ gibt an, um welchen Wert sich das Volumen von einem Kubikmeter eines Stoffes bei Temperaturerhöhung um 1° ändert.

γ = griech. Kleinbuchstabe *Gamma*

$$\gamma = \frac{1}{V} \cdot \frac{\Delta V}{\Delta T}$$

Die Volumenausdehnung von Flüssigkeiten spielt bei Flüssigkeitsthermometern eine große Rolle. Dazu erfahren Sie auf den nächsten Seiten mehr.

Ausnahme sind Flüssigkeiten mit einer Anomalie
Wasser zwischen 0° C und 4° C In diesem Temperaturbereich wird das Volumen bei Temperaturerhöhung kleiner. Aus diesem Grund friert ein See von der Oberfläche her zu.

Um die Volumenausdehnung im Experiment zu verdeutlichen, empfehlen wir die Durchführung des Versuchs, den Sie in der TRAUNER-DigiBox finden können.

Eine Volumenänderung bei gleicher Masse führt zu einer Dichteänderung: $\rho = \frac{m}{V}$

Beispiel: Galileo-Thermometer
Dieses beruht auf dem Effekt der Dichteänderung einer Flüssigkeit. Die Dichte der Flüssigkeit, und damit der Auftrieb der darin schwebenden Glaskörper, sind bei höherer Temperatur geringer. Damit sinken die mit der größeren mittleren Dichte zu Boden.

Der thermische Ausdehnungskoeffizient ist bei Flüssigkeiten deutlich geringer als bei Gasen.

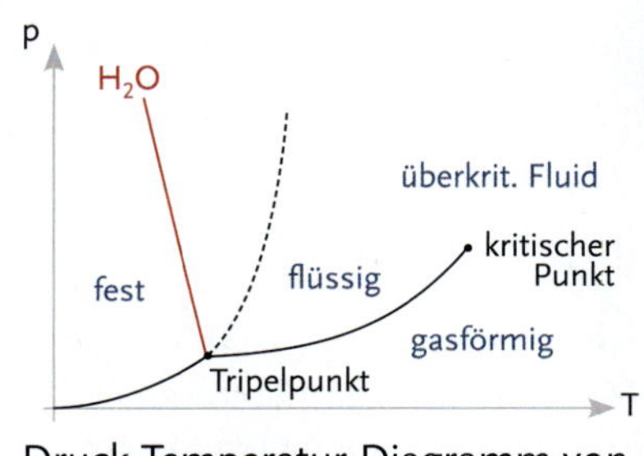

Druck-Temperatur-Diagramm von Wasser im Vergleich mit einer normalen Flüssigkeit

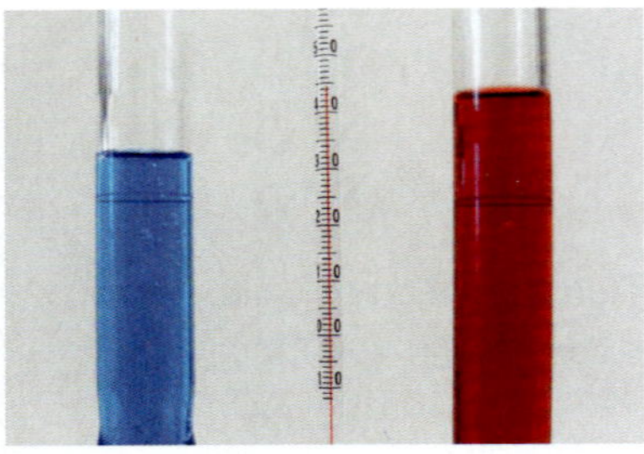

Ausdehnung von 100 ml Ethanol (rot) und 100 ml Wasser (blau) bei einer Temperaturdifferenz von 20 °C.

$V = 100$ ml
$\Delta V = 0{,}68$ ml
$\Delta T = 20\ °C = 20\ K$

Höhere Temperatur führt zu einem größeren Volumen, zu Spannungen und Brüchen.

Weitere Informationen zur Messung von Temperaturen mit Thermometern erhalten Sie auf S. 244.

Beispiel: Bestimmung des Volumenausdehnungskoeffizienten von Wasser
In einem Messkolben werden 100 ml Wasser in einem Wasserbad von 20 °C auf 40 °C erwärmt. Dann liest man das Volumen des 40 °C warmen Wassers ab und bestimmt daraus die Volumenzunahme, das sind im konkreten Beispiel 0,42 ml. Den Volumenausdehnungskoeffizienten berechnet man nun wie folgt:

$$\gamma = \frac{1}{V} \cdot \frac{\Delta V}{\Delta T} \cdot \frac{1}{100} \frac{0{,}42}{20} = 0{,}00021\ K^{-1} = 2{,}1 \cdot 10^{-4}\ K^{-1}$$

Volumenausdehnung von Festkörpern

Bei festen Stoffen bewegen sich die Teilchen ebenfalls schneller und das Volumen nimmt zu. Da die Teilchen aber an ihre Gitterplätze gebunden sind, ist die Ausdehnung viel kleiner als bei Gasen.

Es gilt ein ähnliches Ausdehnungsgesetz wie bei Gasen oder Flüssigkeiten, nur der **Ausdehnungskoeffizient ist viel kleiner.** Der Volumenausdehnungskoeffizient beträgt etwa ein Tausendstel des Koeffizienten von Flüssigkeiten.

Aufgabenstellungen – „Volumenausdehnung“

1. + Bestimmen Sie den Volumenausdehnungskoeffizienten nach obiger Methode mit einer Flüssigkeit, beispielsweise einer Salzlösung.
2. + Der Volumenausdehnungskoeffizient von Glycerin beträgt $5 \cdot 10^{-4}\ K^{-1}$. Berechnen Sie die Volumenänderung in einer Flasche mit einem Volumen von 1 l, wenn die Temperatur von 20 °C auf 50 °C steigt.
3. ++ Begründen Sie, warum eine heiß abgefüllte Fruchtsaftflasche einen Leerraum enthält, auch wenn diese theoretisch vollständig gefüllt worden wäre.
4. ++ Der Volumenausdehnungskoeffizient von Wasser beträgt $2 \cdot 10^{-4}\ K^{-1}$. Um wie viel ändert sich das Volumen eines Kubikmeters Wasser bei Erwärmung von 15 °C auf 25 °C?
   Schätzen Sie, welche Volumenänderung dieselbe Erwärmung auf ein Schwimmbecken, gefüllt mit 500 m³ Wasser hat.
   Berechnen Sie die Volumenzunahme der oben angeführten Wassermenge in Liter.

1.2.2 Längenausdehnung

Viele Körper besitzen eine Form, bei der nur die Längenänderung von Interesse ist, z. B. bei einem Draht, bei Hochspannungsleitungen einer Brücke oder Fahrbahn.

Der lineare **Ausdehnungskoeffizient** α gibt die Zunahme der Länge eines 1 m langen Stabes bei der Temperaturerhöhung um 1 K an. α hängt vom Material, aber auch von der Temperatur ab.

Hierfür gilt das **Längenausdehnungsgesetz:**

$$l = l_0 \cdot (1 + \alpha \cdot \Delta T)$$

Besitzen zwei Verbundstoffe verschiedene Ausdehnungskoeffizienten, so kommt es zu einer **Verbiegung.** Diese Konstruktion kann bei einem Thermometer oder zur Steuerung eines Gerätes (Thermostat) nutzbar gemacht werden.

Bei Temperaturerhöhung verbiegt sich das Thermometer in Richtung des Metalls mit der geringeren Ausdehnung. Da der Anwendungsbereich sehr groß ist (–50 °C bis +400 °C) wird es als Schalter in Bügeleisen oder Kochplatten eingesetzt.

Beispiele für Längenausdehnungen

- Um Verwerfung bei Temperaturerhöhung zu vermeiden, werden Schienen fest mit Betonschwellen verbunden (Beton hat fast die gleiche Ausdehnungsänderung wie Stahl). Ferner sind die Schwellen fest im Gleisbett verankert, sodass sich die Schiene in der Längsrichtung fast nicht ausdehnen kann.
- Bei Brücken fehlt die feste Verankerung im Boden. Dort gibt es Dehnungsfugen, um Längenänderungen aufzunehmen.

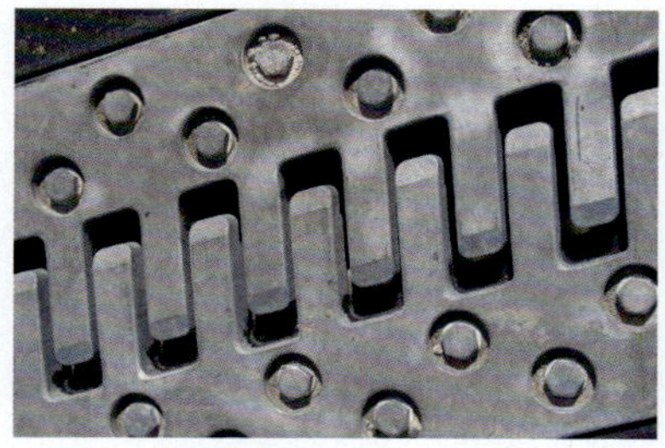

Dehnungsfugen, wie man sie von Brücken kennt

Versuch – „Längenausdehnung einer Metallstange"

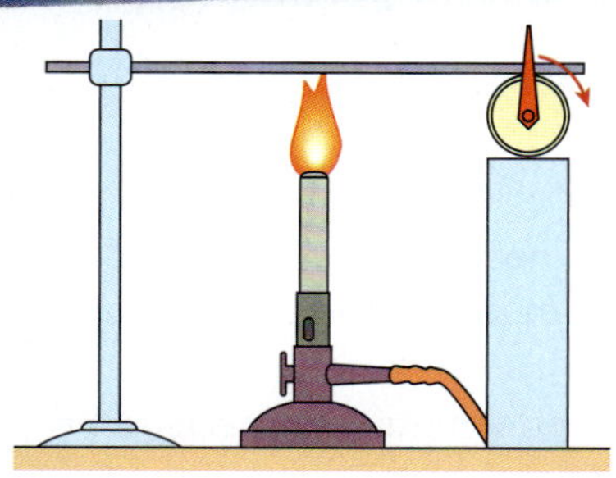

Mithilfe eines Stativträgers wird eine Metallstange einseitig eingespannt und auf der anderen Seite auf eine drehbare Rolle mit einem daran befestigten Zeiger gedrückt. Bei Erwärmung der Stange mit einem Gasbrenner dehnt sie sich aus und die Rolle dreht sich, was an einem Zeigerausschlag bemerkbar ist.

FILM AB!

Ein weiterer Versuch, der anschaulich die Längenausdehnung darstellt, zeigt Ihnen dieses Video.
www.trauner.at/nawi_v54.aspx

Versuch – „Unterschiedliche Ausdehnung"

Konstruieren Sie einen Verbundstoff aus Aluminium mit angeklebtem Papier.

Bringen Sie nach dem Trocknen des Klebstoffes die Aluminiumseite in die Nähe einer Flamme. Benutzen Sie dafür ein Zange!

Beobachten und dokumentieren Sie die Verformung.

Aufgabenstellung – „Längenausdehnung"

■ + Der Längenausdehnungskoeffizient von Stahl beträgt $12 \cdot 10^{-6}\ K^{-1}$. Berechnen Sie die Längenänderung eines Stahlseils einer Seilbahn von 600 m Länge zwischen –20 °C im Winter und +35 °C im Sommer.

1.2.3 Dichteänderung

Da die **Dichte** ρ über Masse und Volumen definiert ist, ändert sich mit der Temperatur eines Körpers auch seine Dichte. Daraus folgt, dass die Dichte eines Materials mit steigender Temperatur immer mehr abnimmt. Die Ausnahme bildet Wasser.

Erinnern Sie sich:
$\rho = \frac{m}{V}$

Anomalie des Wassers
Wasser hat bei 4 °C seine größte Dichte und sinkt daher zu Boden. Beim Erstarren dehnt sich Wasser wieder aus. Dadurch schwimmt Eis. Das ist für die Wasserlebewesen überlebenswichtig.

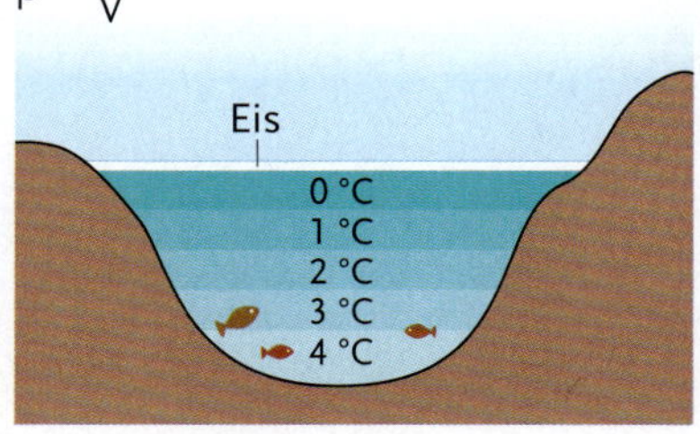

Die Anomalie des Wassers sorgt dafür, dass ein Gewässer von oben zufriert.

Aufgabenstellung – „Dichteänderung"

■ + 100 ml Wasser bei 100 °C besitzen eine Masse von 95,8 g. Berechnen Sie die Dichte von Wasser bei 100 °C. Vergleichen Sie diesen Wert mit der Dichte von Wasser bei 4 °C. Berechnen Sie den Unterschied in Prozent.

1.2.4 Das ideale Gas

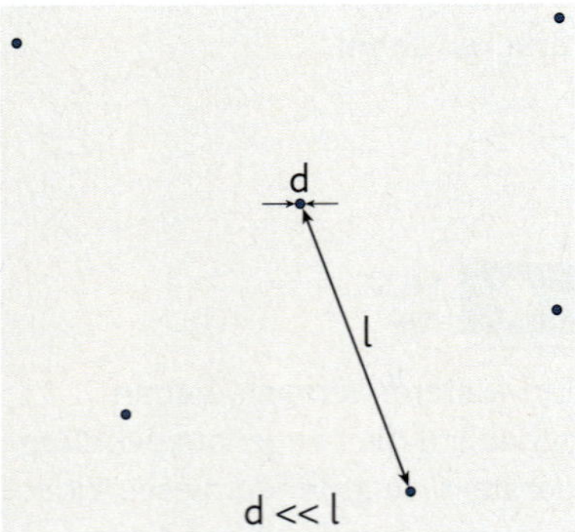

Beim idealen Gas sind die Abmessungen der Teilchen klein im Vergleich zu den Entfernungen zwischen den Teilchen.

Das ideale Gas ist ein **stark vereinfachtes Modell eines realen Gases.** Dennoch lässt sich damit das thermodynamische Verhalten von Gasen gut beschreiben und berechnen.

In Gasen sind die Atome oder Moleküle nicht aneinandergebunden und weisen einen großen Abstand voneinander auf.

Die folgenden **Eigenschaften** kennzeichnen ein **ideales Gas:**

- Seine Teilchen sind klein im Vergleich zu ihrem mittlerem Abstand voneinander;
- eine Wechselwirkung zwischen den Teilchen erfolgt nur durch elastische Stöße;
- die Teilchen wechselwirken mit begrenzenden Gefäßwänden nur über elastische Stöße (dies verursacht den Gasdruck).

Viele wesentliche Eigenschaften der realen Gase stimmen aber annähernd mit denen des idealen Gases überein.

Reduziert man das Volumen eines Gases auf die Hälfte, so steigt der Druck auf das Doppelte des ursprünglichen Wertes.

Es ergibt sich	$\frac{V_1}{V_2} = \frac{p_2}{p_1}$
und somit	$p_1 \cdot V_1 = p_2 \cdot V_2$

Das **Produkt aus Druck und Volumen** eines idealen Gases ist bei **gleich bleibender Temperatur konstant.**

$$p \cdot V = \text{konstant}$$

Der Zustand eines idealen Gases ist bei fest vorgegebener Stoffmenge von Druck, Volumen und Temperatur bestimmt. Daher bezeichnet man diese Größen als **Zustandsgrößen** des idealen Gases. Jede Änderung dieser Größen bezeichnet man als **Zustandsänderung** des Gases.

Unter Zustandsänderung eines Stoffes ist hier nun nicht mehr die Änderung seines Aggregatzustandes zu verstehen. Auf der folgenden Seite betrachten wir Änderungen des Zustands eines idealen Gases bei Änderung der verschiedenen Zustandsgrößen.

Innerhalb der Gasphase eines idealen Gases spricht man auch dann von einer Zustandsänderung, wenn sich nur die Zustandsgrößen p, V, n oder T ändern, aber kein Übergang in einen anderen Aggregatzustand eintritt. In der Praxis kann dies nicht beliebig erfolgen, sondern geht unter zwingenden Randbedingungen vor sich.

Übersicht: Zustandsänderungen eines idealen Gases

Bedingung	p = konst.	V = konst.	T = konst.
Bezeichnung	**isobare**	**isochore**	**isotherme**
	Zustandsänderung		
Formel	$\frac{V_1}{V_2} = \frac{T_1}{T_2}$	$\frac{p_1}{p_2} = \frac{T_1}{T_2}$	$\frac{p_1}{p_2} = \frac{V_2}{V_1}$
Gesetz	1. Gay-Lussac 2.		Boyle-Mariotte

Beispiel: Isochore Zustandsänderung
Ein Gas ist in einem konstanten Volumen verschlossen. Bei einer isochoren Temperaturerhöhung um 25 °C verhält sich der Anfangsdruck zum erreichten Enddruck wie 2 : 3. Welche Temperatur hatte das Gas vor bzw. nach der Temperaturerhöhung?

$$\frac{T_0}{T_0 + 25\text{ K}} = \frac{2p}{3p} \quad \Leftrightarrow \quad 3\,T_0 = 2\,T_0 + 50\text{ K} \quad \Leftrightarrow \quad T_0 = 50\text{ K}$$

Das Gas hatte vor der Temperaturerhöhung eine Temperatur von $T_0 = 50\text{ K} = -223{,}15\text{ °C}$ und danach $T_1 = 75\text{ K} = -198{,}15\text{ °C}$.

Gasgesetze

Die im Folgenden formulierten Gasgesetze gelten streng genommen nur für **ideale Gase.** Die Gasgesetze gelten auch für **reale Gase,** wenn die Temperatur weit über dem Verflüssigungspunkt liegt und der Druck niedrig ist.

Eine **bestimmte Masse m** eines Gases nimmt beim Druck p und der Temperatur T das Volumen V ein.

Gesetz von Boyle-Mariott: $p \cdot V = \text{konstant}$
Bei konstanter Temperatur und gleichbleibender Gasmenge sind und Druck und Volumen zueinander indirekt proportional.

Gesetz von Gay-Lussac: $\frac{V}{T} = \text{konstant}$
Bei gleichbleibendem Druck und gleichbleibender Gasmenge sind Volumen und Temperatur zueinander direkt proportional.

Gesetz von Amontons: $\frac{p}{T} = \text{konstant}$
Bei gleichbleibendem Volumen und gleichbleibender Gasmenge sind Druck und Temperatur zueinander direkt proportional.

Zum Unterschied von der **Anzahl der Teilchen N** kennzeichnet n die **Anzahl der Mol** eines Stoffs.

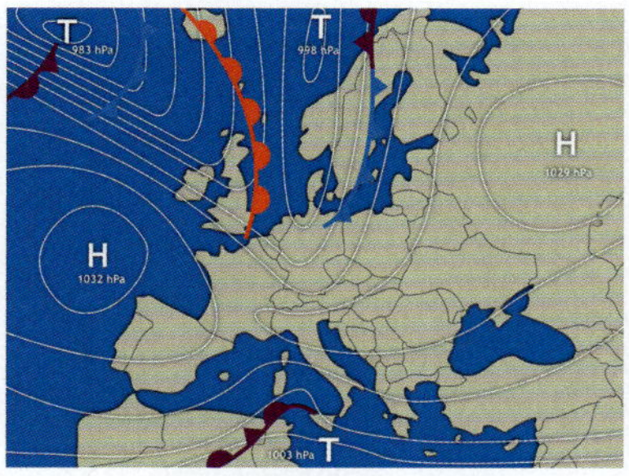

Die Begriffe **Isobare** bzw. **Isotherme** kommen auch in der Meteorologie vor. Sie bezeichnen dort Linien gleichen Drucks bzw. gleicher Temperatur auf einer Wetterkarte.

Beim idealen Gas nimmt man an, dass es keine Anziehungskräfte zwischen den punktförmigen Gasteilchen gibt.

Das Gesetz von Amontons wird auch als das zweite Gesetz von Gay-Lussac bezeichnet.

Marmelade wird bei hoher Temperatur in Gläser abgefüllt und mit einem Schraubverschluss verschlossen. Durch ein Absinken der Temperatur der Gläser entsteht im Inneren ein Unterdruck, der die Gläser fest versiegelt.

1.3 Temperaturmessung

Im Radio meldet der Wetterbericht, dass es am nächsten Tag bis zu 25 °C haben wird. Ralf freut sich auf die angenehmen Temperaturen, fragt sich aber, wie die Messung einer Temperatur eigentlich abläuft.

Um mit einem Temperaturmessgerät, einem Thermometer, die Temperatur eines Körpers zu messen, muss man das Messgerät in thermischen Kontakt mit dem zu messenden Körper bringen. Dann tritt etwas ein, was eine wesentliche physikalische Eigenschaft der Temperatur ist. Die beiden Körper nehmen nach ausreichend **langer Zeit die gleiche Temperatur** an. Diese Tatsache ist unabhängig von der Beschaffenheit der Körper und der Art des thermischen Kontakts. Diesen beschriebenen Zustand bezeichnet man als **thermodynamisches Gleichgewicht.**

Zum **Messen der Temperatur** eignet sich **jede messbare physikalische Größe, die sich mit ihr verändert** (z. B. das Volumen, der Druck, der elektrische Widerstand, die thermoelektrische Spannung).

Je nach Umgebungstemperatur erwärmt sich auch die Flüssigkeit im Thermometer und dehnt sich aus. Der steigende Pegel zeigt die aktuelle Temperatur an.

1.3.1 Flüssigkeitsthermometer

Beim Flüssigkeitsthermometer nutzt man den Zusammenhang zwischen der Änderung des Volumens und der Änderung der Temperatur einer Flüssigkeit. Der Flüssigkeitsstand in einem abgeschlossenen Glasgefäß ändert sich je nach Temperatur und zeigt so die Umgebungstemperatur an.

Heute wird meist nicht mehr Quecksilber, sondern gefärbter Alkohol verwendet, da dieser weniger giftig ist.

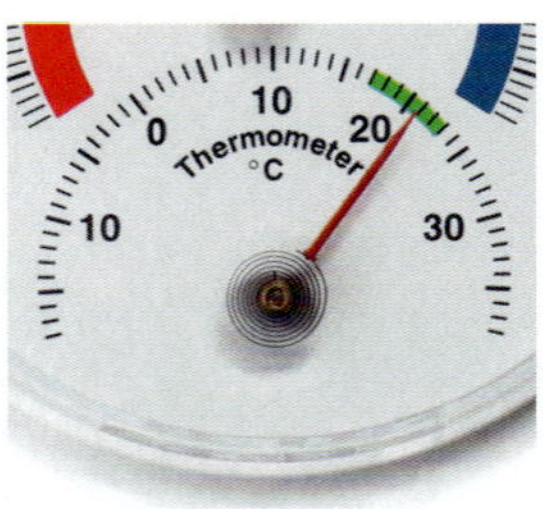

Bei diesem Bimetallthermometer ist die Spule deutlich zu erkennen.

1.3.2 Bimetallthermometer

So ein Thermometer besteht aus **zwei verschiedenen Metallstreifen,** die fest miteinander verbunden und zu einer Spirale gebogen sind. Bei einer Temperaturerhöhung dehnen sich die beiden Metalle unterschiedlich stark aus. Dies verändert die Krümmung der Spirale und damit die Position des daran befestigten Zeigers.

Prinzip eines Bimetallthermometers

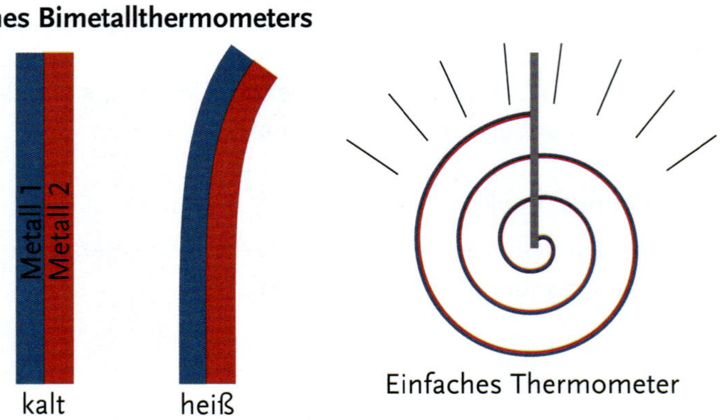

FILM AB!

Die Formveränderung eines Bimetalls zeigt Ihnen der Versuch in folgendem Video.
www.trauner.at/nawi_v55.aspx

2 Wärmeenergie

Wird Wärmeenergie auf einen Körper übertragen, so erhöht sich die Temperatur des Körpers.

Beispiel: Wärmeenergie
Bei einer Explosion wird ein Teil der Energie als Licht, ein anderer als Bewegungsenergie der Teilchen und wieder ein anderer Teil als Wärmeenergie ausgestrahlt.

2.1 Wärmemenge Q

Die Wärmemenge eines Körpers ist eine Energieform, die von der thermischen Bewegung der Teilchen abhängt. Es handelt sich hierbei um **ungeordnete Bewegungsenergie, Rotationsenergie oder Schwingungsenergie der Teilchen.**

Die Berechnung der Wärmemenge erfolgt mittels statistischer Methoden, da für einzelne Teilchen eine Angabe des Bewegungszustandes unmöglich ist.

Die Einheit der Wärmemenge Q ist dieselbe wie für die Energie, nämlich **Joule (J).** Die alte Einheit **Kalorie (cal)** wird nur mehr selten verwendet.

Umrechnung: 1 cal ≈ 4,2 J

2.2 Spezifische Wärmekapazität

Die Wärmemenge, die notwendig ist, um die Temperatur von 1 kg eines Körpers um 1 K zu erhöhen, wird als spezifische Wärmekapazität bezeichnet.

Bei Metallen ist nur wenig Wärmeenergie notwendig, um ihre Temperatur zu erhöhen, sie haben eine geringe Wärmekapazität. Die größte spezifische Wärmekapazität hat Wasser. Um die Temperatur von 1 kg Wasser um 1 K zu erhöhen, ist die Wärmemenge von 4,186 kJ notwendig. Sie wird als die **spezifische Wärmekapazität von Wasser** bezeichnet.

Berechnung: $\Delta Q = c \cdot m \cdot \Delta T$

ΔQ = Wärmeänderung
c = spezifische Wärmekapazität
m = Masse des Körpers
ΔT = Temperaturdifferenz

Beispiel: Wärmekapazität und ihre klimatischen Auswirkungen
Trockene, vegetationslose Gebiete weisen größere tägliche und saisonale Temperaturschwankungen auf als Wälder oder Gebiete mit Flüssen und Seen. Dies liegt an der geringeren Wärmekapazität von Luft. Bei Zufuhr von Wärmeenergie steigt die Temperatur von Luft somit schneller als die von Wasser, sie sinkt aber auch wieder schneller.

Aufgabenstellung – „Spezifische Wärmekapazität“

■ + Berechnen Sie die Wärmemenge, die notwendig ist, um eine Tasse Tee (125 g) von 20 °C auf 60 °C zu erwärmen.

Bei Kohle und anderen Heizmitteln handelt es sich um gespeicherte Energie, die beim Verbrennen wieder frei wird. Kohle hat einen besonders großen Heizwert, bei Holz hängt er vom Feuchtigkeitsgehalt ab. Trockenes Holz hat einen mehr als doppelt so hohen Heizwert wie waldfrisches Holz.

2.3 Heizwert

Unter dem Heizwert eines Stoffes versteht man jene Wärmeenergie, die bei Verbrennung von einem Kilogramm des Stoffes (bei Gasen von einem Kubikmeter des Gases) frei wird. Er wird in J/kg (Joule pro Kilogramm) gemessen.

Beispiel: Heizwert
Holzpellets haben einen Heizwert von 18 MJ pro kg. Um 1 kg Wasser um 1 K zu erwärmen ist eine Energie von 4,2 kJ notwendig (vgl. spez. Wärmekapazität). Mit dem Kilogramm Holzpellets könnte man also ca. 4 300 l Wasser um 1 K oder 100 l Wasser um 43 K erwärmen.

In diesem Zusammenhang ist das sogenannte **Wärmeäquivalent** zu erwähnen. Dabei handelt es sich um einen historischen Umrechnungsfaktor zwischen einer mechanischen oder elektrischen Energiemenge und der daraus entstehenden Wärmeenergie. Erst 1842 wurde von ROBERT MAYER festgestellt, dass man mit der Energiemenge, die man braucht, um eine Menge Wasser um 1 K zu erwärmen, dieselbe Menge Wasser um 427 m anheben könnte.

JAMES PRESCOTT JOULE, 1814 BIS 1878, ENGLISCHER PHYSIKER

3 Hauptsätze der Thermodynamik

Wärme ist eine Form von **Energie.** Im internationalen Maßsystem ist die Maßeinheit der Wärmeenergie das Joule, benannt nach JAMES PRESCOTT JOULE.

Wird einem Körper Wärmeenergie zugeführt, so wird die **Bewegungsenergie seiner Teilchen** vergrößert, die Temperatur steigt. Die Temperatur kann durch Zufuhr oder Entzug von Wärmeenergie geändert werden. Dabei können sich auch andere Eigenschaften des Körpers ändern, z. B. Farbe, Größe, Aggregatzustand.

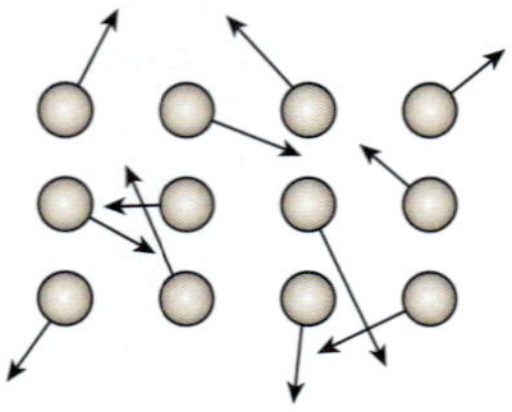

Einatomige Gasteilchen besitzen nur kinetische Energie. Mehratomige Gase hingegen besitzen auch Rotationsenergie oder bei erhöhter Temperatur Schwingungsenergie.

$\Delta U = \Delta Q + \Delta W$

3.1 Erster Hauptsatz der Wärmelehre

Als Form von Energie kann Wärmeenergie nach dem **Energieerhaltungssatz** in andere Energieformen umgewandelt werden.

Der **erste Hauptsatz der Thermodynamik** besagt, dass die innere Energie U eines Körpers auf zwei Arten erhöht werden kann:
- Durch Zufuhr von Wärmeenergie ΔQ oder
- durch Verrichten von Arbeit ΔW.

Allgemeiner ausgedrückt: Die Änderung der inneren Energie ist gleich der Summe der Änderung der Wärme und der am System verrichteten Arbeit.

Beispiel: Änderung der inneren Energie U
Das Volumen eines Gases kann mit einem Kompressor verringert werden. Dabei werden Druck und Temperatur erhöht.

Wie Sie bereits u. a. auf S. 221 erfahren haben, ist Energie eine **Erhaltungsgröße,** bei der die Gesamtenergie stets gleich bleibt.

Der Erhaltungssatz der Gesamtenergie lautet:
Man kann eine Energieform in eine andere umwandeln, aber keine Energie aus dem Nichts erzeugen. Energie kann auch nicht verlorengehen. Die Gesamtsumme aller vorhandenen Energie muss immer gleich (= konstant) sein.

Den Wirkungsgrad haben Sie bereits auf S. 222 f. kennengelernt.

Unter dem **Wirkungsgrad** η versteht man das (prozentuelle) Verhältnis von genutzter Arbeit W zu zugeführter Energie E.

$$\eta = \frac{W}{E}$$

η = griech. Kleinbuchstabe *Eta*

3.2 Zweiter Hauptsatz der Wärmelehre

Bei jeder **Energieumwandlung** wird ein Teil der Energie in Wärmeenergie umgewandelt. Es ist leider nicht möglich, das zu verhindern.

Eine Folgerung des zweiten Hauptsatzes der Thermodynamik besagt, dass Wärmeenergie von selbst nur vom Körper höherer Temperatur zum Körper niedrigerer Temperatur übergeht.

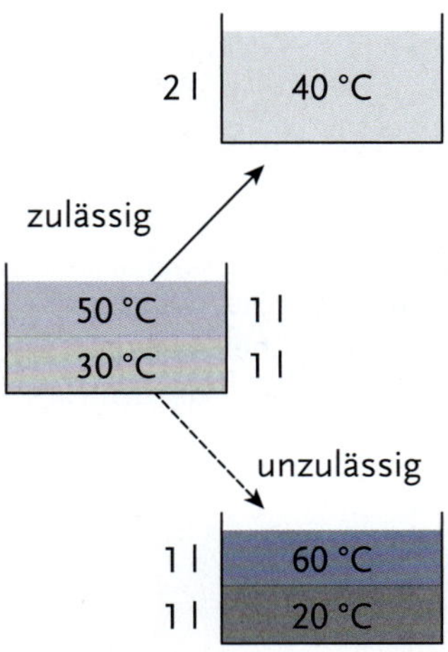

Mischung von Flüssigkeiten

Beispiel: Energiefluss vom wärmeren auf den kälteren Körper
1 l Wasser mit einer Temperatur von 30 °C und 1 l Wasser mit 50 °C werden in ein Gefäß gegossen. Dort ergibt sich eine Mischtemperatur von 40 °C – der Wärmeaustausch mit der Umgebung wird hier außer Acht gelassen.
Rechnerisch möglich wäre, dass sich das kältere Wasser auf 20 °C abkühlt und seine Wärmeenergie an das 50 °C warme Wasser abgibt, sodass sich dieses auf 60 °C erwärmen würde. Dieser Fall tritt jedoch nicht ein.

Will man eine Umkehrung erreichen (z. B. beim Kühlschrank oder bei der Wärmepumpe) so muss man Energie aufwenden.

Beispiel
Eine Umkehr des vorherigen Beispiels – also eine Trennung in 1 l Wasser von 30 °C und 1 l Wasser von 50 °C – ist nur durch Aufwendung von Energie (zum Transport der Wärme) möglich. Von selbst stellt sich der Ausgangszustand nicht wieder ein.

Wärme kann **niemals von selbst** von einem **kälteren** auf einen **wärmeren Körper übergehen.** Ein solcher Vorgang kann nur durch Aufwendung mechanischer Arbeit erreicht werden.

Dass Wärmeenergie von selbst von einem Körper niedrigerer Temperatur zu einem höherer Temperatur (unter Verminderung der Temperatur des ersteren) übergeht, ist vom Energieerhaltungssatz nicht verboten, aber extrem unwahrscheinlich.

Da bei jeder Energieumwandlung Wärme entsteht, **kann jede Energieform vollständig in Wärme umgewandelt werden, aber Wärme nicht zu 100 % in eine andere Energieform.**

Eine Vorrichtung, die bewerkstelligen könnte, dass Wärme von selbst vom kälteren zum wärmeren Körper übergeht wurde von MAX PLANK als **Perpetuum mobile 2. Art** bezeichnet.

3.3 Dritter Hauptsatz der Wärmelehre

WALTHER NERNST, 1864 BIS 1941, DEUTSCHER PHYSIKER UND CHEMIKER

Der dritte Hauptsatz wurde 1906 von WALTHER NERNST aufgestellt:

Es ist **unmöglich, den absoluten Nullpunkt (0 K) zu erreichen.**

Aufgabenstellungen – „Hauptsätze der Thermodynamik"

1. + Berechnen Sie die Energie, die notwendig ist, um das Wasser für eine Badewanne (150 l) von 16 °C auf 36 °C zu erwärmen.
2. + Recherchieren Sie den Heizwert von Erdgas und berechnen Sie die Gasmenge, die zur Erwärmung des Wassers von Aufgabe 1 notwendig ist.

Wussten Sie, dass ... die pro Zeiteinheit transportierte Wärmeenergie Wärmestrom heißt?

4 Wärmetransport

Ursache eines Wärmetransports ist immer eine Temperaturdifferenz. Aus Erfahrung wissen wir, dass Wärme stets vom wärmeren zum kälteren Körper übergeht (zweiter Hauptsatz der Wärmelehre).

4.1 Wärmeleitung

FILM AB!

Einen weiteren Versuch, der anschaulich die Wärmeleitung darstellt, zeigt Ihnen dieses Video.
www.trauner.at/nawi_v56.aspx

Dabei handelt es sich um die Übertragung der Wärmeenergie innerhalb eines Körpers. Wärme wird von Materialien unterschiedlich schnell weitergeleitet.

Beispiel für gute Wärmeleitung
Ein Metall bei Zimmertemperatur erscheint uns kalt, wenn wir es angreifen.
Ein Stück Holz bei gleicher Temperatur eher warm. Das liegt daran, dass das Metall die Körperwärme vom Punkt der Berührung schnell in alle Bereiche des Metallstücks weiterleitet und sich somit der Berührungspunkt nicht besonders erwärmt.

Versuch – „Wärmeleitung“

Ein Kupfer- und ein Messingstab werden waagrecht an einem Ende mittels Stativs festgeklemmt. An den Metallstäben drückt man in gleichen Abständen an der Unterseite kleine Wachskügelchen fest. Erwärmt man zeitgleich die beiden Stäbe am freien Ende mit einem Bunsenbrenner, fallen die Kügelchen nacheinander, beim erwärmten Ende beginnend, herunter.

Vergleichen Sie die Zeitpunkte, wann jeweils die Wachskügelchen an denselben Punkten bei den unterschiedlichen Metallstäbchen herunterfallen, und schließen Sie so auf die Wärmeleitung der Metalle.

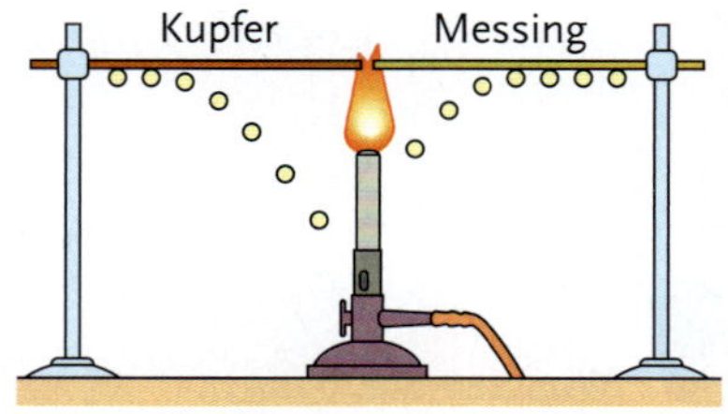

4.2 Wärmeströmung

Die Wärmeströmung wird auch als **Konvektion** bezeichnet und beschreibt den Transport von Wärme durch geordnete Bewegung von Teilchen. Deshalb gibt es die Wärmeströmung auch nur in Flüssigkeiten und Gasen.

Versuch – „Wärmeströmung in einem Wasserglas“

In ein hitzefestes Glas mit Wasser bringt man vorsichtig (Vermischung vermeiden) eine kleinere Menge Lebensmittelfarbe oder Tinte ein.
Bei Erhitzen des Glases über einem Teelicht sieht man an der Bewegung und Durchmischung der Farbe die entstehende Wärmeströmung im Wasser.

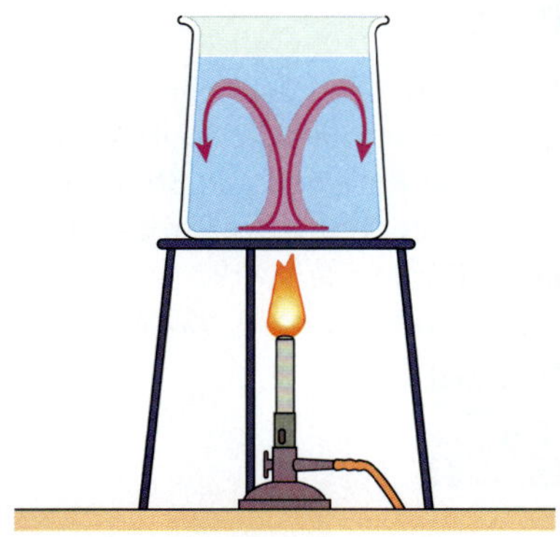

Wasser mit Farbe wird von unten erwärmt

Wärmere Flüssigkeits- oder Gasmengen steigen aufgrund der im Vergleich zu ihrer Umgebung niedrigeren Dichte auf. In Natur und Technik ist die Konvektion eine sehr häufige Form des Wärmetransports.

Beispiel für die Anwendung von Wärmeströmung
In einem Kamin sorgt Konvektion für einen raschen Abzug der Verbrennungsabgase.

Global gesehen hat der Wärmetransport durch Strömung wesentliche Auswirkungen auf die Temperaturverteilung und damit auf Wetter bzw. Klima. Beträchtlichen Einfluss besitzen Meeresströmungen (z. B. für Nordeuropa der Golfstrom). Einen wesentlich größeren Einfluss auf die Temperatur besitzt aber der Wärmetransport durch Luftströmungen.

Eine weitere Versuchsanleitung zur Konvektion steht für Sie in der TRAUNER-DigiBox bereit.

4.3 Wärmestrahlung

Wärmeenergie kann auch im leeren Raum übertragen werden. So kann sie von der Sonne zur Erde gelangen. Wir nennen diese Strahlung **Infrarotstrahlung.** Trifft sie auf unsere Haut, so wird sie absorbiert und löst ein Wärmeempfinden aus. Das spüren wir in der Nähe eines Kachelofens oder am Lagerfeuer.

Wussten Sie, dass ...
es in Norwegen ohne den Golfstrom im Winter im Mittel um ca. 4,5 °C kälter wäre?

Wärmestrahlung
Wärme wird von der Sonne durch elektromagnetische Strahlung (z. B. Licht und Infrarotstrahlung) zur Erde transportiert.

4.4 Absorption von Strahlung

Wussten Sie, dass ...
man Körper, die die gesamte Strahlung absorbieren und in Wärme umwandeln, als **schwarze Körper** bezeichnet?

Trifft **Strahlung** auf einen Körper, so wird ein Teil davon **absorbiert** (aufgenommen) und ein Teil **reflektiert** (zurückgeworfen).

Der absorbierte Anteil bewirkt eine **Erhöhung der Temperatur des Körpers.** Die Temperatur des Körpers steigt so lange, bis sich ein Gleichgewicht einstellt. Dies ist der Fall, wenn die abgestrahlte Energie gleich der aufgenommenen ist.

Wie hoch der Anteil an absorbierter Strahlung ist, hängt unter anderem vom Material, von der Oberflächenbeschaffenheit und von der Farbe des Körpers ab.

FILM AB!
Der Versuch in folgendem Video zeigt Ihnen, wie sich die Absorption bzw. Reflexion von Strahlung auf die Erhöhung der Temperatur eines Körpers auswirkt.
www.trauner.at/nawi_v57.aspx

Beispiel
Wolken und Eis reflektieren etwa 30 % der einfallenden Strahlung, Wasser hingegen viel weniger. Ein Abschmelzen der Eisflächen an den Polen bewirkt daher eine stärkere Erwärmung des Wassers und trägt damit zum Klimawandel bei.

Weitere Informationen zum Klima erhalten Sie im Kapitel Klimawandel auf S. 268 ff.

5 Auswirkungen der Thermodynamik auf Klima und Wetter

Unterschiedliche Temperaturen in unserer Biosphäre sind die Ursache vieler Wetterphänomene. Dazu zählen Winde, Niederschläge und Meeresströmungen.

Hurrikans entstehen häufig über Wasseroberflächen und ziehen danach mit oft zerstörerischer Wirkung über Land. Die Energie für diese Wirbelwinde liefert die im Wasserdampf der feuchten Luft gespeicherte Wärme.
Hier zu sehen ist eine Satellitenaufnahme des Kategorie-5-Hurrikans Irma, der im September 2017 die Karibik und Teile der USA heimsuchte.

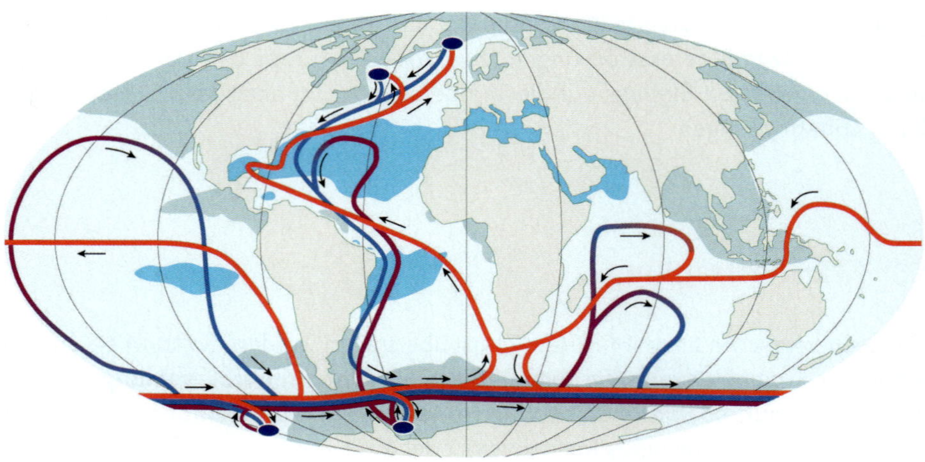

- Oberflächenströmung (warm)
- Bodenströmung
- Tiefenströmung (kalt)
- Tiefenwasserbildung (Absinken)
- niedriger Salzgehalt
- hoher Salzgehalt

Die unterschiedliche Dichte bewirkt, dass warme Meeresströmungen an der Oberfläche und kalte Meeresströmungen in der Tiefe verlaufen.

5.1 Der Golfstrom

Die hohe spezifische Wärmekapazität von Wasser bewirkt, dass mit den Wassermassen auch große Mengen an **Wärmeenergie** transportiert werden. So wird durch den Golfstrom warmes Wasser aus dem Bereich des Äquators bis an die Küste Nordnorwegens transportiert und sorgt dafür, dass die Häfen dort auch im Winter eisfrei bleiben.

Der Golfstrom

Ein Ausbleiben der warmen Strömung durch Veränderungen im Wärmehaushalt der Erde würde große Folgen für das Leben in diesen Gebieten haben.

5.2 El Niño

Im Radio hört Lisa vom Wetterphänomen El Niño, das im pazifischen Ozean seinen Ursprung hat. Sie wundert sich, wie Effekte von El Niño durch thermodynamische Vorgänge auch bei uns in Europa spürbar sind.

Es besteht ein enger Zusammenhang bezüglich der Temperatur zwischen Atmosphäre und Meeresströmungen.

Eine Anomalie in der Temperatur der Meeresströmung vor Südamerika wird **El Niño** genannt. Durch schwächere Winde verliert die Meeresströmung ebenfalls an Stärke. Das Wasser an der Meeresoberfläche wird viel wärmer als sonst üblich und die tieferen, nährstoffreichen Wassermassen durchmischen sich nicht mehr mit dem warmen Oberflächenwasser.

El Niño = span. für das Kind bzw. das Christuskind

Dieses Wetterphänomen tritt unregelmäßig auf, hat aber große Auswirkungen auf die Meereslebewesen, z. B. Fische. Dadurch beobachten die Fischer Perus einen geringeren Fischbestand mit stark eingeschränkter Fangquote. Auch auf klimatische Gegebenheiten weit davon entfernt hat El Niño Einfluss, z. B. an der Westküste Nordamerikas, im Amazonas oder in Afrika.

FILM AB!

Hier können Sie sich eine interessante Dokumentation mit mehr Hintergrundinformationen zum Klimaphänomen El Niño ansehen.
www.trauner.at/nawi_v60.aspx

Veränderungen im Klima durch El Niño

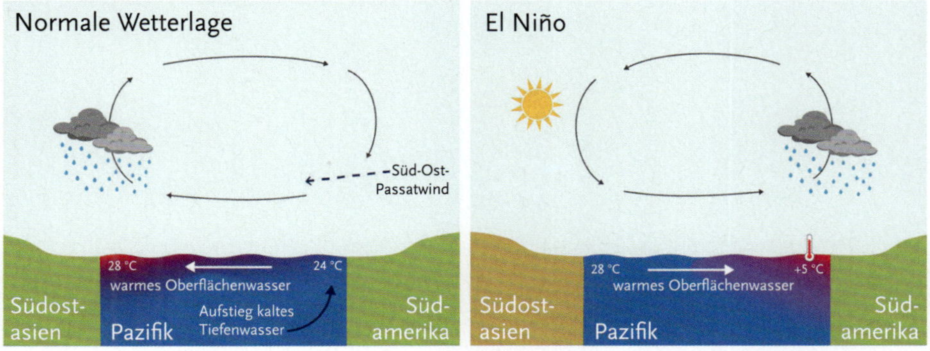

Anormal hohe Meerestemperatur durch schwächere Passatwinde um die Weihnachtszeit bewirken vor der Küste Perus die Wettererscheinung El Niño.

Ziele erreicht? – „Thermodynamik“

KOMPETENZ-ERWERB

1. + Erklären Sie die Begriffe Temperatur und thermodynamisches Gleichgewicht.
2. + Beschreiben Sie die Brown'sche Molekularbewegung und deren Zusammenhang mit der Wärmelehre.
3. ++ Nennen Sie unterschiedliche Arten von Thermometern und erklären Sie ihre Funktionsweisen.
4. + Erklären Sie den Begriff Wärmeströmung und nennen Sie Anwendungsbeispiele.
5. + Berechnen Sie die Raumtemperatur von 25 °C in Kelvin.
6. + Begründen Sie das Aufsteigen der Kügelchen beim Galileo-Thermometer bei Temperaturabnahme.
7. ++ Geben Sie mithilfe der Grafik des Bimetall-Thermometers an, welches Metall die größere Wärmeausdehnung hat, Stahl oder Kupfer.

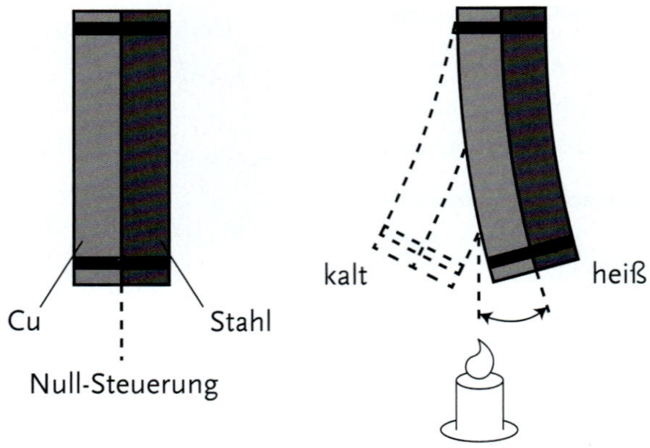

8. + Leiten Sie aus der Zustandsgleichung des idealen Gases die Temperatur-Volumen- bzw. Temperatur-Druck-Abhängigkeit eines Gases her.
9. ++ Recherchieren Sie den Gesamtwirkungsgrad eines Pkw mit Verbrennungsmotor und den eines Fahrzeugs mit Elektromotor und vergleichen Sie die gefundenen Werte.
10. ++ Wann ist es günstiger, Ballon zu fahren – in der kälteren oder in der wärmeren Jahreszeit? Diskutieren Sie und begründen Sie Ihre Meinung.

Einen interaktiven **Safety-Check** finden Sie in der TRAUNER-DigiBox.

Energiewirtschaft

Die Stromversorgung nimmt ihren Ausgang bei **Kraftwerken.** Nachdem Kraftwerke meistens von elektrischen Verbrauchern – also von Geräten bzw. elektrischen Bauteilen, die den elektrischen Strom benötigen – weit entfernt liegen, muss elektrischer Strom durch über- oder unterirdische Leitungen transportiert werden. Mittels Transformatoren wird die Spannung je nach Bedarf verändert und schließlich an die elektrischen Verbraucher weitergegeben.

Ein grundlegendes Problem der Energiewirtschaft ist, dass elektrische Energie im Wesentlichen genau dann bereitgestellt werden muss, wenn sie gebraucht wird, da sie sehr schlecht speicherbar ist.

Da einige Energiequellen von äußeren Einflüssen abhängen (z. B. Windenergie von der Stärke bzw. dem Vorhandensein des Windes), wird meist auf einen Mix aus verschiedenen Kraftwerkstypen gesetzt.

Weil die Nachfrage nach elektrischem Strom zu gewissen Zeiten deutlich höher ist, ergibt sich auch der enorme Preisunterschied zwischen Grundlast und Spitzenlast.
Unter **Grundlast** versteht man die Mindestmenge an Strom, die im Laufe eines Tages im Netz benötigt wird.
Spitzenlast hingegen bezeichnet eine erhöhte, oft kurzzeitig auftretende Nachfrage nach Einspeisung in ein Stromnetz.

Meine Ziele

Nach Bearbeitung dieses Kapitels kann ich
- die Erzeugung von elektrischem Strom in Kraftwerken beschreiben;
- die Umwandlung von chemischer Energie bzw. Bewegungsenergie in elektrische Energie in den Kraftwerken erklären;
- Auswirkungen auf die Umwelt durch unterschiedliche Kraftwerkstypen erkennen und bewerten;
- erneuerbare Energieträger nennen und ihren Nutzen für Umwelt und Wirtschaft bewerten;
- den Transport von elektrischem Strom zu den elektrischen Verbrauchern beschreiben.

1 Kraftwerke

In Kraftwerken werden **unterschiedlichste Energieformen in elektrische Energie umgewandelt.** In Österreich wird elektrische Energie vor allem aus Wärme- und Wasserkraftwerken gewonnen.

Energieumwandlung im Wasserkraftwerk

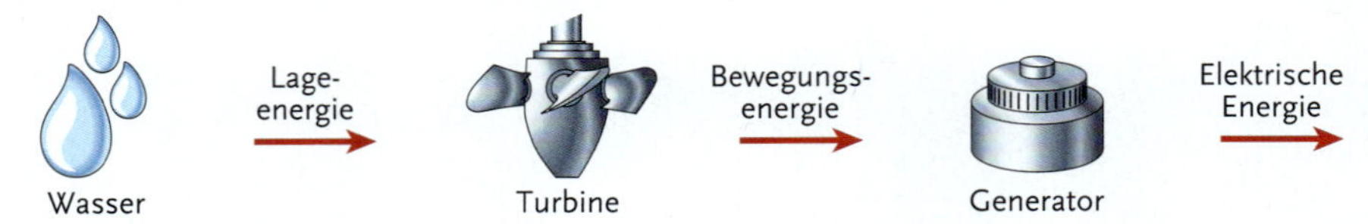

Energieumwandlung im Wärmekraftwerk

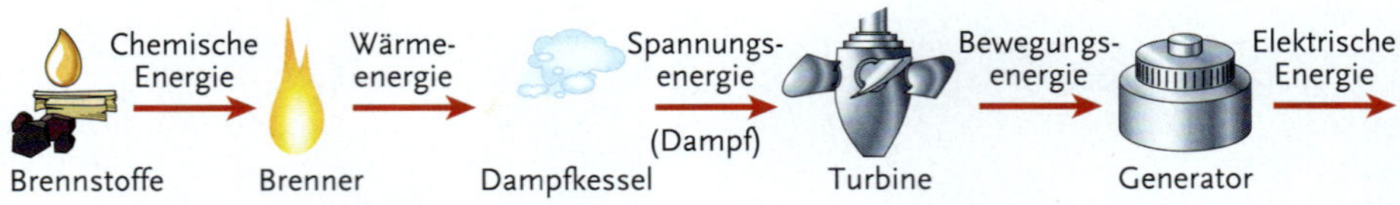

Aufgabenstellung – „Energieversorger“

■ + Recherchieren Sie im Internet:
Welches Elektrizitätsversorgungsunternehmen gibt es in Ihrer Nähe?
Welche Typen von Kraftwerken gibt es in Österreich außer Wasser- und Wärmekraftwerken?

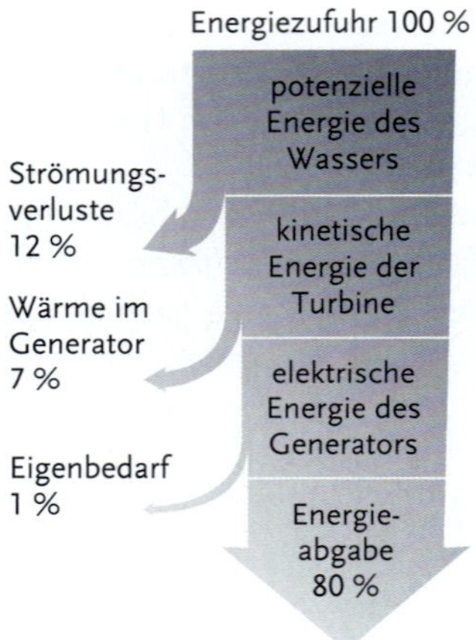

Nur rund 80 % der Energie kann in Wasserkraftwerken in nutzbare elektrische Energie umgewandelt werden. Nichtsdestotrotz sind sie noch weitaus effizienter als z. B. Wärmekraftwerke oder Kernkraftwerke.

Je nach Kraftwerkstyp und Fallhöhe des Wassers gibt es drei Turbinenarten:

- Kaplanturbine
- Francisturbine
- Peltonturbine

1.1 Wasserkraftwerke

Sie decken rund 60 % des österreichischen Stromangebots ab. Je nach Bauart und Betriebsweise unterscheidet man zwischen **Speicher-** oder **Pumpspeicherkraftwerken** (Stauseen) und **Laufwasserkraftwerken** (Flüsse). In Wasserkraftwerken wird die Bewegungs- bzw. Lageenergie zur Stromerzeugung genützt. Das Wasser treibt eine **Turbine** an, die direkt mit einem **Generator** verbunden ist.

Peltonturbine
(Fallhöhen bis 1 800 m)

Francisturbine
(Fallhöhen bis 700 m)

Kaplanturbine
(Fallhöhen bis 30 m)

Der gewählte Typ ist von Wassermenge und Fallhöhe abhängig.

Der **Generator** besteht aus dem beweglichen Rotor, auf dem Elektromagnete sitzen, einem Stator, worauf sich die Spulen befinden, und einem Gehäuse. Die Leistung eines Generators wird in **Megawatt (MW)** angegeben.

Laufwasserkraftwerk

Laufkraftwerke wandeln die Energie des fließenden Wassers in elektrische Energie um. Je größer die Fallhöhe ist, umso mehr Strom kann erzeugt werden; in Österreich haben die meisten Flüsse ein relativ großes Gefälle. Flusskraftwerke erzeugen nicht nur Strom, sondern stellen auch einen Schutz vor Hochwasser dar.

Schema eines Ausleitungskraftwerks

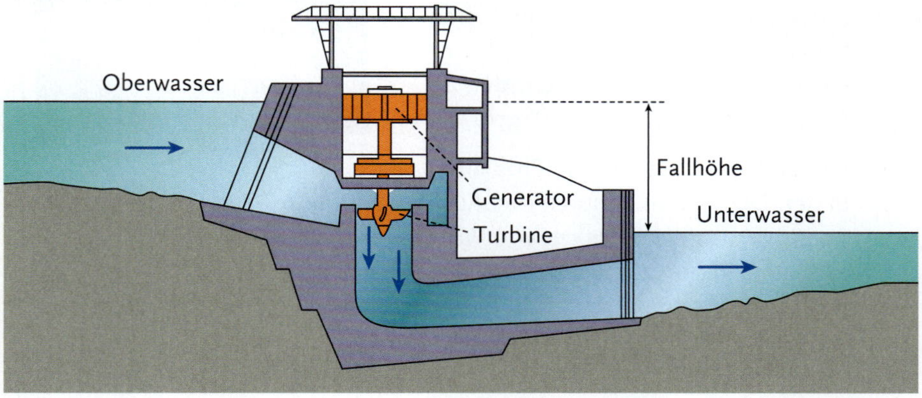

Im Donaukraftwerk Ybbs-Persenbeug erzeugen sechs Kaplanturbinen eine maximale Leistung von 237 MW.

Speicherkraftwerk

Speicherkraftwerke werden aus Stauseen, die durch Talsperren oder Dämme gebildet werden, mit Wasser gespeist bzw. versorgt. Aber auch natürliche Seen können als Speicher verwendet werden. Vom **Speicher** gelangt das Wasser über den Druckstollen, das sogenannte Wasserschloss, und die Druckrohrleitung zum Krafthaus. Dort wird entweder mit einer Francis- oder einer Peltonturbine die Energie des Wassers in elektrische Energie umgewandelt.

Der in Speicherkraftwerken erzeugte Strom dient zur Abdeckung der Spitzenlast (eiserne Reserve).

Schema eines Speicherkraftwerks

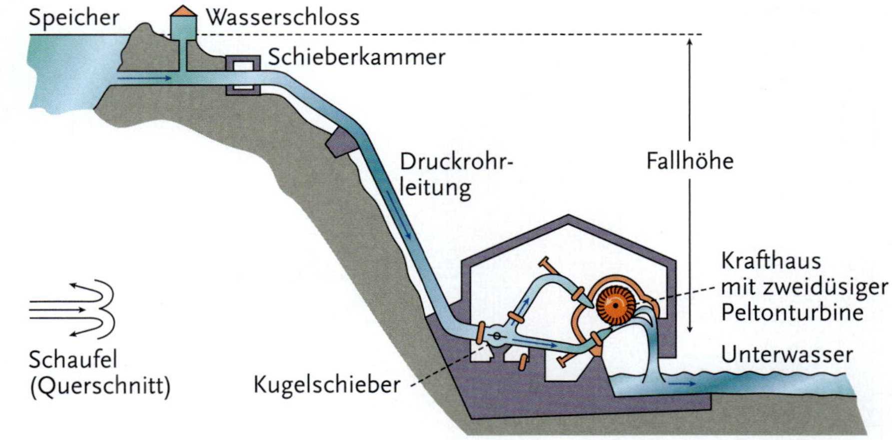

Stauseen des Speicherkraftwerkes Kaprun mit einer maximalen Leistung von 330 MW.

Pumpspeicherkraftwerk

Sie arbeiten nach dem Schema: **Erst pumpen, dann speichern.** Wenn wenig Strom gebraucht wird, wird mit leistungsstarken Pumpen Wasser aus einem natürlichen Gewässer in ein künstlich **angelegtes Speicherbecken** gepumpt. Die für das Pumpen benötigte Energie wird aus dem Verbundnetz entnommen, wenn beispielsweise überschüssige elektrische Energie im Netz angeboten wird. Wird an Spitzentagen dagegen viel Strom benötigt, kann das Wasser aus dem oberen Becken über die Turbinen abgelassen werden. Dabei wird der wertvolle Spitzenstrom erzeugt.

FILM AB!

Die Francisturbine wird sowohl bei Laufkraftwerken als auch bei Speicherkraftwerken eingesetzt und ist der meistverwendete Turbinentyp. Die Funktionsweise dieser Turbine wird in einer Animation dargestellt.
www.trauner.at/nawi_v111.aspx

Wo Licht ist, ist auch Schatten ...
Neben den Vorteilen der erneuerbaren Energiequelle Wasser gibt es bei Wasserkraftwerken auch negative Aspekte für die Umwelt:

- Beeinflussung des Grundwasserspiegels und in der Folge des ökologischen Gleichgewichts.
- Verlust eines durchgehenden Flusslaufs: Fische können nicht mehr ihre Wanderungen fortsetzen. Dem kann durch den Bau von sogenannten Fischtreppen entgegengewirkt werden.
- Sedimentations- und Geschiebeveränderungen: Schlamm reichert sich im Staubecken an und muss ausgebaggert bzw. -geschwemmt werden. Die ausgeschwemmten Sedimente zerstören das ökologische System des Unterlaufs (Fischsterben etc.).

Wärmekraftwerke bilden eine Ergänzung zu den Wasserkraftwerken und sind vorwiegend in der kalten und trockenen Jahreszeit (Übergangszeit und Winter) in Betrieb.

Aufgabenstellungen – „Wasserkraft“

1. \+ Beschreiben sie die verschiedenen Wasserkraftwerkstypen.
2. ++ Erklären Sie, welche Energieformen bei den verschiedenen Kraftwerkstypen der Reihe nach in welche Energieformen umgewandelt werden. Recherchieren Sie außerdem, wie viel Energie bei den einzelnen Umwandlungsschritten in Form von Wärme „verloren“ geht.

3. ++ Finden Sie heraus, welche Probleme in den Ökosystemen durch den Ausbau der Wasserkraft entstehen. Was unternehmen die Betreiber von Wasserkraftwerken, um die ökologischen Probleme gering zu halten?

1.2 Wärmekraftwerke

Wärmekraftwerke nützen die in verschiedenen Stoffen gespeicherte chemische Energie, um daraus durch Verbrennung Wärmeenergie zu gewinnen. Als Brennstoffe werden Kohle, Erdöl oder Erdgas verwendet. Die entstehende Wärme erhitzt das Wasser im Kesselhaus. Der so entstandene Wasserdampf treibt eine Dampfturbine an, die an einen Generator angeschlossen ist.

Anschließend wird der Dampf über einen **Kondensator** (Verflüssiger) abgekühlt und als flüssiges Wasser wieder im Kreislauf erhitzt.

Schema eines Dampfkraftwerks

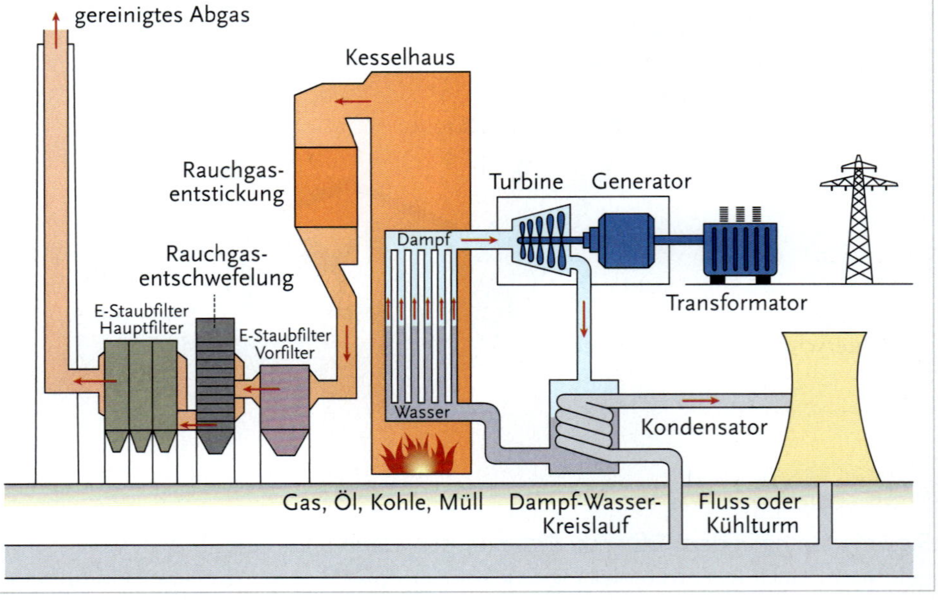

Um die Energienutzung bei Wärmekraftwerken zu optimieren, wird bei manchen Kraftwerken ein Teil des Dampfes der Turbine entnommen und für Fernheizzwecke genutzt. Es gelingt somit eine Steigerung der Gesamtenergienutzung von 40 auf 80 %.

Gasturbinenkraftwerk

Bei herkömmlichen Wärmekraftwerken kann bis zur Energienutzung relativ viel Zeit (bis zu mehreren Stunden) vergehen. Gasturbinenkraftwerke können hingegen bereits wenige Minuten nach Inbetriebnahme Strom in das Verbundnetz liefern.

Schema eines Gasturbinenkraftwerks

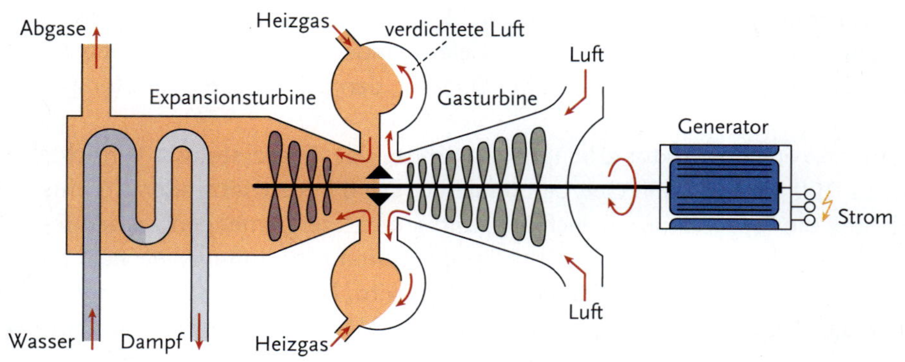

Die wesentlichen Bestandteile einer Gasturbine sind Verdichter, Brennkammer und Turbine. Der Verdichter saugt Luft an, komprimiert sie und fördert sie in die Brennkammer. Der Brennstoff (Heizöl oder Erdgas) wird über Düsen in die Brennkammer gedrückt und mit der komprimierten Luft verbrannt. Das Verbrennungsgas mit einer hohen Temperatur strömt durch die Turbine und treibt diese an. Die Turbine wiederum setzt den Generator in Betrieb.

1.3 Kernkraftwerke

Kernenergie ist jene Energie, die bei einem radioaktiven Zerfall, bei der Spaltung oder der Verschmelzung von Atomkernen freigesetzt wird. Dies äußert sich in Form von schnell bewegten Teilchen sowie von elektromagnetischer Strahlung.

Kernkraftwerke **wandeln Kernenergie in Wärmeenergie um,** erst diese wird – wie in einem klassischen Wärmekraftwerk – mit einem Generator in elektrische Energie umgewandelt.

Stromerzeugung im Kernkraftwerk

Bewegungsenergie	Temperaturerhöhung	Wasserdampf	Elektrischer Strom
Die aus den Atomkernen geschleuderten Teilchen besitzen **Bewegungsenergie.**	Durch den **Zusammenstoß** mit anderen Teilchen kommt es zu einer **Temperaturerhöhung** und einer **Druckerhöhung.**	Es wird Wärme frei, die man zur Erzeugung von **Wasserdampf** nutzt.	Damit werden **Turbinen** und **Generatoren** angetrieben und somit **elektrischer Strom** gewonnen.

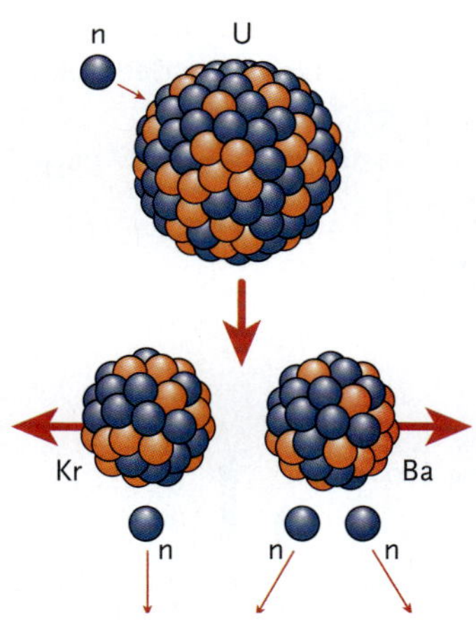

Kernspaltung

Die **Kernspaltung** kann man sich im Modell so vorstellen, dass nach dem Einfangen eines Neutrons der **Urankern** zu schwingen beginnt und letztlich in zwei mittelschwere Trümmerkerne und in zwei bis drei Neutronen zerfällt. Die freigesetzten Neutronen lösen unverzüglich die Spaltung weiterer Atome aus. Es beginnt eine sich selbst erhaltende Folge von Kernspaltungen, eine Kettenreaktion, die ständig Kernenergie freisetzt.

Kernfusion

Bei einer **Kernfusion** werden Wasserstoffatome (mit unterschiedlicher Neutronenzahl im Kern) bei hohen Temperaturen zu einem Heliumatom fusioniert. Dieser Prozess findet z. B. in der Sonne und anderen Sternen freiwillig statt. Dabei wird ca. viermal so viel Energie frei wie bei der Spaltung eines Urankerns.

fusionieren = vereinigen, verschmelzen

Fusionskraftwerke werden derzeit zur Stromerzeugung noch nicht genutzt. Forschungsreaktoren sind allerdings in vielen Ländern der Erde in Betrieb (u. a. in Deutschland sowie in Frankreich, der Schweiz, den USA, Japan oder China).

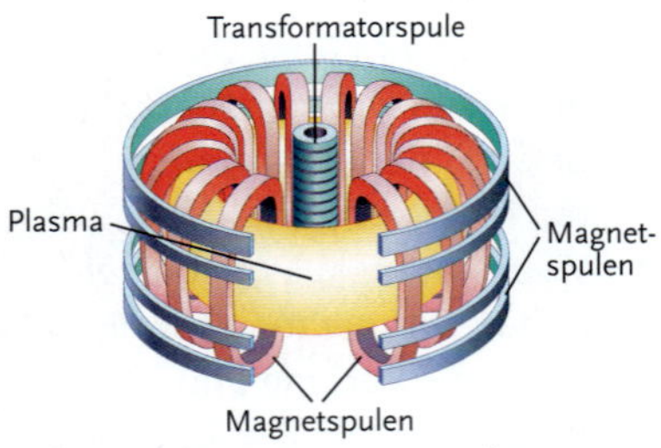

Schema eines Fusionsreaktors

Damit ein Fusionsreaktor arbeiten kann, muss das Wasserstoffgas verdichtet und auf ca. 100 Mio. °C erhitzt werden **(Plasma).** Die dann einsetzenden Kernfusionen erhalten die Temperatur von sich aus, und große Energiemengen werden frei. Materielle Behälter kommen für solche Temperaturen nicht infrage, weshalb das Gas mithilfe von **magnetischen Feldern** gehalten wird. **Ungeladene Neutronen** können die Magnetfelder passieren und erwärmen den Mantel um den Reaktor. Diese Wärmeenergie wird über einen Generator in **elektrische Energie** umgewandelt.

Anders als die Kernspaltung **läuft die Kernfusion nur erzwungen ab.** Fallen die dazu benötigte hohe Temperatur oder der hohe Druck z. B. durch einen Schaden am Reaktor ab, stoppt daher die Reaktion von selbst. Auch befinden sich nur wenige Gramm Wasserstoff bzw. Helium zur selben Zeit im Reaktor.

Kernfusion aus Deuterium (Wasserstoff mit einem zusätzlichen Neutron im Kern) und Tritium (Wasserstoff mit zwei zusätzlichen Neutronen im Kern) zu einem Heliumatom unter Abgabe eines Neutrons.

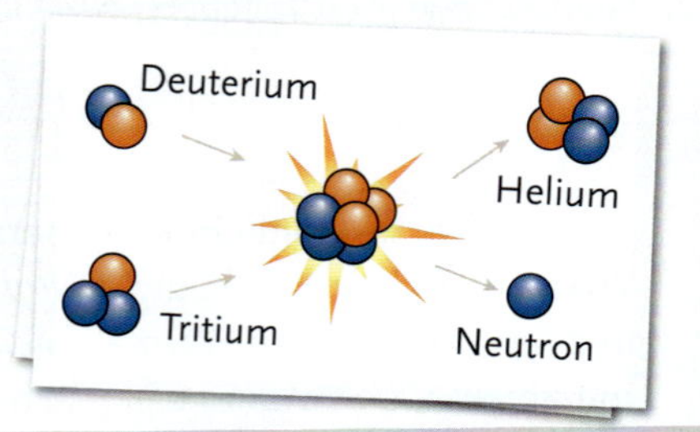

FILM AB!

Die aktuelle Entwicklung von Fusionskraftwerken sowie Fragen zur möglichen Nutzung solcher Kraftwerke für die Stromerzeugung werden in folgender Dokumentation dargestellt.
www.trauner.at/nawi_v107.aspx

Kernreaktoren

Kernreaktoren bestehen im Prinzip aus **fünf Komponenten:**

- Ausreichende Masse an spaltbarem Material **(Brennstäbe)**
- Stoff zur Abbremsung der Neutronen **(Moderator)**
- Vorrichtung zum Einfangen von Neutronen für eine kontrollierte Kettenreaktion **(Steuer- bzw. Regelstäbe)**
- Medium zur Wärmeabführung
- Barrieren für den Strahlenschutz und die Rückhaltung radioaktiver Stoffe

Brennstäbe, Moderator und Steuerstäbe befinden sich in einem **Druckbehälter aus Stahl,** durch den das Austreten radioaktiver Strahlung verhindert werden soll.

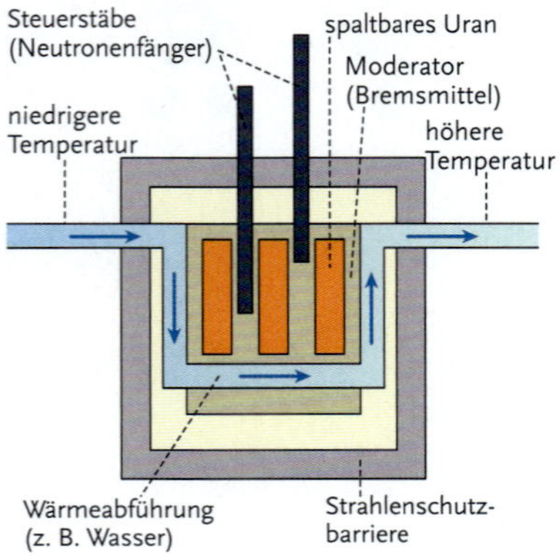

Schema eines Kernreaktors

Elemente eines Kernreaktors

Brennstäbe	Moderator	Steuerstäbe
Für die Kernspaltung verwendet man fast ausschließlich ^{235}Uran. Die Stäbe haben eine Länge von ca. 4 m und einen Durchmesser von 11 mm. Mehrere Brennstäbe werden zu einem quadratischen Brennelement zusammengefasst. Brennelemente werden für einige Jahre in einem Reaktor eingesetzt.	Für die Spaltung von Uran sind langsame Neutronen erforderlich. Schnelle Neutronen werden an den Kernen des Moderators durch Stöße abgebremst. Als Moderator wird Wasser oder teilweise auch Grafit eingesetzt.	Die Steuerung der Kettenreaktion, das Ein- und Ausschalten des Reaktors und die Einstellung auf eine bestimmte Leistung erfolgen durch die Steuerstäbe. Ein mehr oder weniger tiefes Einschieben der Steuerstäbe in den Reaktorblock entzieht der Kettenreaktion mehr oder weniger Neutronen oder bringt sie vollständig zum Erliegen.

Verlangsamung der Neutronen durch den Moderator

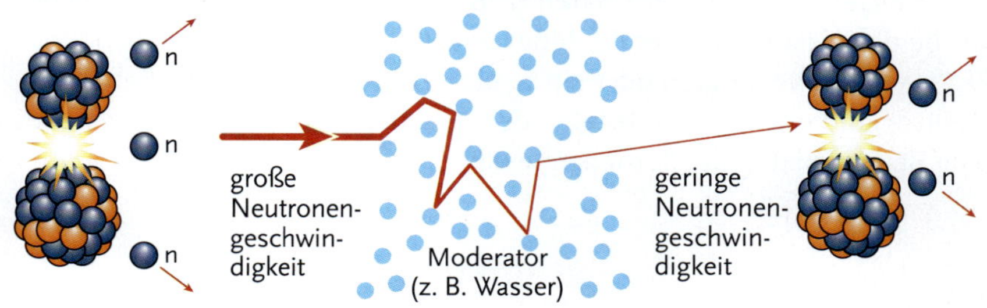

Das als Kühlmittel und Moderator dienende Wasser strömt von unten an den erhitzten Brennstäben vorbei und führt somit die Wärme ab.

Grafit = reiner Kohlenstoff

FILM AB!

Das österreichische Kernkraftwerk im niederösterreichischen Zwentendorf wurde nach der Fertigstellung nie in Betrieb genommen. Einen historischen Überblick zur Kernkraft in Österreich liefert Ihnen folgendes Video.
www.trauner.at/nawi_v106.aspx

Es fallen bei einer Kernspaltung immer **Spaltprodukte mit hoher Radioaktivität** an, die entweder einer Wiederaufbereitungsanlage oder einer Endlagerung zugeführt werden müssen.

Die **verschiedenen Reaktortypen** unterscheiden sich durch die verwendeten Brennstoffe, Moderatoren und Kühlmittel. Eine weitere Unterteilung erfolgt nach dem Verwendungszweck der Reaktoren. So kennt man

- Leistungsreaktoren zur Erzeugung von elektrischem Strom,
- Antriebsreaktoren,
- Brutreaktoren (u. a. zur Gewinnung von waffenfähigem Plutonium) sowie
- Forschungsreaktoren.

Für die Gewinnung von elektrischem Strom werden international vor allem zwei Typen von Reaktoren eingesetzt: Druckwasserreaktoren und Siedewasserreaktoren.
Schemen zum Aufbau dieser beiden Typen sind in der TRAUNER-DigiBox abrufbar.

Brennstoffkreislauf und Entsorgung

Mit dem Begriff Brennstoffkreislauf werden zusammenfassend alle Arbeitsschritte und Prozesse bezeichnet, die der Versorgung und Entsorgung von Kernkraftwerken dienen.

Zur **Versorgung** gehören

- die Suche und der Abbau von Uranerzen,
- die Gewinnung des Urans aus den Erzen,
- die Anreicherung von ^{235}Uran,
- die Herstellung der Brennelemente,
- die Anlieferung zu den Kernkraftwerken.

Den kompletten Brennstoffkreislauf von den Uranerzlagerstätten bis zum möglichen Endlager finden Sie in der TRAUNER-DigiBox.

Transport und Lagerung von Atommüll sind nicht problemlos und stoßen in weiten Bereichen der Bevölkerung auf großen Widerstand.

TWh (Terawattstunde) = 1 000 000 000 kWh

In der TRAUNER-DigiBox finden Sie eine Broschüre des Nuklearforums Schweiz, in dem alle Kernkraftwerke weltweit (in Betrieb sowie in Planung) eingezeichnet sind.

Eine interaktive Karte mit allen Kernkraftwerken Europas finden Sie hier: www.trauner.at/kkw-eu.aspx

Halbwertszeit = Zeitdauer, in der von einer ursprünglich vorhandenen Anzahl radioaktiver Kerne die Hälfte zerfallen ist.

Wussten Sie, dass ...
Staaten, die keine Kernkraftwerke betreiben, z. B. Österreich, einen Teil des benötigten Stroms von Kernkraftwerken anderer Länder beziehen?

Der im Jahr 1986 explodierte Reaktor Nr. 4 des Kernkraftwerks Tschernobyl 30 Jahre nach dem Unglück.

Die **Entsorgung** umfasst

- den Abtransport abgebrannter Brennelemente aus Reaktoren,
- die Trennung wiederverwertbaren Spaltstoffs von nicht verwertbaren radioaktiven Abfällen,
- die Herstellung neuer Brennelemente aus den zurückgewonnenen Spaltstoffen,
- die Verpackung bzw. den sicheren Einschluss der Abfälle und ihre Endlagerung sowie alle dafür notwendigen Transporte oder
- alternativ die direkte Endlagerung der abgebrannten Brennelemente.

Wirtschaftliche Bedeutung der Kernenergie

Die EU ist mit rund 1 000 TWh pro Jahr der weltweit größte Erzeuger von Elektrizität aus Kernenergie. Von den **weltweit 432 Kernreaktoren,** die 14 % der Elektrizität liefern, verfügt die EU über 145 Reaktoren, die sich auf 15 Mitgliedsstaaten verteilen. Das durchschnittliche Alter der Kraftwerke liegt bei rund 25 Jahren, während ihre Lebensdauer in der Regel 40 Jahre beträgt.

Innerhalb der EU ist die Situation recht unterschiedlich: Manche Nationen (z. B. Bulgarien oder Frankreich) haben den Bau neuer Kernreaktoren beschlossen. In mehreren Staaten (z. B. Schweden und Großbritannien) wurde die Diskussion über die Möglichkeit, die Laufdauer bestehender Kraftwerke zu verlängern oder sie zu ersetzen, erneut eröffnet. Belgien, Deutschland und Spanien leiteten den Ausstieg aus der Kernenergie bzw. eine Beschränkung der Kernenergie ein.

Risiko Kernenergie

Am 26. April 1986 passierte im ukrainischen Kernkraftwerk **Tschernobyl** jene folgenschwere Explosion, die der Welt drastisch vor Augen führte, welche Gefahren die Kernenergie birgt.

Die Explosion setzte **über 100 radioaktive Elemente** frei. Die meisten von ihnen zerfielen innerhalb weniger Stunden oder Tage. Die gefährlichsten Elemente waren jedoch ^{131}Jod (Halbwertszeit: acht Tage), ^{90}Strontium (Halbwertszeit: 29 Jahre) und ^{137}Cäsium (Halbwertszeit: 30 Jahre). ^{90}Strontium und ^{137}Cäsium sind also auch heute noch nachweisbar, während das kurzlebige Jod bei der Bevölkerung in den reaktornahen Gebieten seinerzeit verheerende **Gesundheitsschäden** anrichtete, da es in ungeheuren Mengen freigesetzt wurde und die Menschen ihm komplett ungeschützt ausgeliefert waren.

Bis in weiter entfernte Gebiete traten nach dem Reaktorunfall vermehrt Fälle von **Mutationen der Tier- und Pflanzenwelt** auf. Blätter veränderten ihre Form, Eichenblätter verloren teilweise ihre Symmetrie, jungen Tannen wuchsen mehrere Kronen. Bei Tieren kam es zu immer mehr Fehlgeburten und Missbildungen.

Ein starker Anstieg der Fälle von **Schilddrüsenkrebs** unter Kindern und Heranwachsenden war ebenfalls zu verzeichnen.

Der Reaktorunfall im japanischen **Fukushima** 2011 nach einem verheerenden Erdbeben und einer dadurch verursachten Flutwelle (Tsunami) hat die Diskussion um die friedliche Nutzung der Kernenergie wieder ins Rollen gebracht.

Aufgabenstellungen – „Kernkraftwerke“

1. + Nennen Sie die Aufgaben von Brennstäben, Moderator und Regelstäben in einem Kernkraftwerk.
2. ++ Diskutieren Sie die allgemeine Problematik der Kernkraftwerke. Welche Vorteile bieten sie, welche Risiken sind damit verbunden?

FILM AB!

Wie sich die radioaktive Wolke nach dem Unfall von Tschernobyl ausbreitete, zeigt Ihnen eine Animation.
www.trauner.at/nawi_v108.aspx

2 Erneuerbare Energieträger

In Österreich haben erneuerbare Energieträger eine im internationalen Vergleich hohe Bedeutung. So lag im Jahr 2016 laut Bundesministerium für Nachhaltigkeit und Tourismus der **Anteil der erneuerbaren Energien an der Stromerzeugung bei ca. 78 %,** der Anteil an der gesamten Energienutzung belief sich immerhin auf 33,5 %.

Im Sinne einer nachhaltigen und möglichst umweltschonenden Energieversorgung, aber auch um der absehbaren Erschöpfung fossiler Energieressourcen zeitgerecht entgegenzusteuern, hat Österreich frühzeitig begonnen, die Erschließung erneuerbarer Energiequellen voranzutreiben. So wurde die Nutzung von erneuerbaren Energien seit den 1990er-Jahren auf über 420 PJ (Petajoule) verdoppelt.

Neben Wasser – die Wasserkraft haben Sie bereits genauer kennengelernt – werden Ihnen hier nun noch weitere erneuerbare Energieträger vorgestellt, die ebenfalls in Österreich Anwendung finden.

Die erzeugte Wärme wird nicht einfach an die Umwelt abgegeben. Der Dampf des Kühlwassers kann zu Heizzwecken genutzt werden bzw. eine Dampfturbine antreiben.

Das Laufkraftwerk Greifenstein ist eines der zahlreichen Wasserkraftwerke in Österreich.

2.1 Wind

Mithilfe von **Windkraftanlagen** kann die in den strömenden Luftmassen vorhandene kinetische Energie in elektrische Energie umgewandelt werden.

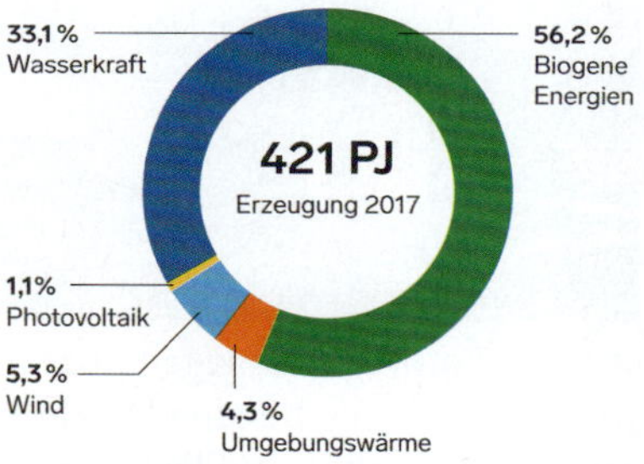

Aufteilung der unterschiedlichen erneuerbaren Energieträger am Gesamtausmaß an Energienutzung der erneuerbaren Energien im Jahr 2017

In Österreich ging im Jahre 1993 das erste größere netzgekoppelte Windkraftwerk in Betrieb. Ende 2017 waren rund 1 250 Windkraftanlagen mit einer Leistung von fast 2 850 MW in Betrieb und liefern somit Strom für rund 1,75 Mio. Haushalte.

Die Errichtung von Windkraftanlagen ist in einer Vielzahl von **Gesetzen** und **Verordnungen** geregelt. So geben etwa die Raumordnungsgesetze bzw. Raumordnungspläne der einzelnen Bundesländer vor, welche Bereiche potenziell für solche Anlagen infrage kommen. Besonderer Wert wird auch auf geringe Lärmemissionen sowie ausreichend Abstand zu Bauland bzw. Wohngebieten gelegt.

Studien des Naturschutzbundes Deutschland zu Windenergie und Vögeln zeigen die Möglichkeiten für negative Auswirkungen auf die Flugtiere. Eine Sammlung dieser Studien finden Sie hier:
www.trauner.at/windenergie.aspx

2.2 Sonnenenergie

Die Sonne liefert uns kostenlos und unerschöpflich Energie. Die **Strahlungsenergie der Sonne** übertrifft mengenmäßig alle anderen Energiequellen zusammen bei weitem. Pro Quadratmeter kann man in Österreich mit einer jährlichen Einstrahlung von ca. 1 000 kWh Solarenergie rechnen.

Sonnenenergie lässt sich direkt durch technische Anlagen (Sonnenkollektoren und Solarzellen) und indirekt in Form von Umgebungswärme, die gespeichert werden kann (Boden, Luft, Wintergarten), nutzen.

Unter **Solarthermik** versteht man die direkte Umwandlung von Sonnenenergie in Wärmeenergie. In Österreichs Haushalten wird Warmwasser zunehmend mithilfe von **Sonnenkollektoren** erzeugt.

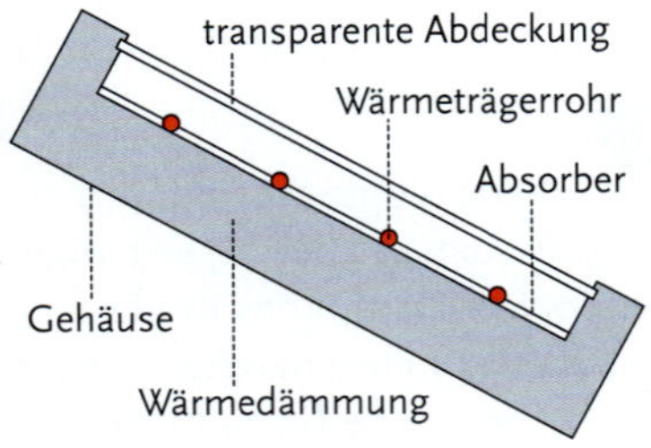

Beispielhafter Aufbau eines Sonnenkollektors: Eine schwarz beschichtete Platte (Absorber) nimmt die Wärmeenergie der einstrahlenden Sonnenstrahlen auf. Die Platte gibt diese Energie an ein Rohrleitungssystem weiter. Über Wärmetauscher wird die Wärmeenergie an die Verbrauchsstellen (Brauchwasser, Raumheizung, Schwimmbadheizung) weitergegeben.

Fotovoltaik beruht auf der direkten Umwandlung von Sonnenlicht mittels **Solarzellen** in elektrische Energie.

Solarzellen bestehen aus verschiedenen **Halbleitermaterialien.** Über 95 % aller auf der Welt produzierten Solarzellen bestehen aus dem Halbleitermaterial Silizium.

Unterscheidung von Siliziumsolarzellen

Monokristalline Siliziumsolarzellen	Poly-(Multi-)kristalline Siliziumsolarzellen
Haben einen höheren Wirkungsgrad (15 %), sind aber in der Herstellung sehr energieaufwendig und damit teuer.	Die polykristallinen Solarzellen sind preiswerter in der Herstellung bei nur wenig niedrigerem Wirkungsgrad (13 %).

Werden Fotovoltaikanlagen überwiegend auf bestehenden Dächern errichtet (vor allem auf Dächern von öffentlichen Gebäuden und Industriebauten), führt das zu keinem zusätzlichen Flächenbedarf.

Aufbau einer Siliziumsolarzelle

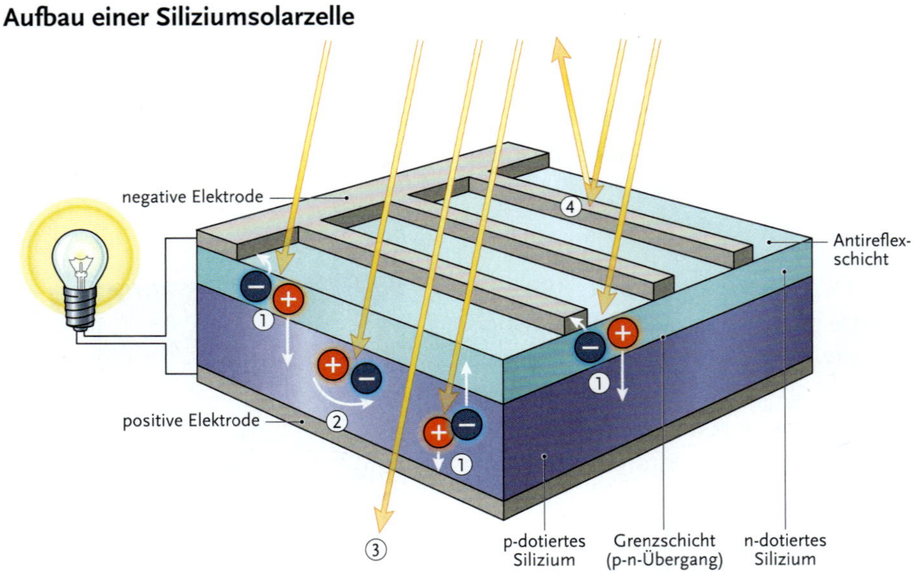

Einstrahlendes Licht sorgt dafür, dass Ladungen getrennt werden. Die frei gewordenen Ladungen wandern zu einer der beiden Elektroden und sorgen so für den Fluss von elektrischem Strom.

1. Ladungstrennung
2. Rekombination
3. ungenutzte Photonen-Energie (z. B. Transmission)
4. Reflexion und Abschattung durch Frontkontakte

Passive Nutzung der Sonnenenergie

Durch die geeignete Standortwahl für ein Gebäude, durch kompakte Bauformen (Reihenhäuser), durch gezielte Anordnung der Wohnräume (Aufenthaltsräume nach Süden, Treppenhaus und Bäder nach Norden) sowie durch den Einsatz spezieller Baustoffe lassen sich heute sogenannte Niedrigenergiehäuser bauen, deren Wärmeversorgung durch die Sonne erfolgt.

2.3 Biomasse

Im Unterschied zu anderen erneuerbaren Energieträgern ist Biomasse in großen Mengen auch über einen längeren Zeitraum sehr einfach speicherbar und steht bei Bedarf in genau dosierbarer Menge zur Verfügung. Die Nutzung heimischer Energieträger bringt zudem wirtschaftliche Vorteile für die Land- und Forstwirtschaft und die nachgelagerten Wirtschaftszweige.

Hackschnitzel

Beispiele für energetisch nutzbare Biomasse
Holzpellets, Hackschnitzel, Stroh, Altholz

Einsatzbereiche für Biomasse in Österreich

- Einzelöfen und Hauszentralheizungen
- Sägeindustrie
- Papier- und Zellstoffindustrie
- Nahwärmenetze
- Holzindustrie

Aufgabenstellung – „Sonnenenergie und Biomasse"

■ + Nennen Sie Möglichkeiten der Nutzung von Sonnenenergie und Biomasse. Bewerten Sie außerdem die beiden Energieformen nach ökologischen und ökonomischen Gesichtspunkten.

2.4 Biogas

Biogas entsteht bei der **Vergärung von organischen Stoffen.** Zur gezielten Nutzung wird in einem Fermenter oder einem Faulturm durch anaerobe Vergärung (das heißt ohne Sauerstoff) mit Methanbakterien Biogas erzeugt. Dieses Biogas besteht zu etwa zwei Dritteln aus Methan.

Insgesamt sind in Österreich derzeit rund 300 Anlagen verschiedener Größenordnung und verschiedenen Typs in Betrieb.

Leider werden Biogasanlagen oft nicht mit organischen Abfallstoffen betrieben, sondern mit hochwertigen Nahrungsmitteln (z. B. Mais). Somit hat die Biogasproduktion oft wenig ökologischen Nutzen. Mehr zur ökologischen und nachhaltigen Energiewirtschaft erfahren Sie auf S. 283 ff.

Wussten Sie, dass ...
Methan nach heutiger Erkenntnis zu 13 % an dem durch den Menschen verursachten Treibhauseffekt beteiligt ist? Angesichts der weltweiten Bemühungen zur Reduktion von Treibhausgas-Emissionen kommt daher der energetischen Nutzung von Biogas eine besondere Bedeutung zu.

Das Biogas wird zumeist über eine Kraft-Wärme-Kopplung mit Netzeinspeisung des Überschussstroms genutzt. Mit dem entstandenen Biogas wird ein Gasmotor betrieben, der einen Stromgenerator antreibt.

Der Name **Biodiesel** bzw. **Bioethanol** erweckt durch das Präfix **„Bio-“** den Anschein, dass diese Kraftstoffe aus ökologischer Landwirtschaft stammen. Jedoch weist es lediglich auf den pflanzlichen Ursprung hin.
Um diesem Missverständnis vorzubeugen wird selten auch das Präfix **„Agro-“** verwendet – also Agrodiesel bzw. Agroethanol. Jedoch sind die Begriffe „Biokraftstoff“ bzw. „Biodiesel“ in Österreich gesetzlich verankert (Erdölbevorratungsgesetz 2012).

Biogas in der Landwirtschaft
Aus der Erzeugung von Biogas ergeben sich für Landwirtinnen und Landwirte mehrere Vorteile:
- Gewinnung eines erneuerbaren Energieträgers,
- umweltfreundliche Beseitigung organischer Abfallstoffe,
- Gewinnung von organischem Dünger,
- deutliche Verminderung der Geruchsbelästigung.

Schema einer Biogasanlage

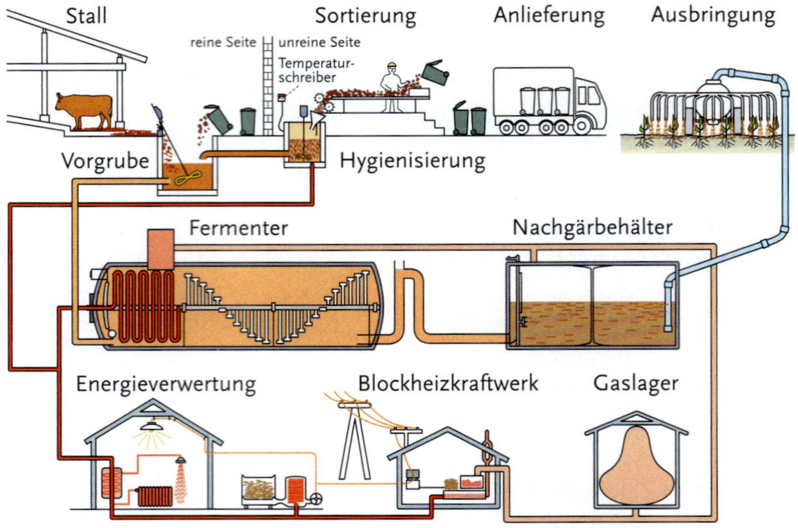

Die Wirtschaftlichkeit von Biogasanlagen hängt neben der Anlagengröße besonders von der Nutzung von Strom und Wärmeenergie ab. Vor allem für die große Wärmemenge, die bei der Stromerzeugung anfällt, müssen zuverlässige Abnehmer gefunden werden. Vorteilhaft ist deshalb z. B. eine Zusammenarbeit mit lokalen Biomasse-Nahwärmeversorgern.

2.5 Biokraftstoffe (Agrokraftstoffe)

Biokraftstoffe sind grundsätzlich eine qualitativ hochwertige Ergänzung und Alternative zu fossilen Treibstoffen. In Österreich ist es gesetzlich vorgeschrieben, dem Treibstoff einen gewissen Prozentsatz (3,4–6,3 %) an Biokraftstoffen beizumischen.

Biokraftstoffe aus Pflanzenöl sind allerdings klimatechnisch nicht besonders effizient. Neueste Untersuchungen belegen, dass die gesetzlich verpflichtende Beimengung deshalb keinen ökologischen Nutzen bringt. Das Umweltbüro der EU kommt sogar zu dem Ergebnis, dass die Umweltfolgen von Biokraftstoffen jene von Benzin und Diesel übertreffen.

Die Grundsubstanz für die **Gewinnung von Biokraftstoffen** (z. B. Biodiesel) ist Raps- oder Sonnenblumenöl. Das Öl wird aus Pflanzensamen gewonnen und durch eine einfache chemische Reaktion (Umesterung) zu Biokraftstoff umgewandelt. Ziel der Umesterung ist es, die Zähflüssigkeit des Öls wesentlich zu verringern. Bei der Umesterung entstehen Fettsäuremethylester (der Biokraftstoff) und Glycerin.

Schema der Umesterung

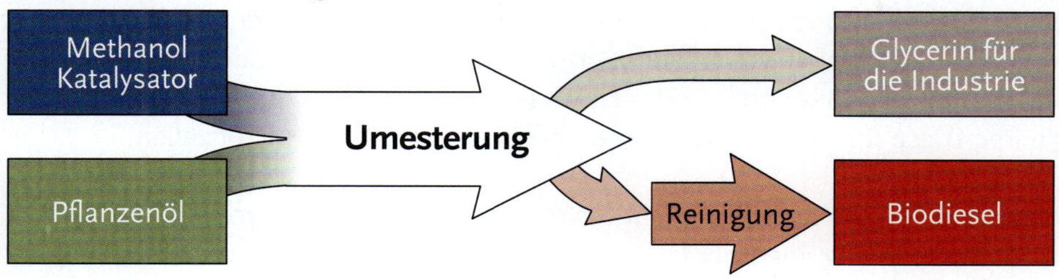

In erster Linie wird in diesen Anlagen Rapsmethylester (RME) produziert. Die Produktion von Sonnenblumenmethylester (SME) und Altfettmethylester (AME) erfolgt nur in kleinen Mengen.

Biokraftstoff in Österreich

Die OMV braucht jährlich rund 300 000 t Biodiesel, um die gesetzlich vorgeschriebene Beimischung von 5 % Biokraftstoff zum Dieselkraftstoff einhalten zu können. Die Beimischung ist eine Förderungsmaßnahme für die Landwirtschaft, denn Biodiesel wird hauptsächlich aus Raps gewonnen. Da Österreich zurzeit nur über eine Rapsanbaufläche von etwa 44 000 Hektar verfügt, wird Raps wohl oder übel importiert werden müssen. Um 100 000 t Biodiesel erzeugen zu können, ist nämlich die doppelte Anbaufläche notwendig. Also eine Förderung ausländischer Bauern?

Biodiesel hat jedoch dasselbe Problem wie Biomasse: Wird er aus hochwertigen Nahrungsmittel (z. B. Mais) gewonnen, ist der ökologische Nutzen gering.

2.6 Geothermie

Geothermie ist die **Nutzung von Erdwärme.** Erdwärme wird in Österreich in geologisch günstigen Gebieten vor allem in Form von Thermalwasser zum Heizen verwendet.

In manchen Ländern mit vulkanischen Gebieten (z. B. Island oder Mexiko) gewinnt man aus Erdwärme auch elektrische Energie. Dazu pumpt man Wasser in die Erde, das als Dampf wieder austritt und Turbinen treibt.

Geysire sind heiße Quellen, die ihr Wasser in regelmäßigen oder unregelmäßigen Abständen als Fontäne ausstoßen.

Island – ein Land, in dem sogar Straßen geheizt werden

Island hat zahlreiche Warmwasservorkommen, deren Wärmeenergie durch Förder- und Injektionsbohrungen genutzt wird. Dafür wird das Wasser zuerst hochgepumpt, gibt über Wärmetauscher seine Wärme an „normales Wasser" ab und wird schließlich ohne Mineralienverlust und abgekühlt an anderer Stelle wieder zurück in den Boden geführt. Daraus ergeben sich erhebliche Vorteile: Da etwa 90 % der Bewohner/innen auf diese Weise heizen, sind keine umweltbelastenden Kraftwerke nötig und das Leitungssystem mit 35 °C Wassertemperatur hält zusätzlich etwa 250 000 m^2 Straßen und Parkplätze eisfrei.

Das Geothermiepotenzial in Österreich liegt bei ca. 2 000 MW thermischer Energie. Die geologisch günstigsten Lagen in Österreich sind

- die steirische Thermenregion,
- das ober- und niederösterreichische Molassebecken und
- das Wiener Becken.

Bei der Brennstoffzelle handelt es sich um eine umgekehrte Elektrolyse. Statt Wasser mit elektrischem Strom in seine chemischen Bestandteile (H und O) zu zerlegen, wird Gleichstrom produziert und Wasser in Form von Dampf gewonnen. Sie haben die Brennstoffzelle bereits bei der Elektrochemie im II. Jahrgang kennengelernt.

2.7 Wasserstoff

Wasserstoff ist **keine Energiequelle.** Das Gas H_2 kann Energie jedoch speichern und transportieren. Von einer umweltfreundlichen Technologie kann jedoch nur die Rede sein, wenn der Wasserstoff mithilfe von erneuerbarer Energie wie Wind-, Gezeiten- oder Sonnenkraft gewonnen wird.

Reiner Wasserstoff muss aus anderen Verbindungen gelöst werden. Die dazu notwendige Energie ist anschließend zum Teil im Wasserstoff gespeichert. Oxidiert der Wasserstoff mit Sauerstoff wieder zu Wasser, setzt er die in ihm gespeicherte Energie frei. Diese Rückwandlung übernehmen sogenannte **Brennstoffzellen.**

Wasserstoff hat in Verbindung mit erneuerbarer Energie eine große Bedeutung
- zur **Speicherung von Energie,**
- zum **Transport von Energie** und
- als **schadstofffreier mobiler Energieträger.**

In Umspannwerken wird der Strom zum Transport auf hohe Spannungen hochtransformiert bzw. für die Haushalte auf niedrigere Spannungen zurücktransformiert.

3 Vom Kraftwerk zu den Verbrauchern

Kraftwerke sind meist weit entfernt von den Verbrauchsschwerpunkten elektrischer Energie. Für den Stromtransport ist daher ein dichtes Leitungsnetz auf mehreren Spannungsebenen erforderlich. Je nach Übertragungsleistung und -entfernung wird eine wirtschaftliche und technisch optimale Spannungsebene gewählt.

Um effizient Strom über weite Strecken zu transportieren, ist es notwendig, hohe Spannungen zu erzeugen. Ohne Hochspannung wären absurd hohe Stromstärken für die Übertragung großer Leistungen notwendig. Die Änderung auf Hochspannung geschieht in einem **Umspannwerk.**

Beispiel
Die Leistung eines Generators beträgt 1 kW, die Spannung des Stroms ist 230 V. Wie hoch ist die Stromstärke?

$P = 1\ kW = 1 \cdot 10^3\ W$ Aus $P = U \cdot I$ folgt $I = \frac{P}{U}$

$I = \frac{1 \cdot 10^3}{230} \approx 4{,}35\ A$

Die Stromstärke beträgt **4,35 A.**

Wussten Sie, dass ...
der heutige Stromtransport gleichzeitig auch die Möglichkeit bietet, Daten zu übertragen? So sind in den Kabeln Glasfaserleitungen integriert, die man in der modernen Kommunikationstechnik verwendet.

Aufgabenstellung – „Berechnung der Stromstärke"

- \+ Berechnen Sie die Stromstärke eines 100-MW-Generators bei 380 kV.

FILM AB!
Eine Dokumentation zeigt Ihnen den Weg des elektrischen Stroms vom Kraftwerk zu den elektrischen Verbrauchern ausführlicher.
www.trauner.at/nawi_v104.aspx

Der Stromtransport durch unser Land erfolgt in **drei Kategorien:**
- Höchstspannungsleitungen: ab 110 kV
- Hochspannungsleitungen: ab 1 kV
- Niederspannungsleitungen: 230/400 V

Höchstspannungsleitungen (110 kV, 220 kV und 380 kV) erkennt man an den drei (einfach geführt) oder auch sechs (doppelt geführt) Leiterkabeln und an einem Erdseil an der Mastspitze (Sicherungseinrichtung bei Blitzeinschlag). Höchstspannungsleitungen werden selten als Erdkabel verlegt.

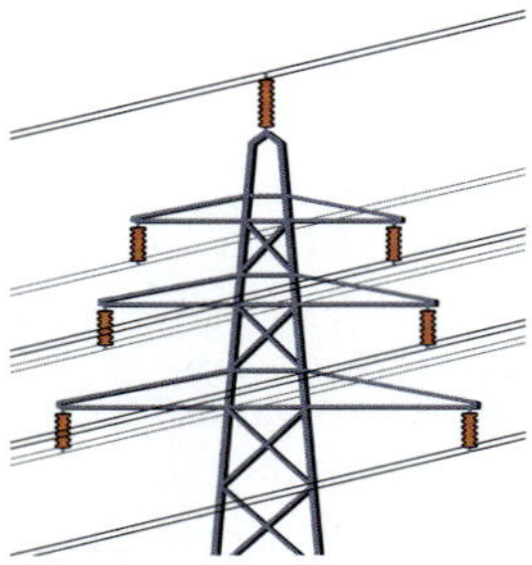
Höchstspannungsleitungen

Hochspannungsleitungen (10 kV, 20 kV, 30 kV) werden im städtischen Bereich meist als Erdkabel verlegt. Sie bestehen aus drei Leiterkabeln. Größere Industrieanlagen werden direkt mit Hochspannungsleitungen versorgt.

In **Umspannwerken** bzw. **Ortstrafostationen** werden die Spannungen je nach Bedarf verändert. Die Spannungsmodulation funktioniert nach dem Trafoprinzip.

Den letzten Weg des Stroms stellt der Weg von der Transformatorstation zum Hausanschluss dar. Ab hier verlaufen vier Kabel, entweder auf Holzmasten oder Erdkabeln, zu den einzelnen Gebäuden.

Ziele erreicht? – „Energiewirtschaft“

KOMPETENZ-ERWERB

1. + Recherchieren Sie zu den unterschiedlichen Bauarten von Kernkraftwerken. Welche Unternehmen bzw. Staaten führen die Konstruktion der Reaktoren aus bzw. welche Staaten und Institutionen unterstützen den Bau von Kernkraftwerken und welche versuchen, den weiteren Ausbau der Kernenergie zu stoppen?

2. ++ Vergleichen Sie die unterschiedlichen erneuerbaren Energieträger, die in Österreich zur Verfügung stehen. Finden Sie heraus, wo und in welchem Ausmaß diese Energieträger in unserem Land genutzt und auch durch staatliche Förderungen unterstützt werden.
Beurteilen Sie in diesem Zusammenhang Kosten/Nutzen, Verfügbarkeit und Umweltauswirkungen.

3. + Erklären Sie, warum elektrische Energie eigentlich nicht „erzeugt“ werden kann.

4. + Skizzieren Sie kurz den Transport von elektrischem Strom vom Kraftwerk zu einem elektrischen Verbraucher.

5. + Erklären Sie, wozu man beim Transport von elektrischem Strom Umspannwerke und Transformatoren benötigt.

6. ++ Recherchieren Sie, welche Energiequellen in Ihrer Umgebung genutzt bzw. welche Kraftwerkstypen sich in Ihrer Umgebung befinden.
Stehen Ihrer Meinung nach andere, womöglich erneuerbare Energiequellen zur Verfügung die zusätzlich genutzt werden könnten?
Finden Sie heraus, welche Voraussetzungen für die Energiewirtschaft in Ihrer Gemeinde oder Ihrer Umgebung vorhanden sind (z. B. Ebenen mit viel Wind für Nutzung von Windenergie, starke Industrie mit ständig wechselndem Bedarf an elektrischem Strom).

7. ++ Windkraftanlagen sind grundsätzlich eine sinnvolle Art der Nutzung von erneuerbarer Energie. Jedoch gibt es an solchen Anlagen immer öfter auch Kritik.
Recherchieren Sie unterschiedliche Meinungen zum Thema Windkraft (z. B. von Naturschutzverbänden sowie der IG Windkraft).
Beurteilen Sie, welche Argumente der jeweiligen Positionen für Sie nachvollziehbar sind bzw. welche Argumente Sie entkräften oder widerlegen können.
Tipp: Eine Sammlung von Studien des Naturschutzbundes Deutschland zu Windenergie und deren Auswirkungen auf Flugtiere finden Sie hier: www.trauner.at/windenergie.aspx

Einen interaktiven **Safety-Check** finden Sie in der TRAUNER-DigiBox.

Klimawandel und Treibhauseffekt

Der Klimawandel setzt den Gletschern gewaltig zu. Selbst von großen Gletschern dürfte am Ende des Jahrhunderts nicht mehr viel übrig sein. An der Pasterze, Österreichs größtem Gletscher am Großglockner, ist dieser Rückgang aufgrund des Klimawandels sehr deutlich erkennbar.

Donald J. Trump
@realDonaldTrump
Following

The concept of global warming was created by and for the Chinese in order to make U.S. manufacturing non-competitive.

RETWEETS 24,831 LIKES 14,654

2:15 PM - 6 Nov 2012

Manche Argumentation gegen den Klimawandel ist wirklich an den Haaren herbeigezogen und entbehrt jeglicher wissenschaftlicher Logik. So hat z. B. US-Präsident DONALD TRUMP einmal gemeint, der Klimawandel sei eine Erfindung Chinas, um die US-amerikanische Wirtschaft zu schwächen.

Über den Klimawandel kann man verschiedene Inhalte in den Medien lesen. Nicht immer wird seriös darüber berichtet.

Beispiele für unterschiedliche und unseriöse Darstellungen des Klimawandels

- Panikmache: Es wird vom Klimakollaps geschrieben und für jedes erdenkliche Wetterphänomen ist auch ohne wissenschaftliche Belege der Klimawandel verantwortlich.
- Verharmlosung: Es wird behauptet, der Mensch kann keinen Einfluss auf das Klima haben, weil sich das Klima ja schon immer geändert habe. Auch werde der Klimawandel, Temperaturerhöhungen usw. einfach geleugnet.

Deshalb ist es für alle wichtig, sich mit diesem Thema zu beschäftigen. So können wir uns selbst ein Bild darüber machen, was wir von den Berichten halten sollen.

KOMPETENZ-ERWERB

Meine Ziele

Nach Bearbeitung dieses Kapitels kann ich

- Wetter vom Klima unterscheiden;
- Ursachen und Auswirkungen des Klimawandels nennen;
- selbstständig Informationen zum Klimawandel beschaffen und präsentieren;
- die Bedeutung des Klimas für die Stabilität der Ökosysteme erfassen;
- ein Verhalten entwickeln, welches das Klima möglichst wenig beeinflusst;
- Daten über das Klima analysieren und daraus künftige Entwicklungen des Klimas ableiten.

FILM AB!

Dass die pseudowissenschaftliche Behauptung der Leugnung des Klimawandels wissenschaftlich nicht haltbar ist, zeigt Ihnen folgendes Video, in dem Schein-Argumente entkräftet werden.
www.trauner.at/nawi_v126.aspx

1 Klima

Das Klima wird als der **mittlere Zustand der Atmosphäre an einem Ort über einen längeren Zeitraum** definiert. Auch die jahreszeitlichen Änderungen und die wetterabhängigen Abweichungen müssen berücksichtigt werden.

Für den jahreszeitlichen Ablauf der Witterung in den verschiedenen Regionen der Erde sind Sonneneinstrahlung, Wind, Temperatur und Luftdruck in der Atmosphäre bis mindestens 50 km Höhe mitentscheidend. Die Niederschlagsmenge hängt vom Wasserdampfgehalt der Luft ab.

Klima im Wandel der Zeit

Das Klima der Erde war nachweislich starken Schwankungen unterworfen. Die Zeiträume mit stabilem Klima variierten zwischen weniger als hundert Jahren und Millionen von Jahren. Als Folge veränderter Strahlungsverhältnisse der Sonne und von Änderungen der Erdoberfläche, der Erdumlaufbahn, der Neigung der Erdachse relativ zur Umlaufbahn und schließlich der Atmosphäre gab es in der Vergangenheit mehrere Eis- und Warmzeiten auf der Erde.
Die globale mittlere Temperatur der bodennahen Atmosphäre betrug in der zurückliegenden Klimaepoche von ca. zwei Millionen Jahren zwischen ca. 9 °C (während der Eiszeiten) und ca. 16 °C (während der Warmzeiten). Die heute auf der Erde beobachtete globale Jahresmitteltemperatur von ca. 15 °C liegt damit innerhalb des Temperaturintervalls der letzten zwei bis drei Millionen Jahre.
Aus der Verteilung der Vegetation und der Insekten auf den Kontinenten während verschiedener Zeitepochen ist bekannt, dass diese Temperaturschwankungen mit erheblichen Klimaänderungen verbunden waren, die sich wieder sehr stark auf die Verteilung und Beschaffenheit der Ökosysteme ausgewirkt haben. Gleichzeitig änderten sich der Meeresspiegel und die Eisbedeckung. So lag der Meeresspiegel während der letzten Eiszeit vor ca. 15 000 Jahren etwa 130 m unter dem heutigen Niveau.

Kurzfristige Klimaschwankungen können durch heftige Vulkanausbrüche verursacht werden, bei denen heiße SO_2-haltige Gase in die mittlere Stratosphäre in 20–35 km Höhe gelangen. Diese Aerosolteilchen absorbieren und streuen bis zu 30 % der direkten Sonneneinstrahlung mit der Folge einer mittleren Abkühlung der Erdoberfläche.

Aufgabenstellungen – „Klima“

1. + Wenn es immer schon Klimaschwankungen gegeben hat, warum regen sich dann jetzt so viele Leute über die aktuellen Änderungen des Weltklimas auf? Sollten wir uns nicht entspannt zurücklehnen und die Klimaänderungen vorübergehen lassen? Wie stehen Sie zu diesem Standpunkt? Diskutieren Sie in der Klasse.
2. ++ Recherchieren Sie, welche Auswirkungen des Klimawandels in Österreich bereits erkennbar sind. Stellen Sie eine Prognose, was Ihrer Meinung nach noch an Problemen auf Österreich zukommen könnte.

Das Klima wird durch eine Vielzahl von Faktoren, wie z. B. die Lufttemperatur, die Windrichtung, die Windstärke und den Niederschlag, charakterisiert.

Auch die jahreszeitlichen Änderungen müssen bei der Charakterisierung des Klimas berücksichtigt werden.

Das **Klima** definiert den langjährigen Durchschnitt, das **Wetter** den aktuellen Momentanzustand.

Einige große klimawirksame Vulkanausbrüche stammen vom Agung (Bali, 1963); Mount St. Helens (USA, 1980); El Chichón (Mexiko, 1982); Pinatubo (Philippinen, 1991). Der Ausbruch des Pinatubo führte zu einer kurzfristigen Absenkung der globalen Mitteltemperatur um ca. 0,3 °C.

Ausbruch des Pinatubo 1991

Stratosphäre = Teil der Erdatmosphäre im Bereich zwischen ca. 15 km und 50 km Höhe.

SO_2 = Schwefeldioxid

Aerosole = Gase, die feste oder flüssige Stoffe in feinstverteilter Form enthalten.

Derjenige Teil des Lichts, der die Energie für die Fotosynthese liefert, liegt im sichtbaren Bereich des Lichts.
Da die Blätter grün sind, also den grünen Blattfarbstoff Chlorophyll enthalten, reflektieren sie grünes Licht. Blaues und rotes Licht hingegen wird von den Blättern absorbiert und für die Fotosynthese genutzt.

Das Strahlungsgleichgewicht zwischen Erdoberfläche und Atmosphäre hält die mittlere Bodentemperatur auf 15 °C.

2 Energiequellen für Wetter und Klima

Die **Sonnenstrahlung** ist die Energiequelle für alle Lebensvorgänge auf der Erde. Auch als Motor für das Klima wirkt die Sonneneinstrahlung. Die auf die Erde auftreffende Strahlenmenge ist von verschiedenen Faktoren abhängig (z. B. geografischer Lage, Staubanreicherung in der Atmosphäre). Neben der Energiemenge ist aber auch die Strahlungszusammensetzung für das Leben auf der Erde von entscheidender Bedeutung:

- ca. 10 % kurzwellige UV-Strahlung
- ca. 45 % fotosynthetisch nutzbare Strahlung (sichtbares Licht)
- ca. 45 % Infrarotstrahlung (unsichtbares Licht)

Die Einstrahlung von Sonnenenergie und ihre Abgabe als langwellige Strahlung (Infrarotstrahlung) prägen die Energiebilanz der Erdoberfläche.

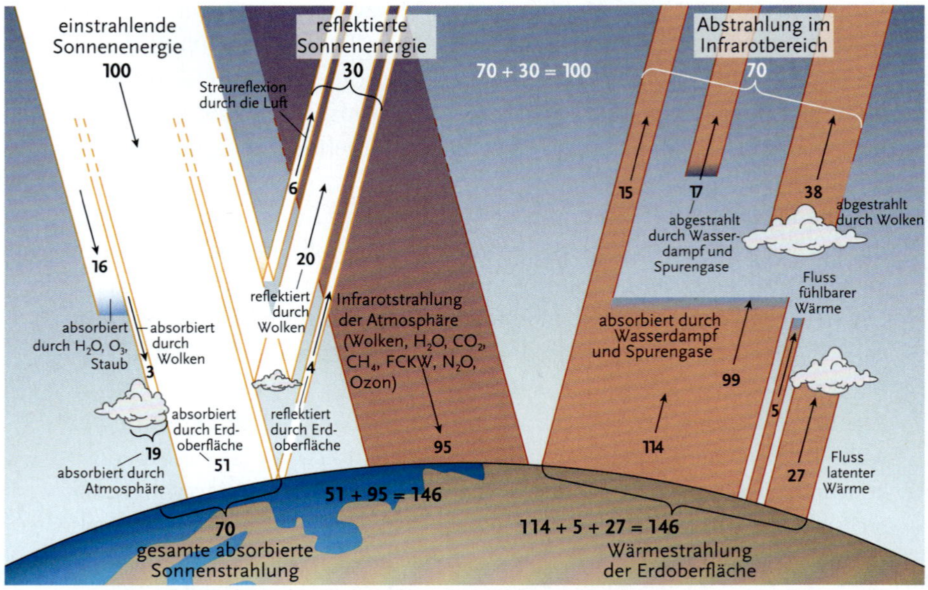

Strahlungshaushalt des Systems „Erde – Atmosphäre"
Energiebilanz in Prozent der eingestrahlten Sonnenenergie

Auf dem Weg durch die Atmosphäre werden ca. 30 % der eingestrahlten Sonnenenergie an Wolken, Staub und Erdoberfläche reflektiert. Die übrigen 70 % werden absorbiert, und zwar zu ca. 19 % von Wasserdampf, Ozon und anderen Gasen in der Atmosphäre. Der verbleibende Rest von 51 % wird in der Hydro-, Litho- und Biosphäre absorbiert und in langwellige Wärmestrahlung umgewandelt.

Aufgabenstellungen – „Energiequellen für Wetter und Klima"

1. + Nennen Sie die Energiequelle für die klimatischen Vorgänge und den Weg der Energie im Ökosystem vom Ursprung bis zum Endverbraucher Mensch.

2. ++ Betrachten Sie die Abbildung zum Strahlungshaushalt. Beschreiben Sie das Bild und erklären Sie anhand des Bildes die Energiebilanz der Erde.

3 Klimafaktoren als Umweltfaktoren

Schönes, heißes Sommerwetter hat Ralf am liebsten. Doch nicht nur für ihn und seine Freizeitpläne sind die Klimafaktoren Licht, Temperatur und Wind von Bedeutung.

3.1 Licht

Die für Pflanzen nutzbare Strahlung liegt im Bereich einer Wellenlänge von 380 bis 740 nm. Diese Strahlung wird von pflanzlichen Farbstoffen (z. B. Chlorophyll) aufgenommen und dient als **Energiequelle für die Fotosynthese.** Blau- und Rotlicht werden von der Vegetation sehr stark absorbiert, ebenso wie die langwellige Temperaturstrahlung im Infrarotbereich.

nm = Nanometer; ein Milliardstel eines Meters

Chlorophyll = Farbstoff, der für die Fotosynthese mitverantwortlich ist; Blattgrün

Im stockwerkartigen Aufbau der Wälder ist der **unterschiedliche Anspruch an die Lichtintensität** sehr deutlich zu erkennen. Die Blätter der oberen Schichten, die sogenannten Sonnenblätter, sind klein und dick, die zarten Schattenblätter der Strauchschicht sind dagegen größer und dünner, um das geschwächte Licht noch effektiv nutzen zu können. Licht bestimmt auch die **Wuchsrichtung** und den **Blühvorgang** von Pflanzen.

Stockwerkartiger Aufbau eines Mischwaldes; die Blätter der Strauchschicht sind größer und dünner, um das schwächere Licht besser nutzen zu können.

3.2 Temperatur

Lebensprozesse laufen nur unter bestimmten Temperaturbedingungen ab. Der **Temperaturtoleranzbereich** liegt zwischen –10 °C und +50 °C. Die untere Grenze ist durch die Einschränkung des Organismus durch gefrierendes Wasser, die obere Grenze durch Entwässerung, Membranschädigungen oder Zerstörung der Molekülstruktur gegeben. Wachstum, Entwicklung und Aktivität der meisten Organismen sind mehr oder weniger von der Umgebungstemperatur abhängig.

Faktor Temperatur bei Tieren

Wechselwarme Tiere	Gleichwarme Tiere

Die **Körpertemperatur** ist **abhängig** von der Außentemperatur. Sinkt die Außentemperatur, kühlt das Blut ab, die Lebewesen werden träger. Unter einem kritischen Wert tritt die Kältestarre ein (stark verlangsamter Stoffwechsel). Dieser Zustand ist umkehrbar, führt bei weiterer Abkühlung jedoch zum Kältetod. Eine Überschreitung des Höchstwerts der Körpertemperatur führt zum Hitzetod.	Die **Körpertemperatur** ist weitgehend **unabhängig** von der Außentemperatur. Der Energiebedarf zur Erhaltung der Körperwärme muss durch Nahrungsaufnahme gedeckt werden. Ausbildungen, wie Haare, Federn und Fettgewebe, vermindern den Wärmeverlust.
Beispiele Insekten, Amphibien (z. B. Feuersalamander), Kriechtiere, Fische	**Beispiele** Säugetiere, Vögel (z. B. Kohlmeise)

Bei der Ausbildung der Höhenstufen der Vegetation wird der Einfluss der Temperatur deutlich sichtbar. In den Alpen beobachtet man von unten nach oben folgende Zonen: Laub- und Mischwald, Nadelwald, Krummholz, Zwergstrauchheide, Matten, Polsterpflanzen und schließlich Moose und Flechten.

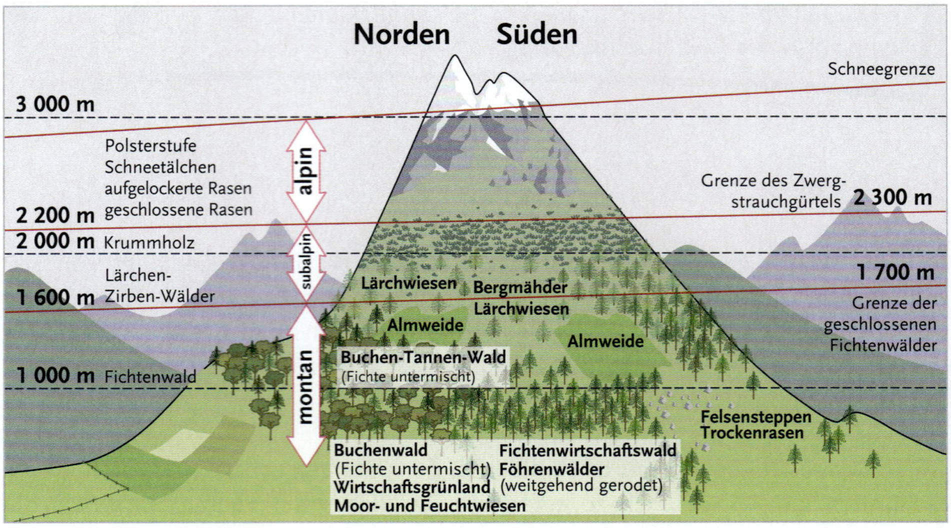

Aufgabenstellung – „Temperatur“

- ++ Diskutieren Sie in der Klasse, wie sich die globale Erwärmung auf die Gliederung der Höhenstufen auswirken wird. Welche möglichen Folgen sehen Sie für Österreich und besonders die Wirtschaft in unserem Land?

Wussten Sie, dass ...
sich auf manchen Meeresinseln flugunfähige Insekten entwickelt haben? Wegen der häufig auftretenden Stürme ist die Flugunfähigkeit ein Vorteil, da fliegende Insekten vom Wind leicht aufs Meer getrieben werden. Der Wind hat hier bei der Entwicklung der Arten als Selektionsfaktor gewirkt.

Baum, der einseitig starkem Wind ausgesetzt ist.

3.3 Wind

Die Regionen der Erde werden unterschiedlich erwärmt. Durch den **Austausch von warmen und kalten Luftmassen** entstehen Winde. Die Luft dehnt sich bei Erwärmung aus, es besteht also ein direkter Zusammenhang zwischen Temperaturverteilung, Luftdruckzonen und Windgürteln.

Die Aufnahmefähigkeit der Luft für Wasserdampf ist temperaturabhängig: Je wärmer sie ist, desto mehr Feuchtigkeit kann sie aufnehmen. Beim Aufsteigen kühlt die Luft ab und der Wasserdampf kondensiert. Dies ist die häufigste Ursache für Niederschläge.

Ökologisch bedeutsam sind auch die Windverhältnisse eines Lebensraums. An der deformierten Gestalt von Bäumen, die ständig einseitig starkem Wind ausgesetzt sind, wird seine **mechanische Wirkung** deutlich. Die Blüten windbestäubter Pflanzen (Hasel, Birke, Gräser) haben gemeinsame Merkmale entwickelt. Sie produzieren winzige, staubartige Pollen in großer Zahl, ihre Narben sind groß und klebrig. Oft sind die staubenden Organe beweglich und blühen bald im Frühjahr, weil später die Blätter den Pollenflug behindern würden. Auch bei der Verbreitung von Pflanzen durch geflügelte Samen und Früchte spielt der Wind eine Rolle.

Aufgabenstellungen – „Klimafaktoren als Umweltfaktoren “

1. ++ Erklären Sie die Auswirkungen einer globalen Erwärmung auf die Windsysteme der Erde. Beachten sie dabei auch die Bedeutung der Winde und Luftbewegungen für andere Bereiche der Ökologie (z. B. Windbestäubung, Kondensation).
2. ++ Durch die Klimaerwärmung wird in manchen Regionen der Erde aufgrund der hohen Verdunstung weniger Wasser vorhanden sein. Beschreiben Sie, wie die Pflanzen- und Tierwelt sowie die Menschen in diesen Gebieten darauf reagieren könnten.
3. ++ Hohe Temperaturen wirken sich auf das Kreislaufsystem des Menschen aus. Überlegen Sie, was die Folge davon sein könnte. Nennen Sie Maßnahmen, um das Kreislaufsystem in solchen Situationen zu stabilisieren.

4 Treibhauseffekt

„Warum heißt der Treibhauseffekt eigentlich so? Hat das etwas mit einem Gewächshaus zu tun?“, fragt Lisa.
„Ja, genau!“, antwortet ihr Ralf. „Wie ein Glasdach über einem Gewächshaus befinden sich in der Erdatmosphäre Gase, die einen Teil der Wärmestrahlung daran hindern, die Atmosphäre wieder zu verlassen.“

Als wichtigstes Glied des Kohlenstoffkreislaufs ist **Kohlenstoffdioxid (CO_2)** der Kohlenstoff-Lieferant für die Fotosynthese. In der Atmosphäre lassen CO_2 sowie H_2O-Dampf die kurzwellige Sonnenstrahlung passieren und hindern die langwellige Rückstrahlung, wodurch sich die Luft erwärmt.

Treibhauseffekt (Größenverhältnis nicht maßstabsgetreu)

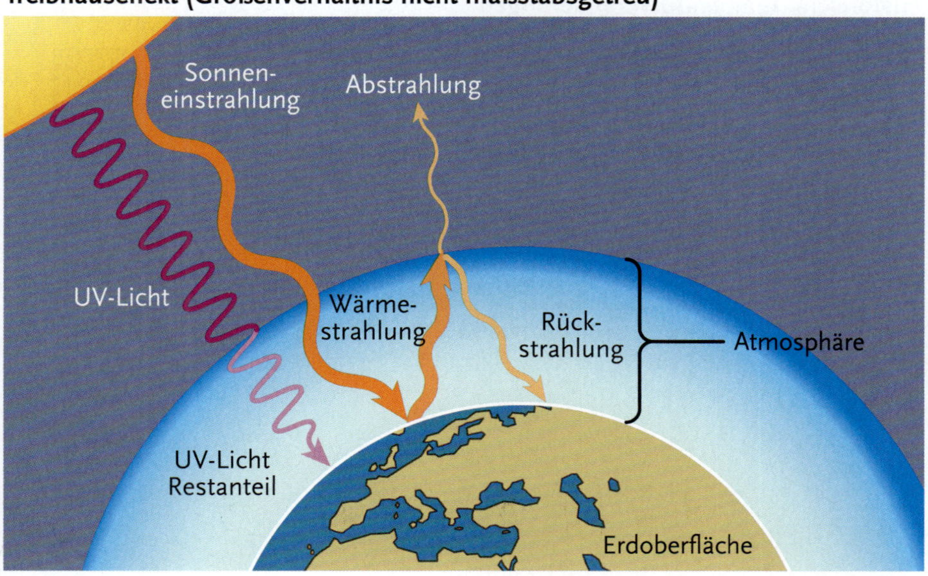

In einem Gewächshaus wird genau dieser Effekt ausgenützt und durch die zurückreflektierte Wärmestrahlung kann ein wärmeres Klima unter dem Glas- bzw. Kunststoffdach gehalten werden.

Unsere Erde ist nur aufgrund des natürlichen Treibhauseffektes für Lebewesen bewohnbar. Dieser natürliche Treibhauseffekt bewirkt eine Aufheizung der Erdatmosphäre auf lebensfreundliche Temperaturen von durchschnittlich +15 °C. Ohne diesen hätten wir lebensfeindliche emperaturen von –17 °C.

anthropogen = vom Menschen verursacht

FCKW = Fluor-Chlor-Kohlenwasserstoffe (wurden früher als Treibgase in Spraydosen und als Kühlmittel in Klimaanlagen verwendet)

Unsere westliche Industriekultur bewirkt allerdings durch den Ausstoß von Treibhausgasen eine zusätzliche Verstärkung dieses Effektes (anthropogener Treibhauseffekt). Als **Treibhausgase** wirken: **Wasserdampf, CO_2, Ozon (O_3), Lachgas (N_2O), Methan (CH_4) und FCKW**.

Folgende Tabelle zeigt die Treibhausgase mit den Daten zur anthropogenen Emission, der atmosphärischen Konzentration (Zahlen in Klammer bedeuten dabei die Konzentration in vorindustrieller Zeit) und ihren Anteil am natürlichen wie auch am anthropogenen Treibhauseffekt.

Spurengas, Symbol	Anthropogene Emissionen	Atmosphärische Konzentrationen	Treibhauseffekt natürlich	Treibhauseffekt anthropogen
Kohlenstoffdioxid, CO_2	33 Gt/Jahr	410 (280) ppm	ca. 26 %	66 %
Methan, CH_4	550 Mt/Jahr	1,85 (0,7) ppm	ca. 2 %	17 %
FCKW	0,4 Mt/Jahr	F_{12}: 0,5 (0) ppb	–	5 %
Distickstoffoxid, N_2O	15 Mt/Jahr	0,33 (0,28) ppm	ca. 4 %	6 %
Ozon (bodennahes), O_3*	0,5 Gt/Jahr	25–50 ppb	<8 %**	<15 %**
Wasserdampf, H_2O	relativ gering	2,6 (2,6) %	ca. 60 %	(indirekt)

*) bodennaher Mittelwert **) mit weiteren Gasen; Gt = Milliarden Tonnen, Mt = Millionen Tonnen; ppm = 10^{-6}, ppb = 10^{-9} Volumenanteile

Quellen: IPCC, Umweltbundesamt.de, Bildungsserver Hamburg (Zugriff 2018)

Die bisher beobachtbare Klimaentwicklung kann man am besten darstellen, wenn man sowohl **natürliche** wie auch **anthropogene** Einflüsse berücksichtigt. Das heißt, bereits die bisher beobachtbaren Klimaveränderungen sind nur durch eine anthropogen verursachte Klimaerwärmung vorstellbar. Die folgende Abbildung zeigt, dass der tatsächliche Temperaturanstieg der theoretischen Temperaturänderung durch vom Menschen verursachte Gründe sehr ähnlich ist.

Historische Temperaturveränderungen

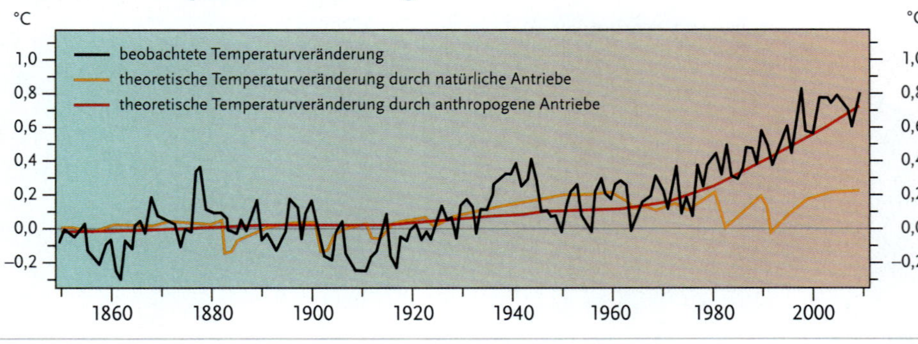

Der gemessene Temperaturanstieg der letzten 100 Jahre lässt sich mit dem natürlichen Treibhauseffekt und natürlichen Klimaauswirkungen nicht ausschließlich erklären.

Beispiel: Klimaentwicklung
Die mittlere Wintertemperatur ist in Oberösterreich seit 1900 um etwa 1,5 °C gestiegen. Bis Mitte dieses Jahrhunderts rechnen Wissenschaftler/innen mit einem weiteren Anstieg der Temperatur um 2–3 °C. Für einige Gebiete Österreichs bedeutet das einen Anstieg von 8,8 °C auf ca. 11,3 °C. Im Sommer führt die Erwärmung bereits jetzt dazu, dass sich der Anteil von Tagen über 25 °C seit den 60er-Jahren von 6 % jährlich auf über 12 % mehr als verdoppelt hat.

Nicht nur, dass Tätigkeiten in Richtung Reduktion des Treibhausgasausstoßes zurzeit noch fehlen. Auch stoßen sogenannte CO_2-Senken, die bisher Kohlenstoffdioxid aufnahmen und die Anreicherung in der Atmosphäre reduziert haben, an ihre Aufnahmegrenzen oder verlieren durch den Anstieg der Temperatur an Kapazität.

Eine Verdopplung der CO_2-Konzentration könnte die mittlere Erdoberflächentemperatur zwischen 2 °C in den Tropen bis 7 °C nördlich des Polarkreises erhöhen. Dieser Zustand könnte bis 2050 erreicht sein. Eine gewaltige **Verschiebung von Klimazonen** sowie enorme Auswirkungen auf den Wasserhaushalt der Erde wären zu erwarten. Durch das **Abschmelzen von Schnee- und Eismassen** könnte der **Meeresspiegel** um sechs Meter **ansteigen** und wertvolle Lebensräume und Produktionsräume überschwemmen. **Menschen könnten durch Hunger, Stürme, Hitzestress und Ausbreitung von Tropenkrankheiten sterben.**

Aufgabenstellungen – „Treibhauseffekt“

1. \+ Stellen Sie die Begriffe natürlicher und anthropogener Treibhauseffekt gegenüber und erklären Sie sie.
2. ++ Geben Sie die drei Treibhausgase, die am stärksten am anthropogenen Treibhauseffekt beteiligt sind, mit Namen und Formel an.
3. ++ Der Name Treibhauseffekt kommt vom Treibhaus bzw. Gewächshaus, in dem Pflanzen gezüchtet werden. Vergleichen Sie das Treibhaus Erde mit einem gewöhnlichen Gewächshaus und beschreiben Sie so die Funktionsweise des Treibhauseffekts.

Entwicklung des CO_2-Ausstoßes

Die Kohlenstoffdioxidkonzentration hat im Jahr 1960 knapp über 310 ppm betragen. Heute steht sie bei ca. 410 ppm. Mit der CO_2-Konzentration nimmt auch die durchschnittliche Temperatur der Atmosphäre zu.

ppm = parts per million

CO_2-Ausstoß im Laufe der Zeit

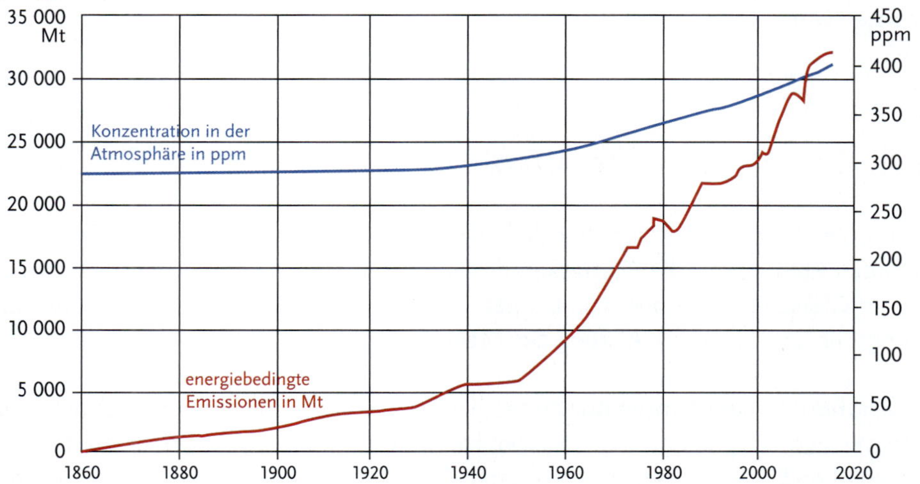

Diese Grafik zeigt, dass die anthropogene Emission von Kohlenstoffdioxid und der Anstieg der CO_2-Konzentration in der Luft durchaus einhergehen. Ohne menschliches Zutun, wäre ein derart rasanter Anstieg der CO_2-Konzentration nicht zu erklären.

Es ist uns bereits gelungen, viele Schadstoffe in der Luft zur reduzieren. So wurden etwa in den 1970er- und 1980er-Jahren erheblich mehr Luftschadstoffe emittiert als heute. Mensch und Natur litten unter der Umweltverschmutzung.

Die mittleren europäischen Sommertemperaturen werden nach aktuellen Modellsimulationen im Jahr 2100 um mehr als 7 °C über den Werten von 1900 liegen.

Allerdings war die Umweltverschmutzung von damals deutlich sichtbar bzw. riechbar. Es war leicht, den Leuten zu erklären, dass es ein Problem gibt. Die Treibhausgase hingegen sind unsichtbar und geruchlos. Daher ist es für die Bevölkerung wesentlich schwieriger, das Problem zu erkennen.

Einige Probleme (z. B. FCKW-Problematik) konnten technisch leicht gelöst werden: die gefährlichen Stoffe wurden einfach durch andere ersetzt. Eine ähnlich technisch einfache Lösung ist für das Treibhausproblem nicht möglich.

Aufgabenstellung – „CO_2-Ausstoß“

■ ++ Eine Verminderung der Menge von CO_2 (sowie weiterer Treibhausgase) ist einerseits durch eine technische Steigerung der Effizienz möglich. So werden z. B. Verbrennungsmotoren immer effizienter und stoßen weniger Abgase aus. Andererseits gibt es auch die Möglichkeit, dass Menschen ihr Verhalten umstellen, also sparen und verzichten.

Diskutieren Sie in der Klasse, welche der beiden unterschiedlichen Herangehensweisen für Sie zielführender erscheint. Ist die Gesellschaft (und auch Sie selbst) dazu bereit, für eine Reduktion des CO_2-Ausstoßes zu sparen und zu verzichten?

In der TRAUNER-DigiBox finden Sie einige Links zu aktuellen Artikeln zu den Auswirkungen des Klimawandels – sowohl global gesehen als auch auf Österreich bezogen.

5 Auswirkungen des Klimawandels

Der Klimawandel hat eine Vielzahl von Auswirkungen auf die Erde und somit auch auf uns Menschen. Einige sind bereits jetzt deutlich bemerkbar, andere werden in der Zukunft noch weit heftiger zu spüren sein, wenn dem Klimawandel nicht Einhalt geboten wird.

Unter **geophysikalischen Auswirkungen** sind Auswirkungen auf die Temperatur im globalen Mittel zu verstehen.

5.1 Geophysikalische Auswirkungen

Wenn die Temperatur steigt, hat das selbstverständlich zunächst einmal entsprechenden Einfluss auf die Eismassen der Erde. Fast 70 % der Süßwasservorräte liegen in Gletschern, Schnee und Eis gebunden vor. Mit dem Abschmelzen von Eis kommt es also zu einem **Anstieg des Meeresspiegels.**

Durch regional stärkere Verdunstung werden sich Wüsten ausbreiten, neue Wüsten werden entstehen.

Eine **höhere globale Temperatur** bringt gleichzeitig auch eine höhere Verdunstungsrate mit sich. Verdunstet mehr Wasser, kann das in manchen Regionen zu deutlich trockeneren Böden führen. Eine verstärkte Verdunstung hat allerdings auch erhöhte Niederschlagsmengen in anderen Regionen zur Folge, diese werden häufig in Form von Starkregen zu Hochwassern führen.

Einige Auswirkungen des Klimawandels haben zur Folge, dass der ursächliche Klimawandel noch stärker wird. Anhand von einigen Beispielen soll dies vorgezeigt werden.

Beispiele für die Selbstverstärkung des Klimawandels durch seine Auswirkungen

Waldbrände	Schmelzen der Eismassen	Gelöste Gase im Meerwasser
In heißen Gebieten führt eine Temperaturerhöhung zu häufigeren Waldbränden. Bei diesen Bränden wird in der Vegetation gespeicherter Kohlenstoff in Form von Kohlenstoffdioxid freigesetzt.	Eismassen reflektieren einen beträchtlichen Anteil der Sonnenstrahlung. Schmilzt jedoch das Eis, so trifft die Strahlung vermehrt auf Wasser und Land. Diese werden dadurch erwärmt.	Die Treibhausgase Kohlenstoffdioxid sowie Methan finden sich in Meerwasser gelöst. Die Löslichkeit von Gasen nimmt mit steigender Temperatur ab. Die Erderwärmung wird damit bisher im Meer gelöstes CO_2 und CH_4 in die Atmosphäre bringen.

Ein Anstieg der globalen Temperatur kann also heftige Auswirkungen mit sich bringen und sich auch noch selbst verstärken.

Viele Stürme entstehen über dem Meer und können sich erst ab einer bestimmten Meerestemperatur bilden. Eine **Erwärmung der Meere** kann die Häufigkeit und die vernichtende Gewalt von Hurrikanen erhöhen.

Ökologische Auswirkungen beschreiben die Folgen auf die Ökosysteme der Erde durch den Klimawandel.

5.2 Ökologische Auswirkungen

Sowohl der jährliche Temperaturverlauf als auch der jährliche Niederschlagsverlauf haben großen Einfluss auf die Vegetationsgürtel der Erde.

Vegetationsgürtel = Gebiet auf der Erde, in dem eine gewisse gleichartige Pflanzenwelt beheimatet ist; z. B. tropischer Regenwald oder Grassteppe

Wenn die globale Temperatur ansteigt, werden sich die Vegetationsgürtel entsprechend nach Norden bzw. Süden verschieben. In alpinen Regionen werden die Höhenstufen nach oben hin verschoben werden. Auch jahreszeitenbedingte Verschiebungen werden passieren.

Beispiel: Jahreszeitliche Verschiebungen bei der Kohlmeise
Kohlmeisen füttern ihre Küken vor allem mit Raupen. Die lange Anpassung zwischen Kohlmeisen und Schmetterlingen hat eigentlich zur Folge, dass die Küken immer zu der Jahreszeit schlüpfen, zu der auch die meisten Raupen verfügbar sind. Aufgrund des Klimawandels treiben jetzt Pflanzen früher aus, wodurch sich die Raupen mancher Schmetterlingsarten somit schon früher entwickeln und in fertige Schmetterlinge verwandeln. Da sich in den letzten Jahren die Entwicklungszeit der Raupen vorverlegte, fehlt den Küken die Nahrung. Sind die Meisen zu spät dran, muss ihr Nachwuchs verhungern.

Nicht immer können die Lebewesen auf die ökologischen Auswirkungen so gut reagieren wie die britischen Kohlmeisen: Sie legen ihre Eier inzwischen um zwei Wochen früher als noch vor 50 Jahren.

Ähnlich kann sich die Klimaerwärmung auch auf andere Nahrungsketten auswirken. Nicht alle Pflanzen- und Tierarten werden diese Verschiebungen mitmachen können. Nahrungsketten werden also voneinander getrennt. Dies hat beträchtliche Folgen – nicht nur für einzelne Arten, die dadurch aussterben können, sondern auch für ganze Ökosysteme.

Weiteres Beispiel von ökologischen Auswirkungen des Klimawandels
Durch höhere Temperaturen kommt es zu einer **Schmelze des Packeises.** Eisbären sind auf ihren langen Wanderungen allerdings auf tragfähiges Packeis angewiesen. Obwohl Eisbären gute Schwimmer sind, ertrinken auch sie, wenn sie nicht rechtzeitig Eisschollen finden, auf denen sie Rast machen können.

Auch die Anpassung des Menschen ist begrenzt. Forscher/innen rechnen mit einer Zunahme von Hitzetoten.

5.3 Wirtschaftliche, soziale und politische Auswirkungen

Der erwähnte **Anstieg des Meeresspiegels** wird weite flache Küstenregionen unbewohnbar machen. Während sich reiche Länder wie die Niederlande möglicherweise mit immer aufwändigeren Deichsystemen schützen können, werden sich Bangladesch oder kleine Inselreiche im Pazifik diese aus rein wirtschaftlichen Gründen nicht leisten können.

Ebenso die zu erwartende **Ausdehnung von Wüsten** wird erhebliche Erdteile unfruchtbar machen. Häufigere Extremniederschläge führen zu häufigeren Hochwassern. Bisherige sogenannte Jahrhunderthochwässer könnten mehrmals im Jahrhundert auftreten sowie Schäden an Wohnhäusern und Infrastruktur wie auch Ernteausfälle bringen.

Kommt es zur **Verschiebung der Vegetationsgürtel,** heißt es für die Landwirtschaft, sich anzupassen, entweder durch den Umstieg auf andere, dem neuen Klima angepasste Produkte oder durch gentechnisch verändertes Saatgut, welches die herkömmlichen Produkte den neuen Bedingungen anpasst.

Darüber hinaus kann es durch klimatische Änderungen bei der Vegetation auch zur **Entkoppelung von Nahrungsketten** kommen. Also gewisse Pflanzen- oder auch Tierarten abwandern und somit eine Lücke hinterlassen. Dies kann bewirken, dass die Population von Nützlingen (z. B. Bienen als Bestäuber von Pflanzen) abnimmt oder Wirtschaftsschädlinge (z. B. Pilzarten) verbesserte Bedingungen erhalten und sich vermehren.

Beispiel: Schäden durch Schädlinge
Werden Schädlinge (z. B. der Buchdrucker) im Winter nicht im notwendigen Ausmaß reduziert, können sie im nächsten Jahr durch stärkere Vermehrung erhebliche Schäden anrichten.

Es ist aber nicht nur die Land- und Forstwirtschaft von den Auswirkungen des Klimawandels betroffen. Für **Tourismusländer** wie Österreich wird es auch zu wesentlichen wirtschaftlichen Einbußen kommen, wenn aufgrund eines Temperaturanstiegs zu wenig Schnee fällt und der Wintertourismus in niedrigeren Lagen verloren geht.

Weiterführende Auswirkungen
Gerade in wirtschaftlich schwachen Ländern und Regionen kann es aufgrund der klimatischen Änderungen und den damit einhergehenden Ernteausfällen oder Umweltkatastrophen dazu führen, dass Gebiete unbewohnbar werden. Somit sind deren Bewohner zur Auswanderung gezwungen. Damit gehen soziale und wirtschaftliche Spannungen in den Zielländern einher. Manche Forscher fürchten daher auch Kriege um Wasser und bewohnbare Lebensräume, die die heutigen Kriege ums Öl ersetzen könnten.

Aufgabenstellung – „Auswirkungen des Klimawandels"

- ++ Recherchieren Sie im Internet, wie sich eine globale Erwärmung auf die Meeresströme auswirken wird bzw. welche Auswirkungen es bereits gegeben hat. Gibt es da vielleicht eine Meeresströmung, die für das europäische Klima besonders wichtig ist? Welche Konsequenzen würde eine Änderung der Meeresströme auf das europäische Klima haben? Berichten Sie Ihrer Klasse.

In den Niederlanden schützen schon jetzt Deiche die Küstenregionen vor Überflutungen.

Weitere Auswirkungen von Klimaveränderungen
- Starke **Stürme** bewirken Schäden an Infrastruktur und Landwirtschaft.
- Häufige **Waldbrände** vernichten die Holzernte der Forstwirtschaft sowie auch Wohnhäuser und Infrastruktur.

Der Buchdrucker ist ein Borkenkäfer, der große Schäden an Baumbeständen anrichten kann.

Wenn z. B. Bangladesch mit seinen fast 160 Millionen Einwohnern aufgrund des Meeresanstiegs teilweise unbewohnbar werden sollte, ergibt sich daraus eine dramatische Wanderbewegung.

In diesem Zusammenhang ist auch zu bedenken, dass sich durch Abschmelzen von Süßwassereis die Salzkonzentration der Meere ändern wird und das wiederum Auswirkungen auf die Meeresströmungen haben könnte.

6 Klimawandel als Umweltproblem

Neben der Frage, was Umweltschutz kostet bzw. der Wirtschaft bringt, sollten wir uns auch folgende Frage stellen: „Können wir es uns leisten, auf Umweltschutz zu verzichten?" Dieser Frage wollen wir anhand des Klimaschutzes nachgehen.

Klimaforscher/innen sind sich heute einig, dass die zunehmende Ansammlung von Treibhausgasen in der Atmosphäre eine globale Erwärmung und damit eine weltweite **Klimaveränderung** verursachen wird. Das genaue Ausmaß der Veränderungen ist nicht bekannt. Jedoch kann nach verschiedenen wissenschaftlichen Berechnungen von hohen Kosten für die Schäden durch den Klimawandel ausgegangen werden. Auch den Tod von Milliarden von Menschen innerhalb der nächsten 100 Jahre infolge der von Menschen verursachten Klimaveränderungen halten sie für wahrscheinlich.

Klimaschutzmaßnahmen wirken allerdings nicht sofort. Das Klima reagiert **mit jahrzehntelanger Verspätung.** Unsere Klimapolitik und die damit verbundenen Maßnahmen haben auf die Entwicklung innerhalb der nächsten 50 Jahre kaum Einfluss, allerdings sind heutige Maßnahmen entscheidend für den Zeitraum danach.

Manche Prognosen gehen sogar so weit, den Tod von Milliarden von Menschen innerhalb der nächsten hundert Jahre als Folge der global spürbaren Klimaveränderungen als wahrscheinlich anzusehen.

Die Klimaschutzmaßnahmen, die wir heute treffen sind entscheidend für die weitere Klimaentwicklung nach 2060.

Ziele erreicht? – „Klimawandel und Treibhauseffekt"

KOMPETENZ-ERWERB

1. + Erklären Sie den Unterschied zwischen Klima und Wetter.

2. + Nennen Sie die Treibhausgase, die den Klimawandel verursachen. Wo entstehen sie und wie gelangen sie in die Atmosphäre?

3. + Formulieren Sie, was Staaten, Betriebe und Sie persönlich machen können, um den Ausstoß von Treibhausgasen zu verringern.

4. ++ Beschreiben Sie mögliche Auswirkungen des Klimawandels für die österreichische Wirtschaft. Stellen Sie eine Prognose (Vorhersage) für die Situation in ca. 50 Jahren.

5. ++ Bewerten Sie Auswirkungen, die Ernteausfälle und andere ökologische Katastrophen haben können, wenn der Klimawandel weiter in diesem Tempo fortschreitet und so in einigen Ländern dazu führt, dass ein Leben dort nicht mehr möglich ist. Mit welchen sozialen Auswirkungen ist durch den Klimawandel in bestimmten Regionen zu rechnen? Welche Folgen wären damit für Österreich verbunden?

6. ++ Den Artikel „Extremwetter mindert Getreideernte um 10 %" können Sie hier nachlesen: www.trauner.at/extremwetter.aspx

- Fassen Sie zusammen, welche Wirkung der Klimawandel laut diesem Bericht auf die Getreideernte haben wird. Wie schätzen Sie persönlich die Auswirkungen ein?
- Tauschen Sie nun Ihre Zusammenfassungen untereinander aus und diskutieren Sie über den Zeitungsbericht.
- Überlegen Sie, welche Auswirkungen durch die Ernteausfälle zu erwarten sind: soziale Auswirkungen, wirtschaftliche Auswirkungen ...
- Schreiben Sie einen Leserbrief als Reaktion auf den Artikel und drücken Sie Ihre Meinung bzw. Kritik darin aus.

7. + Erklären Sie, warum es so viel schwieriger ist, den Klimawandel zu stoppen als andere Umweltprobleme (z. B. die FCKW-Problematik) zu lösen.

8. + Kann der Klimawandel noch gestoppt werden? Erklären Sie, was wir noch machen können/müssen, um das zu erreichen, und bewerten Sie bisher getroffene Maßnahmen gegen den Klimawandel.

Einen interaktiven Safety-Check finden Sie in der TRAUNER-DigiBox.

Nachhaltigkeit

Unter **Nachhaltigkeit** versteht man eine Entwicklung, die es schafft, die Bedürfnisse der heutigen Generation so zu befriedigen, dass auch künftige Generationen die Möglichkeit haben, ihre Bedürfnisse zu befriedigen und ihren Lebensstil zu leben.

Der englische Begriff für Nachhaltigkeit lautet *sustainability*.

Inwiefern ist der Mensch ein Übel für unseren Planeten und welchen Schaden fügen wir unserem Planeten eigentlich durch unser Verhalten zu?

Die Besiedlung des Planeten Erde durch den Menschen könnte tatsächlich vorübergehen, wenn wir nicht lernen, für uns selbst eine nachhaltige Wirtschaftsbasis und damit auch Lebensbasis zu schaffen, anstatt die Erde nur kurzfristig denkend auszubeuten. Wir können es aber auch schaffen, unsere Wirtschaftsweise so zu verändern, dass wir damit eine fundierte Lebensgrundlage schaffen, die auch den Generationen nach uns die gleichen Möglichkeiten bietet, wie wir sie vorfinden.

KOMPETENZ-ERWERB

Meine Ziele

Nach Bearbeitung dieses Kapitels kann ich

- erklären, was man unter Nachhaltigkeit versteht;
- beschreiben, wie Unternehmen nachhaltig wirtschaften können;
- Energieträger in Hinblick auf Nachhaltigkeit beurteilen, mögliche Schlussfolgerungen für mein eigenes Handeln sowie für die Gesellschaft daraus ziehen und diese auch begründen.

1 Grundlagen der Nachhaltigkeit

Wichtig für modernen betrieblichen Umweltschutz ist das Streben nach einer **nachhaltigen Entwicklung.** Darunter versteht man eine Entwicklung, die es schafft, die **Bedürfnisse der heutigen Generation so zu befriedigen,** dass **auch künftige Generationen** die Möglichkeit haben, ihre Bedürfnisse zu befriedigen und ihren eigenen Lebensstil zu leben.

Das bedeutet, dass die Ziele wirtschaftlicher und sozialer Entwicklung im Hinblick auf die Dauerhaftigkeit festgelegt werden. Es soll auf Dauer also nur verbraucht werden, was auch wieder nachgebildet werden kann. Darüber hinaus soll nach Möglichkeit auf **nachwachsende Rohstoffe (NAWAROs)** geachtet werden. Dies ist besonders für den Rohstoffverbrauch von Bedeutung.

Nachhaltiges Wirtschaften macht auch betriebswirtschaftlich Sinn. Denn nicht verbrauchte Rohstoffe und Energie sparen Geld. Abfälle, die nicht entsorgt werden müssen, verursachen keine Entsorgungskosten. Eine umweltfreundliche Wirtschaftsweise kann auch werbewirksam kommuniziert werden.

Beispiel für nicht nachhaltiges Verhalten
Die heutige starke Nutzung von fossilen Energieträgern (Kohle, Erdöl und -gas) in der Energiewirtschaft ist ein ganz und gar nicht nachhaltiges Verhalten. Die Reserven werden bei steigendem Verbrauch bald aufgebraucht sein und bei der Verbrennung entstehen zusätzlich umweltschädliche Treibhausgase. Zukünftige Generationen müssen sowohl mit den Umweltauswirkungen als auch mit dem Mangel an Rohstoffen leben.

Eine besondere Form des nicht nachhaltigen Wirtschaftens ist die sogenannte **geplante Obsoleszenz.** Darunter versteht man die **absichtliche Verringerung der Lebensdauer von Konsumprodukten.**

Geplante Obsoleszenz führt zu einer Zunahme von Elektroschrott.

Beispiel für geplante Obsoleszenz
Druckergeräte stellen häufig ihre Funktion nicht nach vielen Jahren durch Kaputtwerden ein, sondern aufgrund des Erreichens einer vom Hersteller festgelegten Seitenanzahl, die gedruckt wurde. Somit muss man als Kundin/Kunde wieder einen neuen Drucker kaufen.

Ein weiteres Beispiel für geplante Obsoleszenz ist bei modernen Mobiltelefonen zu beobachten. Diese sind häufig so gebaut, dass der Akku nicht mehr oder nur noch schwierig zu wechseln ist. Wenn dieser kaputt ist, muss ein neues (moderneres) Telefon her.

Um Nachhaltigkeit zu erreichen, muss man also **Rohstoff und Energie** nach Möglichkeit **sparsam** einsetzen.

Nachhaltigkeit bei der Produktion wird erreicht durch

eingesetzte Rohstoffe	eingesetzte Energie
▪ umweltverträglich ▪ recyclingfähig	▪ aus nachwachsenden (regenerativen) Quellen
Beispiele Sekundärrohstoffe, einfache Entsorgung	**Beispiele** Wasserkraft, Sonnenenergie, Biomasse

Ursprünglich stammt der Begriff Nachhaltigkeit aus der Forstwirtschaft, wo man als erstes die Bedeutung einer nachhaltigen Wirtschaftsweise für die künftige Entwicklung erkannt hat. Der Schöpfer des Begriffs war HANS CARL VON CARLOWITZ, der die Nachhaltigkeit erstmals 1713 erwähnte. Die Erkenntnis, dass wir nachhaltig wirtschaften müssen, ist also nicht wirklich neu.

HANS CARL VON CARLOWITZ, 1645 bis 1714, DEUTSCHER ÖKONOM

Bereits in vorindustrieller Zeit wurde häufig Raubbau an der Umwelt betrieben. Der Rohstoff Holz wurde als Baustoff genauso wie als Energieträger (zum Kochen, zum Heizen und für viele vorindustrielle Produktionsprozesse) genutzt.

Nachhaltigkeit gilt es, auf verschiedenen Ebenen umzusetzen: lokal, regional, national und global.

Beispiel

Einige Mittelmeerregionen erscheinen heute eher kahl. Bereits in der Antike wurde dort sehr viel Holz für die verschiedensten Zwecke benötigt. Die alten Römer und Griechen brauchten das Holz für unzählige Kriegs- und Handelsflotten, wie auch zum Heizen und zum Bau von Häusern. Nachdem der Wald gerodet war, konnte der Boden Wind, Sonne und Regen keinen Widerstand mehr entgegensetzen. Als Folge wurde der fruchtbare Waldboden weggeschwemmt. Übrig blieb Fels, auf dem kein Wald mehr wächst. Heute müssen Waldbestände wieder mühsam aufgeforstet werden.

Drei Säulen der nachhaltigen Entwicklung

Ökologische Nachhaltigkeit	Ökonomische Nachhaltigkeit	Soziale Nachhaltigkeit
Ziel, Natur und Umwelt für die nachfolgenden Generationen zu erhalten.	Wirtschaftsweise, die so angelegt ist, dass sie eine dauerhaft tragfähige Grundlage für Erwerb und Wohlstand bietet.	Entwicklung einer Gesellschaft, die Partizipation für alle Mitglieder ermöglicht.
Beispiele Schutz der Artenvielfalt, Klimaschutz, Pflege von Kultur- und Landschaftsräumen in ihrer ursprünglichen Gestalt	**Beispiel** Schutz der wirtschaftlichen Ressourcen vor Ausbeutung	**Beispiel** Ziel einer auf Dauer zukunftsfähigen, lebenswerten Gesellschaft

Österreichisches Nachhaltigkeitsportal: http://www.nachhaltigkeit.at/
Schlagen Sie hier die Aktivitäten der Republik Österreich in Zusammenhang mit nachhaltiger Entwicklung nach.

Aufgabenstellungen – „Grundlagen der Nachhaltigkeit“

1. \+ Definieren Sie den Begriff der nachhaltigen Entwicklung und beschreiben Sie die drei Säulen, auf denen sie steht.
2. ++ Überlegen Sie, warum die Nachhaltigkeit auf diesen drei Säulen steht. Begründen Sie die Bedeutung jeder einzelnen Säule. Würde das „Gebäude der Nachhaltigkeit“ einstürzen, wenn eine der Säulen wegbrechen würde? Denken Sie dazu den Wegfall jeder einzelnen Säule durch. Diskutieren Sie darüber mit Ihren Mitschülerinnen und Mitschülern.
3. ++ Wer begründete den Begriff Nachhaltigkeit? In welchem Jahr war das? Beschreiben Sie die Gründe und die historische Entwicklung der Zielsetzung einer nachhaltigen Entwicklung.
4. ++ Sie sind Geschäftsführer/in eines Wirtschaftsbetriebs. Beschreiben Sie, was Sie (Ihr Betrieb) machen können, um wirklich nachhaltig zu wirtschaften? Zählen Sie verschiedene Punkte einer nachhaltigen Entwicklung auf und erklären Sie, wie Sie diese Punkte in Ihrem Betrieb umsetzen können.
5. ++ Überdenken Sie Ihre persönliche Lebensweise. Leben Sie nachhaltig? Können Ihre Nachfahren noch genauso leben wie Sie, wenn alle Erdenbürger so leben wie Sie?
6. \+ Erklären Sie, wie nachhaltig Energie „gewonnen“ werden kann. Welche Energieträger können nachhaltig Energie liefern?
7. ++ Betrieben die alten Griechen der Antike nachhaltige Waldwirtschaft? Beschreiben Sie deren Umgang mit dem Wald und die Folgen daraus. Untersuchen Sie, warum diese Wirtschaftsweise damals notwendig war und vergleichen Sie diese Form der Waldwirtschaft mit der heutigen Waldwirtschaft in den Regenwäldern des Amazonasbeckens sowie in Österreich.

2 Energiewirtschaft im Blickwinkel der Nachhaltigkeit

Fossile Brennstoffe

Erdöl und Erdgas	Kohle
Aus abgestorbenen Meeresorganismen, die unter anaeroben Bedingungen Faulschlamm bildeten und von Sand- und Tonablagerungen überdeckt wurden. Unter hohem Druck und hoher Temperatur entstanden daraus schließlich Erdöl und Erdgas. Das war vor etwa 100 bis 400 Millionen Jahren.	Entstand aus vorzeitlichen Pflanzen, die überflutet und mit Ablagerungen überdeckt wurden. Unter Luftabschluss, hohem Druck und hoher Temperatur wurden diese in Kohle umgewandelt. Braunkohle entstand vor ca. 50 Millionen Jahren, die wertvollere Steinkohle vor ca. 350 Millionen Jahren.

anaerob = ohne Sauerstoff

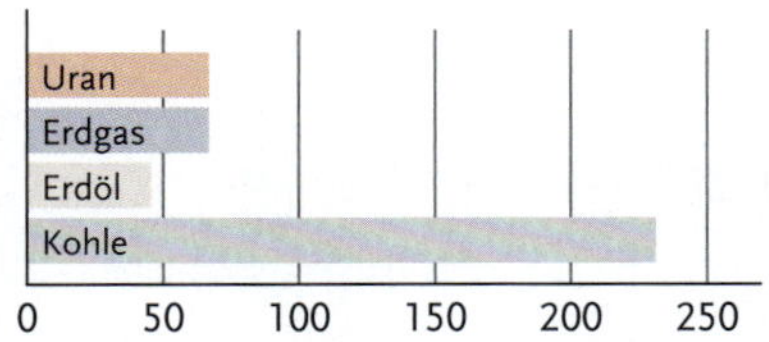

Beim derzeitigen Verbrauch reichen unsere fossilen Energieträger maximal noch ein paar Jahrzehnte. Nur Kohle scheint noch länger vorhanden zu sein. Die Umweltprobleme im Zusammenhang mit der Kohleverbrennung (saurer Regen, Staub usw.) sind jedoch enorm.

Diese Produkte, die Jahrmillionen für ihre Bildung benötigen, verbrennen wir in wenigen Jahrzehnten. Die Menge an fossilen Brennstoffen weltweit wird unterschiedlich geschätzt. Fest steht, dass die Menge begrenzt ist und nicht in ausreichender Geschwindigkeit nachgebildet werden kann.

Da diese Rohstoffe aber nicht nur als **Energieträger** sondern auch als **Syntheserohstoffe** für die verschiedensten Produkte der petrochemischen Industrie dienen (z. B. Arzneimittel, Kosmetika, Kunststoffe) sind sie viel zu wertvoll, um sie zu verbrennen.

Angereichertes Uran

Im Zusammenhang mit dem **Klima** und dem **Treibhauseffekt** gibt es noch ein weiteres Problem. Bei jedem Verbrennungsprozess wird CO_2 freigesetzt. Jede Tonne CO_2 trägt zum Klimawandel bei. Wir verändern also durch unseren Energieverbrauch das Klima, in dem unsere Nachkommen zu leben haben. Kann das eine nachhaltige Energiewirtschaft sein?

Verbrennung von Kohle:	**Verbrennung von Methan:**
$C + O_2 \rightarrow CO_2$	$CH_4 + 2\,O_2 \rightarrow CO_2 + 2\,H_2O$

Baustelle des finnischen Endlagers Onkalo für hochradioaktive Abfälle

Die **Atomlobby** argumentiert gerne, dass Kernkraft CO_2-neutral sei. Diese Argumentation stimmt nur teilweise. Richtig ist, dass die Kernspaltung kein Verbrennungsvorgang ist, also wird dabei kein CO_2 frei. Dennoch wird viel Energie in Form von fossilen Treibstoffen für die Urangewinnung benötigt. Dabei wird selbstverständlich auch CO_2 frei. Uran wird noch ein paar Jahrzehnte zur Verfügung stehen (bei derzeitigem Bedarf). Sollten wir allerdings im Namen des Klimaschutzes auf die Idee kommen, mehr Kernkraftwerke zu errichten, werden die Reserven an Uran sehr schnell aufgebraucht sein.

Kernkraft bringt aber noch ein anderes Problem. Abgesehen vom Restrisiko eines Zwischenfalles – denken Sie etwa an Tschernobyl und Fukushima – entsteht jede Menge hochradioaktiver Abfall. Das Problem der Endlagerung von Atommüll ist bis heute nicht gelöst, obwohl wir seit ca. 50 Jahren Kernkraftwerke betreiben. In Finnland soll im Endlager Onkalo der Abfall für 100 000 Jahre sicher gelagert werden. Wie aber lagert man Abfälle für so lange Zeit? Kann ein menschliches Bauwerk die Abfälle für so lange Zeit sichern? Wie stellt man sicher, dass niemand in die Lagerstätte eindringt?

FILM AB!

Die Problematik der Endlagerung von atomaren Abfällen sowie die schwierige Suche nach so einem Endlager z. B. in Deutschland werden in einer Dokumentation behandelt.
www.trauner.at/nawi_v119.aspx

Wie muss also nachhaltige Energiewirtschaft aussehen?

Eine nachhaltige Energiewirtschaft ist eine Energiewirtschaft, die den **Kriterien einer nachhaltigen Entwicklung** entspricht. Es darf also nicht wie bisher bei der Energiebereitstellung und -nutzung in großem Umfang die Umwelt belastet werden. So wird heutzutage noch oft Raubbau an knappen Ressourcen betrieben sowie Risikoaspekten und Umweltauswirkungen zu geringe Beachtung geschenkt.

regenerativ = erneuerbar

Zunächst wird es notwendig sein, unseren Energiehunger zu reduzieren. Mithilfe moderner effizienter Technik und energiesparendem Verhalten können wir den Energiebedarf deutlich senken. Die Energie, die wir dennoch benötigen, müssen wir mit regenerativen Energieträgern abdecken: Sonnenlicht, Biomasse, Wind, Wasserkraft. Doch auch diese Energieträger sind nicht immer nachhaltig.

Wirklich nachhaltig sind Solarenergie, Windenergie und Wasserkraft vor allem dann, wenn sie aus eher kleinen, dezentralen Anlagen stammen.

Beispiel
Biomasse ist nur dann wirklich erneuerbar, wenn es biologisch produzierte Biomasse ist, die wirklich so schnell nachwächst, wie sie abgebaut wird. Biomasse, für deren Produktion tropischer Regenwald abgeholzt werden muss, die mithilfe von großen Mengen an Düngern und Pflanzenschutzmitteln produziert und über weite Strecken transportiert wird, ist sicher nicht nachhaltig.

Talsperre am Jangtsekiang

Deutlich wird dies etwa bei der Drei-Schluchten-Talsperre am Jangtsekiang in China. Abgesehen von der gewaltigen Veränderung der Landschaft, der höchst sozialen Ungerechtigkeit gegenüber den zwangsumgesiedelten Menschen ganzer Dörfer und Städte, geben die verfaulenden Pflanzen am Boden des Stausees große Mengen von Methangas (CH_4) ab, das eine wesentlich stärkere Treibhauswirksamkeit aufweist als CO_2.

Die Studie von Greenpeace Österreich und weitere Informationen dazu finden Sie hier: www.trauner.at/2050.aspx

Wie eine aktuelle Studie zeigt, ist für Österreich eine Halbierung des Energieverbrauchs bei einem Anteil von 85 % an regenerativen Energieträgern bis 2050 möglich. Dies würde eine Reduktion der CO_2-Emission um 90 % bedeuten. Um dieses Ziel zu erreichen, bedarf es allerdings der Anstrengung von uns allen.

Hohe CO_2-Emissionen und Erdölpreise sowie sinkende Rohstoffmengen zwingen uns zur Entwicklung vernünftiger wirtschaftlich vertretbarer Alternativen. Wir Menschen sind gefordert. Was tun Sie dafür?

3 Verkehrsplanung

Überall wird täglich eine Vielzahl an Wegen mit allen Verkehrsmitteln, egal ob zu Fuß, mit dem Fahrrad, mit dem öffentlichen Verkehr oder dem motorisierten Individualverkehr zurückgelegt. So fährt auch Lisa mit dem Bus in die Schule oder mit dem Fahrrad zum Einkaufen.

Ein Mensch legt heute mit durchschnittlich 12 000 km pro Jahr eine doppelt so lange Wegstrecke zurück wie vor 30 Jahren. Die Verfügbarkeit von Waren aus aller Welt an jedem Ort zu Dumpingpreisen wird als kultureller Fortschritt empfunden. So stecken heutzutage in einem Joghurtbecher rund 50 % mehr Transportkilometer als vor 20 Jahren.

Der Verkehr an sich wächst nicht, es hat nur eine Verlagerung stattgefunden. Während der Schienenverkehr, die Benutzung öffentlicher Verkehrsmittel sowie Gehen und Radfahren weltweit rückläufig sind, steigen der Straßen-, Luft- und Seeverkehr massiv an. Letztere sind Verkehrs- und Transportformen, die auf Öl und seinen Derivaten (Benzin, Diesel, Kerosin) basieren sowie Umwelt und Klima stark belasten. Die Struktur der globalisierten Ökonomie ist die Grundlage für diese Verkehrsentwicklung.

Ziel der Verkehrsplanung ist eine **optimale Gestaltung von Verkehrssystemen.** Das Aufgabenfeld ist sehr vielfältig und reicht von der verkehrsmittelübergreifenden Konzeptplanung bis hin zur Detailplanung für den motorisierten Individual- und öffentlichen Verkehr, für Fußgänger/innen und Radfahrer/innen aber auch von Parkmöglichkeiten.

Beispiele für Aufgaben der Verkehrsplanung

- Langfristige Entwicklung des Verkehrsraums
- Erarbeiten von Betriebsplänen für öffentliche Verkehrssysteme
- Untersuchung von Verkehrsströmen (Verkehrsanalyse)
- Konzepte zur Sicherung und Verbesserung der Mobilität

Mobilität ist ein wesentlicher **Faktor für die Lebensqualität,** aber auch für die Wahl von Wohn- und Wirtschaftsstandorten. Der Bevölkerungsanteil von Menschen, die selbst kein Auto mehr lenken können oder das nicht wollen und somit auf den öffentlichen Verkehr angewiesen sind, wird künftig immer mehr steigen. Eine Verbesserung von Bus- und Bahnverbindungen für den Personenverkehr, aber auch die Entwicklung von Alternativen zum Straßenverkehr für die Güterbeförderung sind nicht nur wünschenswert, sondern eine ernstzunehmende Aufgabe.

Öffentliche Verkehrsmittel sind vor allem in den großen Ballungsräumen gefragt.

Gehen und Radfahren – aussterbende Fortbewegungsarten?

Ein Grund, warum immer mehr Menschen sogar die kleinsten Distanzen per Auto zurücklegen, ist die zunehmende Bequemlichkeit. Dies ist jedoch nur einer von vielen Gründen. Ein weiterer ist die Zersiedelung. Wohnsiedlungen werden oft in Gebieten gebaut, wo der Baugrund zwar preiswert ist, die Infrastruktur jedoch fehlt. Die Entfernungen zu Geschäften, Schulen und Arbeitsplatz werden immer größer. Dadurch sind viele Menschen auf ein eigenes Auto angewiesen (was jedoch nicht heißen soll, dass nicht Fahrgemeinschaften gegründet werden könnten).

Die **Bedingungen für Fußgänger** werden jedoch immer schlechter. Durch den starken Autoverkehr auf den Straßen steigt auch die Gefahr von Unfällen, ganz abgesehen von der Feinstaubbelastung. Politik und Verkehrsplanung nehmen das Zufußgehen jedoch häufig nicht als relevante Verkehrsart wahr.

Welche Gründe gibt es für und gegen Fahrgemeinschaften? Diskutieren Sie in der Klasse.

Ziele erreicht? – „Nachhaltigkeit“

KOMPETENZ-ERWERB

1. + Geben Sie an, wie lange Uran und die fossilen Energieträger Kohle, Erdöl und Erdgas vermutlich noch reichen werden. Beschreiben Sie, wovon es abhängt, wie lange die fossilen Energieträger inklusive Uran noch reichen.

2. ++ Als fossile Energieträger bezeichnet man vor allem die Energieträger Kohle, Erdöl und Erdgas. Erklären Sie, warum häufig auch Uran, das nicht auf fossile Lebewesen zurückgeht, den fossilen Energieträgern zugerechnet wird.

3. + Die Cheops-Pyramide wurde vor ca. 4 500 Jahren erbaut. Nehmen wir an, die alten Ägypter hätten bereits Kernkraftwerke betrieben und in der Pyramide 100 Tonnen an radioaktivem Plutonium gelagert. Berechnen Sie, wie viel Plutonium heute noch vorhanden wäre. Die Halbwertszeit von Plutonium beträgt 24 000 Jahre.

4. ++ Gehen Sie davon aus, dass das Endlager Onkalo 100 000 Jahre übersteht. Bewerten Sie die Probleme, die mit einer so langen Lagerzeit einhergehen (Instandhaltung, Sicherheit, Informationsweitergabe).

5. ++ Recherchieren Sie zur Drei-Schluchten-Talsperre am Jangtsekiang. Begründen Sie, warum Kraftwerksbauten dieser Größenordnung bzw. dieses eine Projekt nicht für nachhaltige Energieversorgung geeignet sind. Überlegen Sie, warum solche Projekte dennoch umgesetzt werden.

6. ++ Lesen Sie den Artikel über die „energy revolution 2050“. Finden Sie Argumente, die dafür sprechen, dass die Energierevolution gelingen könnte, und solche, die dagegen sprechen. Gehen Sie dabei auch auf die politischen, gesellschaftlichen ... Voraussetzungen ein, damit dies gelingen könnte.

7. ++ Betrachten Sie die derzeitige Lebens- und Wirtschaftsweise in der reichen westlichen Welt in Hinblick auf die Nachhaltigkeit.

Wie muss das System umgestellt werden, damit sichergestellt ist, dass auch die Generationen nach uns noch die gleichen Lebens- und Wirtschaftsbedingungen haben wie wir? Formulieren Sie Ideen, um Nachhaltigkeit wirklich zu leben. Sind die Wege, die Sie vorschlagen finanzierbar? Sind sie vielleicht sogar ökonomisch günstiger? Präsentieren Sie einander die Vorschläge und diskutieren Sie in der Klasse.

Going international

Now let's use the basics of the chapter "Energie und Energiewirtschaft" in English!

Exercise 1

The first law of thermodynamics states that energy can only change its form or be transferred from one object to another, but it cannot be created or destroyed.

Take a look at the following mechanisms and determine which kind of energy is transferred into which, starting with the kinetic energy of air in motion, also known as wind.

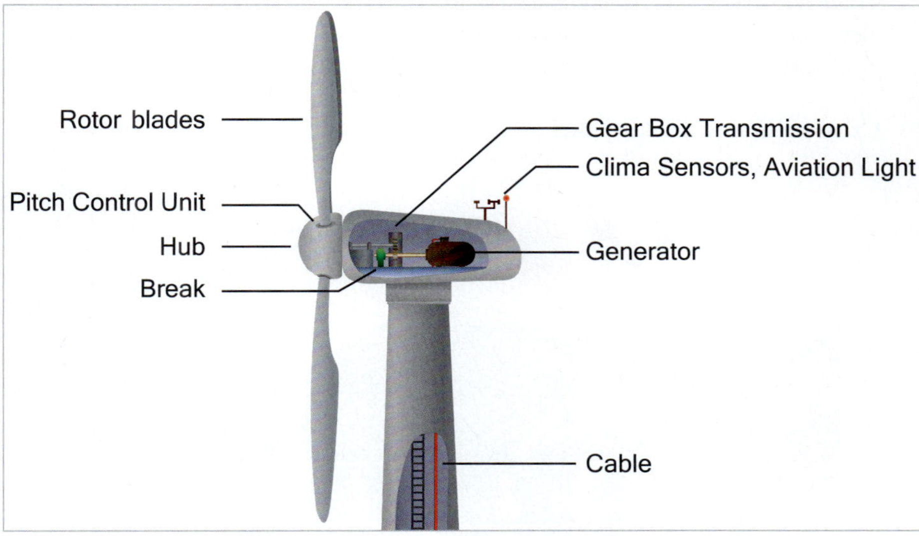

How does a wind power station transfer the kinetic energy of the wind into electric energy?

Exercise 2

Read the text and fill in the missing words.

thermometer ■ degrees ■ boiling point ■ absolute zero ■ temperature ■ Celsius

__________ is the measure of the relative warmth or coolness of an object. It is measured by a __________ and has a scale calibrated in units called __________.

A very common scale is the __________ scale.

Its two reference temperatures are the melting point of ice (0 °C) and the __________ of water (100 °C).

The Kelvin temperature scale is an absolute scale with degrees of the same size as those of the Celsius temperature scale but uses 0 K for the __________. This is the temperature at which all thermal motion stops.

The laws of thermodynamics indicate that absolute zero cannot be reached.

Write down the words that you need to look up below.

There are even huge solar farms with hundreds of solar panels.

Exercise 3

Read the following article about solar energy and answer the questions below.

Theory of Relativity – Light and Time

The sun is the primary source of the earth's energy. The light and energy that comes directly from the sun is called solar energy. By taking advantage of solar energy, we can have a pollution-free, environmentally friendly source of electricity.

In order to convert solar energy to electricity, we use photovoltaic solar panels. These have a non-reflective covering with semiconductors beneath which absorb sunlight.

When the atoms of the semiconductor absorb solar energy, negatively charged electrons can be separated from the rest of the atom. The electrons produce an electrical current that can be collected and used for many applications.

Cross section of a solar panel

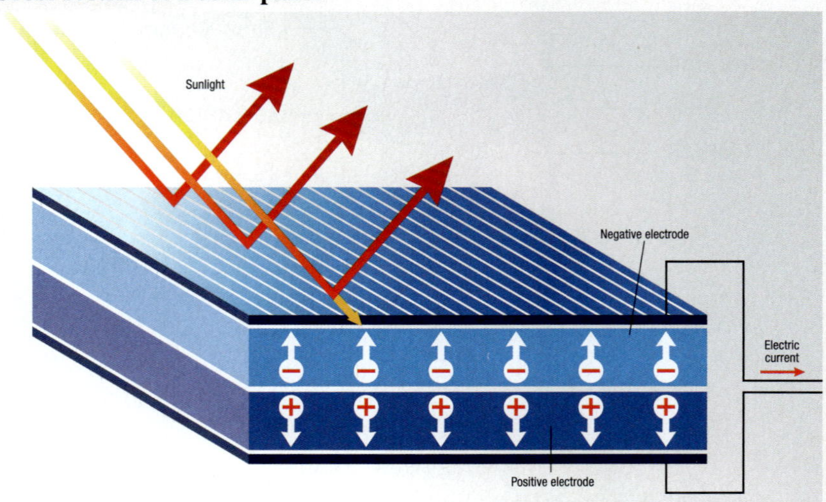

The early development of solar power and the photovoltaic technology started already in the 19th century and was driven by an expectation that coal would become scarce in the near future. But it took until the 1970s and the energy crisis of that decade to heat up the attention to solar technologies.

Since the 1990s the number of solar power plants–so called solar farms–as well as the number of solar panels for home use have grown continuously. Reasons for this growth are supply issues with oil and concerns about global warming. Currently 1.73% of the worldwide electricity is generated by solar power.

Using photovoltaics, solar energy can be converted to electricity and that electricity can be used to power lights and electric equipment.

(Source: khanacademy.org, 20 March 2019)

a) What are the advantages of solar energy?

b) Which type of equipment is used to convert solar energy into electric energy?

c) How did the use of solar power for the generation of electricity develop?

VIII Mikro- und Makrokosmos

Der **Mikrokosmos** ist die Welt des Winzigen, des Kleinen und umfasst u. a. die Bausteine der Materie (Atome und noch kleiner). Auf dieser Ebene gelten die Gesetze der klassischen Physik nicht immer und es mussten neue Ansätze und Theorien gefunden werden.

Der **Makrokosmos** hingegen ist die Welt des Großen, also beschreibt er so ziemlich alles, was über den Lebensraum des Menschen (die Erde) hinausgeht. Um diese große Welt wahrzunehmen, sind Hilfsmittel (z. B. Weltraumteleskope) und – wie schon im Mikrokosmos – neue Theorien nötig.

Gravitation

Die Grundlagen zur Gravitation haben Sie bereits im I. Jahrgang kennengelernt. Dort wurde u. a. die Schwerkraft auf der Erde anhand der Gravitationsbeschleunigung erklärt.

Für eine Fallbewegung ist eine Kraft erforderlich, die den Körper nach unten zieht. Diese Kraft heißt Gravitation(skraft) bzw. Schwerkraft.

Die Gravitation(skraft) ist eine struktur- und formgebende Kraft im Universum und macht sich anhand der Anziehungskraft zwischen Massen bemerkbar.

Alle Körper üben also aufgrund ihrer Masse eine gegenseitige Anziehungskraft (Wechselwirkung) aufeinander aus.

KOMPETENZ-ERWERB

Meine Ziele

Nach Bearbeitung dieses Kapitels kann ich

- das Newton'sche Gravitationsgesetz angeben und erklären;
- das Gravitationsgesetz auf verschiedene Aufgabenstellungen anwenden.

1 Gravitationsgesetz

Isaac Newton hat bei einem durch die Pest erzwungenen Aufenthalt in seinem Heimatort das nach ihm benannte **Gravitationsgesetz** aufgestellt, das beschreibt, mit welcher **Kraft** zwei Punktmassen m_1 und m_2 im Abstand r einander anziehen.

- Die Kraft ist umso größer, je größer die beiden Massen sind, also
  $F_{Gravitation}$ proportional zu m_1 und
  $F_{Gravitation}$ proportional zu m_2 und damit
  $F_{Gravitation}$ proportional zum Produkt der beiden Massen.
- Die gegenseitige Anziehung nimmt mit zunehmendem Abstand ab.
- Dass es gerade mit der zweiten Potenz des Abstands geschieht, ist typisch für Kräfte mit unendlicher Reichweite.

> Zwei Punktmassen m_1 und m_2 im Abstand r ziehen einander mit der Kraft $F_{Gravitation} = G \cdot \frac{m_1 \cdot m_2}{r^2}$ an.
> Die Konstante G ist die **universelle Gravitationskonstante.**
> $G \approx 6{,}67 \cdot 10^{-11} \frac{m^3}{kg \cdot s^2}$

$$G = 6{,}67 \cdot 10^{-11} \frac{m^3}{kg \cdot s^2} = 6{,}67 \cdot 10^{-11} \frac{N \cdot m^2}{kg^2}$$

Die zweite Einheit $\frac{N \cdot m^2}{kg^2}$ lässt uns sofort erkennen, dass sich bei Multiplikation von *G* mit zwei Massen jeweils in Kilogramm und Division durch eine Länge in Metern zum Quadrat eine Kraft in Newton ergibt.

Das Gravitationsgesetz gilt streng genommen nur für **Massenpunkte, deren Abstand man genau angeben kann.** Es lässt sich aber zeigen, dass es auch für homogene Kugelmassen gilt. In diesem Fall bedeutet r den Abstand der beiden Kugelmittelpunkte. Das Newton'sche Gravitationsgesetz gilt in guter Näherung auch für beliebig geformte inhomogene Körper, wenn man für r den Abstand der beiden Schwerpunkte einsetzt.

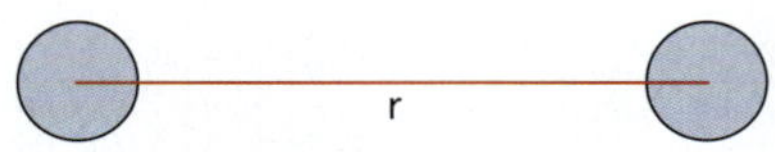

Zwei Kugeln (Massen m_1 und m_2) im Abstand r ziehen sich immer mit der Gravitationskraft $F_{Gravitation} = G \cdot \frac{m_1 \cdot m_2}{r^2}$ an.

Beispiele: Gravitationskraft

Um ein Gefühl für die Größenordnung der newton'schen Gravitationskraft im Alltag zu bekommen, berechnen wir:

a) Die **Gravitationskraft** zwischen zwei nebeneinander sitzenden Schülerinnen. Wenn m_1 rund 60 kg und m_2 rund 50 kg beträgt und r rund 0,5 m gilt, so ergibt sich:
$$F_{Gravitation} = \frac{G \cdot m_1 \cdot m_2}{r^2} = \frac{6{,}67 \cdot 10^{-11} \cdot 60 \cdot 50}{0{,}5^2} N \approx 8 \cdot 10^{-7} N$$
Das ist besonders hoher Wert.

b) Die **Gravitationskraft** zwischen zwei 40-Tonnen-Lkw mit einem Abstand von drei Metern ergibt
$$F_{Gravitation} = \frac{6{,}67 \cdot 10^{-11} \cdot 40\,000 \cdot 40\,000}{3^2} N \approx 1{,}2 \cdot 10^{-2} N$$

c) Die **Gravitationskraft** zwischen unserer Erde und einem Pkw mit einer Masse von einer Tonne ergibt für einen Erdradius von rund 6 370 km und einer Erdmasse von rund $6 \cdot 10^{24}$ kg
$$F_{Gravitation} = \frac{6{,}67 \cdot 10^{-11} \cdot 6 \cdot 10^{24} \cdot 1\,000}{6\,370\,000^2} N \approx 10^4 N$$
Das ist die aus dem Alltag bekannte Gewichtskraft einer Masse von 1 000 kg, die wir im folgenden Beispiel allgemein für eine Masse m ableiten.

Der **Erdmond** ist mit einem Durchmesser von 3 476 km der fünftgrößte Mond des Sonnensystems. Er umkreist die Erde im Verlauf von durchschnittlich 27,3 Tagen im gleichen Drehsinn, mit dem die Erde um ihre eigene Achse rotiert. Die Gravitationsbeschleunigung an der Mondoberfläche beträgt etwa ein Sechstel der Gravitationsbeschleunigung auf der Erdoberfläche.

Beispiel: Die Gewichtskraft als Sonderfall der Gravitationskraft

Welche Kraft wirkt auf einen Körper der Masse m (in Kilogramm) auf der Erdoberfläche? Mit den Zahlenwerten aus dem letzten Beispiel erhalten wir
$$F_{Gravitation} = G \cdot \frac{m_E \cdot m}{r_E^2} = \frac{6{,}67 \cdot 10^{-11} \cdot 6 \cdot 10^{24} \cdot m}{6\,370\,000^2} N \approx 10 \cdot m \cdot N$$
Die Konstante $G \cdot \frac{m_E}{r_E^2}$ bezeichnen wir als **Gravitationsbeschleunigung g** der Erde:
$$g = G \cdot \frac{m_E}{r_E^2} \approx 9{,}81 \frac{m}{s^2}$$

Dass sich Störungen oder Veränderungen im Gravitationsfeld mit Lichtgeschwindigkeit ausbreiten, wurde von ALBERT EINSTEIN schon vor 100 Jahren vorausgesagt und konnte im Februar 2016 erstmals tatsächlich gemessen werden (Gravitationswellen).

2 Gravitationsfeld

In jedem Punkt eines Körpers können Betrag und Richtung der Gravitationskraft festgestellt werden. Das bedeutet, dass durch die bloße Anwesenheit eines Körpers in dem ihn umgebenden Raum bestimmte Veränderungen hervorgerufen werden.

Dem Raum werden also gewisse Eigenschaften zugeschrieben, die durch die Auswirkungen auf einen Probekörper erkennbar werden. Einen solchen mit bestimmten physikalischen Eigenschaften behafteten Raum nennt man ein **Feld.** Den Raum in der Umgebung einer Masse nennt man **Gravitationsfeld** oder auch **Schwerefeld.**

Beispiel: Gravitationsfeldstärke der punktförmig gedachten Erde
Wenn unsere Erde zu einem Punkt verdichtet wäre, können wir seine Gravitationsfeldstärke im Abstand r gemäß $g(r) = \frac{G \cdot m_E}{r^2}$ berechnen.
Für r = 6 371 km erhalten wir
$g(6\,371 \text{ km}) = \frac{6{,}67 \cdot 10^{-11} \cdot 5{,}97 \cdot 10^{24}}{(6{,}371 \cdot 10^6)^2}$ N/kg = 9,81 N/kg = 9,81 m/s².
Das ist genau jene Gravitationskraft pro Kilogramm also jene Gravitationsbeschleunigung, die im Mittel an der **Erdoberfläche** wirksam ist.

Der Radius der Erde beträgt 6 371 km.

Um ein Gravitationsfeld grafisch darzustellen, verwendet man **Feldlinienbilder.** Die Feldlinien verlaufen in Richtung der wirkenden Kraft und geben damit die Bewegungsrichtung einer Punktmasse im dargestellten Gravitationsfeld an. Die Feldstärke, also die Gravitationsbeschleunigung, und damit die Kraft sind proportional zur Dichte der Feldlinien.

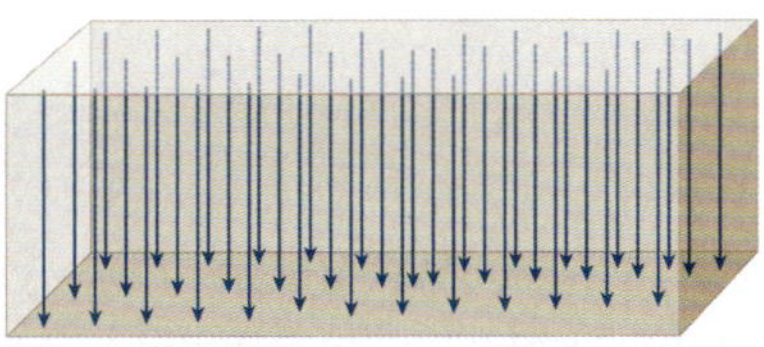

Ausschnitt aus dem Feldlinienbild der Erde auf der Erdoberfläche. Die Erdkrümmung kann auf dieser sehr klein gewählten Größenskala vernachlässigt werden, sodass sich auf dieser Skala an jedem Ort eine **parallele Gravitationsbeschleunigung** ergibt.

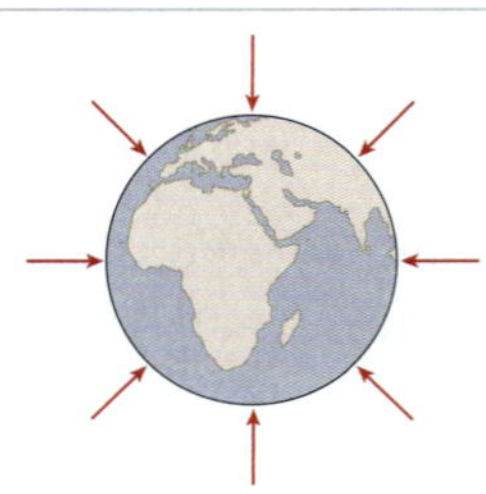

Feldlinienbild des Gravitationsfeldes der Erde aus großer Entfernung betrachtet. Die Feldlinien sind hier vereinfacht und nur zweidimensional eingezeichnet. Das Gravitationsfeld geht allerdings von jeder Masse dreidimensional in alle Richtungen.

Sind mehr als zwei Massen vorhanden, ist das Superpositionsprinzip anzuwenden. Die **Gesamtfeldstärke** ergibt sich für jeden Punkt als **Vektorsumme** der einzelnen Feldstärken.

Ziele erreicht? – „Gravitation“

KOMPETENZ-ERWERB

1. + Berechnen Sie die Gravitationsbeschleunigung auf unserem äußeren Nachbarplaneten, wenn m_{Mars} rund $6{,}42 \cdot 10^{23}$ kg und der Marsdurchmesser rund 6 790 km beträgt.

2. + Berechnen Sie die Masse, die ein Körper mit r = 1 km besitzen müsste, um eine Gravitationsbeschleunigung von einem Promille von g_{Erde} zu haben.

3. + Berechnen Sie die Gravitationskraft zwischen zwei Nachbarhäusern. Schätzen Sie dazu realistische Werte ab.

4. + Geben Sie die Formel für die Gravitationsfeldstärke g einer Punktmasse m im Abstand r an und skizzieren Sie mindestens acht Gravitationsfeldlinien.

5. ++ Berechnen Sie die Gravitationsfeldstärke für eine Punktmasse von 70 kg im Abstand von 2 m, 4 m und 8 m. Welche Verhältnisse erwarten Sie?

6. ++ Berechnen Sie die von Ihnen am Ort Ihrer Sitznachbarin bzw. Ihres Sitznachbarn erzeugte Gravitationsfeldstärke, wenn Sie Ihre Masse in einem Punkt konzentriert denken.

Astronomie und Astrophysik

Hier sehen Sie eine Aufnahme der Balkenspiralgalaxie NGC 1300, aufgenommen vom Hubble-Weltraumteleskop im Jahr 2004.

Der Lauf der Gestirne rief schon in vergangenen Jahrtausenden Interesse und Ehrfurcht hervor. Stonehenge in England, die Pyramiden der Ägypter oder der Kalender der Mayas in Mittelamerika geben Zeugnis für die genauen Beobachtungen der Himmelskörper.

Das Bedürfnis, mehr über den Aufbau der Welt zu erfahren, reicht zurück bis in die Urzeit. Auch heute noch ist das Erscheinen eines Kometen oder das Aufleuchten einer Sternschnuppe ein aufregendes Ereignis.

Im Zeitalter der Entdeckungen kamen für die Astronomie noch zwei weitere Aufgaben dazu:

- Hilfe bei der Navigation
- Ortsbestimmung auf der Erde

Die Kultstätte Stonehenge könnte vor mehr als 4 000 Jahren nach astronomischen Gesichtspunkten errichtet worden sein.

Meine Ziele

KOMPETENZ-ERWERB

Nach Bearbeitung dieses Kapitels kann ich

- die historische Entwicklung der Weltbilder nachvollziehen;
- das geozentrische vom heliozentrischen Weltbild unterscheiden;
- die Kepler'schen Gesetze erklären und auf die Planetenbahnen anwenden;
- den grundsätzlichen Aufbau des Universums und unseres Sonnensystems beschreiben;
- Maßeinheiten, die in der Astrophysik verwendet werden, nennen und in SI-Einheiten umrechnen;
- den Ablauf einer Sternentstehung bzw. -entwicklung darstellen.

1 Weltbilder

Allgemein wird als Weltbild ein **Modell der erfahrbaren Welt** verstanden, also eine Antwort auf die Frage, wie die Welt, das Sonnensystem und das Universum aufgebaut sind.

1.1 Geozentrisches Weltbild

Die Beobachtung von Sonne und Mond und Sterne zeigt, dass sich diese Himmelskörper scheinbar um die Erde drehen. Im Alten Testament werden die Erschaffung der Erde und ihre Position im Weltall genauestens beschrieben. Diese Vorstellung hielt sich bis ins Mittelalter und es war schwer, von ihr loszukommen.

Geozentrisches Weltbild

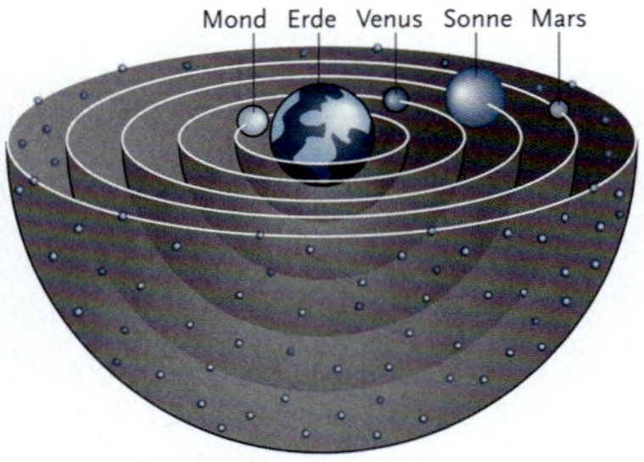

Weltbild mit der Erde als Mittelpunkt: Da der Kreis als Figur der Vollkommenheit galt, wurde dies auch für das Himmelsgewölbe so festgelegt.

> Das astronomische Wissen des Altertums wurde von CLAUDIUS PTOLEMÄUS (ca. 87 bis 165 n. Chr.) in seinem Werk ***Almagest*** zusammengefasst.
> Nach dem lange gültigen ptolemäischen oder geozentrischen Weltbild, ist die Erde der Mittelpunkt des Sonnensystems.

Nach diesem Weltbild befindet sich die **Erde im Mittelpunkt des Universums,** Mond, Sonne und die Planeten bewegen sich auf Kreisbahnen (Himmelssphären) einmal am Tag von West nach Ost über den Himmel. Die Sterne sind am Himmelsgewölbe fixiert.

Dieses Weltbild hatte allerdings einen schweren Fehler: Einige der Himmelskörper – vor allem Mars, Jupiter und Saturn – ziehen Schleifen am Himmel. Man nennt ihre Bewegung dann **rückläufig.**

Das war mit den idealen Kreisbahnen nicht zu erklären, daher setzte man auf die **Grundkreise (Deferenten)** noch **weitere Kreise (Epizykel).** Um die Bewegung richtig zu beschreiben, mussten bis zu sieben Kreise ineinander geschachtelt werden. Dies erforderte für Vorhersagen eine erhebliche Rechenleistung.

Grundkreise und zusätzliche Kreise der Umlaufbahnen

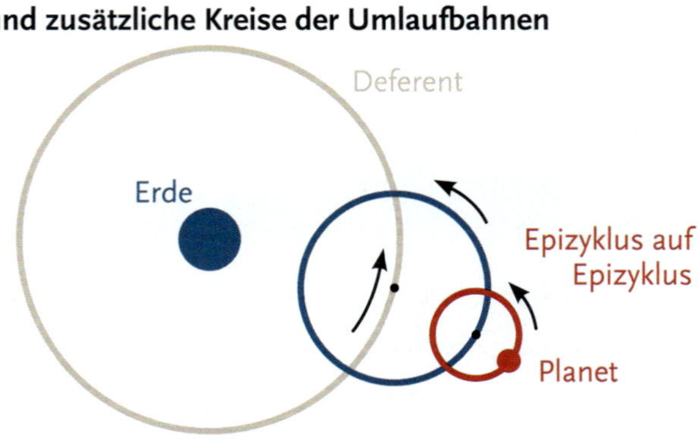

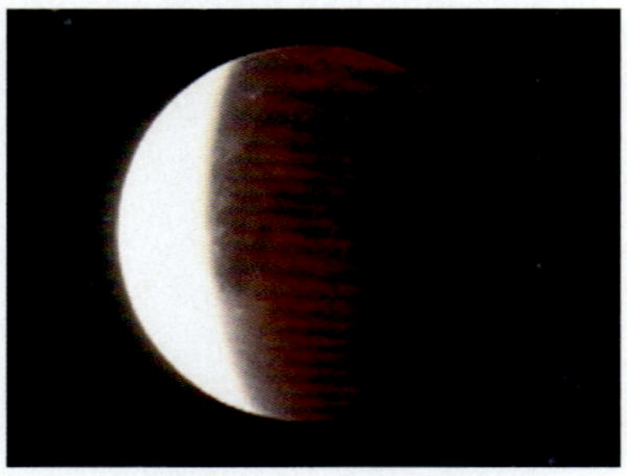

Ein Beweis für die Kugelgestalt der Erde war die Beobachtung von Mondfinsternissen. Der Erdschatten war immer kreisförmig. Eine partielle (teilweise) Mondfinsternis zeigt einen kreisförmigen Erdschatten auf dem Mond.

Dass die Erde kugelförmige Gestalt hat, wussten bereits die griechischen Naturphilosophen wie ARISTOTELES 350 v. Chr.

1.2 Heliozentrisches Weltbild

Das Problem der Epizykel wurde durch das heliozentrische Weltbild auf elegante Weise gelöst.

Da Nikolaus Kopernikus die Theorie eines Umlaufs der Planeten um die Sonne aufstellte, wird das heliozentrische Weltbild auch als kopernikanisches Weltbild bezeichnet.

Nikolaus Kopernikus, 1473 bis 1543, polnischer Arzt, Anwalt und Astronom

Die Eckpunkte dieses Systems

- Die Sonne steht im Mittelpunkt des Universums.
- Die Erde ist ein Planet und dreht sich einmal am Tag um sich selbst.
- Der Mond umkreist die Erde in einem Monat.
- Die Planeten (inkl. Erde) bewegen sich auf Kreisbahnen um die Sonne.

Heliozentrisches Weltbild

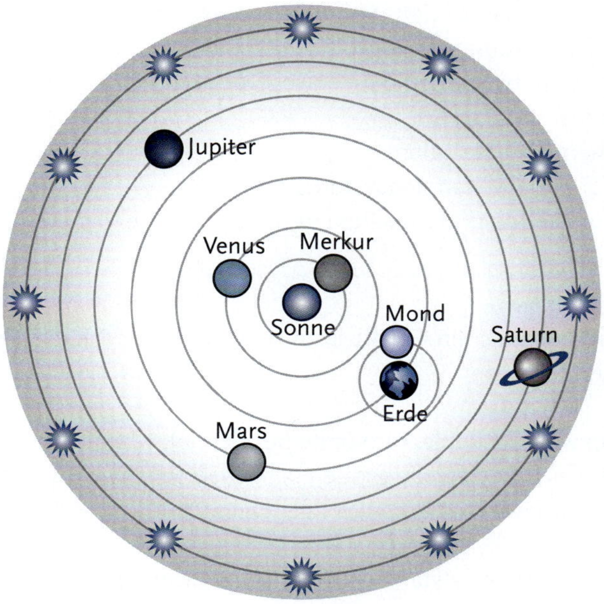

Auch beim heliozentrischen Weltbild bewegen sich die Himmelskörper auf Kreisbahnen.

Als prominentester Vertreter des heliozentrischen Weltbildes gilt Galileo Galilei mit dem angeblichen Ausspruch „und sie dreht sich doch". Die Auflehnung gegen das starre Ordnungssystem und das geozentrische Weltbild brachte dem von der Sonnenbeobachtung mittels Fernrohr erblindeten Galilei die Verurteilung zum Tode bzw. eine spätere Begnadigung zu Hausarrest.

Galileo Galilei, 1564 bis 1642, italienischer Physiker und Astronom

2 Kepler'sche Gesetze

Johannes Kepler lehrte in Graz und Linz und konnte auf den Planetenbeobachtungen des Astronomen Tycho Brahe aufbauen. Er fand aus den Bahndaten des Planeten Mars, dass die Planetenbahnen nicht Kreise sind, sondern Ellipsen.

Mit zwei weiteren Gesetzmäßigkeiten zu den Planeten werden seine Behauptungen als die drei Kepler'schen Gesetze bezeichnet.

JOHANNES KEPLER,
1571 BIS 1630,
DEUTSCHER MATHEMATIKER UND ASTRONOM

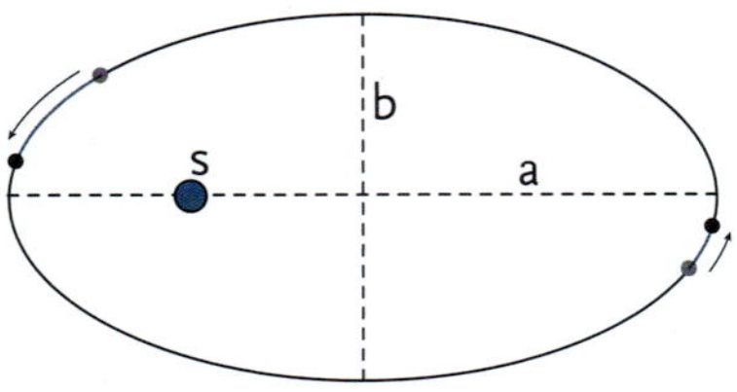

Darstellung zum Flächensatz

FILM AB!

Eine kurze Geschichte des Universums erzählt dieses Video.
www.trauner.at/nawi_v114.aspx

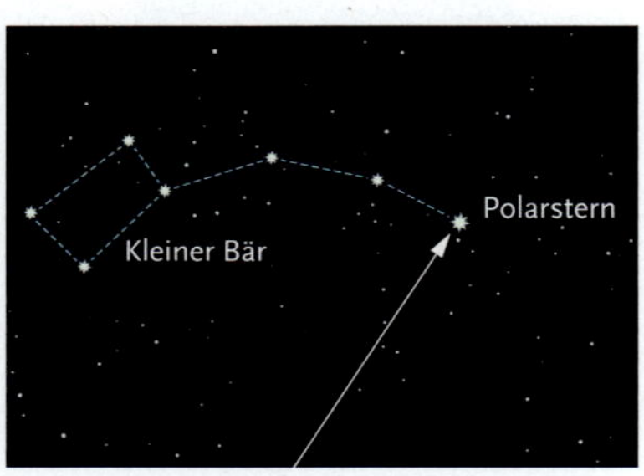

Man kann zum Beispiel anhand des **Polarsterns** (heller Stern am Ende des kleinen Bären) die Himmelsrichtung Norden feststellen. Weitere Orientierungs- bzw. Navigationshilfen lassen einen den Winkel des Blicks zu bestimmten Sternen ablesen, woraus sich dann teilweise in komplexer Weise der Ort bestimmen lässt.

Kepler'sche Gesetze

Erstes Kepler'sches Gesetz	Zweites Kepler'sches Gesetz	Drittes Kepler'sches Gesetz
Die Planeten bewegen sich auf Ellipsenbahnen, in deren gemeinsamen Brennpunkt die Sonne steht.	Der von der Sonne zu einem Planeten gezogene Strahl überstreicht in gleichen Zeiten gleiche Flächen (Flächensatz).	Die Quadrate der Umlaufzeiten zweier Planeten verhalten sich wie die Kuben der großen Halbachsen ihrer Bahnellipsen. $T_1^2 : T_2^2 = a_1^3 : a_2^3$

Bemerkungen zu den Kepler'schen Gesetzen

1. Das Auffinden der **Ellipsenbahnen** durch Kepler ist bemerkenswert, da die Bahnen damals bekannter Planeten nur wenig von Kreisbahnen abweichen.
2. Aus dem **Flächensatz** folgt: Wenn die Flächen, die in gleichen Zeiten überstrichen werden, gleich groß sein sollen, müssen die Wege unterschiedlich sein. In Sonnennähe bewegt sich ein Planet schneller als in Sonnenferne.
3. Die gleichen Gesetze gelten
   a) auch für andere **Planetensysteme** und
   b) auch für **Monde** und **Satelliten** in Bezug auf ihre Planeten.

Aus dem dritten Kepler'schen Gesetz lässt sich ableiten, dass das Verhältnis von T^2 zu a^3 konstant ist.

Diese Konstante wird als **Keplerkonstante** bezeichnet. Mithilfe der Keplerkonstante lässt sich die Umlaufzeit oder die große Halbachse der Umlaufbahn eines Planeten ermitteln, wenn der jeweils andere Wert gegeben ist.

Allerdings gilt die Keplerkonstante **nur für unser Sonnensystem.** Für ein anderes Sonnen- bzw. Planetensystem ergibt sich aufgrund unterschiedlicher Massen der Sterne ein anderer Wert.

3 Aufbau des Universums und unseres Sonnensystems

Das Bedürfnis, mehr über den Aufbau der Welt zu erfahren, reicht zurück bis in die Urzeit. Auch heute noch ist das Erscheinen eines Kometen oder das Aufleuchten einer Sternschnuppe ein aufregendes Ereignis.

Im Zeitalter der Entdeckungen kamen für die Astronomie noch zwei weitere Aufgaben dazu: Hilfe bei der Navigation sowie die Ortsbestimmung auf der Erde.

Die Milchstraße (Milchstraßengalaxie) umfasst ca. 300 Milliarden Sterne und die Zahl der Galaxien wird mit ca. 100 Milliarden angenommen. Obwohl die Zahl der Sterne so groß ist, machen sie nur rund 0,4 % der Gesamtmasse im Universum aus. Denn der Großteil (90 %) der gewöhnlichen Masse besteht aus Gas, das dünn im intergalaktischen Raum verteilt ist.

3.1 Entfernungen im Universum

Seit den Messungen des amerikanischen Astronomen Edwin Hubble (1889 bis 1953) wissen wird, dass das Universum expandiert. Doch glaubten Astronominnen und Astronomen zuerst, dass die Schwerkraft der Materie die Expansion allmählich verlangsamen sollte, ist heute bekannt, dass sich die Ausdehnung des Kosmos sogar beschleunigt.

„Zwei Dinge sind unendlich: das Universum und die menschliche Dummheit; aber beim Universum bin ich mir noch nicht ganz sicher."

Albert Einstein, 1879 bis 1955

Die zu beobachtenden **Entfernungen im Universum** sind so groß, dass man andere Einheiten verwendet.

Wichtige Längeneinheiten im Universum

Astronomische Einheit (AE)	Lichtjahr (Lj)
Mittlere Entfernung zwischen Erde und Sonne. $1\ AE = 1{,}496 \cdot 10^{11}\ m$	Die Strecke, die Licht in einem Jahr im Vakuum geradlinig zurücklegt. $1\ Lj \approx 9{,}5 \cdot 10^{15}\ m$

Diese Einheiten sollen Ihnen ein Gefühl dafür geben, wie groß die Entfernungen im Universum sind. So braucht das Licht vom nächstgelegenen Stern schon mehr als vier Jahre, bis es bei uns eintrifft!

Beispiel: Sternentfernungen in AE und Lichtjahren
Der sonnennächste Stern ist Proxima Centauri. Sein Abstand zu unserem Sonnensystem beträgt etwa 268 000 AE, also rund 4,2 Lj.

Aufgabenstellung – „Entfernungen im Universum"

■ + Geben Sie 1 AE und 1 Lj in Kilometern und Metern an.

3.2 Unser Sonnensystem

Unser Sonnensystem besteht aus einer Vielzahl unterschiedlicher Körper:
- Planeten mit ihren Monden
- Kleinplaneten
- Kometen
- Asteroiden

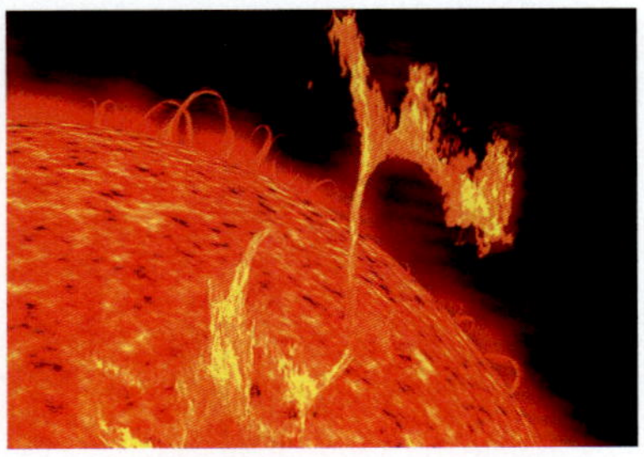

Unsere Sonne stößt auch andauernd geladene Teilchen aus, den sogenannten **Sonnenwind.**

3.2.1 Die Sonne als Stern

Die Sonne als Zentralkörper des Sonnensystems ist ein durchschnittlicher Stern. Ihr Durchmesser ist etwa einhundert Mal der Erddurchmesser.

Sterne zeichnen sich dadurch aus, dass die freigesetzte Energie aus **Kernverschmelzung (Fusion)** im Inneren stammt. Anfänglich verschmelzen Wasserstoffkerne zu Helium, später, bei Abnahme der Wasserstoffkonzentration verschmilzt Helium zu schwereren Kernen. Dabei wird Energie frei, die der Stern in alle Richtungen abstrahlt.

Die Kernfusion wurde bereits auf S. 258 erklärt und wird auf S. 312 noch genauer behandelt.

In der TRAUNER-DigiBox finden Sie eine Präsentation zu den Planeten unseres Sonnensystems.

Die Entfernungen sind in der Darstellung **nicht maßstabsgetreu.**

3.2.2 Planeten

Um die Sonne bewegen sich acht größere Körper, die Planeten: Merkur, Venus, Erde, Mars, Jupiter, Saturn, Uranus und Neptun.

Größenvergleich der Sonne mit den Planeten des Sonnensystems

Wussten Sie, dass ...
man bis 2006 Pluto auch zu den Planeten zählte? In diesem Jahr wurde jedoch von der Internationalen Astronomischen Union (IAU) der Begriff „Planet" neu definiert. Seitdem gilt Pluto nur mehr als Kleinplanet und nicht mehr als neunter und äußerster Planet des Sonnensystems.

Die **inneren Planeten** (Merkur, Venus, Erde, Mars) haben einige Gemeinsamkeiten:

- Ihre Oberfläche ist fest.
- Sie haben eine eher geringe Größe.
- Die Radien betragen zwischen 2 000 km und 6 000 km.

Bis auf **Merkur,** der dem Erdmond sehr ähnlich ist und eine zu geringe Schwerkraft aufweist, um Gase zu halten, besitzen alle inneren Planeten eine **Atmosphäre** (Gashülle).

Die Atmosphäre der **Venus** ist besonders dicht und erlaubt keinen Blick auf die Oberfläche. Nur mit Radar konnte festgestellt werden, dass die Venus große flache Gebiete und Hochebenen aufweist.

Venus wird auch als Morgen- bzw. Abendstern bezeichnet.

Der **Mars** dagegen besitzt unter der sehr dünnen Hülle, die großteils aus Kohlenstoffdioxid und wenig Stickstoff besteht, eine sandige Gerölloberfläche. Die rostrote Farbe verleiht ihm das Eisenerz Hämatit (Fe_2O_3). An den Polen entstehen abwechselnd weiße Kappen, die aus gefrorenem Kohlenstoffdioxid bestehen.

Von den inneren Planeten haben nur zwei Planeten **Monde.** Die Erde besitzt einen verhältnismäßig großen Mond (Erdmond), der Mars besitzt zwei kleine Monde (Phobos und Deimos).

Die **Temperaturen** weisen starke Unterschiede auf. Merkur zeigt Tag-Nacht-Unterschiede zwischen +430 °C und –170 °C. Auf der Venus herrscht eine gleichmäßige Temperaturverteilung von 450 °C. Auf der Erde gibt es ein Temperaturgefälle von –60 °C bis +58 °C, am Mars von –173 °C bis +27 °C.

Die **äußeren Planeten** Jupiter, Saturn, Uranus und Neptun sind allesamt riesige **Gaskugeln,** die hauptsächlich aus Wasserstoff, Helium und etwas Methan bestehen. Ihre Temperaturen liegen zwischen –100 °C und –200 °C.

Rechts, südlich des Äquators kann man den roten Fleck von Jupiter gut erkennen. Der schwarze Kreis auf der linken Seite ist der Schatten eines Mondes.

Die Oberfläche der beiden Riesenplaneten Jupiter und Saturn erhält durch starke Winde um die Planeten eine gebänderte Struktur, wodurch sie ein gestreiftes Aussehen erhalten.

Eine Besonderheit von **Jupiter** ist der große rote Fleck. Diese auch „Auge" genannte Struktur, ein gigantisches Windsystem mit Winden von einigen Hundert km/h, wird schon seit mehr als 200 Jahren beobachtet und ist seit den 1930er-Jahren kontinuierlich kleiner geworden. Warum dies so ist, wissen die Astronominnen und Astronomen bisher nicht.

Saturn wiederum hat als Besonderheit ein gigantisches **Ringsystem,** das aus vielen kleinen Gesteinsbröckchen gebildet wird, die auf geordneten Bahnen gemäß den Kepler'schen Gesetzen den Planeten umkreisen.

Das Ringsystem des Saturn wurde 1610 von Galileo Galilei mit einem der ersten Teleskope entdeckt. Giovanni Domenico Cassini vermutete als Erster, dass die Ringe aus einzelnen Partikeln bestehen, und entdeckte 1675 die markanteste Lücke im Ringsystem, die nach ihm benannte Cassinische Teilung.

Uranus und **Neptun** sind zwei kleinere Gaskugeln aus Wasserstoff und Helium mit Methan in den Atmosphären, von denen bisher nicht allzu viele Details bekannt sind.

Auch Uranus, Neptun und sogar Jupiter besitzen Ringsysteme, die allerdings weniger stark ausgebprägt sind als jenes des Saturn.

Alle äußeren Planeten haben Monde. Jupiters vier große Monde **Europa, Io, Ganymed** und **Callisto** werden auch die **Galileischen Monde** genannt. Diese sind bereits mit einem kleinen Fernglas gut sichtbar.

Darüber hinaus sind bisher etwa 620 000 **Kleinplaneten** erfasst, die sich hauptsächlich im Bereich zwischen Mars und Jupiter (im sogenannten Asteroidengürtel) oder außerhalb der Neptunbahn bewegen.

3.2.3 Kometen

Als Komet bezeichnet man einen Himmelskörper, der aufgrund seiner exzentrischen Bahn der Sonne bei jedem Umlauf sehr nahe kommt und dabei durch die verdampfenden Gase und Staubteilchen einen **Schweif** entwickelt, der sich aber beim Entfernen wieder zurückbildet.

Das Material, das **Koma** und Schweif bildet, wird vom Sonnenwind „weggeblasen" und geht dem Kometen unwiederbringlich verloren. Besonders in Sonnennähe sind deswegen die Materialverluste oft groß.

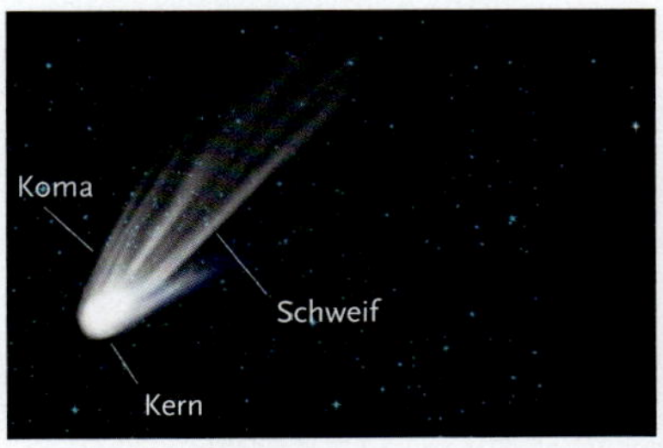

Typische Erscheinungsform eines Kometen

Beachtenswert ist, dass der Schweif des Kometen durch den Sonnenwind weggeblasen wird und daher immer von der Sonne weg zeigt.
Auf dem Rückweg fliegt der Komet also seinem Schweif nach.

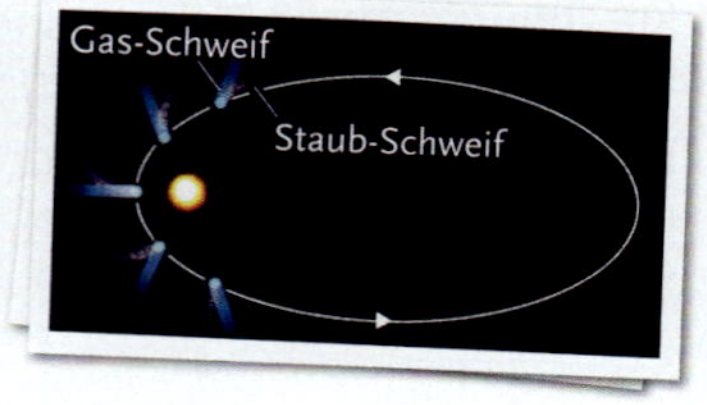

3.2.4 Meteore und Meteoriten

Meteore sind kleine Himmelskörper, die durchs Weltall fliegen. Kommen solche Gesteinsbröckchen der Erde zu nahe, wirkt die Schwerkraft und sie dringen in die Erdatmosphäre ein. Dabei beginnen sie zu glühen. Kleine Körper verglühen vollständig und ziehen dabei eine bemerkenswerte Leuchtspur über den Himmel.

Diese **Sternschnuppen** oder **Meteore** treten zu manchen Zeiten gehäuft auf. Sie sind oftmals der Rest eines Kometen, dessen Bahn die Erde kreuzt. Verglüht der Körper beim Eintritt in die Atmosphäre nicht vollständig und trifft auf die Erdoberfläche, spricht man von einem **Meteoriten.**

Barringer-Krater in Arizona aus der Luft

Große Meteoritenkrater findet man z. B. in Deutschland (Nördlinger Ries) oder in den USA (Barringer-Krater). Das naturhistorische Museum in Wien besitzt die weltgrößte Meteoritensammlung.

Aufgabenstellungen – „Unser Sonnensystem"

1. + Recherchieren Sie zu Meteoriteneinschlägen auf der Erde und die darauffolgenden Auswirkungen auf die Umwelt.
   Tipp: Ein folgenschwerer Meteoriteneinschlag ereignete sich am Ende der Kreidezeit (vor ca. 65 Millionen Jahren).
2. + Im Februar 2013 gab es im russischen Tscheljabinsk einen Vorfall, der mit einem Himmelskörper zu tun hatte.
   Recherchieren Sie dazu und begründen Sie, ob dieser Himmelskörper als Meteor oder als Meteorit zu bezeichnen ist.

4 Sternentstehung und Sternentwicklung

Ein Stern ist ein massereicher, selbst leuchtender kugelförmiger Gaskörper, dessen Strahlungsenergie durch Kernfusion in seinem Inneren aufgebracht wird.

Die Entstehung der Sterne erfolgt im Allgemeinen nach dem gleichen Schema wie die der Sonne. Die am häufigsten vertretene Ansicht ist die sogenannte Urnebel-Hypothese, die bereits von Immanuel Kant im Jahr 1755 beschrieben wurde.

Vor etwa 4,6 Milliarden Jahren kreiste eine ausgedehnte Materiewolke bestehend aus Wasserstoff und Helium sowie auch bereits aus schwereren Atomen um das Zentrum unserer Galaxie.
Ein kleiner Teil dieser Materiewolke kollabierte und zog sich zu einem sogenannten Protostern, der **Protosonne** zusammen. Sie war von einer flachen, immer schneller rotierenden Scheibe aus Gas und Staub umgeben.
Infolge der Gravitationskräfte verdichtete sich die Protosonne weiter, Druck und Temperatur stiegen an, bis es schlussendlich heiß genug war und die Kernfusion zündete.
Die protoplanetare Scheibe hingegen verklumpte aufgrund der Gravitationskräfte und Gebilde entstanden, aus denen sich dann die Planeten und ihre Monde bildeten.
Die Temperatur, die Geschwindigkeit der Kernfusion und der Druck im Inneren der Protosonne wuchsen so lange, bis sich die Kräfte in der Sonne stabilisiert hatten.

NASA-Zeichnung einer protoplanetarischen Scheibe

Je nach Masse des entstandenen Sterns gibt es unterschiedliche Szenarien für seine Weiterentwicklung.

Vielfach entstehen im Zentrum zwei oder mehr Sterne, dann spricht man von Doppel- oder Mehrfachsternen bzw. -sternsystemen.

Unter einer Grenzmasse von ca. 13 Jupitermassen kann keine Kernfusion zünden. Es entsteht ein planetarischer Gasriese, wie wir es von Jupiter oder Saturn kennen.

Zwischen 13 und ca. 75 Jupitermassen erfolgt keine Verschmelzung von Wasserstoff zu Helium, sondern die von vorhandenem Deuterium und Lithium zu höheren Elementen. Die dabei ausgesandte Energie führt zu einer geringeren Leuchtkraft und macht den Stern als sogenannten **Braunen Zwerg** schwer beobachtbar.

Sterne zwischen 75 Jupitermassen und drei Sonnenmassen strahlen zuerst im infraroten Bereich, dann im sichtbaren. Ein Vertreter dieses Typs ist unsere Sonne.

Im Zuge dieser Entwicklung hin zu einem Roten Riesen entstehen bei der Fusion im Stern immer weitere, schwerere Elemente.

Nach Ende des Wasserstoffbrennens steigt der Innendruck, bis Heliumkerne fusionieren. In diesem Stadium dehnt sich der Stern langsam aus und wird zum **Roten Riesen.** Die Sonne hätte dann einen Radius, der bis zur Erdbahn reicht.

Am Ende des Heliumbrennens fällt der Stern in sich zusammen, weist extrem hohe Temperaturen auf **(Weißer Zwerg)** und kühlt langsam ab.

Zwischen drei und acht Sonnenmassen erfolgt eine ähnliche Entwicklung wie bei der Sonne, nur durchlaufen die Sterne die Phasen viel schneller.

Oberhalb von acht Sonnenmassen erfolgt auch in den äußeren Bereichen ein Fusionsvorgang, der als **Schalenbrennen** bezeichnet wird. Der Stern bläht sich auf und wird zum Überriesen. Der darauffolgende Zusammenbruch wird aufgrund des spektakulären Ausstoßes von Strahlung und Materie **Supernovaexplosion** genannt.

Die Leuchtkraft eines Sterns nimmt bei einer Supernova millionen- bis milliardenfach zu, er wird für kurze Zeit so hell wie eine ganze Galaxie.

Klassifikation der Sterne

Sterne werden nach den spektroskopischen Eigenschaften (Spektralklasse bzw. Leuchtkraftklasse) eingeteilt. Die Beziehung zwischen Leuchtkraft und Spektralklasse der Sterne wird im **Hertzsprung-Russel-Diagramm (HRD)** dargestellt.

spektroskopisch = die verschiedenen Eigenschaften einer Strahlung (Energie, Wellenlänge usw.) betreffend

Da der Spektraltyp grob mit der Temperatur des Sterns zusammenhängt, kann das HRD als Leuchtkraft-Temperatur-Diagramm angesehen werden.

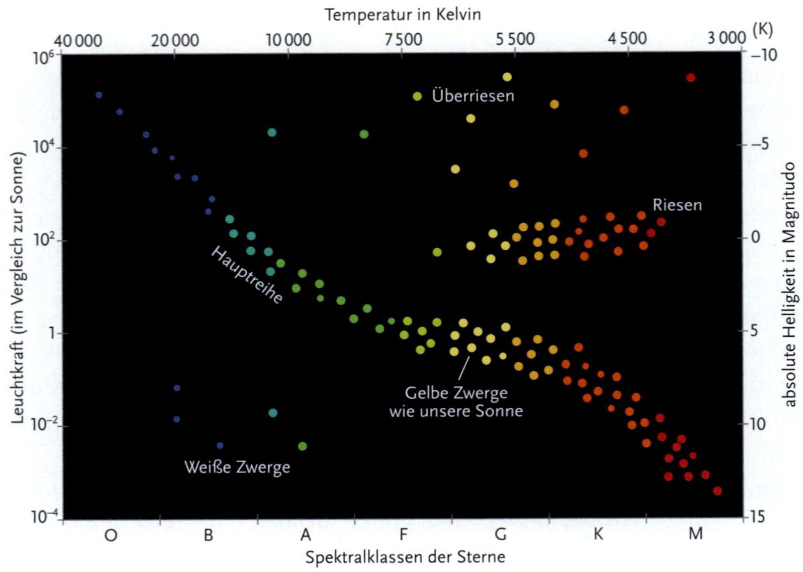

Helligkeit – scheinbar und absolut

- Die **Helligkeit** ist ein Maß für die von einem Himmelskörper je Quadratmeter empfangene Strahlungsleistung.
- Die **scheinbare Helligkeit** ist ein Maß für die an einem Beobachtungsort je Quadratmeter empfangene Strahlungsleistung.
- Die **absolute Helligkeit** ist gleich der scheinbaren Helligkeit m, die man in 10 pc Entfernung von einem Himmelskörper messen würde.

Ziele erreicht? – „Astronomie und Astrophysik"

KOMPETENZ-ERWERB

1. + Nennen Sie jeweils die Kernpunkte des geozentrischen sowie des heliozentrischen Weltbilds.
2. + Erklären Sie das Problem des geozentrischen Weltbildes mit den Epizykeln und führen Sie an, wie das heliozentrische Weltbild dieses Problem löst.
3. ++ Zählen Sie die drei Kepler'schen Gesetze auf und geben Sie deren Auswirkungen auf das Weltbild sowie die Auffassung der Planetenbahnen an.
4. ++ Im Jahr 1604 beobachtete Johannes Kepler ein Aufhellen am Nachthimmel, das sich später als Sternenexplosion in einer Entfernung von ca. 20 000 Lichtjahren herausstellte.

   Analysieren Sie, was eine so große Entfernung für astronomische Beobachtungen bedeutet. Lässt sich durch die Beobachtung des Sternenhimmels der aktuelle Stand des Universums beschreiben? Diskutieren Sie in der Klasse.
5. + Recherchieren Sie zu den Sonnenwinden, deren Auswirkungen auf die Erde sowie deren Nutzung im Zuge der Raumfahrt.
6. + Zählen Sie die acht Planeten unseres Sonnensystems auf und nennen Sie Charakteristika zu jedem einzelnen.
7. + Seit dem Jahr 2006 gilt der Himmelskörper Pluto nicht mehr als Planet sondern als Zwergplanet. Finden Sie heraus, was Pluto – neben seiner Größe – noch von den acht Planeten unterscheidet.

Einen interaktiven **Safety-Check** finden Sie in der TRAUNER-DigiBox.

Kern- und Teilchenphysik

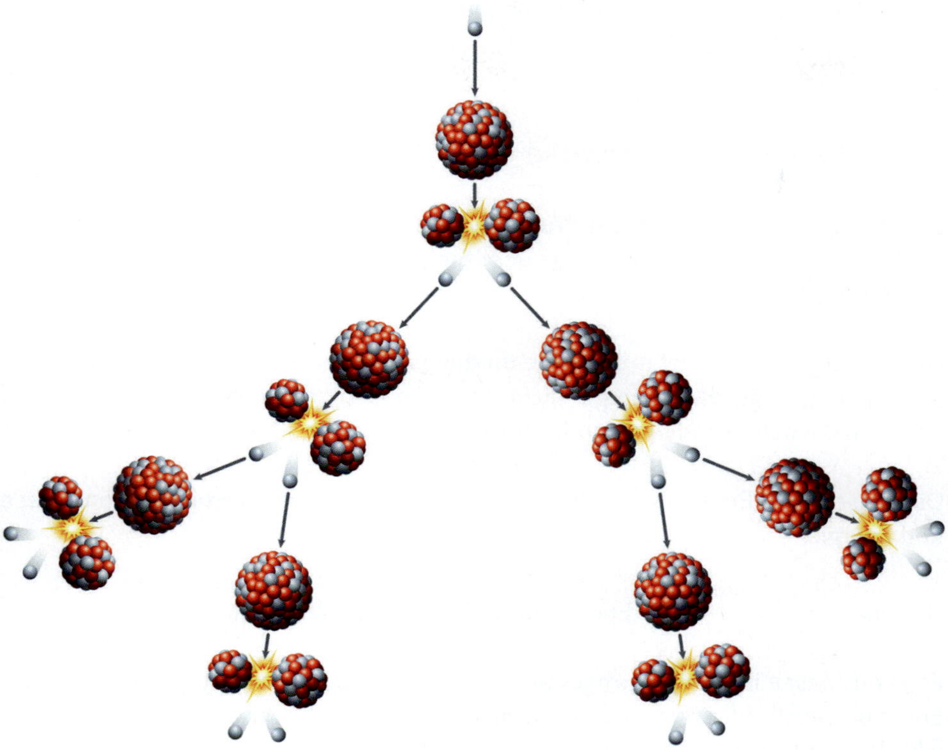

Die **starke Wechselwirkung** ist jene Kraft, die Atomkerne (bestehend aus Protonen und Neutronen) zusammenhält.

Kernenergie wird oft mit Kernkraftwerken oder Atombomben in Verbindung gebracht. Wie Sie bereits im vorigen Kapitel gelernt haben, bezieht jedoch auch die Sonne ihre Energie aus Kernenergie: In der Sonne läuft Kernfusion ab.

Meine Ziele

Nach Bearbeitung dieses Kapitels kann ich
- Energie im Atomkern und in der Atomhülle beschreiben;
- Atommassen inkl. Massendefekt berechnen;
- das Standardmodell der Elementarteilchen erklären;
- die drei fundamentalen Kräfte des Standardmodells bezüglich ihrer Reichweite beschreiben;
- die Arten von Radioaktivität unterscheiden;
- den Zerfall von Atomkernen sowie Kernspaltung und Kernfusion erklären;
- Gefahren von Radioaktivität nennen und Vorsichtsmaßnahmen zum Schutz treffen;
- Anwendungen von Radioaktivität beschreiben;
- Möglichkeiten zur Messung der Radioaktivität nennen.

Es gibt insgesamt **vier Wechselwirkungen:**
- Gravitation
- Elektromagnetische Wechselwirkung
- Schwache Wechselwirkung
- Starke Wechselwirkung (aus historischer Sicht auch starke Kernkraft genannt)

Kernenergie wird in einem Kernkraftwerk in elektrische Energie umgewandelt.

KOMPETENZ-ERWERB

1 Bindungsenergie und Massendefekt

Um ein Molekül, ein Atom oder einen Atomkern in seine einzelnen Teile (z. B. Kernteilchen) zu zerlegen – d. h. die Bindung aufzubrechen – muss man Energie aufwenden. Umgekehrt muss diese Energie bei der Bildung des Kerns frei geworden sein. Diese Energie heißt **Bindungsenergie ΔE.**

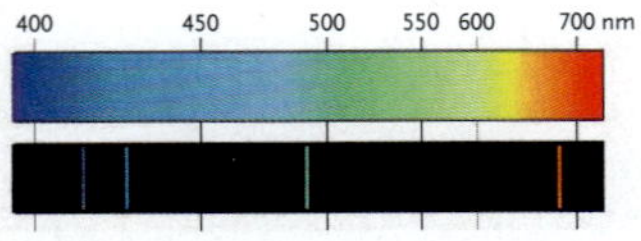

Das **Emissionsspektrum** ist das hier von einem H-Atom ausgesandte Licht. Die Spektrallinien entsprechen jeweils der Energiedifferenz zwischen zwei verschiedenen Zuständen des Atoms.

1.1 Energie der Atomhülle

Bindet sich ein Elektron an ein Proton, wie es im Wasserstoffatom der Fall ist, so wird dabei Energie abgestrahlt. Aus dem **Emissionsspektrum** kann die Energie mit 13,6 eV bestimmt werden.

eV = Elektronvolt; 1 eV ist die Energie, die ein Elektron bei Durchlaufen einer Spannung von 1 Volt erhält.
Umrechnung: 1 eV = $1{,}6 \cdot 10^{-19}$ J

Diese Energie bezeichnet man als die **Bindungsenergie des Elektrons.** Aus der Energieerhaltung folgt, dass Energie nicht aus dem Nichts erzeugt werden kann und daher aus der Umwandlung von Masse in diese Energie stammen muss.

Das Gesetz von EINSTEIN beschreibt die **Äquivalenz (Gleichwertigkeit) von Masse und Energie.**

$E = mc^2$	Energie und Masse sind äquivalent.

Deuterium = Wasserstoffisotop mit einem Proton und einem Neutron im Kern; wird auch als schwerer Wasserstoff bezeichnet. Isotope eines chemischen Elementes, unterscheiden sich nur in der Anzahl der Neutronen im Kern.

Es kann Masse in Energie umgewandelt werden und umgekehrt. Wird vom Atom Energie abgestrahlt, muss die Masse kleiner werden. Man spricht vom **Massendefekt.** Beim Massendefekt handelt es sich also um den Unterschied zwischen der Gesamtmasse der gebundenen Teilchen und der Summe der Massen der ungebundenen Teilchen.

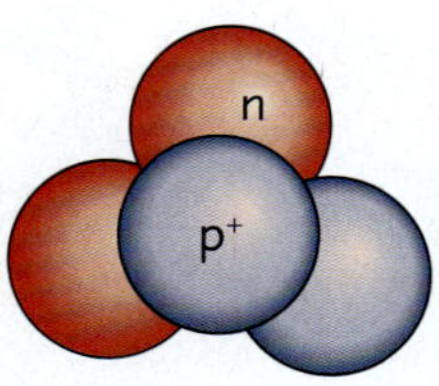

Bindungskräfte wirken zwischen den Kernbausteinen. Modell eines Heliumkerns aus zwei Protonen und zwei Neutronen.

Beispiel: Massendefekt
Die Masse eines Deuteriumkerns ist um den Massendefekt kleiner als die Summe der Massen eines Protons und eines Neutrons.

Bei chemischen Reaktionen, wie sie beispielsweise bei Reaktionen von Wasserstoff auftreten, sind die Massendefekte zu gering, um messbar zu sein. Daher gilt als gute Näherung: **Bei chemischen Reaktionen bleiben die Massen erhalten.**

Die weiteren Wechselwirkungen (Grundkräfte) lernen Sie auf S. 306 kennen.

1.2 Energie im Atomkern

Bei der Kraft im Atomkern handelt es sich um die stärkste der **vier Wechselwirkungen,** die **starke Wechselwirkung.** Sie bindet die Protonen und Neutronen im Atomkern und ist millionenfach stärker als die Bindungskraft bei chemischen Reaktionen.

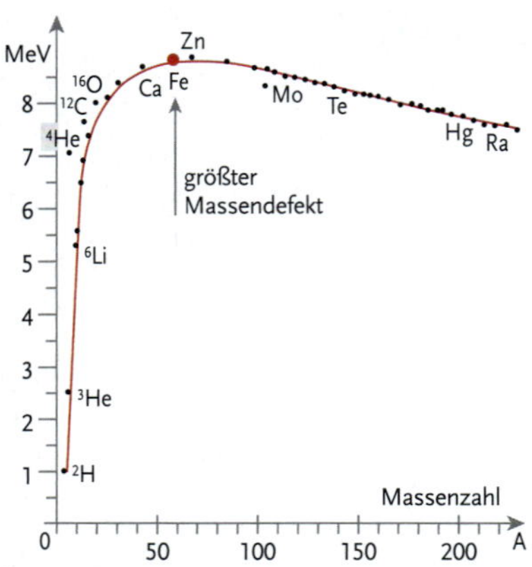

Bindungsenergie pro Kernteilchen

Die chemischen Bindungsenergien liegen im Bereich von einigen eV (Elektronenvolt), die von Kernteilchen bei einigen MeV (Millionen Elektronenvolt).

Beispiel: Bindungsenergie im Kern von Sauerstoff
Die Bindungsenergie pro Kernteilchen (Nukleon) beträgt laut Diagramm in der Randspalte 8 MeV. Sauerstoff besitzt laut Periodensystem acht Protonen und acht Neutronen, insgesamt also 16 Nukleonen.
Die Gesamtbindungsenergie ist 8 MeV $\cdot$ 16 = 128 MeV.

Aufgabenstellung – „Bindungsenergie"

- ++ Bestimmen Sie aus dem Diagramm auf der vorigen Seite die Bindungsenergie pro Nukleon bei Helium (^4He), Eisen (^{56}Fe), und Uran (^{235}U). Berechnen Sie aus diesen Werten die gesamte Bindungsenergie des Atomkerns. Vergleichen Sie die Bindungsenergie der Atomkerne mit der Bindungsenergie des Elektrons an das Proton beim Wasserstoff.

Die Energie aus der Sonne ist ebenfalls Kernenergie.

1.3 Massendefekt beim Heliumkern

Ein Heliumkern hat weniger Masse als die vier Kernteilchen, aus denen er besteht. Die Summe der einzelnen Kernteilchen ist größer als die Gesamtmasse des Kerns. Die Differenz heißt **Massendefekt.** Dies beruht darauf, dass ein Teil der Masse bei der Bindung der Kernteilchen in Energie umgewandelt und freigesetzt wird.

Bei der Verbindung wird also Energie abgestrahlt. Darauf beruht die freiwerdende Energie bei der **Kernfusion der Sonne.**

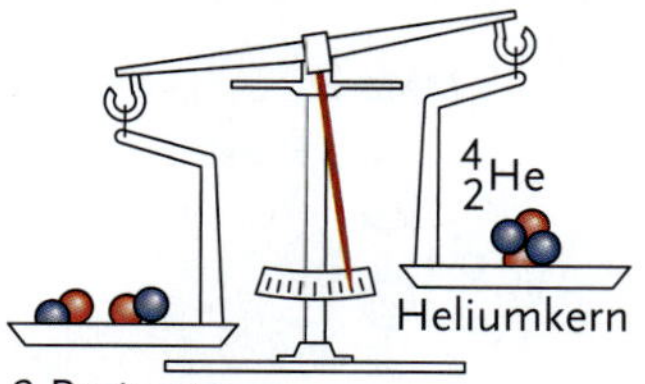

Massendefekt bei der Kernfusion

1.4 Atommassen

Die Atommasse ist die **Summe von Protonenmasse, Neutronenmasse, Elektronenmasse und Massendefekt.**

Die Masse des Protons beträgt $1{,}67 \cdot 10^{-27}$ kg. Die Masse des Neutrons ist ähnlich groß. Die Masse des Elektrons $\frac{1}{1\,836}$ der Masse des Protons. Noch kleiner ist der Massendefekt.

Die Atommassen werden durch ihre Massenzahl charakterisiert. Diese entspricht der Zahl der **Nukleonen,** das sind jene Teilchen (Neutronen und Protonen), aus denen ein Atomkern besteht. Da die Masse des Protons und die Masse des Neutrons ca. 1 Unit sind, entspricht die Massenzahl der Atommasse in Unit.

Da die Massen der Nukleonen sehr klein sind, definiert man eine neue Masseneinheit, das **Unit: 1 u** = $1{,}66 \cdot 10^{-27}$ kg. Damit beträgt die Masse des Protons und des Neutron ca. 1 u.

Beispiel: Angabe der Atommasse bei Helium

^4He mit der Massenzahl 4 bedeutet auch, dass vier Nukleonen die Gesamtmasse von 4 u besitzen. Für die Berechnung des Massendefekts müssen die Massenzahlen der Nukleonen genau angegeben werden.

Berechnung des Massendefekts für den ^4He Kern

Masse des ^4_2He Kerns = 4,001506 u = $6{,}64490 \cdot 10^{-27}$ kg
Masse des Protons = 1,007276 u = $1{,}67262 \cdot 10^{-27}$ kg
Masse des Neutrons = 1,008665 u = $1{,}67493 \cdot 10^{-27}$ kg

Der ^4He Kern besteht aus vier Nukleonen (zwei Protonen und zwei Neutronen). Die Masse der getrennten Nukleonen beträgt:
$2 \cdot (1{,}007276\ u + 1{,}007276\ u) = 4{,}031882\ u$

Differenz der Massen der Nukleonen und der Masse des Kerns

$\Delta m = 4{,}001506\ u - 4{,}031882\ u = 0{,}030376\ u$

Der Massendefekt eines He-Kerns beträgt 0,0303765 u = 10^{-29} kg

Aus $E = mc^2$ folgt: $E = \frac{10^{-29}\ kg}{3 \cdot 10^8} = 1{,}6 \cdot 10^{-19}\ J = 28{,}3\ MeV$

Dieselbe Rechnung in kg

$2\ m_p = 2 \cdot 1{,}67262 \cdot 10^{-27}\ kg = 3{,}34524 \cdot 10^{-27}\ kg$
$2\ m_n = 2 \cdot 1{,}67493 \cdot 10^{-27}\ kg = 3{,}34986 \cdot 10^{-27}\ kg$
$m_{(2p+2n)} = 6{,}69510 \cdot 10^{-27}\ kg$
Masse des ^4_2He Kerns = $6{,}64490 \cdot 10^{-27}$ kg
$\Delta m = 6{,}69510 \cdot 10^{-27}\ kg - 6{,}64490 \cdot 10^{-27}\ kg = 0{,}05020 \cdot 10^{-27}\ kg$

Der Massendefekt eines He-Kerns beträgt 0,0303765 u = 10^{-29} kg
Aus $E = mc^2$ folgt:

$$E = \frac{10^{-29}\ kg}{(3 \cdot 10^8)^2} = 1{,}6 \cdot 10^{-19}\ J = 28{,}3\ MeV$$

Aufgabenstellungen – „Atommassen"

1. + Bestimmen Sie das Element und die Massenzahl eines Kerns mit acht Protonen und sieben Neutronen.
2. ++ Der Kern eines ^{238}Uran-Atoms verliert durch den Massendefekt ca. zwei Protonenmassen. Berechnen Sie den Massendefekt und die Masse des Urankerns in Kilogramm.

Aufbau der Materie nach dem Standardmodell

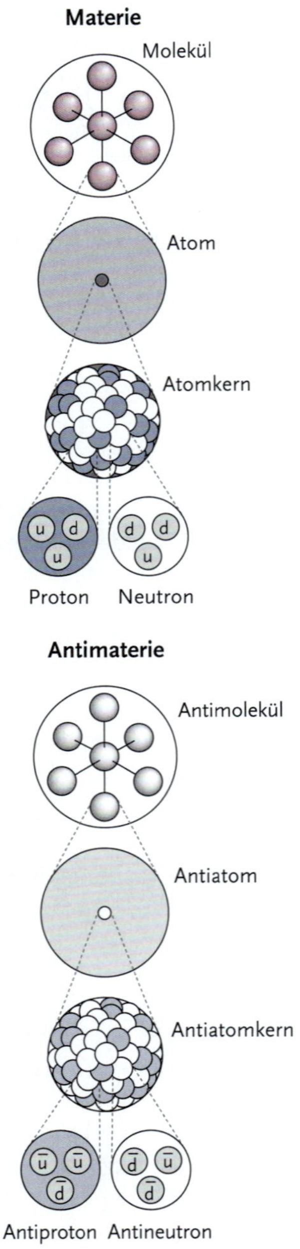

Beispiel für ein Eichboson
Das bekannteste Eichboson ist das Photon, das für die Übertragung der elektromagnetischen Kraft verantwortlich ist.

2 Das Standardmodell der Elementarteilchen

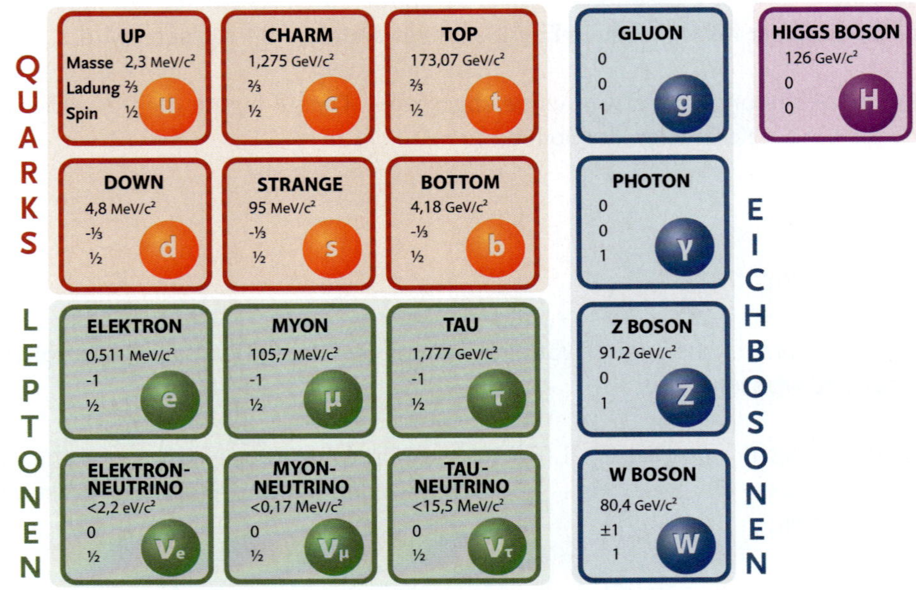

In der Physik können Körper auch wechselwirken, ohne direkten mechanischen Kontakt (Nahwirkung) zueinander zu haben. Diese Wechselwirkungen bezeichnet man als **Fernwirkungen.** In der von uns beobachtbaren Welt gibt es zwei Fernwirkungen. Zum einen ist dies die **Gravitation,** die Anziehungskraft zwischen Massen. Zum anderen gibt es die **elektromagnetische Wechselwirkung.** Dies ist die Kraftwirkung auf Ladungen durch elektrische und magnetische Felder.

Zusätzlich gibt es im subatomaren Bereich die **starke** und die **schwache Wechselwirkung.** Diese sind für uns nicht ohne weiteres beobachtbar. Insgesamt benötigt man für das Verständnis des ganzen Universums nur vier Fernwirkungskräfte (vier Wechselwirkungen).

Um ein Stück Materie – denken Sie beispielsweise an ein Stück Würfelzucker – „erklären" zu können, benützen Physiker/innen ihr Standardmodell der Elementarteilchen. Dieses besteht aus zwölf elementaren Materieteilchen und den Eichbosonen. Eichbosonen sind Wechselwirkungsteilchen. Sie übertragen also Kräfte.

Das Standardmodell behandelt alle diese „Partikel" als geometrische Punkte. Wieder erkennen wir die notwendige Modellierung eines Materieteilchens als ausdehnungslosen Massenpunkt, wie es bereits Isaac Newton vorgezeigt hat. In der **Stringtheorie** wird diese Einschränkung des geometrischen Punktes zugunsten eines eindimensionalen Strings (Fadens) aufgegeben.

2.1 Zwölf elementare Materieteilchen

Einteilung der zwölf elementaren Materieteilchen

Sechs Quarks	Sechs Leptonen
■ 6 Quarks: up, down, strange, charm, bottom und top – nach ihrer Masse (meist angegeben gemäß $E = m \cdot c^2$ in Vielfachen von eV) geordnet. ■ Die elektrische Ladung des up-, charm- und top-Quarks beträgt $+\frac{2}{3}$ der Elementarladung e. ■ Die elektrische Ladung des down-, strange- und bottom-Quarks beträgt $-\frac{1}{3}$ der Elementarladung e. ■ Aus den Quarks sind Protonen, Neutronen und ein Teilchenzoo sehr kurzlebiger Teilchen aufgebaut. Quarks tragen eine sogenannte Farbladung (rot, grün oder blau) und wurden noch nie einzeln beobachtet.	■ 6 Leptonen: Das Elektron und das Elektron-Neutrino, das Myon und das Myon-Neutrino sowie das Tau und das Tau-Neutrino. ■ Leptonen lassen sich einzeln beobachten und sind immun gegen die starke Kraft (Kernkraft).

Elementarladung
$e \approx 1{,}602 \cdot 10^{-19}$ C
Ladung des Elektrons = –e
Ladung des Protons = +e

Quark	Ruheenergie $m_0 \cdot c^2$	Ladung (e)
up	2 MeV	$+\frac{2}{3}$
down	5 MeV	$-\frac{1}{3}$
strange	950 MeV	$-\frac{1}{3}$
charm	1 250 MeV	$+\frac{2}{3}$
bottom	4 200 MeV	$-\frac{1}{3}$
top	173 000 MeV	$+\frac{2}{3}$

Die sechs Quarks, ihre Massen (in MeV) und ihre elektrischen Ladungen

Beispiel: Das Proton, das Neutron und ihre Bestandteile

- Ein **Proton** besteht aus zwei up-Quarks und einem down-Quark und hat daher die Ladung $(2 \cdot \frac{2}{3} - \frac{1}{3}) \cdot e = e$.
- Ein **Neutron** besteht aus einem up-Quark und zwei down-Quarks und ist daher elektrisch neutral: $(\frac{2}{3} - 2 \cdot \frac{1}{3}) \cdot e = 0$.

Ladung des up-Quark = $+\frac{2}{3}e$
Ladung des down-Quark = $-\frac{1}{3}e$

Lepton	Ladung (e)
Elektron	–1
Myon	–1
Tau	–1
Elektron-Neutrino	0
Myon-Neutrino	0
Tau-Neutrino	0

Die sechs Leptonen und ihre elektrischen Ladungen

Jede Wechselwirkung (Kraft) wird durch ein Eichboson (Eichbosonengruppe) übertragen.

Beispiel: Das Photon und die elektromagnetische Wechselwirkung
Ein Sonderfall der elektromagnetischen Wechselwirkung ist das coulombsche Kraftgesetz für zwei ruhende elektrische Punktladungen q_1 und q_2 im Abstand r.

Diese üben aufeinander die Coulombkraft $F_{Coulomb} = k \cdot \frac{q_1 \cdot q_2}{r^2}$ mit der Coulomb-Konstante $k \approx 9 \cdot 10^9 \frac{N \cdot m^2}{C^2}$ aus. Wir erkennen, dass selbst für beliebig große Abstände r die Kraft nie ganz verschwindet, sodass uns die unendliche Reichweite der elektromagnetischen Wechselwirkung einleuchtet.

Leptonen sind Teilchen, die nur der elektromagnetischen und der schwachen Wechselwirkung unterliegen.
Hadronen sind aus Quarks zusammengesetzte Teilchen, die der starken Wechselwirkung unterliegen.

Kraft	Reichweite
Elektromagnetische Kraft	∞
Schwache Kraft	$< 10^{-18}$ m
Starke Kraft	$< 10^{-15}$ m

Die drei fundamentalen Kräfte im Standardmodell

Das **Higgs-Teilchen** wurde im Vorfeld der Nobelpreisbekanntgabe für Physik 2012 als Gottesteilchen bezeichnet und die Entdecker wurden als Kandidaten für den Nobelpreis gehandelt. Dieser wurde am 9. September den beiden Quantenphysikern SERGE HAROCHE (Frankreich) und DAVID WINELAND (USA) zugesprochen.

Wussten Sie, dass ...
pro Sekunde mehrere tausend Neutrinos von unserem Körper emittiert werden? Denn in unseren Knochen ist der β-Strahler ^{40}Kalium eingebaut.

FILM AB!
Eine Zusammenfassung zur Radioaktivität und den Wirkungen der ionisierenden Strahlung bietet Ihnen dieses Video.
www.trauner.at/nawi_v109.aspx

2.2 Die Eichbosonen – Vermittler der Kräfte

Das **Photon** (elektrische Ladung = 0 e, Ruheenergie = 0 eV) überträgt elektromagnetische Kraft über unbegrenzte Entfernungen auf elektrisch geladene Teilchen.
Das **Z-Boson** (0 e, 91 GeV) überträgt die schwache Wechselwirkung bei Reaktionen, welche die Identität der Teilchen unverändert lassen. Ihre Reichweite beträgt rund 10^{-18} m.
Die **W^+/W^--Bosonen** (+1e oder −1e, 80,4 GeV) übertragen die schwache Wechselwirkung bei Reaktionen, bei denen sich der „Geschmack" (Flavour) und die Ladung der Teilchen ändern. Reichweite rund 10^{-18} m.
Die **acht verschiedenen Gluonen** (0 e, 0 eV) übertragen die starke Wechselwirkung, wobei sie auf Quarks und andere Gluonen wirken. Sie sind immun gegen die elektromagnetische und schwache Wechselwirkung. Reichweite $< 10^{-15}$ m.
Das **Higgs-Teilchen** (0 e, 125 bis 126 eV) soll Quarks, Leptonen und Z-/W-Bosonen mit Masse ausstatten.

Mit Quarks, Leptonen und Eichbosonen können die starke Wechselwirkung, der Elektromagnetismus und die schwache Wechselwirkung sowie (voraussichtlich) die **Higgs-Wechselwirkung** erklärt werden. Die Higgs-Wechselwirkung erklärt die Masse von Quarks, Leptonen und Z-/W-Bosonen durch die Wechselwirkung mit einem Higgs-Feld sowie die Herabsetzung der Reichweite der schwachen Kraft.

Die schwache Wechselwirkung wirkt auf Quarks und Leptonen. Ihr bekanntester Effekt ist der radioaktive β-Zerfall, bei dem im Kern ein Neutron in ein Proton, ein Elektron und ein Elektron-Neutrino umgewandelt wird.

Beispiel: Der β-Zerfall
Im Standardmodell wandelt sich dabei im Kern ein d-Quark (down-Quark) in ein u-Quark (up-Quark) um. Dadurch wird ein Neutron zu einem Proton und zusätzlich entstehen ein Elektron und ein Elektron-Neutrino.

Neutrinos und Photonen sind die häufigsten Teilchen im Universum. Das elektrisch neutrale und sehr leichte Neutrino wurde vom Österreicher WOLFGANG PAULI zur Erklärung der Energiebilanz beim β-Zerfall vorerst noch als unbekanntes Teilchen 1930 gefordert. ENRICO FERMI gab diesen mysteriösen Teilchen den Namen Neutrino, kleines Neutron. 1956 wurde das Neutrino bei einem Experiment an einem Kernreaktor erstmals nachgewiesen. Heute dienen Neutrinos auch als Sonden zur Erkundung des Erdinneren und für neuartige Teleskope in der Astronomie, weil sie mühelos Planeten und Sterne durchdringen.

3 Radioaktivität

Als **natürliche Radioaktivität** bezeichnet man den spontanen Zerfall von in der Natur vorkommenden Atomkernen.

Die Energie, die von radioaktiven Elementen freigesetzt wird, ist ebenfalls Kernenergie. Henry Becquerel fand heraus, dass ein Thoriummineral geheimnisvolle Strahlung aussendet. Marie und Piere Curie untersuchten diese Becquerel-Strahlen genauer und Marie Curie entdeckte im Rahmen ihrer Forschungstätigkeit aufgrund dieser Eigenschaft zwei neue Elemente, Polonium und Radium.

Die Strahlung kommt fast immer aus dem Atomkern und ist sehr energiereich. Die hohen Energien bedeuten, dass diese Strahlung auch **ionisierend** ist. Das heißt, es könnten chemische Bindungen aufgebrochen werden sowie die Zellen, der Zellkern und das Erbgut geschädigt werden.

Marie Skłodowska Curie, 1867 bis 1934, polnisch-französische Chemikerin und Physikerin

3.1 Arten von Radioaktivität

Lässt man die Strahlung von radioaktiven Elementen durch ein elektrisches Feld treten, so kann man **drei Arten von Radioaktivität** unterscheiden.

Bei der Untersuchung von Radioaktivität hat man die Strahlenarten zunächst nach ihren Eigenschaften unterschieden und nach dem griechischen Alphabet benannt.

> Ausgangspunkt für alle diese Strahlen ist der Zerfall von Atomkernen.

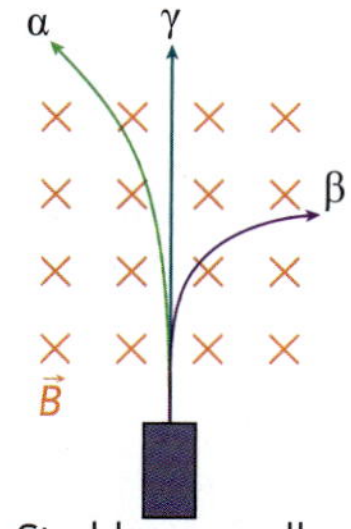

In einem Magnetfeld erkennt man die unterschiedlichen Strahlungsarten anhand ihrer jeweiligen Bahn.

Arten von Radioaktivität

α-Strahlung	β-Strahlung	γ-Strahlung
Besteht aus α-Teilchen (= He-Kerne). Aufgrund ihrer positiven Ladung werden sie durch elektrische und magnetische Felder abgelenkt.	Besteht aus Elektronen, die annähernd mit Lichtgeschwindigkeit vom Atomkern ausgesandt werden. Die Energien der von gleichen Atomkernen ausgesandten Elektronen sind nicht gleich. Es ergibt sich eine kontinuierliche Energieverteilung mit scharfer Obergrenze und sehr verschwommener Untergrenze.	Ist eine elektromagnetische Welle mit äußerst kurzer Wellenlänge (hochfrequente Photonen). Mit elektrischen und magnetischen Feldern ist sie nicht ablenkbar.

3.1.1 α-Strahlung

Sendet ein α-Strahler einen Heliumkern aus, so reduziert sich seine Atommasse um vier Teilchen, seine Kernladungszahl um zwei Protonen. Aus ^{235}U, das 92 Protonen hat, wird z. B. das Element mit der Nummer 90 (Thorium).

Beispiel: α-Zerfall von Radium
Ein Radiumkern zerfällt unter Aussendung eines Heliumkerns in einen Radonkern. Die Halbwertszeit von ^{216}Radium beträgt nur rund 182 Nanosekunden.
$^{216}Ra \rightarrow {}^{212}Rn + {}^{4}He$

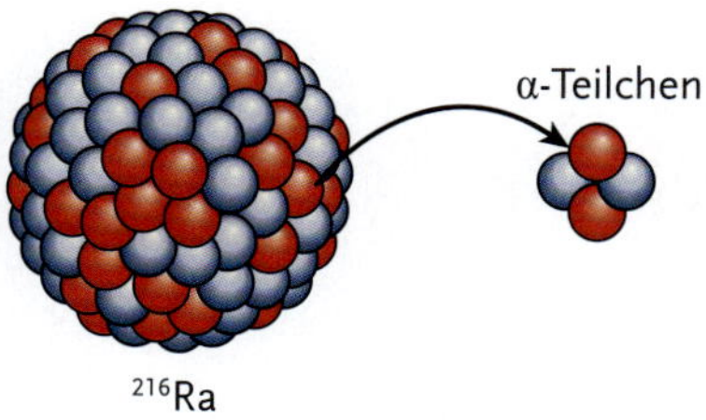

α-Zerfall von ^{216}Radium

Neutrino = neutrale Elementarteilchen mit geringer Masse; es wird mit dem griech. Kleinbuchstaben *Ny* (ν) dargestellt.

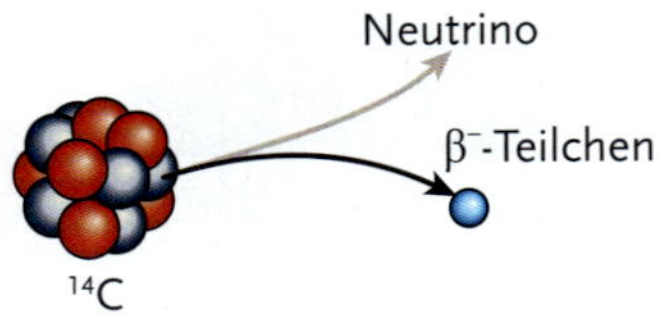

β-Zerfall von ^{14}Kohlenstoff

Positron = Teilchen, das einem Elektron bis auf das Vorzeichen der elektrischen Ladung gleicht (positiv geladenes Elektron)

3.1.2 β-Strahlung

Bei der β-Strahlung kann es zu zwei unterschiedlichen Vorgängen kommen.

β-Strahlung

β^--Zerfall	β^+-Zerfall
Zerfall eines Neutrons in ein Proton und ein Elektron und ein Neutrino. Dabei verlassen das Elektron und das Neutrino den Kern. $n \rightarrow p^+ + e^- + \nu$	Zerfall eines Protons in ein Neutron und ein Positron, das ebenfalls abgestrahlt wird. $p^+ \rightarrow n + e^+ + \nu$

In beiden Fällen bleibt die Massenzahl konstant. Es ändert sich jedoch die Kernladungszahl: Beim β^--Zerfall wird die Kernladungszahl um 1 größer, beim β^+-Zerfall wird sie um 1 kleiner.

Beispiel: β^--Zerfall von Kohlenstoff ^{14}C
Kohlenstoff ^{14}C wird bei der Radiokarbonmethode zur Altersbestimmung benutzt. Unter Abgabe eines β^--Teilchens (Elektron) wandelt er sich in Stickstoff um.
$^{14}C \rightarrow {}^{14}N + e^- + \nu_e$

3.2 Zerfallsgesetz

Besitzt eine Probe zu Beginn der Beobachtung eine bestimmte Anzahl N_0 an radioaktiven Kernen, so nimmt diese Anzahl im Laufe der Zeit ständig ab. Die Zeit, in der sich die Anzahl halbiert hat, nennt man **Halbwertszeit.**

N (t) = Anzahl der radioaktiven Kerne zur Zeit t

λ = Zerfallskonstante (unterscheidet sich je nach Atom bzw. Nuklid); die Zerfallskonstante gibt an, wie schnell die Abnahme erfolgt.

Das Zerfallsgesetz gehorcht einer Exponentialfunktion mit der Gleichung:
$N(t) = N_0 \cdot e^{-\lambda t}$

Aufgabenstellung – „Zerfallsgesetz"

■ + Bestimmen Sie aus der Zerfallskurve die Halbwertszeit für ^{239}Plutonium.

In gleichen Zeitabständen zerfällt jeweils die Hälfte der vorhandenen Kerne. Gleichzeitig sinkt auch die Strahlung auf die Hälfte. Welche Schlussfolgerung ziehen Sie daraus?

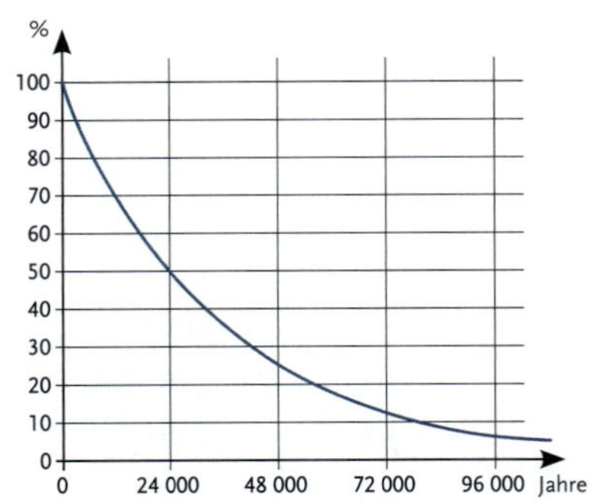

Altersbestimmung mithilfe der Halbwertszeit

Zur Altersbestimmung von organischen Objekten, deren Alter zwischen 1 000 und 50 000 Jahren liegt, verwendet man die sogenannte **$^{14}_{6}$C-Methode.** Dabei wird das Verhältnis von stabilem Kohlenstoff $^{12}_{6}$C zu radioaktivem Kohlenstoff $^{14}_{6}$C untersucht.

Ausgesprochen wird die Bezeichnung als C-14-Methode.

Durch kosmische Strahlung wird aus dem Stickstoff $^{14}_{7}N$ in zwei Stufen das Kohlenstoffatom $^{14}_{6}C$ gebildet:

$$^{14}_{7}N + ^{1}_{0}n \rightarrow ^{15}_{7}N \qquad ^{15}_{7}N - ^{1}_{1}p \rightarrow ^{14}_{6}C$$

Der radioaktive Kohlenstoff geht durch ß⁻-Strahlung mit einer Halbwertszeit von 5 730 (±40) Jahren wieder in Stickstoff über:

$$^{14}_{6}C \rightarrow ^{14}_{7}N + ^{0}_{-1}e$$

Man setzt voraus, dass in der Atmosphäre das Mengenverhältnis von $^{12}_{6}C$ und $^{14}_{6}C$ konstant bleibt.

Stirbt nun eine organische Substanz, zu deren Aufbau Kohlenstoff notwendig war, so sinkt durch den radioaktiven Zerfall der Anteil des radioaktiven Kohlenstoffs. Die Menge des stabilen Kohlenstoffs bleibt gleich.

Aufgrund der Änderung des Mengenverhältnisses zwischen $^{12}_{6}C$ und $^{14}_{6}C$ lässt sich das Alter der Probe bestimmen. Da das Mengenverhältnis der C-Isotope in der Atmosphäre sich immer wieder geändert hat und vergangene Werte vom heutigen Wert abweichen, muss diese Methode mit anderen Verfahren verglichen und dadurch genauer gemacht werden.

Beispiel: Bestimmung des Alters von Ötzi mit der ^{14}C-Methode
In den Ötztaler Alpen im Grenzgebiert zwischen Österreich und Italien wurde 1991 im Tauwasser eines Gletschers ein durch Gefriertrocknung konservierter Leichnam (Ötzi) entdeckt. Die Radiokarbonmethode hat ergeben, dass das Verhältnis von ^{14}C zu ^{12}C auf 53 % des Wertes beim Tode von Ötzi abgesunken ist.

$$\frac{N}{N_0} = 53\,\% = 0{,}53$$

Da die Halbwertszeit von ^{14}C bekannt ist (ca. 5 730 Jahre), kann nun in folgende Formel eingesetzt werden:

$$\frac{N}{N_0} = \frac{1}{2}^{\frac{t}{t_H}} \qquad \text{Daraus folgt: } t = 5\,730 \cdot \frac{\log(0{,}53)}{\log(0{,}5)} \approx 5\,248 \text{ Jahre}$$

Da die ^{14}C-Methode eine Schwankungsbreite von 40 Jahren aufweist, kann man näherungsweise sagen, dass die Mumie 5 250 Jahre alt ist.

Zusammenstoß von Neutron und Stickstoffmolekül bewirkt Austritt eines Protons, es entsteht ^{14}C.

^{14}C-Methode

Ötzi

3.3 Kernspaltung und Kernfusion

Otto Hahn und sein Assistent Fritz Strassmann entdeckten am 17. Dezember 1938 die induzierte Kernspaltung. Lise Meitner und Otto Frisch lieferten im Jänner 1939 die erste theoretische Erklärung dafür.

Wir können uns die induzierte Kernspaltung **modellhaft** folgendermaßen vorstellen: Das in den Atomkern eindringende **Neutron** verformt den Kern und versetzt ihn in Schwingungen. Bildet sich dabei eine Einschnürung, stoßen sich die räumlich getrennten Ladungsschwerpunkte ab und die beiden Spaltprodukte fliegen mit hoher Energie auseinander. Dabei können wieder Neutronen emittiert werden, die – wenn ihre Energie nicht zu hoch ist – ihrerseits weitere Spaltungen induzieren können (Kettenreaktion).

Lise Meitner, 1878 bis 1968, österreichische Kernphysikerin

Schematische Spaltung von Uran

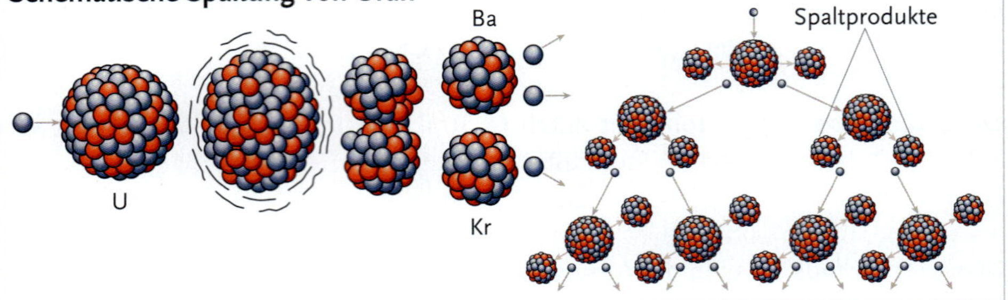

3.3.1 Kernspaltung

Da sich Protonen aufgrund ihrer Ladung untereinander abstoßen, sind Atomkerne mit mehr als 90 Protonen **nicht stabil.** Sie zerfallen meist unter Aussendung eines α-Teilchens und reduzieren so ihre Protonen- und Massenzahl.

Wird ein Kern mit einem energiereichen Teilchen (z. B. einem Neutron) beschossen, kann eine solche Spaltung eingeleitet werden. Bei einer Kernspaltung wird sehr viel Energie freigesetzt.

Beispiel: Induzierte Spaltung von ^{235}U
Wird ^{235}Uran durch ein Neutron in ^{140}Cs und ^{94}Rubidium gespalten, so werden ein Neutron und eine Energie von rund 200 MeV frei.
$^{235}U + {}^{1}n \rightarrow {}^{140}Cs + {}^{94}Rb + {}^{1}n + 198$ MeV

Damit eine Kernspaltung zu einer kontrollierbaren Kettenreaktion führt,
- muss mindestens die **kritische Masse** an spaltbarem Material vorhanden sein
- und die Zahl der eine Spaltung herbeiführenden **Neutronen** muss konstant gehalten werden.

Zur Kontrolle einer Kernspaltungskettenreaktion verwendet man einerseits **Absorber** wie Bor oder Cadmium. Diese absorbieren Neutronen sehr stark, sodass die Anzahl der zu Kernspaltungen beitragenden Neutronen gesteuert werden kann.

Unter der Führung von Enrico Fermi konnte die erste kontrollierte Kernspaltungskettenreaktion am 2. Dezember 1942 in Chicago verwirklicht werden.

3.3.2 Kernfusion

Die nebenstehende Abbildung zeigt, dass bei der **Verschmelzung (Fusion)** zweier leichter Kerne zu einem Kern, dessen Massenzahl kleiner als 50 ist, Energie freigesetzt wird. Ebenso wird bei der Kernspaltung von schweren Elementen Energie frei. E_B ist die Bindungsenergie pro Nukleon.

Beispiel: Fusion von zwei Protonen und zwei Neutronen
Ein neutrales ^{4}He-Atom besteht aus zwei Protonen, zwei Neutronen und zwei Elektronen. Addieren wir die sechs Einzelmassen, erhalten wir rund 4,032 98 u für die Massensumme der Bestandteile.

Die experimentell nachgewiesene Atommasse von Helium-4 (^{4}He) beträgt aber nur 4,002 60 u. Der **Massendefekt** von 0,030 38 u gilt für das Atom. Wegen der geringeren Elektronenmasse im Vergleich zu der Protonen- und Neutronenmasse kann dieser Massendefekt, multipliziert mit dem Quadrat der Vakuumlichtgeschwindigkeit, als Näherungswert für die Energiefreisetzung bei einer Fusion von zwei Protonen und zwei Neutronen verwendet werden.

Typisches Spaltmaterial
- Bei **Natururan** (^{238}U mit 0,7 % ^{235}U) ist die Einfangwahrscheinlichkeit durch ^{238}U für die Neutronen so hoch, dass ein Moderator verwendet wird. Er bremst die Neutronen ab, sodass eine ausreichende Anzahl an Kernspaltungen stattfinden kann.
- Bei **angereichertem Uran** (Natururan mit einem ^{235}U-Anteil von 3 bis 30 %) kann als Moderator normales Wasser, H_2O, verwendet werden.
- **Reines ^{235}Uran** ist wegen der starken Neutronenproduktion kaum steuerbar und wird daher für Atombomben verwendet.
- **^{233}U** und **^{239}Pu** (Plutonium) gleichen in ihrem Spaltverhalten ^{235}U.

Enrico Fermi, 1901 bis 1954, italienischer Physiker

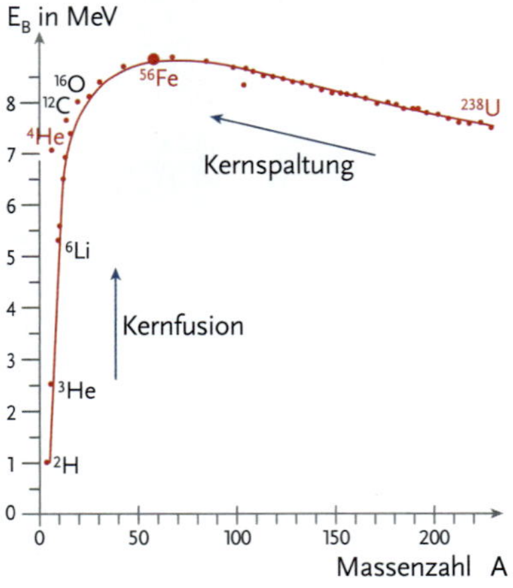

Um zwei Atomkerne zu einer Fusion zu bringen, muss ihr Abstand so weit verringert werden, dass die **starke Kraft** (Kernkraft) die beiden Ursprungskerne zu einem neuen Kern vereint. Weil die Kernkraft eine sehr kleine Reichweite hat, muss die mit kleinerem Abstand immer stärker werdende Abstoßung der Protonen im Kern überwunden werden. Daher müssen die zu fusionierenden Atome als Gas sehr hoher Temperatur und unter sehr hohem Druck vorliegen.

Die Kernfusion wird meist mit den beiden Wasserstoffisotopen Deuterium und Tritium durchgeführt, die zu Helium fusionieren.

Beispiel: Fusion von Deuterium und Tritium
$^{2}D + ^{3}T \rightarrow ^{4}He + ^{1}n + 17{,}6\ MeV$

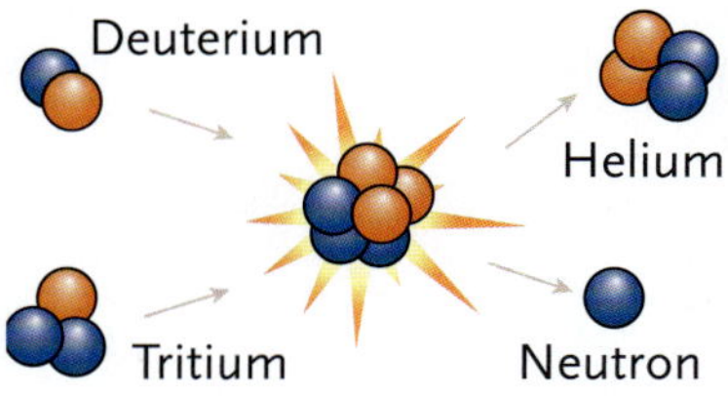

Kernfusion aus Deuterium (Wasserstoff mit einem zusätzlichen Neutron im Kern) und Tritium (Wasserstoff mit zwei zusätzlichen Neutronen im Kern) zu einem Heliumatom unter Abgabe eines Neutrons

3.4 Strahlungsmessung

Die Strahlung von radioaktiven Elementen wechselwirkt mit Materie, es kommt zur Bildung von **Ionen,** zur Aussendung von Lichtblitzen in Leuchtstoffröhren oder zur Schwärzung fotografischer Schichten.

Für alle Arbeitnehmer/innen, die mit radioaktiven Elementen arbeiten, ist das Tragen von Strahlenschutzplaketten verpflichtend. Eine recht einfache Möglichkeit der Messung radioaktiver Strahlung ist die Verwendung einer Filmemulsion. Aus der Schwärzung des Films kann die Strahlendosis (Menge an Strahlung) bestimmt werden.

Das bekannteste Gerät zur Messung der Radioaktivität ist das **Geiger-Müller-Zählrohr (Geigerzähler),** benannt nach den deutschen Physikern Hans Geiger (1882–1945) und Walther Müller (1905–1979).

Hans Wilhelm Geiger, 1882 bis 1945, deutscher Physiker

Ein Geigerzähler besteht im Wesentlichen aus **zwei Elektroden,** dem zylindrischen Metallrohr und einem Draht. Zwischen Draht und Metallrohr ist eine elektrische Spannung angelegt. Im Inneren der Kammer befindet sich ein Gas. Gelangt die Strahlung von radioaktiven Elementen durch eine dünne Folie („Fenster") ins Zählrohr, so wird – abhängig von der Energie der eindringenden Strahlung – eine bestimmte Anzahl von Gasatomen ionisiert. Diese Ionen wandern im elektrischen Feld auf den positiven Draht bzw. zur negativen Rohrwand.
Jedes elektrisch geladene Teilchen erzeugt einen Stromstoß. Über einen Verstärker kann er im Lautsprecher als Knacken hörbar gemacht werden.

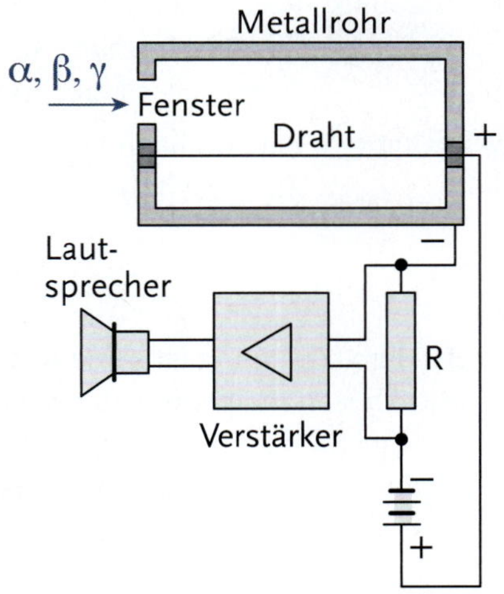

Schema eines Geigerzählers

In einem Geigerzähler wird durch die Strahlung ein Edelgas ionisiert. Die Ionen werden im elektrischen Feld beschleunigt. Der verstärkte Stromimpuls ist hörbar als Knacken im Lautsprecher bzw. messbar über eine Digitalanzeige.

3.5 Strahlenschutz

Um die negativen Auswirkungen von ionisierender Strahlung zu minimieren, werden Maßnahmen zum Strahlenschutz getroffen. Diese unterscheiden sich jedoch u. a. nach Art der Strahlung.

Gefahrenzeichen für Radioaktivität (ionisierende Strahlung)

Möglichkeiten des Strahlenschutzes

Abstand	Abschirmung
Die Strahlung nimmt mit dem Quadrat des Abstandes ab, wenn eine punktförmige Quelle vorliegt.	Je nach Strahlenart und je nach Energie können unterschiedliche Massen die radioaktive Quelle abschirmen.

Schutzanzüge sollen die Kontamination der Haut mit strahlenden Partikeln verhindern. Sie können allerdings vor relevanten elektromagnetischen Strahlungen (z. B. γ-Strahlung) weder schützen noch diese abschwächen. Messgeräte dienen dazu, Energie und Intensität der Strahlung zu messen, um mögliche Auswirkungen der freigesetzten Strahlung auf Menschen abschätzen zu können.

Reichweite verschiedener Strahlungsarten

Unterschiedliche Strahlungen haben verschiedene Reichweiten und lassen sich durch unterschiedliche Barrieren abschirmen.

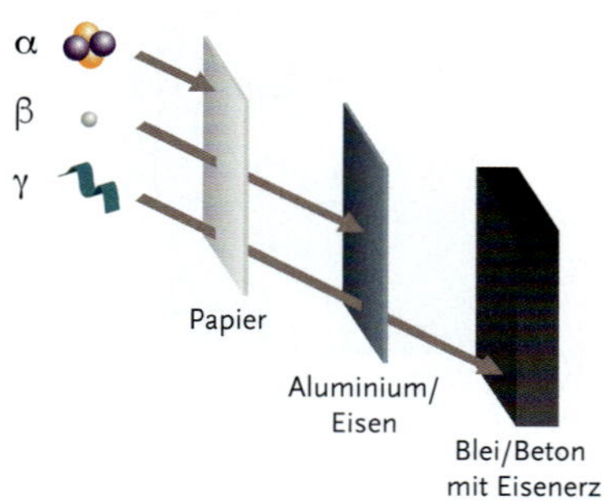

Unterschiedliche Radioaktivität und deren Abschirmung

Reichweiten	
α-Strahlung	Reichweite in Luft max. 10 cm. Wird schon durch ein Blatt Papier abgehalten; Ist gefährlich, wenn α-Strahler inhaliert oder mit der Nahrung aufgenommen werden.
β-Strahlung	Reichweite in Luft ca. 70 m, in Wasser ca. 9 m. Zur Abschirmung sind dicke Fensterscheiben, Mauerwände, ca. 2 cm dickes Holz im Prinzip ausreichend.
γ-Strahlung	Reichweite in Luft unbegrenzt, in Bleiplatte ca. 10 cm. Zur Abschirmung wird Blei, Stahl, Beton oder Ziegel verwendet.

Bei der γ-Strahlung ist keine Abschirmung möglich, sie kann höchstens mithilfe von Bleiplatten abgeschwächt werden.
Wie viel Strahlung abgeschwächt wird (Halbwertsdicke) hängt – auch bei Ausbreitung in der Luft – von der Energie der Strahlung ab.

Gesetzliche Grundlagen für den Strahlenschutz in Österreich sind u. a.:

- Strahlenschutzgesetz (StrSchG, letzte Änderung 2015)
- Allgemeine Strahlenschutzverordnung (AllgStrSchV 2018)
- Strahlenschutzverordnung fliegendes Personal (FlP-StrSchV 2006)
- Natürliche Strahlenquellen-Verordnung (NatStrV 2008)

Strahlenschutzverordnung

Die österreichische Strahlenschutzverordnung gibt 50 mSv als höchstzulässige Gesamtkörperdosis innerhalb eines Jahres für beruflich strahlenexponierte Personen an. Diese Personen tragen bei ihrer Arbeit Kontrollgeräte, an denen die Strahlenbelastung nachgewiesen werden kann (Dosimeter). Für die übrige Bevölkerung gilt eine **Höchstgrenze von 1,7 mSv/Jahr.**

3.6 Anwendungen von Radioaktivität

In der **Medizin** werden radioaktive Substanzen sowohl in der Behandlung (Strahlentherapie) als auch zur Diagnose (Szintigrafie, Positronen-Emissions-Tomographie [PET]) eingesetzt. Bei der Diagnose werden sogenannte Radiopharmaka (radioaktive Substanzen) in den Körper gebracht und nehmen am Stoffwechsel teil. Geräte, die radioaktive Substanzen wahrnehmen können, stellen die betreffenden Stoffwechselvorgänge in der Folge dann bildlich dar (vgl. Abbildung in der Randspalte).

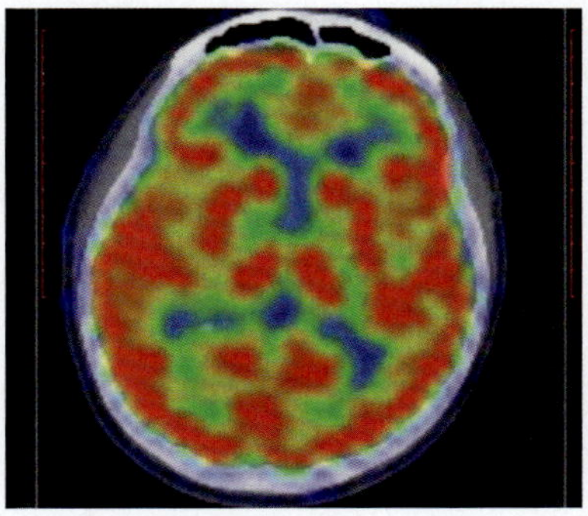

Erhöhte Radioaktivität, wenn infolge des Stoffwechsels vermehrt radioaktive Isotope aufgenommen werden

Radioaktive Stoffe werden auch medizinisch genutzt, um z. B. Krebsgewebe durch die Strahlung gezielt zu schädigen.

Die gesetzlichen Vorschriften für Strahlungswerte bei medizinischen Untersuchungen sind in der Medizinische Strahlenschutzverordnung (2018) zu finden.

In der **Industrie** finden radioaktive Subtanzen Anwendung bei der zerstörungsfreien Materialprüfung z. B. von Schweißnähten oder Dickenmessungen.

Aus dem Diagramm zur Bindungsenergie (vgl. S. 312) ist erkennbar, dass es ein **Maximum der Bindungsenergie** beim **Element Eisen** gibt.

3.6.1 Militärische Nutzung

In den **Spaltungsbomben,** wo eine Kernspaltung stattfindet, werden schwere Atomkerne wie Uran, Plutonium oder Transurane gespalten.

Um das vorzeitige Auseinanderfliegen der Bestandteile der Bombe zu verzögern, wird diese von einem **Tamper** (engl. *to tamp* = eindämmen) umgeben. Ein neutronenreflektierender Tamper, z. B. aus ^{238}U, Wolfram oder Beryllium, reduziert die kritische Masse und erhöht die Wirkung der Bombe.

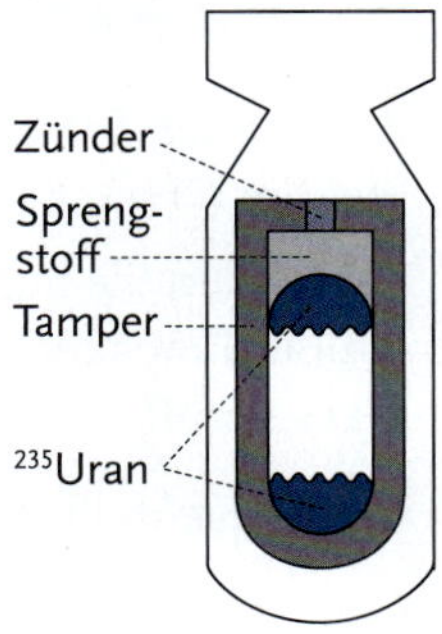

Hiroshima-Bombe

Beispiel: Hiroshima-Bombe
Bei diesem Bombentyp werden zwei unterkritische Massen ^{235}U in einem Kanonenrohr aufeinander geschossen und somit überkritisch. Die Methode ist technisch relativ einfach zu realisieren, benötigt aber große Mengen ^{235}U (mindestens 40–45 kg) und hat einen geringen Wirkungsgrad.

In der **Wasserstoffbombe,** es ist eine Fusionsbombe, werden Wasserstoffkerne verschmolzen, wobei neben der Strahlung von radioaktiven Substanzen auch Temperaturen von vielen Millionen Grad entstehen.

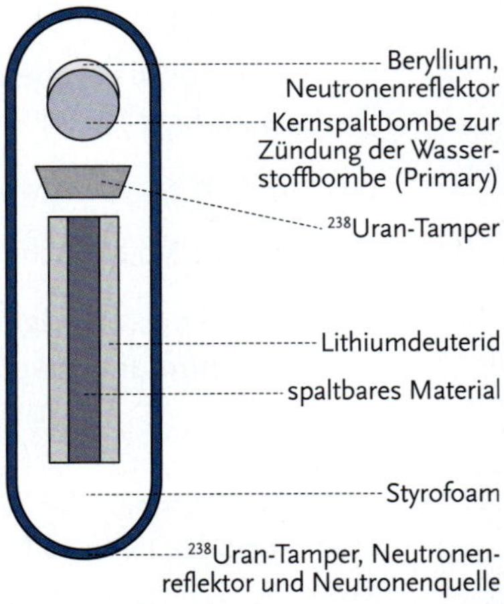

Schema einer Wasserstoffbombe

Mithilfe einer Kernspaltbombe (*Primary*) wird jene Temperatur erzeugt, die nötig ist, um die Kernfusion einzuleiten. Es entstehen weiters eine starke ionisierende Strahlung und eine große Anzahl von Neutronen. Diese Strahlung trifft auf den thermonuklearen Teil der Bombe (*Secondary*), der vor allem aus Lithiumdeuterid besteht. Die Neutronen reagieren mit dem Lithium und es entsteht Tritium und Helium.

$${}^{6}_{3}\mathrm{Li} + {}^{1}_{0}\mathrm{n} \rightarrow {}^{4}_{2}\mathrm{He} + {}^{3}_{1}\mathrm{H}$$

Das entstandene Tritium reagiert mit dem Deuterium der Bombe in einer Kernfusionsreaktion.

$${}^{2}_{1}\mathrm{H} + {}^{3}_{1}\mathrm{H} \rightarrow {}^{4}_{2}\mathrm{He} + {}^{1}_{0}\mathrm{n} + 17{,}58\ \mathrm{MeV}$$

Eine weitere nach der Zündung ablaufende Kernreaktion ist:

$${}^{6}_{3}\mathrm{Li} + {}^{2}_{1}\mathrm{H} \rightarrow 2 \cdot {}^{4}_{2}\mathrm{He} + 22{,}2\ \mathrm{MeV}$$

Die Sprengkraft einer Wasserstoffbombe (H-Bombe) ist etwa um den Faktor 1 000 größer als die Sprengkraft einer Kernspaltbombe. Eine einzige thermonukleare Explosion hat eine Sprengkraft von ca. 20 Mt TNT. Das entspricht der vierfachen Menge des gesamten im Zweiten Weltkrieg verwendeten Sprengstoffs. Eine Begrenzung der Sprengkraft nach oben ist nicht gegeben.

3.6.2 Zivile Nutzung zur Stromerzeugung

Informationen zu Kernreaktoren, der Energieumwandlung in einem Kernkraftwerk sowie den Gefahren von Unfällen haben Sie bereits auf S. 257 ff. erhalten.

In **Kernkraftwerken** erfolgt die Energiefreisetzung in Form von Wärmeenergie so langsam, dass diese, wie in herkömmlichen Wärmekraftwerken, in elektrischen Strom umgewandelt werden kann.

Ist die Wärmeabfuhr unterbrochen, kann es zu Explosionen und Kernschmelzen wie in den Kernkraftwerken in Tschernobyl (1986) oder Fukushima (2011) kommen.

Ziele erreicht? – „Kern- und Teilchenphysik"

KOMPETENZ-ERWERB

1. ++ Bestimmen Sie aus dem Graphen auf der vorigen Seite die Bindungsenergie pro Nukleon bei Helium (^{4}He), Eisen (^{56}Fe), und Uran (^{235}U).
   Berechnen Sie aus diesen Werten die gesamte Bindungsenergie des Atomkerns. Vergleichen Sie die Bindungsenergie der Atomkerne mit der Bindungsenergie des Elektrons an das Proton beim Wasserstoff.
2. \+ Geben Sie die Protagonisten des Standardmodells der Elementarteilchen an.
3. ++ Geben Sie die Zusammensetzung eines Protons und eines Neutrons aus drei Quarks an.
4. \+ Recherchieren Sie aktuelle Beiträge vom LHC (*Large **H**adron **C**ollider*) zum Higgs-Teilchen.
5. \+ Nennen Sie die wichtigsten Arten von Strahlungen radioaktiver Elemente.
6. \+ Erklären Sie den Begriff Halbwertszeit.
7. \+ Bei einem Fossil ergaben Untersuchungen einen Gehalt an ^{14}C von ca. 28 % vom ursprünglichen ^{14}C-Gehalt. Berechnen Sie daraus das ungefähre Alter des Fossils.
8. \+ Beschreiben Sie zwei Möglichkeiten des Strahlenschutzes.
9. \+ Beschreiben Sie typische Spaltmaterialien.
10. \+ Schreiben Sie eine mögliche Reaktionsgleichung für die durch ein Neutron induzierte Spaltung von ^{235}U in Barium und Krypton an.
11. \+ Recherchieren Sie über die Wirkung von Kernspaltungsbomben und von Wasserstoffbomben.
12. ++ Recherchieren Sie über die Rolle von ROBERT OPPENHEIMER, ENRICO FERMI und JOHN VON NEUMANN in **Los Alamos.** Dort war in der Mitte des 20. Jahrhunderts das geheime Atomforschungszentrum der Vereinigten Staaten von Amerika untergebracht.
    Informieren Sie sich über die Argumente von ALBERT EINSTEIN pro und kontra Atomwaffen und seinen Brief an den US-Präsidenten FRANKLIN ROOSEVELT.

Einen interaktiven **Safety-Check** finden Sie in der TRAUNER-DigiBox.

Quantenphysik

Am Ende des 19. Jahrhunderts waren viele angesehene Physiker/innen der Meinung, dass das physikalische Weltbild und seine Erklärung im Wesentlichen abgeschlossen seien. Es bedürfe nur mehr einer genaueren Ausarbeitung.

An der Wende vom 19. zum 20. Jahrhundert gab es Ergebnisse von Experimenten, die man mit den herkömmlichen Theorien nicht erklären konnte, z. B. die Spektralverteilung der Strahlung eines Schwarzen Körpers.

Schwarzer Körper = theoretischer Körper, der alle elektromagnetische Strahlung (inkl. Licht) komplett aufnimmt

Mit der Relativitätstheorie von Albert Einstein und der Einführung von Lichtquanten durch Max Planck erfolgte ein Paradigmenwechsel, der in der **Quantenphysik** gipfelte und es erlaubte, physikalische Eigenschaften aus dem Makrokosmos in den Mikrokosmos zu übertragen und Berechnungen im Mikrokosmos anzustellen.

Meine Ziele

KOMPETENZ-ERWERB

Nach Bearbeitung dieses Kapitels kann ich

- die Quantisierung der Energie und die Folgen daraus beschreiben;
- die Bohr'schen Postulate erklären und nachrechnen;
- quantenmechanische Prinzipien (Welle-Teilchen-Dualismus, Unschärferelation) erklären;
- das Orbitalmodell anhand der Quantenmechanik erklären;
- Anwendungen für quantenmechanische Prinzipien nennen.

Max Planck,
1858 bis 1947,
deutscher Physiker

1 Energiequantisierung

Max Planck entdeckte in den Jahren 1899 und 1900, dass bei einem physikalischen Vorgang **Energie nicht kontinuierlich** von den Atomen abgegeben wird, sondern **in Energiepaketen,** den sogenannten **Quanten.**

Lichtquantenhypothese von Planck

$E = h \cdot f$

E = abgegebene Energie
h = Planck'sches Wirkungsquantum ($6{,}626 \cdot 10^{-34}$ Js)
f = Frequenz der ausgesandten Strahlung

Wird das von H-Atomen emittierte Licht nun in ein Spektrum aufgespalten, findet man **abgrenzbare Spektrallinien.** Ein Linienspektrum bedeutet aber, dass **nur bestimmte Energiezustände der Elektronen** vorkommen können. Eine Erklärung dafür lieferte der dänische Physiker Niels Bohr 1913.

Das Bohr'sche Atommodell wurde Ihnen bereits im I. Jahrgang nähergebracht.

Bohr betrachtete das Atom als **Miniplanetensystem.** Die Elektronen kreisten um den Atomkern wie die Planeten um die Sonne. Bei den Planeten des Sonnensystems sind im Gravitationsfeld alle Bahnen erlaubt, nicht aber beim Atom.

Zusätzlich hat der Physiker James Maxwell 1864 bewiesen, dass **Elektronen,** wenn sie beschleunigt werden, **elektromagnetische Strahlung aussenden** müssen. Das ist aber im Atom anscheinend nicht der Fall. Sonst würde das Atom nicht stabil sein und die Elektronen in den Kern stürzen.

Niels Bohr nutzte für seine Postulate das Wasserstoffatom (H). Das Wasserstoffatom ist das einfachste Atom, weil es sich nur aus einem Proton und einem Elektron aufbaut. Daher erwartete Niels Bohr, dass die mathematische Modellierung des H-Atoms den experimentellen Befunden am nächsten kommen würde.

Um die Quantisierung der Energie zu erklären, formulierte Niels Bohr seinem Atommodell zugrundeliegende Annahmen (genannt Postulate).

1.1 Erstes Bohr'sches Postulat

Im Atom gibt es ganz bestimmte Bahnen, auf denen das Elektron nicht strahlt und stabil ist. Für diese Kreisbahnen muss der **Bahndrehimpuls L** ein ganzzahliges Vielfaches einer Konstante, dem Planck'schen Wirkungsquantum h, sein.

Berechnung des Bahndrehimpulses

$$L = n \cdot \frac{h}{2 \cdot \pi}$$

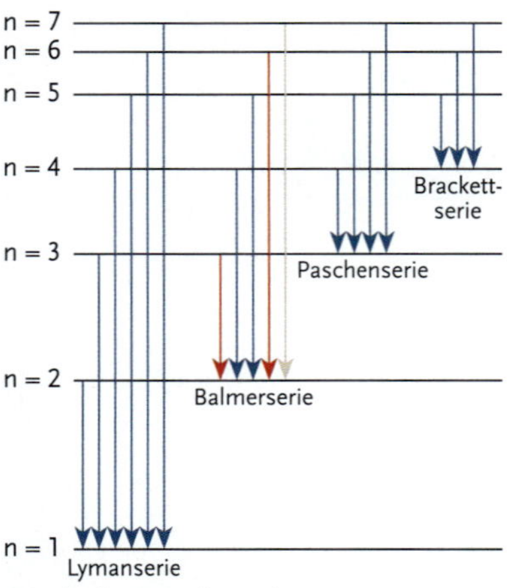

Nach dem Bohr'schen Atommodell erlaubte Energieniveaus des H-Atoms und die Übergänge als Serien benannt. Optisch sichtbar ist die sogenannte Balmerserie.

1.2 Zweites Bohr'sches Postulat

Bisher wurde nur ein Elektron auf einer Bahn um den ruhenden Atomkern (das Proton) beobachtet. Was passiert allerdings mit dem Elektron, wenn man dem H-Atom z. B. durch eine Laserstrahlung **Energie zuführt.** Mit anderen Worten: Unter welchen Bedingungen kann das Elektron die Bahn wechseln?

Der Übergang des Elektrons von einem Energiezustand in einen anderen wird als **Quantensprung** bezeichnet. Dabei wird Licht emittiert, wenn das Elektron in ein tieferes Energieniveau (mit niedrigerer Quantenzahl) übergeht, oder absorbiert, wenn das Elektron durch Anregung eine höhere Schale erreicht.

Bei genauerer spektroskopischer Untersuchung findet man zwischen den starken Haupt-Emissionslinien noch weitere schwächere, die erst durch eine Erweiterung des Bohr'schen Atommodells erklärt werden können.

1.3 Das Atommodell von Sommerfeld

ARNOLD SOMMERFELD erweiterte 1915 das Bohr'sche Atommodell um drei Quantenzahlen, um ein anschauliches Modell für weitere Elemente des Periodensystems zu erhalten. Wie bei Rutherford sind bei Sommerfeld wieder Ellipsenbahnen möglich.

Zur Unterscheidung von Ellipsen führte SOMMERFELD die **Nebenquantenzahl l** ein. Die Orientierung der Bahn wird durch die **Magnetquantenzahl m** beschrieben. Um weitere Details unterscheiden zu können, wurde die **Spinquantenzahl s** eingeführt.

ARNOLD SOMMERFELD, 1868 BIS 1951, DEUTSCHER PHYSIKER

Die Quantenzahlen haben Sie bereits im II. Jahrgang beim Orbitalmodell kennengelernt.

2 Quantenmechanik

Trotz der scheinbaren Erfolge bei der Berechnung der Spektren können viele Widersprüche des Bohr'schen Atommodells nicht erklärt werden. So gilt es zum Beispiel nur für das Wasserstoffatom und versagt bei Mehrelektronensystemen.

Diese Probleme wurden durch die Einführung der **Quantenmechanik** von den Physikern DE BROGLIE, HEISENBERG und SCHRÖDINGER im Zeitraum von 1923 bis 1927 durch neue Modellvorstellungen umgangen.

LOUIS-VICTOR PIERRE RAYMOND DUC DE BROGLIE, 1892 BIS 1987, FRANZÖSISCHER PHYSIKER

2.1 Welleneigenschaften des Elektrons

NIELS BOHR ging vom Elektron als Teilchen aus. 1923 schlug LOUIS DE BROGLIE vor, dass Materie nicht nur Teilcheneigenschaften, sondern auch **Welleneigenschaften** haben kann. Man nennt dies den **Welle-Teilchen-Dualismus.**

$\lambda = \frac{h}{m \cdot v}$	λ = De-Broglie-Wellenlänge

Das bedeutet, dass jedem mit der Geschwindigkeit v bewegten Teilchen der Masse m eine Wellenlänge λ zugeordnet werden kann.

Beispiel: Berechnung der Wellenlänge eines Elektrons
Das Elektron bewegt sich mit einem Hundertstel der Lichtgeschwindigkeit.

$$\lambda = \frac{h}{m \cdot v} = \frac{6{,}6 \cdot 10^{-34}\ \text{Js}}{9{,}1 \cdot 10^{-31}\ \text{kg} \cdot 3 \cdot 10^{6}} = 2{,}4 \cdot 10^{-10}\ \text{m}$$

Vergleichen Sie den Wert mit dem durchschnittlichen Atomdurchmesser.

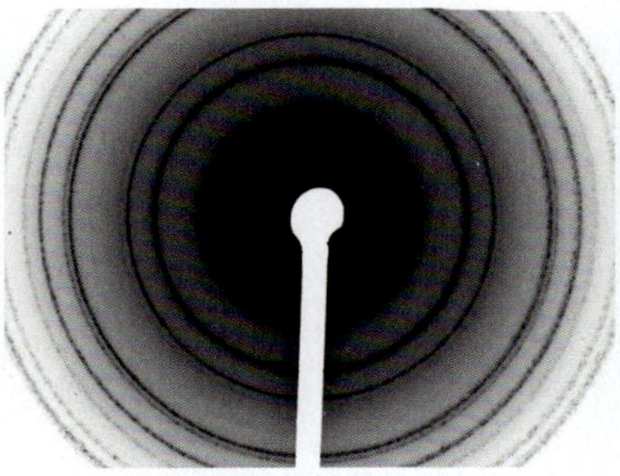

Beugungsbild (Interferenzmuster) von Elektronen an Metallen beweist, dass Elektronen auch Wellencharakter haben.

Werner Heisenberg, 1902 bis 1976, deutscher Physiker

2.2 Unschärferelation

Werner Heisenberg formulierte seine Unschärferelation so: Es ist **unmöglich, den Ort und den Impuls eines Teilchens gleichzeitig mit beliebiger Genauigkeit zu messen.**

Eine Konsequenz der Unschärferelation ist die Unmöglichkeit einer exakten, gleichzeitigen Vorausberechnung von physikalischen Objekten, wie z. B. Ort und Impuls von Elektronen.

Man kann aber einen **wahrscheinlichen Aufenthaltsbereich,** in dem das Elektron anzutreffen ist, angeben. Dieser Bereich wird auch als **Orbital** eines Elektrons im Atom bezeichnet.

Die Unschärfe hat nichts mit einer Messungenauigkeit im klassischen Sinn zu tun, sie liegt in der Quantennatur des Teilchens selbst begründet.

2.3 Das Katzenparadoxon von Schrödinger

Paradoxon = vom griech. *parádoxos:* wider Erwarten

Erwin Schrödinger war ein Gegner der quantenphysikalischen Interpretationen seiner Zeit und bezeichnete sie als Quantenspinnerei.

Um die Absurdität dieser Quantenspinnerei zu demonstrieren, erfand er das hypothetische Experiment der **Katze im Käfig,** die durch einen Prozess, der nicht vorhersehbar ist, nämlich durch den zufälligen Zerfall eines radioaktiven Präparats, das eine Giftfreisetzung bewirkt, getötet werden kann. **Ist der Käfig abgedeckt, weiß niemand, ob die Katze tot oder lebendig ist.**

Erwin Schrödinger, 1887 bis 1961, österreichischer Physiker

Für die physikalische Beschreibung des Zustandes der Katze muss angenommen werden, sie sei **gleichzeitig tot und lebendig.** Für Schrödinger eine nicht vorstellbare Situation.

Aber gerade für Quantenphysiker/innen bildet diese Situation die Grundlage ihrer Überlegungen.

Die Zustände der Katze sind eine **Überlagerung der Zustände tot und lebendig.** Eine Überlagerung von Zuständen, die sich gegenseitig nicht stören, nennt man **Superposition.**

Beispiele für Superpositionen in der klassischen Physik

- Zwei Wasserwellen können sich ungestört durchdringen.
- Lichtwellen können sich überlagern und ein Interferenzbild ergeben, ohne sich gegenseitig zu stören.

Schrödingers Katze in einem Kasten mit einer „Höllenmaschine“

Erst wenn jemand im Käfig nachsieht, das heißt, die Katze beobachtet, wird einer der beiden Zustände – entweder „tote Katze“ oder „lebende Katze“ – verschwinden und ein einziger Zustand übrig bleiben, erst dann ist die Katze also entweder lebendig oder tot.

Es ist keineswegs so, dass man von der Katze bloß nicht weiß, ob diese noch lebt oder schon tot ist. Vielmehr ist es so, dass die Katze tatsächlich in der Quantenmechanik diese Eigenschaften nicht besitzt. Bei dem Überlagerungszustand kommt es zu **Interferenzerscheinungen zwischen toter und lebendiger Katze.**

Nun ist es eine evidente Erfahrungstatsache, dass in der Wirklichkeit solche Phänomene nicht vorkommen.

Im Alltag sind solche Überlagerungen allerdings nicht zu beobachten, weil die Quanten ständig mit der Umgebung wechselwirken. Eine Katze wird nicht erst zum Zeitpunkt der Messung sterben, sondern bereits durch eine Reaktion mit der Umgebung, wie z. B. mit Luftmolekülen oder dem Tageslicht. Dieser Effekt des Zerfalls des Quantenzustands wird von den Physikern als **Dekohärenz,** eine Art Kollaps der Wellenfunktionen, bezeichnet.

FILM AB!

Folgendes Video erklärt Ihnen noch einmal den Wellen-Teilchen-Dualismus, das Katzenparadoxon sowie den Begriff der Dekohärenz.
www.trauner.at/nawi_v110.aspx

SCHRÖDINGER hat mit seinem Katzenparadoxon also relativ einfach verdeutlicht, dass der Übergang von der Quantenmechanik zur klassischen Mechanik nicht ohne Schwierigkeiten zu bewältigen ist.

Wo ist nun allerdings der Übergang von der klassischen Physik (der Alltagswelt) zur Quantenphysik? Wegen der großen Masse von klassischen Objekten (z. B. einem Ball) ist die De-Broglie-Wellenlänge sehr klein. Die Effekte können nicht wahrgenommen werden.

Eine der faszinierendsten und noch immer offenen Fragen der modernen Physik ist, inwieweit Quantenphänomene an Objekten unserer Alltagswelt beobachtbar sind. Um Antworten darauf zu finden werden Quantenexperimente an immer größeren und schwereren Objekten durchgeführt.

3 Quantenkryptografie und Quantencomputer

Die **Überlagerung von Quantenzuständen** kann für die Verschlüsselung von Information verwendet werden. Man bezeichnet dieses Verfahren als **Quantenkryptografie.**

Dafür gibt es bereits kommerzielle Verschlüsselungsverfahren, die auf den Gesetzen der Quantenphysik aufbauen. Das Hauptproblem ist der Austausch des Schlüssels für die Entschlüsselung der geheimen Botschaft und wird **Quantum Key Distribution (QKD)** genannt.

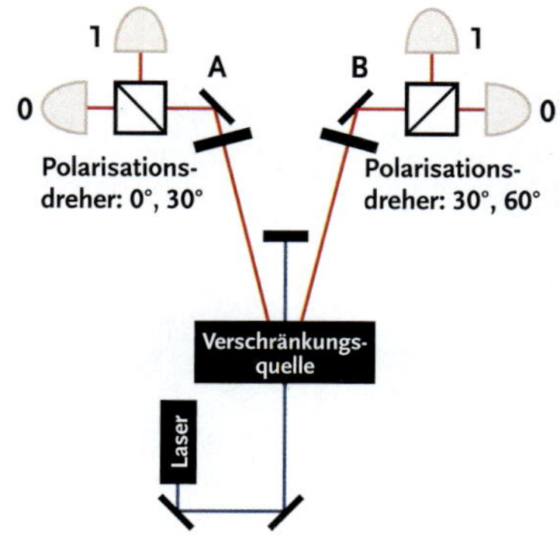

Typische Versuchsanordnung für die Übertragung einer Botschaft von A nach B mittels Photonen (Licht). Verwendet werden die Polarisationszustände von polarisiertem Licht als binäre Informationsträger (0 oder 1).

Eine weitere Möglichkeit, die Überlagerung von Quantenzuständen zu verwenden, liegt in der **Realisierung von Quantencomputern.** Der Quantencomputer kann wie der klassische Computer in zwei Basiszuständen betrieben werden. Statt Bit spricht man dann von **Quantenbit** oder **Qubit.**

Im Unterschied zum herkömmlichen Computer, bei dem die binären Zustände 0 oder 1 realisiert sind, findet man beim Quantencomputer eine Überlagerung (Superposition) der Zustände von 0 und 1 vor – ähnlich der lebenden und toten Schrödingerkatze.

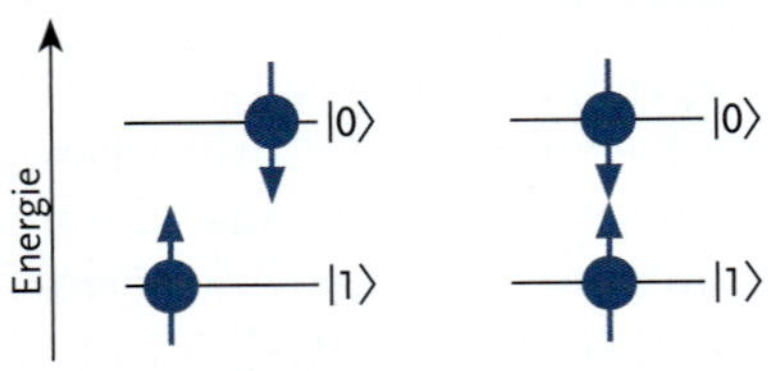

Klassisch zwei Zustände

Quantencomputer überlagerte und verschränkte Zustände

Quantencomputer können der Theorie nach wesentlich schneller rechnen als traditionelle Computer und damit Daten schneller ver- und entschlüsseln.

In der Theorie ist der Quantencomputer sehr gut erforscht. Die Schwierigkeiten in der Praxis sind, die Überlagerung der Quantenzustände über längere Zeit aufrechtzuerhalten.

Ziele erreicht? – „Quantenphysik“

KOMPETENZ-ERWERB

1. ++ Beschreiben Sie das Emissionsspektrum von Wasserstoff im sichtbaren Bereich.

2. + Begründen Sie physikalisch, warum Sie den Ort eines bewegten Teilchens nicht mit absoluter Genauigkeit messen können.

3. + Nennen und beschreiben Sie die vier Quantenzahlen. Geben Sie außerdem die Bedeutung der Hauptquantenzahl n bezüglich des Atomradius an.

4. + Begründen Sie, warum in der ersten Schale mit $n = 1$ nur zwei Elektronen möglich sind.

5. ++ Beschreiben Sie das Gedankenexperiment mit der Schrödingerkatze.

6. ++ Beschreiben Sie den Begriff der Verschränkung von zwei Quantenzuständen.

7. ++ Begründen Sie, warum es nicht sinnvoll ist, einem Ball eine Wellenlänge im Sinne von de Broglie zuzuordnen. Zeigen Sie dies anhand einer Berechnung der De-Broglie-Wellenlänge eines Balls mit der Masse von 0,5 kg, der sich mit 3 m/s fortbewegt.

Going international

Now let's use the basics of the chapter "Mikrokosmos und Makrokosmos" in English!

Exercise 1

There are three types of radioactivity. The three different emissions of radioactive elements were named after the first three letters of the Greek alphabet: Alpha (α), Beta (β), and Gamma (γ).

Match the following statements to the corresponding type of emission.

	is blocked by paper		has infinite range
	is dangerous if absorbed with water or food		cannot be blocked, only weakened
	can be blocked by thick wood		has a range of approximately 70 meters in the air

The ability of radiation to damage molecules is called ionizing power.

Exercise 2

Read the text and fill in the missing words.

isotopes ▪ fusion ▪ deuterium ▪ tritium ▪ helium ▪ neutron

Nuclear ____________ is the combining of lighter atomic nuclei into heavier atomic nuclei. This process can release a great deal of energy and is what powers most stars.

For the fusion hydrogen ____________ are used. One of them, ____________, has one proton and one neutron in the nucleus. The other, ____________, has one proton and two neutrons.

If those isotopes fuse, they form a very stable atom of ____________ (which has two protons, two neutrons, and two electrons) and have one ____________ which is left over.

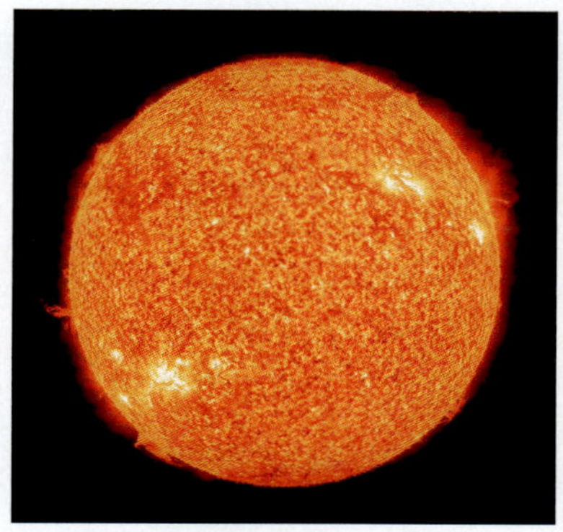

The sun generates its energy by the nuclear fusion of hydrogen nuclei into helium.

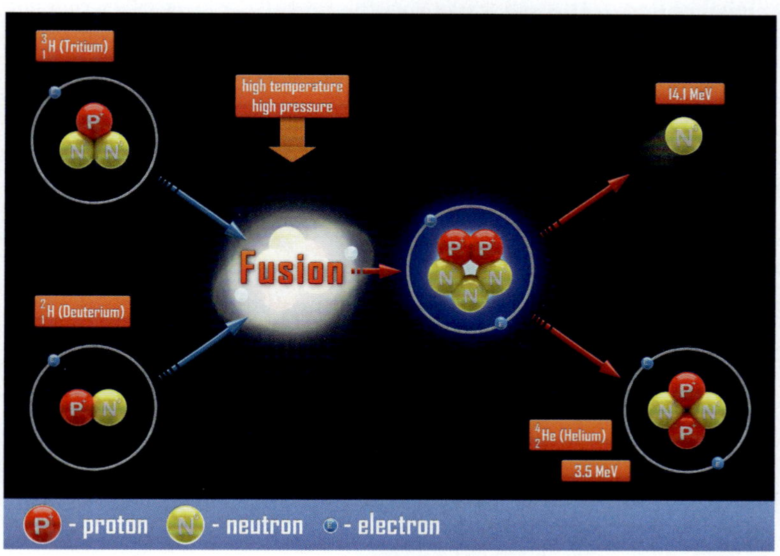

Write down the words that you need to look up below.

Exercise 3

Read the following article about the dwarf planet Pluto and answer the questions below.

Why is Pluto no longer a planet?

For more than 70 years, Pluto was one of nine planets recognised in our Solar System. But in 2006, it was relegated to the status of dwarf planet by the International Astronomical Union (IAU). Why was Pluto demoted?

Pluto was discovered in 1930. Books were updated to list this ninth member in the club. But over time, astronomers began to wonder whether Pluto might simply be the first of a population of small, icy bodies beyond the orbit of Neptune.

But it was discoveries of masses roughly comparable to Pluto that pushed the issue to a tipping point. One in particular, Eris, appeared to be larger than Pluto—giving rise to its informal designation as the Solar System's "tenth planet".

So the IAU set up a committee defining just what constituted a planet. Under a radical early plan, the number of planets would have increased from nine to 12, seeing Pluto and its moon Charon recognised as a twin planet, and Eris granted entry to the exclusive club. But the idea met with opposition. The discussions during 2006 were intense, but a new version of a planetary definition gradually took shape. On 24 August members voted to adopt a new resolution outlining criteria for naming a planet.

Pluto met some of these criteria, but one proved to be a problem. According to the new resolution a planet has achieved gravitational dominance of its neighbourhood. Because Pluto shares its orbital neighbourhood with other icy objects, the resolution effectively stripped the distant world of a planetary designation it had held for some 76 years. It was immediately relegated to the category of "dwarf planet", alongside the biggest body in the asteroid belt, Ceres, and other large objects such as Eris.

Some experts immediately questioned the part of the definition about a planet clearing its orbital neighbourhood. This is because Earth shares its cosmic area with more than 12,000 near-Earth asteroids. Thus, some have argued that Earth, Jupiter and other planets also fail to meet the new IAU definition.

The debate has rumbled on ever since, on television, in the pages of books and in public talks.

(Source: Paul Rincon, bbc.com, 13 July 2015)

a) Are there other objects similar to Pluto in our solar system? What are their names?

b) According to the new resolution, what was the one criterion for planets that Pluto could not fulfil?

c) Has the debate about the new resolution for calling an object a planet ended? What do some experts criticise about the resolution?

IX Anhang

Sicherheit im Labor

Arbeitsgeräte im Labor

Für die Durchführung von Versuchen ist es wichtig, alle notwendigen Arbeitsgeräte und -hilfsmittel zu kennen.

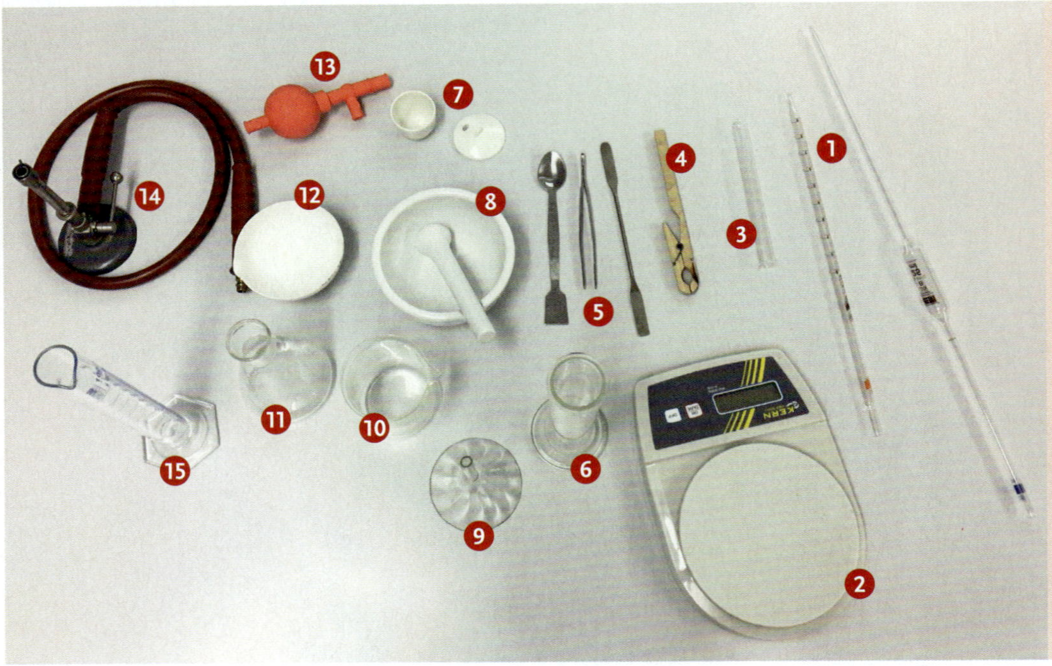

1. Mess- und Vollpipette
2. Laborwaage
3. Reagenzglas
4. Reagenzglashalter
5. Laborbesteck
6. Standzylinder
7. Porzellantiegel
8. Reibschale mit Pistill
9. Trichter
10. Becherglas
11. Erlenmeyerkolben
12. Abdampfschale
13. Pipettierhilfe
14. Bunsenbrenner
15. Messzylinder

Sicheres Arbeiten im Labor

Um gefahrlos experimentieren und lernen zu können, sollten Sie stets an folgende Sicherheitsmaßnahmen denken:

- Tragen Sie bei allen Versuchen eine Schutzbrille!
- Achten Sie auf die Gefahren- und Sicherheitshinweise auf den Etiketten chemischer Substanzen! Die Bedeutung der Symbole und Zeichen finden Sie auf der nächsten Seite.
- Halten Sie beim Erhitzen immer die Gefäßöffnung (z. B. des Reagenzglases) von anderen und vom eigenen Gesicht weg.
- Beim Erhitzen von Flüssigkeiten sollten Sie zur Vermeidung einer Verbrühungsgefahr
  - in weithalsigen Gefäßen (wie z. B. Bechergläsern) einen Glasstab benutzen.
  - enghalsige Gefäße (wie z. B. Reagenzgläser) über der Flamme leicht schwenken.
- Geben Sie niemals auf konzentrierte Säuren oder Laugen Wasser. Ätzende Flüssigkeit kann so herausspritzen. Verdünnen Sie umgekehrt: „Erst das Wasser, dann die Säure, sonst geschieht das Ungeheure!"
- Riechen Sie an Chemikalien auf keinen Fall so, dass Sie die Nase direkt über das Gefäß halten und einatmen, sondern indem Sie sich die Luft darüber leicht mit der Hand zufächeln.
- Füllen Sie keine Chemikalien in Lebensmittelbehältnisse. Es besteht Verwechslungsgefahr!
- Gießen Sie Chemikalien stets gegen das Etikett aus, um Unleserlichkeit zu vermeiden.
- Geben Sie niemals Chemikalien, die Sie einmal entnommen haben, in den Behälter zurück, um Verunreinigungen zu vermeiden.

Gefahrensymbole

Bei den GHS-Symbolen sind die zugehörigen Bezeichnungen nicht genormt.

akut toxisch
(Kat. 1, 2, 3)

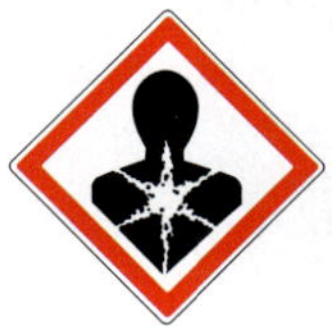

gesundheitsschädlich
krebserregend

ätzend
korrosiv

toxisch, reizend
betäubend

umweltschädlich

entzündbar

oxidierend
entzündend

explosiv
selbstreaktiv

Druckgas

Zusätzlich gibt es noch **Gebotszeichen** (weißes Symbol auf blauem Grund) und **Warnzeichen** (gelbes Dreieck mit schwarzem Rand).

Wichtige Gebotszeichen

Die Verwendung von Schutzhandschuhen ist vorgeschrieben.

Die Verwendung von Schutzbrillen/Augenschutz ist vorgeschrieben.

Aufgrund von gefährlichen Dämpfen ist das Arbeiten unter einem Abzug vorgeschrieben.

Wichtige Warnzeichen

Warnung vor elektrischer Spannung

Warnung vor feuergefährlichen Stoffen

Warnung vor Säuren und ätzenden Stoffen

Hinweise auf besondere Gefahren

Global harmonisiertes System zur Einstufung und Kennzeichnung von Chemikalien (GHS)

Die Kennzeichnung von Stoffen und in weiterer Folge von chemischen Zubereitungen wurde international vereinheitlicht. Die sogenannten H- und P-Sätzen sind Warnhinweise für die Merkmale von Gefahrstoffen.

Die **H-Sätze** (Gefährdungssätze, vom engl. *hazard*) und die **P-Sätze** (Sicherheitshinweise, vom engl. *precaution*) geben in knapper Form wichtige Informationen bezüglich Gefahren, die von chemischen Substanzen ausgehen, und dem Umgang mit ihnen.

Eine Liste mit den H- und P-Sätzen finden Sie in der TRAUNER-DigiBox sowie unter www.trauner.at/h-p-saetze.aspx.

Einheiten und Formelzeichen

Vielfache und Teile von Einheiten

Vorsatz vor Einheit	Abkürzung	Vielfaches der Einheit	
Deka	da	Zehn	$10 = 10^1$
Hekto	h	Hundert	$100 = 10^2$
Kilo	k	Tausend	$1\,000 = 10^3$
Mega	M	Million	10^6
Giga	G	Milliarde	10^9
Tera	T	Billion	10^{12}
Dezi	d	Zehntel	$0{,}1 = 10^{-1}$
Zenti	c	Hundertstel	$0{,}01 = 10^{-2}$
Milli	m	Tausendstel	$0{,}001 = 10^{-3}$
Mikro	μ	Millionstel	10^{-6}
Nano	n	Milliardstel	10^{-9}
Pico	p	Billionstel	10^{-12}

Verwendete Formelzeichen

Zeichen	Größe	Einheit (SI)
s	Weg	Meter (m)
t	Zeit	Sekunde (s)
v	Geschwindigkeit	Meter pro Sekunde (m/s)
m	Masse	Kilogramm (kg)
P	(Elektrische) Leistung	Watt (W)
U	Elektrische Spannung	Volt (V)
n	Stoffmenge	Mol (mol)
a	Beschleunigung	Meter pro Sekunde zum Quadrat (m/s^2)
F	Kraft	Newton (N)
W	Arbeit	Newtonmeter (Nm), Joule (J)
E	Energie	Joule (J)
η (Eta)	Wirkungsgrad	1

Stichwortverzeichnis

T

U

V

W

Z

Bildnachweis

S. 13 Walter Haworth – Urheber unbekannt (öffentlich)
S. 29 Melvin Calvin – Urheber unbekannt (öffentlich)
S. 47 Wochenmarkt – Andrea Schwarz
S. 125 Borrelien, Ebolavirus – CDC (öffentlich)
S. 133 Salmonellen – NIAID (öffentlich)
S. 156 Abraham Maslow – Urheber unbekannt (öffentlich)
S. 161 Kanzi – Urheber unbekannt
S. 171 Iwan Pawlow – Urheber unbekannt (öffentlich)
S. 172 Konrad Lorenz – Urheber unbekannt
S. 180 Plakat – Römerquelle
S. 196 Isaac Newton – Urheber unbekannt (öffentlich)
S. 197 Astronaut – NASA (öffentlich)
S. 213 Apollo 15 – NASA (öffentlich)
S. 224 Albert Einstein – Urheber unbekannt (öffentlich)
S. 229 Hafele und Keating – Urheber unbekannt
S. 236 Robert Brown – Urheber unbekannt (öffentlich)
S. 237 Anders Celsius, William Thomson – Urheber unbekannt (öffentlich)
S. 240 Volumenausdehnung Flüssigkeiten – Franz Langsam
S. 246 James P. Joule – Urheber unbekannt (öffentlich)
S. 248 Walther Nernst – Urheber unbekannt (öffentlich)
S. 250 Hurrikan Irma – NASA (öffentlich)
S. 260 Proteste – Peter Braakmann/Shutterstock.com
S. 265 Straßenheizung Island – Styg Nygaard (Creative Commons)
S. 269 Ausbruch Pinatubo – Dave Harlow, USGS (öffentlich)
S. 272 windschiefer Baum – Dr. Geroldinger
S. 281 Hans Carlowitz – Urheber unbekannt (öffentlich)
S. 283 Uran – US-DOE (öffentlich); Onkalo – Urheber unbekannt
S. 293 Galaxie NGC 1300 – NASA (öffentlich)
S. 295 Nikolaus Kopernikus, Galileo Galilei – Urheber unbekannt (öffentlich)
S. 296 Johannes Kepler – Urheber unbekannt (öffentlich)
S. 299 Jupiter – NASA (öffentlich)
S. 301 Protoplanetarische Scheibe – NASA (öffentlich)
S. 309 Marie Curie – Urheber unbekannt (öffentlich)
S. 311 Ötztalmann – Urheber unbekannt; Lise Meitner – Urheber unbekannt (öffentlich)
S. 312 Enrico Fermi – Urheber unbekannt (öffentlich)
S. 313 Hans Geiger – Urheber unbekannt (öffentlich)
S. 316 Little Boy – Brady Barrineau/Shutterstock.com
S. 317 Skifahrer – Charles Addams
S. 318 Max Planck – Urheber unbekannt (öffentlich)
S. 319 Arnold Sommerfeld, Louis-Victor de Broglie – Urheber unbekannt (öffentlich); Beugungsbild – Urheber unbekannt
S. 320 Werner Heisenberg, Erwin Schrödinger – Urheber unbekannt (öffentlich)
S. 326 Laborgeräte – Dr. D. Chodura

Alle weiteren Bilder und Grafiken sind Eigentum der TRAUNER Verlag + Buchservice GmbH bzw. wurden sie von Bildagenturen (stock.adobe.com, shutterstuck.com) zugekauft.

Die Cartoons auf S. 106 und S. 164 stammt aus der Feder von Ulf Kossak (www.kossak.at).

Literaturverzeichnis

Breuer, H. (2000): dtv-Atlas zur Physik, Band 1 und 2, Deutscher Taschenbuch Verlag GmbH & Co KG, München
Bröcker, B. (1997): dtv-Atlas zur Atomphysik, Deutscher Taschenbuch Verlag GmbH & Co KG, München
Brockhaus, F. (2005): Brockhaus Enzyklopädie, F.A. Brockhaus, Mannheim
Chodura ua (2016): Metall, Trauner Verlag, 7. Auflage, Linz.
Chodura ua (2019): Chemie und Physik I LW, 1. Auflage, Linz
Chodura ua (2019): Chemie und Physik II LW, 1. Auflage, Linz
Franz ua (2004): Elektrotechnik, Verlag Handwerk und Technik GmbH, Hamburg
Geroldinger ua (2018): Naturwissenschaften I HLT, Trauner Verlag, Linz
Geroldinger ua (2018): Naturwissenschaften II HLT, Trauner Verlag, Linz
Geroldinger ua (2018): Technologie, Ökologie und Warenlehre V HAK, Trauner Verlag, Linz
Gieck ua (1995): Technische Formelsammlung, Gieck, Germering.
Hödl ua (2010): Biologie, Ökologie und Warenlehre III HAK, 3. Auflage, Trauner Verlag, Linz
Hödl ua (2010): Biologie, Ökologie und Warenlehre IV HAK, 3. Auflage, Trauner Verlag, Linz
Hödl ua (2012): Biologie, Ökologie und Warenlehre V HAK, 2. Auflage, Trauner Verlag, Linz
Hödl ua (2018): Naturwissenschaften I HAK, Trauner Verlag, Linz
Hödl ua (2018): Naturwissenschaften II HAK, Trauner Verlag, Linz
Hödl ua (2018): Naturwissenschaften IV HAK, Trauner Verlag, Linz
Hohmann, K. (2014): Technische Wärmelehre, Vieweg, Braunschweig
Knerr, R. (1995): Bertelsmann Lexikon Physik, Bertelsmann Lexikon Verlag GmbH. Gütersloh, Gütersloh
Köthe, R. (2001): Was ist was? – Elektrizität, Verlag Tesloff.
Kuchling, H. (2010): Taschenbuch der Physik, Fachbuchverlag Leipzig, Leipzig
Lewisch ua (1996): Physik in Alltag und Technik III, Westermann, Wien.
Lindner ua (1986): Physikalische Aufgaben, VEB Fachverlag Leipzig, Leipzig.
Millar ua (1990): Chambers Concise Dictionary of Scientists, W & R Chambers Ltd and the Press Syndicate of the University of Cambridge, Edinburgh, Great Britain
Molzer ua (1996): Chemie in Alltag und Technik, Westermann, Wien
Mortimer, C. (2012): Chemie, Thieme, Stuttgart-New York
Näser ua (1990): Physikalische Chemie für Techniker und Ingenieure, Deutscher Verlag für Grundstoffindustrie, Leipzig
Neumüller, O. (2018): Römpp Chemie-Lexikon Online, Georg Thieme Verlag KG, Stuttgart
Pohl ua (2010): Chemie HAK/HLW/HLM/HLK, 6. Auflage, Trauner Verlag, Linz
Schneider ua (2006): Physik HAK/HLW/HLM/HLK/ALM/BAKIP/LW, 4. Auflage, Trauner Verlag Linz
Schröter ua (1986): Chemie – Nachschlagebücher für die Grundlagenfächer, VEB Fachbuchverlag, Leipzig
Schröter, Lautenschläger ua (2013): Taschenbuch der Chemie, Verlag Harri Deutsch GmbH. Frankfurt/Main
Sykes, P. (2001): Wie funktionieren organische Reaktionen?, VCH, Weinheim
Ullmann ua (2015): Enzyklopädie der technischen Chemie, Verlag Chemie, Weinheim
Voet ua (1994): Biochemie, Wiley-VCH, Weinheim
Voet ua (2010): Lehrbuch der Biochemie, Wiley-VCH, Weinheim
Vollhardt ua (2010): Organic Chemistry, Freeman, New York.
Weast ua (2016): Handbook of Chemistry and Physics, CRC Press, Florida
Willmes (2007): Taschenbuch chemische Substanzen, Harri Deutsch, Frankfurt
Young ua (2015): University Physics, Addison Wesley, Berkeley/Reading/New York/Massachusetts/Tokyo/Sidney/Bonn/Paris
Zechmann ua (2018): Naturwissenschaften I/II HLT, 6. Auflage, Linz
Zechmann ua (2018): Naturwissenschaften III/IV HLT, 4. Auflage, Linz